W9-AZY-696

$\mathcal{MY}$ 23.8.80

J.E.S.Thompson

DIE MAYA

Die Griechen Amerikas

WILHELM HEYNE VERLAG
MÜNCHEN

HEYNE-BUCH Nr. 7018
im Wilhelm Heyne Verlag, München

Titel der amerikanischen Originalausgabe:
THE RISE AND FALL OF MAYA CIVILIZATION
Aus dem Englischen übersetzt von: Leopold Voelker
unter Mitarbeit von Prof. Dr. Gerdt Kutscher

2. Auflage

Genehmigte, ungekürzte Taschenbuchausgabe
Copyright © 1954, 1966 by the University of Oklahoma Press
Publishing Division of the University
Copyright © der deutschsprachigen Übersetzung 1968 by
Kindler Verlag, Münrchen
Printed in Germany 1977
Umschlagfoto: Bavaria Verlag
Umschlaggestaltung: Atelier Heinrichs, München
Gesamtherstellung: Presse-Druck, Augsburg

ISBN 3-453-00637-2

*Für Florence
nahezu siebenunddreißig Jahre nach unseren
Flitterwochen in Cobá*

*Dem Andenken an Franz Termer (1894—1968),
der gleichfalls die alten und die heutigen
Maya liebte*

ZUM GELEIT

Die Maya-Kultur, deren Blütezeit rund anderthalb Jahrtausende zurückliegt, erweist sich als Gegenpol zu den Kulturen des modernen Europa. Ist unser Jahrhundert durch einen ungeahnten Fortschritt der Technik und Naturwissenschaften gekennzeichnet, dessen Tempo sich in geradezu beängstigender Weise steigert, so sind die Maya dem technischen Fortschritt gegenüber ›blind‹ gewesen. Erfindungen, zu denen die Alte Welt bereits vor Tausenden von Jahren gelangte, sind von den Bewohnern der Neuen Welt niemals angestrebt, geschweige denn erreicht worden. Die sich ständig steigernde Beherrschung der Umwelt wird in der modernen Kultur freilich mit einer immer größeren Verarmung des künstlerischen, geistigen und seelischen Lebens erkauft. Bei den Maya dagegen findet der Reichtum religiöser Symbolformen in einem festgelegten Stil seinen überzeugenden Ausdruck, mag diese Formensprache in ihrer ganzen geheimnisvollen Tiefe auch nur von den Eingeweihten vollauf verstanden worden sein. Entscheidend war, daß es sich hier um einen lebendigen, für die ganze Gruppe verbindlichen Stil handelte. So steht letztlich der nur schwer erträglichen Vereinsamung des modernen Menschen, seinem Materialismus und seiner weitgehenden künstlerischen Unproduktivität die feste Verankerung in der schöpferischen Gemeinschaft gegenüber, die sich im Dienste, ja im direkten Auftrage übermenschlicher Wesenheiten, jener die ›Last der Zeit‹ tragenden Götter, tätig weiß. Aus der lebendigen Überzeugung der Gruppe, zu eben diesem Tun von den Göttern erschaffen worden zu sein, erwachsen jene starken Kräfte, die in den Kunstwerken und in der Zeitphilosophie der Maya Gestalt gewannen.

Der Zugang zu dieser fernen Welt ist gewiß nicht leicht. Nur wenige Dokumente aus kolonialspanischer Zeit gewähren gewisse Einblicke in die Vorstellungen der späten Maya. Zu der Chronik Diego de Landas, mit deren Wiederentdeckung die moderne Maya-Forschung ihren Anfang nahm, treten die in Maya-Sprache aufgezeichneten Handschriften, in denen sich Proben der einst reichen Traditionen — Mischung von Mythos und Geschichte — erhalten haben, und die drei heute in Dresden, Paris und Madrid befindlichen Bilderhandschriften. Neben den archäologischen Funden, deren Zahl und Bedeutung von einem Jahr zum anderen wächst, dürfen schließlich auch die heutigen Maya nicht vergessen werden, deren Lebensweise und Sitten, Vorstellungen und Erzählungen noch manches zum Verständnis der vorkolumbischen Verhältnisse beizutragen vermögen. Aus all diesen so verschiedenartigen Quellen stammt das Material, das John Eric Sidney Thompson verwendet hat, um Wesen und Entwicklung dieser altindianischen Hochkultur klarer zu umreißen, als es bislang geschehen ist. ›Die Maya — Aufstieg und Niedergang einer Indianer-Kultur‹ stellt die Quintessenz eines Lebenswerks dar, das der Verfasser — von tiefer Sympathie und Freundschaft zum indianischen Menschen getragen — so erfolgreich der Erforschung der Maya gewidmet hat.

Wie John Eric Sidney Thompson selbst die Stellung des Maya-Forschers und die ihm gesetzten Grenzen beurteilt, mögen seine eigenen Worte zeigen:

»Vielleicht ist es ebenso unvernünftig, von einem Abendländer des 20. Jahrhunderts ein befriedigendes Verständnis der mystischen und emotionalen Aura zu erwarten, welche die Zeitphilosophie der Maya umgibt, als von einem streitsamen Atheisten unserer materialistischen Zeit eine verständnisvolle Studie über die Ekstase des heiligen Franziskus zu verlangen. Unsere Perspektiven unterscheiden sich nur allzu sehr von denen der Maya. Dabei stehen uns für das Leben des heiligen Franz unvergleichlich viel bessere Quellen als für unser Thema zur Verfügung.

Bereits vor vielen Jahren habe ich meine ambivalente Stellung als Maya-Forscher mit der jenes bescheidenen Stifters verglichen, dessen Porträt das Vorrecht zuteil wurde, in der Ecke eines jener großen religiösen Gemälde der Frührenaissance zu erscheinen, das auf seine Kosten angefertigt worden war. Damit wollte ich sagen, daß Forscher wie Stifter im Grunde nicht einen Teil des Hauptthemas des Gemäldes bilden, obwohl ihnen die Ehre einer symbolischen Teilnahme zuteil wird.

In Wahrheit habe ich mir freilich bei diesem Vergleich einen viel zu hohen Rang zugewiesen. Denn ich werde, was die Geheimnisse der Maya betrifft, niemals jenen Grad des Verstehens erreichen, den der kniende Stifter in jenem Zeitalter des Glaubens besessen hat. Ich fürchte vielmehr, daß wir niemals mehr als einen kleinen Teil des Ganzen in Händen haben werden. Mein Blick in die Geheimnisse der Maya wird stets von der anderen Seite jenes tiefen Abgrundes erfolgen, der die Kultur der Maya von der unseren trennt.«

Gerdt Kutscher

VORWORT ZUR ERSTEN AUFLAGE

Aus Gründen, die im Text erläutert werden, habe ich davon abgesehen, die einzelnen Forscher zu nennen, denen die vielen Entdeckungen im Feld und am Schreibtisch zu verdanken sind, welche die Abfassung dieses Buches ermöglicht haben. Dennoch möchte ich meine Dankbarkeit meinen Kollegen gegenüber zum Ausdruck bringen, vor allem meinen früheren und heutigen Mitarbeitern im Department of Archaeology — früher Division of Historical Research — des Carnegie-Instituts in Washington. Ich habe viele ihrer Gedanken übernommen und schulde ihnen viel für ihre konstruktive Kritik an dem Manuskript dieses Buches. Die Zeichnungen sind das Werk von Miss Avis Tulloch, der künstlerischen Mitarbeiterin des Department.

Es ist mir ein Vergnügen anzuerkennen, wieviel ich meinen Maya-Freunden und Maya-Arbeitern verdanke. In ihren Häusern und an ihren Lagerfeuern haben sie mich vieles gelehrt.

Zu besonderem Dank bin ich William Wykeham verpflichtet, aus dessen reichem Wissensschatz ich schöpfen durfte.

Es ist mir schließlich eine ganz besondere Freude, daß Gerdt Kutscher, hervorragender Kenner der altamerikanischen Kulturen von Mexiko bis Peru, in freundschaftlicher Verbundenheit die deutsche Ausgabe betreut hat.

Harvard, Massachusetts, 21. Juni 1954

J. Eric S. Thompson

VORWORT ZUR ZWEITEN AUFLAGE

In dem Jahrzehnt, das seit der Niederschrift des Vorworts zur ersten Auflage dieses Buches verflossen ist, hat sich das Material über die Maya erheblich vermehrt. Die fünf Jahre lang währenden Arbeiten in Mayapán, die den Schwanengesang des 1958 aufgelösten Department of Archaeology des Carnegie-Instituts in Washington darstellen, haben erwiesen, wie tief die Maya-Kultur in den letzten drei Jahrhunderten gesunken war. Andererseits haben die Arbeiten des Mexikanischen Nationalinstituts für Anthropologie und Geschichte in Palenque uns die Maya-Kultur — und besonders ihre Kunst — in ihrer höchsten Blüte gezeigt. Keine bisher durchgeführte Forschungsarbeit im Maya-Gebiet aber kommt an Umfang, Gründlichkeit und sorgfältiger Nutzung aller modernen Techniken und Ausgrabungen des Museums der Universität von Pennsylvania in Tikal gleich. Die jetzt im Druck erscheinenden Resultate vermitteln ein weitaus klareres Bild über die Funktionen eines großen Kultzentrums während der klassischen Periode. Grabungen des Peabody-Museums der Harvard-Universität im Belize-Tal und zur Zeit in dem wichtigen Altar de Sacrificios, die von der Tulane-Universität gemeinsam mit der National Geographic Society durchgeführte Expedition in Dzibilchaltún, im nordwestlichen Yucatán, und Untersuchungen an verschiedenen Stätten im Hochland von Guatemala haben bedeutende Beiträge zu unserem Wissen — besonders über die formative Periode — erbracht. Das Zeitalter der Entdeckungen ist noch nicht zu Ende, denn in den letzten zehn Jahren sind im nordöstlichen Petén, im südlichen Zentral-Petén und im Gebiet unmittelbar südlich des unteren Pasión-Flusses fast ebenso viele bedeutende Kultzentren gefunden worden. Nicht unerwähnt dürfen die Studien von Völkerkundlern aus Chicago, Harvard und Stanford über die heutigen Maya von Chiapas bleiben, die eine wertvolle Ergänzung der Arbeiten von Forschern wie La Farge, Goubaud, Rosales und Tax über die heutigen Maya des Hochlands von Guatemala bilden.

Im großen und ganzen hat die Forschung des letzten Jahrzehnts das bisherige Bild vervollständigt, jedoch nicht erforderlich gemacht, es zu übermalen oder ein ganz neues zu entwickeln. Die einzige wichtige Ausnahme bildet meiner Ansicht nach die Entdeckung, daß die Geschichte der Maya auf den Stelen der klassischen Periode aufgezeichnet ist.

Es ist schön, daß der Rahmen ausgefüllt ist, doch als eine Art Doyen der Maya-Forschung bin ich glücklich, bei der Entstehung des heutigen Bildes meinen bescheidenen Teil beigetragen zu haben, als ich vor vierzig Jahren zum erstenmal unter dem großen Gelehrten Sylvanus G. Morley arbeiten durfte. Hätten wir damals über die Techniken von heute verfügen können!

Harvard, Ashdon, Saffron Walden, England,
im Januar 1966

J. Eric S. Thompson

I. Einführung

Einige ungelöste Probleme

Die sechs Jahrhunderte zwischen der Bekehrung Kaiser Konstantins und dem Tod Alfreds des Großen, etwa zwischen 300 und 900, waren finster und blutig für Europa. In der Neuen Welt waren sie erleuchtet durch den Aufstieg der Maya-Kultur. Während dieser Jahrhunderte erglänzten in Tikal, der größten der Maya-Städte, und in Dutzenden anderer religiöser Zentren Pyramiden, Höfe und Tempel im grellen Licht der zentralamerikanischen Sonne. Dann neigte sich die Waage wieder, und Westeuropa trat ein in das Zeitalter des Glaubens und der Schönheit, von dem die großen normannischen und gotischen Bauwerke der Christenheit unsterbliches Zeugnis ablegen; die Maya-Städte dagegen wurden aufgegeben. Der Wald verschlang sie und sprengte mit den Wurzeln seiner Riesenbäume die Steine auseinander. Tikal, tief im bewaldeten Petén-Gebiet des nördlichen Guatemala gelegen, erduldete sein Schicksal jahrhundertelang unbewegt, erst in den letzten Jahren wiederbetreten von einem gelegentlichen Kaugummisammler, noch selteneren Archäologen oder neugierigen Reisenden.

Gegenwärtig führt das Museum der Universität von Pennsylvania dort großzügige und aufsehenerregende Ausgrabungen durch, verwandelt die Ruinenstätten in ein herrliches Schaustück und vermehrt mit jedem Jahr unser Wissen über die Maya. In der Nähe ist ein Hotel eröffnet worden, und Touristen fallen in großen Schwärmen

13

ein. Führer geleiten sie durch die Ruinen, sparen nicht mit Informationen, die jeder Grundlage entbehren. Dieses berauschende Wissen kann getrost von dem Pilger aufgenommen werden, der weiß, daß er zwei Stunden später in den modernen Bars von Guatemala City zur Zivilisation zurückkehren kann.

Ich habe aber dennoch den Eindruck, daß fast alle Reisenden wie auch die meisten Leser von Büchern über die Maya-Kultur von ihren physischen oder geistigen Ausflügen seltsam unbefriedigt zurückkehren. Sie sind tief beeindruckt von den großen architektonischen Wundern und den herrlichen Skulpturen, die in dieser entlegenen Gegend vor über tausend Jahren von einem auf unerklärliche Weise von der Bühne der Geschichte verschwundenen fremden Volk geschaffen wurden. Doch die Geschichte stellt sich dar als eine Reihe von zusammenhanglosen Fakten, deren Bedeutung ihnen verschlossen bleibt.

Es ist teilweise die Schuld des Archäologen, wenn es dem Nichtfachmann häufig nicht gelingt, einen zusammenhängenden Eindruck von einer vergangenen Kultur zu gewinnen. Aufgrund der besonderen Beschaffenheit eines großen Teils des Materials, mit dem er umgeht, ist der Ausgräber stark an Einzelheiten interessiert. Kaum wahrnehmbare Veränderungen in der Form von Kochtöpfen sind oft von beträchtlichem Wert bei der Ermittlung von Beziehungen in Zeit und Raum; die Bestandteile einer Keramikmischung oder die Technik des Bohrens von Löchern in Steine oder Muscheln kann von höchster Bedeutung sein. Infolgedessen schließen Archäologen oft vom Besonderen auf das Allgemeine, und wir sind in der Lage, unsere Berichte mit Einzelheiten zu ergänzen, um unsere Verallgemeinerungen zu stützen. Wir folgen dem Beispiel Crivellis in einem anderen Medium.

Ich habe versucht, diese Methode zu vermeiden. Viele Gegenstände, die ein Buch dieser Art gewöhnlich behandelt, sind kaum erwähnt; der Leser wird sich an andere Quellen wenden müssen, wenn er sich im Detail über Themen wie Kleidung, Waffen, Sklaverei, Handel und Ackerbaumethoden der Maya informieren will. Statt dessen habe ich versucht, mich auf Material zu konzentrieren, das unmittelbar in Bezug steht zum Thema des Buches, zum Aufstieg und Niedergang der Maya-Kultur und dem, was deren Ursachen gewesen sein mögen.

Als Prolog werde ich einige Eindrücke meiner eigenen Reise nach Tikal wiedergeben, die ich unternahm, lange bevor dort eine Flugzeuglandebahn angelegt wurde, um den Abtransport von Kaugummi aus den Wäldern des Petén zu erleichtern.

Bei dieser Reise nach Tikal vor über dreißig Jahren erreichten wir unser Ziel auf Maultierrücken, nachdem wir den Weg verloren und eine unbequeme Nacht in einem verlassenen, von Fliegen heimgesuchten Kaugummisammlerlager verbracht hatten. Sie hatte etwas vom Geiste Chaucers, diese siebentägige Reise von jener modernen Tabard-Inn, dem baufälligen internationalen Hotel in Belize, zwei Tage in einer Barkasse den Belize-Fluß hinauf und dann ab El Cayo fünf weitere Tage per Maultier über eine andere Maya-Stadt, Uaxactún. Wir waren gewissermaßen Pilger, die gemächlich zu einem großen Heiligtum wallfahrteten, und während die Maultiere mit vier Stundenkilometern stumpf durch den Wald trótteten, hatten wir die dem Luftreisenden versagte Zeit, Spekulationen über das anzustellen, was uns erwartete.

Auf früheren Reisen in den Regenwäldern Zentralamerikas hatte die exotische Umgebung mein Interesse erregt, doch mit der Wiederholung war das Ungewohnte verblaßt und die Wirkung des Waldes auf meinen Geist die einer überwältigenden Monotonie geworden. Auf dieser Reise, wie auf einem Dutzend anderer, folgten wir endlosen, schmalen, von Kaugummisammlern in den Wald gehauenen Tunnels. Die Bäume schlossen sich hoch über unseren Köpfen zusammen, ließen nur gelegentlich Sonnenschein durchsickern oder erlaubten einen flüchtigen Blick auf einen blauen Himmel oder Wolken. Darunter verschwammen die dichtgedrängten Stämme zu einer dunklen grauen Masse, und umgestürzte Bäume zeigten das Braun der Fäulnis. Das dichte Laubwerk schloß die leuchtenden Farben aus, die man in der Vorstellung mit den Tropen verbindet. Nur wenn man mit wachsamem Auge nach herabhängenden Zweigen Ausschau hielt, die einem das Schicksal Absaloms beschert hätten, und den ewigen und weitgehend unbewußten Kampf zwischen Maultier und Reiter vergaß, konnte man über die Vergangenheit nachdenken, da die Maya-Kultur ihre erste Blüte in demselben Dschungel erlebte und ihn später in ihrer Reife teilweise zähmte.

Der Abfall des Pfades in die große Senke von Tikal holte mich zurück in die Gegenwart. Dieses niedere Sumpfland — ein See lange vor der Blüte Tikals — ist ein Morast in der Regenzeit, doch es war trocken, als wir es überquerten. Die wenigen Schritte des Abstiegs brachten eine vollkommene Veränderung zum Schlechteren in der Vegetation. Spanische Zedern, Mahagonibäume, der allgegenwärtige Sapodilla, aus dessen runzligem Stamm roher Kaugummi tropft, wenn man ihn mit einer Machete (Buschmesser) aufschlitzt, und liebliche Kohlpalmen machten einem niedrigen Dornbuschwerk Platz, von dessen Zweigen zahllose stechende Ameisen wie Fallschirmjäger auf den Reiter herabfielen, der unbedacht gegen einen Stamm oder Ast stieß. Die Sonne brannte auf Maultiere und Reiter hernieder wie zur Strafe für unsere Stunden des Versteckspiels mit ihr in dem hohen Wald; die seltsam verrenkten Zweige der Dornbäume wanden sich wie die Seelen in Dantes Hölle.

Der Pfad, der sich nach Süden geschlängelt hatte, bog nach Westen ab, bevor er von neuem steil in den Regenwald anstieg. Plötzlich bot sich uns ein Ehrfurcht einflößender Anblick. Vier der großen Pyramiden von Tikal, gekleidet in Laubwerk und gekrönt von grauweiß vom Himmel sich abhebenden alten Kalksteintempeln, ragten hoch über die sie umgebenden Baumspitzen wie grüne Vulkane mit von weißen Wolken umhüllten Gipfeln. Die Pilger standen vor den Toren ihres Canterbury der Neuen Welt. So wie Chaucers Reiter die Kathedrale aus den Augen verloren haben müssen, als sie durch die engen Straßen der Stadt eilten, entzogen sich die Maya-Tempel unserer Sicht, als wir beim steilen Aufstieg vom Rande des Sumpfes zum Herzen der Stadt in den Wald eintauchten.

Der Pfad stieg etwa 135 Meter an bis zu der Stelle, an der er einen alten, südostwärts zu einer Außengruppe führenden Maya-Dammweg kreuzte (Abb. 1). Wir befanden uns sozusagen in dem äußeren Stadtbezirk. 180 Meter weiter westlich fesselte unsern Blick rechts die große Masse einer der Riesenpyramiden Tikals, die mit ihren verschwommenen Konturen aus dem meergrünen Laubwerk herausragte wie der Sockel eines unterseeischen Berges. Links sahen wir die trostlosen Überreste zweier parallel verlaufender Mounds, die in besseren Tagen wahrscheinlich die Seitenmauern eines jener Höfe gebildet hatten, in denen die Maya ein Jahrtausend, bevor unsere westliche Zivilisation etwas von Gummi oder Gummibällen wußte, mit einem massiven Gummiball spielten. Flüche des Treibers, dessen Maultiere vollkommen von ihrer Aufgabe absorbiert waren, sich geschickt einen Weg in dem von Wurzeln durchsetzten Geröll zu suchen, klangen in unseren Ohren wie das Echo der Rufe von Spielern und Zuschauern und des Aufpralls des Balles gegen das Schutzpolster oder die Mauer.

Hinter diesem schmalen Durchgang zwischen der Pyramide und dem mutmaßlichen Ballspielplatz mündet der Pfad auf den großen

Hof oder Platz von Tikal, groß nicht wegen seiner Ausmaße, sondern weil er, wie das Forum von Rom, eingeschlossen ist von großen Bauwerken, errichtet mit dem Schweiß Tausender zu einem Ruhm, der jetzt vergangen ist, und verknüpft mit einem Glauben, der vergeblich war. Wir sattelten ab und banden unsere Maultiere an Bäume, die ich als zum Bestand des uns umgebenden jungfräulichen Waldes gehörig angesehen haben würde, hätte ich nicht gewußt, daß der Wald an dieser Stelle im Jahr 1881 von dem britischen Archäologen Alfred Maudslay und wiederum in den Jahren 1904 und 1910 von Expeditionen des Peabody-Museums der Harvard-Universität kahlgeschlagen worden war. Jedesmal hatte die Flut der Vegetation die Ruinen von neuem verschlungen; mit den Jahren waren Schößlinge zu Riesen herangewachsen, mit zähen Wurzeln verankert in der dünnen Erdschicht und den von ihr bedeckten, von den Maya gelegten Fußböden. Lianen — einige fast so dick wie Feuerwehrschläuche — hingen von Ästen herab oder schlangen sich von Baum zu Baum. Ein Trupp Spinnenaffen schnatterte hoch in den Bäumen, die sich zu der Pyramide hinaufschwangen, und schien das Westende des großen Hofes zu bewachen, eine Neuwelt-Version der Worte Omars, des Zeltmachers: »Man sagt, der Löwe und die Eidechse bewachen die Höfe, in denen Jamshyd sich vergnügte und reichlich trank.«

Wir erkletterten die östliche Pyramide, bewältigten die rutschigen Schrägen der großen Treppe unter Ausnutzung von Wurzeln, die im Begriff waren, einen weiteren Stein aus der Treppe zu sprengen, oder von Schößlingen, die in den kommenden Jahren Riesen sein würden (Taf. 2; Abb. 1). Die stufenförmigen, durch Wurzeln und Regen aus den Fugen gebrachten Flanken der Pyramide waren bedeckt von Farnkräutern und Rebgewächsen. Während wir höher stiegen, ermahnte uns die kaktusartige Pitahaya-Rebe mit ihren dornigen, dreikantigen Stämmen, vorsichtig zu klettern. Die Bäume wurden spärlicher, und wir gelangten auf die flache Kuppe der Pyramide, standen vor dem Tempel, der sie krönte. Wir wandten uns um, die zerborstene Treppe, die wir erklettert hatten, hinunterzuschauen. Die Höhe des Dachaufsatzes des Tempels über dem Niveau des Hofes (unter Berücksichtigung etwa eines Meters für den Verfall) beträgt fast 48 Meter, und die Seitenlängen der Pyramidenbasis messen etwas mehr als ein Drittel eines Häuserblocks. Soweit wir wissen, ist keine natürliche Erhebung in dieser Steinmasse eingeschlossen, die in ihrer Gesamtheit ohne jegliche maschinelle Hilfe aufeinandergetürmt wurde.

Die Erbauer waren Männer und wahrscheinlich auch Frauen und Kinder, die vor 1200 Jahren dieses heute bewaldete Gebiet bewohnten; sie errichteten dieses gewaltige Bauwerk etwa um die gleiche Zeit, als Augustin die angelsächsische Vorgängerin der frühen normannischen Kirche erbaute, die ihrerseits durch die Kathedrale von Canterbury ersetzt wurde, zu der Chaucers Pilger wallfahrteten. Arbeitertrupps schafften Felsgestein und Geröll für den Kern der Pyramide herbei; sie verblendeten die Bausteine mit primitiven Werkzeugen, sie schnitten das Holz, um die Kalköfen zu heizen, sie richteten die Sapotilla-Balken für den Tempel zu, und schließlich mögen einige von ihnen ihr Leben für das Gebäude hingegeben haben, indem sie sich bei seiner Einweihung als Opfer zur Verfügung stellten. Ich ahnte damals nicht, daß 34 Jahre später Leute des Universitätsmuseums unter der Pyramide ein Grab aus der Zeit zwischen 695 und 712 finden würden, das ihre letzte Rekonstruktion markiert. Der Tote war mit Jade geschmückt und umgeben von seinen nicht verderblichen Schätzen, einschließlich seltsamer Knochen, in die Muster und Figuren eingeritzt waren.

Vom Eingang des Tempels schauten wir hinunter auf die Baumwipfel, deren Färbung starke Ähnlichkeit hatte mit den kontrastierenden Grüntönen von Seichtwasser. Hier und da erhöhten Myriaden von scharlachroten Blüten den Eindruck einer Seelandschaft, denn sie sahen aus wie riesige auf der Wasseroberfläche schwimmende Quallen. Unmittelbar vor uns, im Westen, ragten die grauweißen Mauern von drei auf Pyramiden stehenden Tempeln wie Koralleninseln aus dem Laubmeer hervor. Einen vierten Tempel konnte man, wenn man sich nach links wandte, genau im Süden sehen. Näher zu uns verriet eine Wölbung im Laubwerk die Existenz eines großen Gebäudes, nicht hoch genug, die Oberfläche zu durchstoßen. Bei Sonnenuntergang oder in der Morgendämmerung ließen tiefe Schatten die Konturen deutlicher hervortreten.

In alter Zeit konnte der Blick unbehindert über die Stadt mit ihren Gruppen von Tempeln gekrönter Pyramiden schweifen, mit ihren vielräumigen, aus Bequemlichkeit fälschlicherweise ›Paläste‹ genannten Gebäuden und deren Vorhöfen auf verschiedenen Ebenen und ihren endlosen gelblichweißen, nur vom Schatten und vereinzelten, mit rotem Mörtel verputzten Bauten oder Fußböden unterbrochenen Stuckflächen.

In dem großen Zeremonienhof und in verschiedenen kleineren Höfen standen die Stelen wie Wachtposten vor den Eingängen zu den Plattformen und Pyramiden. Einige dieser Kalksteinpfeiler, besonders in Tikal, sind glatt, andere skulptiert mit Bildnissen von Priesterherrschern, die oft als personifizierte Götter dargestellt sind, und mit Hieroglyphentexten, die uns die besessene Beschäftigung der Maya mit dem Mysterium der Zeit und ihrem Einfluß auf allen Gebieten des Lebens von der Geburt bis zum Tod der Hochgeborenen und der Bauern bezeugen. An einigen Stätten waren dynastische Daten auf Monumenten eingraviert, doch der Beweis, daß dieser Brauch in Tikal geübt wurde, ist weniger sicher. Alle zwanzig — an manchen Stätten auch alle zehn oder fünf — Jahre wurde eine neue Stele aufgestellt, um den Bericht fortzusetzen. Vor jeder Stele stand ein gewöhnlich schmuckloser Steinaltar.

Ähnlich wie wir uns den Weg durch die dichte Vegetation bahnten, die kletternd Höfe, Wälle und Terrassen überwucherte, so muß sich in alter Zeit ein später Ankömmling durch die Versammlung gezwängt haben, die, in dem Hof zusammengedrängt, voller Spannung einer auf der Höhe der Pyramide vor dem Tempeleingang vollzogenen Zeremonie folgte. Ich sah im Geiste den Priesterastronomen, der, darauf bedacht, seine Theorien über die Länge des Sonnenjahres oder des Mondmonats zu überprüfen, von Stele zu Stele schritt, um zu sehen, welche Berechnungen seine Vorgänger in der Vergangenheit aufgezeichnet hatten, und ich glaubte, den beißenden, rußigen Rauch von Kopal zu riechen, der aus Tonpfannen in einen damals noch von dem großen Hof aus voll sichtbaren Himmel stieg.

Wir durchstreiften den Wald, betraten Tempel, erstiegen Pyramiden und scheuchten einmal eine Herde Nabelschweine auf, die sich an den kirschenähnlichen Früchten des Brotnußbaumes gütlich taten. Als nach der in diesen Breitengraden so kurzen Dämmerung die Dunkelheit hereinbrach, aßen wir in dem Zeremonienhof schwarze Maya-Bohnen und Büchsenschweinefleisch aus Chikago. Die Mischung der beiden Nahrungsmittel — das eine ein Produkt einer alten Agrartechnik, das andere verarbeitet in einer modernen Fabrik — schien die Aufgabe der Archäologie, Vergangenheit und Gegenwart zusammenzubringen, zu symbolisieren.

Während die andern Teilnehmer der Expedition Nachtlager in dem großen Hof bezogen, stiegen Agustín Hob, mein Maya-Boy, und ich, eine Sturmlaterne in der Hand, zu einem der Maya-Paläste auf der Südseite des Hofes hinauf. Nachdem wir einen Raum durchquert hatten, dessen Stuckwände noch die vor tausend Jahren in den Bewurf geritzten rohen Skizzen aus dem Alltagsleben zeigten, spannten wir meine Hängematte in einem zweiten Raum zwischen Querbalken aus Sapodilla-Holz aus, die noch vor der Entstehung der Wandzeichnungen in das Gewölbe eingebaut worden waren. Agustín, die Laterne in der Hand, kehrte in den Hof zurück, und ich war allein mit meinen Gedanken.

Ich dachte an die Skizzen in dem angrenzenden Raum. Eine von ihnen zeigte eine Menschenopferszene, bei der das Opfer an ein Gerüst gebunden war, eine andere stellte einen Maya-Gott dar, einige gaben tempelgekrönte Pyramiden wieder, und noch andere waren nicht viel mehr als Kritzeleien. Wer hatte diese Zeichnungen gemacht? Sicherlich nicht die Maya-Priester. Meine Gedanken wanderten zurück in die Schulzeit mit ihren spielerisch und roh gezeichneten Karikaturen von Lehrern, von Dido und Äneas, von einem Fußballhelden, der einen Paß machte, und dann hatte ich die Antwort. Natürlich, dies mußte das Gebäude sein, in dem die Maya-Novizen vor der Initiation bei einer großen Zeremonie untergebracht wurden. So müde ich auch war, ich versuchte, mir jene Jünglinge aus einer tausend Jahre zurückliegenden Zeit vorzustellen. Waren sie erfüllt von Ideen, die Welt in Ordnung zu bringen? Akzeptierten sie die Autorität, oder revoltierten sie gegen die ältere Generation? Glaubten sie blind an die Götter, oder waren sie skeptisch? Sicherlich beklagten sie sich einer beim anderen über die langen Perioden des Fastens und des Wachens. Oder nicht? Welches Recht haben wir, anzunehmen, daß sie genauso reagierten wie junge Menschen von heute?

Warum? Wie? Was? Wann? Wie der einschläfernde Rhythmus eines über Schienenstöße und Weichen ratternden Pullmanwagens wiederholten sich die Fragen, während ich in meiner Hängematte döste. Wie entstand diese Kultur? Warum erwachte sie im Gegensatz zu allen anderen Kulturen in der Welt in tropischen Wäldern zum Leben? Wann gelangte sie zur Blüte? Welche verborgenen Kräfte waren der Grund ihres Aufstiegs? Warum ist sie den frühen Kulturen der alten Welt so ähnlich, aber auch so unähnlich? Die Fragen tanzten durch den gewölbten Raum. Die Sandfliegen begannen zu stechen, als der Vollmond hinter meinem Kopf aufging und den Tempel auf einer anderen riesigen Pyramide im Süden mit seinem Licht überflutete. Unmittelbar im Vordergrund versuchten seine Strahlen das Laubwerk in der tiefen Schlucht unten zu durchdringen, die einst, wahrscheinlich als Wasserreservoir, abgedämmt war.

Der sybaritische Mr. Keith in *Südwind* bemerkt im Verlauf eines seiner erschreckend langen Monologe: »Ich liebe es, Dinge zu verstehen, weil ich sie dann besser genießen kann. Ich glaube, Wissen sollte unsere Vergnügen intensivieren. Dies ist, soweit es mich angeht, sein Zweck und sein Ziel.« Der Mensch ist von Natur neugierig und am neugierigsten, was ihn selbst und seine Umgebung betrifft. Wissen, selbst wenn nicht nützlich angewandt, vermehrt unser Vergnügen. Wenn man auf einem Spaziergang Bäume oder Vögel oder geologische Formationen identifizieren kann, genießt man ihn um so mehr.

Wissen vermittelt also Vergnügen. Jedes Wissen? Wohl kaum. Man denke an die zusammenhanglosen Informationsfetzen, die man bei einem Quizprogramm erhält. Der Durchmesser des Mondes beträgt 5529 Kilometer, die heilige Katharina von Siena wurde im Jahr 1347 geboren, die zweitgrößte Stadt von Arizona ist Tucson, die höchste Maya-Stele ist 10,5 Meter hoch. Dies alles sind Fakten von Bedeutung in ihren Zusammenhängen, doch ohne intellektuellen Anreiz nur isoliert gegebene Daten. Wenn wir die Maya-Kultur als einen Wirrwarr von Kleinigkeiten betrachten, so wie wir etwa in einem Antiquitätenladen herumstöbern, werden wir uns kaum zufriedenstellen; wir müssen die Kultur als ein Ganzes betrachten, um herauszufinden, warum sie das wurde, was sie ist, und wir sollten die Galerie der Kulturen durchschreiten und uns andere Bilder anschauen. Natürlich kann dieses Buch nicht ein Führer für die gesamte Galerie sein. Es liegt genug im Blick der indianischen Mona Lisa, um unsere Gedanken für den Augenblick beschäftigt zu halten.

Nackte Fakten an sich faszinieren uns nicht; sie müssen eingekleidet sein in das Spiel der Kräfte, die sie hervorbrachten. Die Niederlage der spanischen Armada im Jahr 1588 ist ein nüchternes historisches Faktum. Sie nimmt Bedeutung an, wenn sie dargestellt wird als ein Kulminationspunkt eines Kräftespiels und eines Zusammenpralls gegensätzlicher Temperamente und Philosophien zweier Nationen, personifiziert in den Charakteren von Philip II. und Elisabeth. Um diese Antagonismen zu verstehen, muß man die kulturellen Hintergründe, die Denkweisen und die widerstreitenden Traditionen der beiden Völker kennen. Man muß Torquemada und Chaucer studieren, Don Juan d'Austria und Latimer, das Chorgestühl der Kathedrale von Toledo und die Fächergewölbe von St. George in Windsor, ja selbst die Tänze und Sportspiele der Protagonisten. Dies sind die Steinchen im Mosaik der Geschichte.

Es genügt also nicht, die Maya-Kultur zu beschreiben und Fotos ihrer herausragenden Leistungen in Architektur, Skulptur, Astronomie und Arithmetik darzustellen. Man muß, soweit wie möglich, in den Details des Alltagslebens der Maya und in Untersuchungen über ihre religiösen Vorstellungen und ihre Lebensphilosophie den Boden aufzeigen, in dem diese spektakulären Manifestationen ihrer Kultur reiften.

Wir werden leider die Maya nie so gut kennen, wie uns das Spanien des 16. Jahrhunderts oder das elisabethanische England bekannt ist, doch mit der Zeit werden wir durch Integration aller Informationsquellen genügend Material gewinnen, das den an der intellektuellen Höchstleistung im präkolumbischen Amerika Interessierten befriedigen und gleichzeitig von Wert sein wird für die vergleichende Geschichte. Es ist der Zweck der Forschung auf jedem Gebiet, wie Lawrence Housman sagte, die Grenzen der Dunkelheit zurückzusetzen. Wo es so viele Fronten der Dunkelheit, sogar im Studium des Menschen, gibt, warum dann die Maya-Kultur wählen? Die Antwort hierauf, so glaube ich, muß lauten, daß die Maya-Kultur nicht nur Genies hervorgebracht hat, sondern diese in einer Atmosphäre hervorbrachte, die uns unglaublich erscheint. Man darf nie das Nächstliegende annehmen, wenn man es mit den Maya zu tun hat, die sich im Unpraktischen auszeichneten, doch im Praktischen versagten. Welche geistigen Hakenschläge (von unserem Standpunkt aus) veranlaßten die ›Intelligenz‹ der Maya, den Himmel zu kartographieren, es jedoch zu versäumen, das Prinzip des Rades zu erkennen; sich ein Bild von der Ewigkeit zu machen, wie kein anderes halbzivilisiertes Volk es je getan hat, doch den kurzen Schritt vom Kraggewölbe zum echten Bogen zu übersehen; in Millionen zu zählen, doch es nie zu erlernen, einen Sack Getreide zu wiegen?

In ihren allgemeinen Aspekten entspricht die Maya-Philosophie weitgehend der athenischen, denn ›Mäßigung in allen Dingen‹ war für die Maya der Schlüssel zum Leben, wie er es für das Leben in Athen war. Doch diese Philosophie ergänzten die Maya durch Vorstellungen, die westlichem Denken äußerst fremd sind. Das große Thema der Maya-Kultur ist der Gang der Zeit: der weite Begriff des Mysteriums der Ewigkeit und der engere Begriff der Zeiteinteilung in die Äquivalente der Jahrhunderte, der Jahre, der Monate und der Tage. Der Rhythmus der Zeit verzauberte die Maya; der nicht enden wollende Strom der Tage aus der Ewigkeit der Zukunft in die Ewigkeit der Vergangenheit erfüllte sie mit Staunen. Berechnungen tief in die Vergangenheit zurück oder weniger weiten Vorstößen in die Zukunft begegnen wir in vielen Hieroglyphentexten der Maya. Auf der Stele in Quiriguá ist ein vermutlich über neunzig Millionen Jahre zurückliegendes Datum errechnet, auf einer andern eines, das über dreihundert Millionen Jahre vor dem angegebenen liegt. An diesen Berechnungen ist nicht zu zweifeln; sie sind richtige Ermittlungen von Tagen und Monaten und entsprechen Berechnungen in unserem Kalender, die Tag und Monat angeben, auf den Ostern in entsprechend weit zurückliegender Vergangenheit gefallen wäre. Es sind schwindelerregende astronomische Zahlen; doch diese Berechnungen wurden so häufig angestellt und so wichtig genommen, daß sie spezielle Hieroglyphen für ihre Transkription erforderten, und sie wurden fast eintausend Jahre vor der Zeit gemacht, da Erzbischof Ussher die Schöpfung der Welt in das Jahr 4004 v. Chr. datierte. Es war dies eine Bewertung der Zeit, die uns selbst heute unbegreiflich wäre, wenn unser Geist nicht durch die Schriften der Astronomen und Geologen des 19. Jahrhunderts entsprechend vorbereitet worden wäre.

Das Interesse der Maya war nicht auf diesen grandiosen Aspekt der Zeit beschränkt. Nicht nur die großen Zeitperioden, sondern auch die einzelnen Tage waren göttlich, denn die Maya glaubten, und glauben es teilweise noch immer, daß die Tage lebendige Gottheiten sind. Sie unterwarfen sich ihnen und verehrten sie; sie ordneten ihr Leben nach ihrer Folge. In seiner ganzen Geschichte hat der Mensch bestimmten Tagen günstige oder ungünstige Kräfte zugeschrieben, doch nirgends erlangten diese Einflüsse die Bedeutung, die ihnen die Völker Mesoamerikas beimaßen. Das Leben der Maya-Gemeinde und die Handlungen des Individuums wurden streng geregelt nach der Abfolge der vergöttlichten Tage mit ihren verschiedenen Aspekten, denn jeder Tag war ein Gott, der ein lebhaftes Interesse an seinen Pflichten nahm; glückliche und traurige Tage folgten einander. Das in diesem Wechsel von Sonnenschein und Schatten verbrachte Leben war nicht monoton. Es ist nicht unwahrscheinlich, daß diese seltsame Form der Prädestination den Charakter der Maya formte oder vielleicht selbst eine Manifestation dieses Charakters war, der sich der winzigen Rolle des Menschen in einer sich weit über vierhundert Millionen Jahre erstreckenden Ewigkeit bewußt war.

Es gibt noch andere Aspekte in der Zeitphilosophie der Maya, so das seltsame Unvermögen, in den prophetischen Gesängen zwischen Vergangenheit und Zukunft zu unterscheiden. Was vorausgegangen war und was in der Zukunft lag, wurde auf eine Weise vermischt, die unserem westlichen Geist verblüffend fremd erscheint. Mystizismus ist heute nicht modern, und so neigen Autoren dazu, die materielle Seite der Maya-Kultur zu betonen, doch es sind zweifellos diese — für uns rätselhaften — Abweichungen der Maya-Mentalität, aus denen sich die interessantesten Fragen ergeben.

Warum ist diese Mentalität der Maya so verschieden von der unsrigen? Ist sie die Wurzel der Maya-Kultur oder deren Produkt? Welche Auswirkungen hatte sie auf die religiösen Vorstellungen? Kann eine unpraktische Kultur erfolgreich sein nach Maßstäben, die anders sind als die unsrigen? Trug die Maya-Kultur in sich den Samen ihrer eigenen Zerstörung? Dies sind, wie ich es sehe, die Geheimnisse, welche die Maya zu einem faszinierenden Studienobjekt machen.

Das kulturelle Verhalten — die mögliche Reaktion von Kulturen auf Gesetze, die ihr Wachstum und ihren Verfall beherrschen — ist in den letzten Jahren von Autoren wie Arnold Toynbee und A. L. Kroeber untersucht worden. Zur Lösung dieses Problems kann eine bessere Kenntnis der Maya-Kultur vielleicht einen bedeutenden Beitrag leisten.

Es ist klar, daß der Prozeß des kulturellen Verhaltens in erster Linie nach der Geschichte von Völkern zu rekonstruieren ist, die dokumentarische Berichte hinterlassen haben, denn die Archäologie ist nur eine Handlangerin der historischen Forschung, und dazu noch eine ziemlich flüchtige. Leider blühten die Kulturen, die über ihre Geschichte schriftliche Zeugnisse hinterlassen haben, fast ohne Ausnahme in der Alten Welt, und mit jedem Jahr wird es klarer, daß es in der östlichen Hemisphäre keine natürlichen Grenzen oder ideologischen ›eisernen‹ Vorhänge gab, um auf die Dauer den Austausch von Kulturelementen zu verhindern. Von den Küsten des Mittelmeeres durch den Nahen Osten und Südzentralasien zum Indus und darüber hinaus bis nach China gab es viele in beiden Richtungen verlaufende Straßen, auf denen Erfindungen, verbesserte Techniken, religiöse Ideen und philosophische Gedanken befördert wurden. Kleinere Einbahnstraßen beförderten viele dieser Elemente in die entlegensten Winkel der Alten Welt. Das Ganze war eine einzige lose kulturelle Föderation, deren Mitglieder früher oder später von den Fortschritten und Entdeckungen jedes einzelnen profitierten. Für die Erhellung von Gesetzen des kulturellen Verhaltens ist dies eine höchst unvorteilhafte Situation, denn wenn parallele Lösungen eines

Problems oder ähnliche geistige Haltungen, wie im alten Ägypten und im alten China, erscheinen, können wir nicht sicher sein, daß diese nicht aus der Verbreitung von Ideen, auf indirektem Weg und vielleicht in großen Zeiträumen, von einem Gebiet in das andere resultieren. Daher kann nur eine Region, die viele Jahrhunderte lang von diesem großen kulturellen Komplex isoliert war, benutzt werden, um die angeblichen, aus dem Studium der Kulturen Europas, Asiens und Afrikas abgeleiteten Gesetze zu testen.

Die Antwort liegt in der Neuen Welt, die viele Jahrhunderte lang von der Alten isoliert war. Unglücklicherweise besaßen die Ureinwohner in den meisten Teilen dieser Hemisphäre keine Schrift. Man kann die von dem Spaten des Archäologen zutage geförderten Tonscherben und Feuersteinspitzen nicht gegen den vielfältigen Reichtum der athenischen oder der hinduistischen Kultur abwägen. Selbst die in materieller Hinsicht so fortgeschrittenen Kulturen des alten Peru — die wunderbaren Textilien von Paracas im Süden, die Goldarbeiten des Chavin-Stils oder die herrlichen Porträtgefäße der Nordküste berichten uns relativ wenig über die Mentalität und die allgemeinen philosophischen Anschauungen ihrer Hersteller. Der Schrift am nächsten kamen im alten Peru die *quipu*, ein ausgeklügeltes System von farbigen Knotenschnüren, ein mnemotechnisches Mittel zur Festhaltung von Fakten wie Bevölkerungszahlen, Ernteerträge, Arbeitskräfte und Tribute. Auf diese Weise wurden Einzelheiten der Geschichte der Inka überliefert, Legenden und ziemlich umfassende Berichte über den archaisch-kommunistischen Staat der Inka, doch dieses Material ist verwandelt durch die spanische Kultur der Schreiber; es ist nicht mehr in der ursprünglichen Form erhalten, selbst wenn der Schreiber, wie in einem Fall, zum Teil Inka war.

Die Kultur der Neuen Welt, die man mit den Kulturen der Alten vergleichen kann, ist zweifellos die der Maya, denn sie allein hatte eine Hieroglyphenschrift entwickelt. Außerdem hielten eingeborene Schreiber vom 16. bis zum 18. Jahrhundert unter Verwendung der europäischen Schrift, aber in ihrer eigenen Sprache, umfangreiche Informationen über ihre verschwundene Kultur fest. Originale Hieroglyphentexte, weitgehend von Mund zu Mund verbreitet, scheinen die Quelle eines Teils dieser Niederschriften gewesen zu sein; mündliche Überlieferung, hauptsächlich in der Form von historisch-prophetischen Abfolgen innerhalb eines Zeitsystems, lieferten wahrscheinlich die Hauptmasse. Hieroglyphentexte, in Stein gehauen und in Kodizes niedergeschrieben, sowie die kolonialen Transkriptionen in Verbindung mit Angaben über die heutigen Nachkommen der alten Maya liefern uns ein beachtliches Material über das Denken der Maya, das abgewogen werden kann gegen das Denken vergleichbarer Kulturen der Alten Welt.

Das Studium der Maya-Geschichte führt eindeutig zu dem naheliegenden Schluß, daß bestimmte Moralgesetze für die Maya ebenso gültig sind wie für andere Zivilisationen. So bekräftigt zum Beispiel die Geschichte der Maya die universale Wahrheit, daß gute Zwecke niemals böse Mittel rechtfertigen können, und zwar aus dem einfachen Grund, weil böse Mittel den Zweck nur entstellen und korrumpieren können. Die Maya-Geschichte liefert auch eine weitere Bestätigung der Worte Jesu, daß diejenigen, die mit dem Schwert kämpfen, durch das Schwert umkommen werden. Es besteht jedoch ein großer Unterschied zwischen dem Aufzeigen neuer Beweise für erkannte Moralgesetze und dem Herausarbeiten von Formen kulturellen Verhaltens. Ob die Form gefunden werden wird, ist, wie ich oben erläutert habe, fraglich, doch dürfen wir die Suche nach der Wahrheit nicht auf die Richtung beschränken, in der wir sie zu finden hoffen, sonst würde der Erfolg in der Entdeckung des Unbekannten nur gering sein; nur denen ist Erfolg beschieden, die Neugierde von den eingefahrenen Gleisen hinweglockt. Das Gras ist jenseits des Zaunes nicht grüner, doch oft ist es frischer. Das intensive Studium der kulturellen Verhaltensformen muß vielleicht warten, bis mehr Wissen angesammelt worden ist; es wird in diesem Buch wenig Beachtung finden. Für mich besteht das Hauptproblem darin, warum die Maya-Kultur sich in Bahnen entwickelte, die nicht die unsrigen sind, und wie durch ihr Studium die von unserer Kultur nur zögernd akzeptierte Wahrheit untermauert werden kann, daß für Nationen und Individuen geistige Werte weitaus wichtiger sind als materielle Prosperität.

Für diejenigen schließlich, die sich von diesen Problemen nicht angezogen fühlen, gibt es immer noch die Erregung der Entdeckung. Archäologen sind stets darauf aus, Entdeckungen zu machen, Beweise aufzudecken und Fingerzeigen zu folgen. In dieser Beziehung besitzen wir Ähnlichkeit mit Sherlock Holmes — oder vielleicht richtiger mit Watson; also vorwärts denn mit den unsterblichen, von dem Weisen der Bakerstreet zitierten Worten: »Das Spiel ist im Gange.«

Zur Zeit der spanischen Eroberung umfaßte das von den Maya bewohnte Gebiet ganz Guatemala mit Ausnahme von Teilen des niederen Küstenstreifens am Pazifik, Teile des westlichen El Salvador und den westlichen Rand von Honduras, das gesamte Britisch-Honduras und, in Mexiko, die gesamten Staaten Yucatán und Campeche, das Territorium von Quintana Roo, den Staat Tabasco mit Ausnahme eines kleinen Gebietes im Westen und die östliche Hälfte des Staates Chiapas. Das Gebiet bildet ein annäherndes Viereck mit einer Nord-Süd-Achse von etwas mehr als 880 Kilometer, was ungefähr der Entfernung von New York bis zur Mitte von Nordkarolina entspricht. Die Ost-West-Ausdehnung beträgt etwas weniger als 560 Kilometer im unteren Teil des Gebietes, etwa 160 Kilometer weniger an der Spitze der Halbinsel Yucatán. Die gesamte Region liegt innerhalb der Tropen, ihre südliche Grenze verläuft etwa bei 14°, 20' nördlicher Breite.

Westlich der Maya gab es zur Zeit der Ankunft der Spanier Gruppen, die Zoque, Chiapanekisch und Dialekte des Nahuatl, einer von den Azteken und anderen Völkern Zentralmexikos benützten mexikanische Sprache, sprachen. Südlich und südöstlich der Maya wohnten die ebenfalls mexikanisch sprechenden Pipil, deren Territorium Teile des pazifischen Hanges umfaßte. Die östlichen Nachbarn der Maya sprachen verschiedene Sprachen. Ihre Kulturen waren in verschiedenem Maße Einflüssen aus Südamerika ausgesetzt.

Während der klassischen Periode — etwa 250 bis 900—, als die Maya-Kultur auf ihrem Höhepunkt war, stand sie in kulturellem, doch nicht in physischem Kontakt mit drei anderen Kulturen: der des berühmten Teotihuacán, etwa 45 Kilometer nordöstlich der Hauptstadt Mexiko City, der Kultur der Zapoteken in Oaxaca mit Monte Albán als ihrer größten Stadt und der des nördlichen Zentral-Veracruz, die jedoch viel später, gegen Ende der klassischen Periode, in dem glänzenden Zentrum El Tajín ihren Höhepunkt fand. Die alte Theorie, daß die Maya-Kultur ein einsamer kultureller Gipfel war, ist heute widerlegt; wir wissen jetzt z. B., daß Teotihuacán in der Zeit vom 3. bis zum 6. Jahrhundert unserer Zeitrechnung fast ganz Mittelamerika einschließlich des Maya-Gebiets stark beeinflußte, daß der Stil von El Tajín zu einer späteren Zeit in Yucatán seinen Niederschlag fand und daß Tula in Hidalgo, etwa 50 Kilometer nördlich von Mexiko City, um 1000 dem großen Maya-Zentrum

Chichén Itzá seinen kulturellen Stempel aufdrückte. Hinwiederum strahlte die sogenannte La-Venta- oder Olmeken-Kultur, die im südlichen Mexiko westlich der Westgrenze der Maya blühte, vor dem Beginn der klassischen Periode Einflüsse über fast ganz Mittelamerika aus. In ähnlicher Weise gelangten Maya-Einflüsse während der frühen klassischen Periode in das südliche Veracruz. Solche kulturellen Austauschprozesse waren ständig im Gange.

In diesem Buch dient das Wort *mexikanisch* als Generalbezeichnung für die nichtmayanischen Kulturen (mit Ausnahme der Zapoteken) Mexikos. Raummangel schließt häufige Hinweise auf die mexikanischen Kulturen aus, doch ihr Einfluß auf die Maya-Kultur darf nicht vergessen werden.

Die Grenzen des Maya-Gebiets während der klassischen Periode scheinen fast die gleichen gewesen zu sein wie die oben für das 16. Jahrhundert angegebenen; es ist jedoch möglich, daß diese sich in der Frühzeit etwas weiter westlich nach Tabasco und Chiapas hinein ausdehnten. Im 16. Jahrhundert lebte auch im nördlichen Veracruz und in den angrenzenden Teilen des nordöstlichen Mexiko eine isolierte Maya sprechende Gruppe, die Huaxteken. Auf welche Weise sie von ihren mayanischen Brüdern getrennt wurden, war Gegenstand zahlreicher Spekulationen. Vielleicht bildeten sie einst eine westliche Ausdehnung der Maya in das südliche Veracruz hinein, wo man frühe Maya-Einflüsse findet, und wurden später durch eindringende Nicht-Maya-Elemente von der Hauptgruppe abgeschnitten und nach Norden abgedrängt. Da die Huaxteken, obwohl der Sprache nach Maya, nicht die Merkmale aufwiesen, durch die die Maya sich von den benachbarten Kulturen unterschieden, wird ihr Siedlungsraum nicht als Teil des Maya-Gebiets betrachtet.

Das Maya-Gebiet wird in drei Teile gegliedert: in das Nordgebiet, in das Zentralgebiet und in das Südgebiet. Das Südgebiet, das das Hochland von Guatemala und die angrenzenden Gebiete von El Salvador umfaßt, ist sehr gebirgig. Gipfel, viele vulkanischen Ursprungs, türmen sich zu großen Höhen; Städte schmiegen sich in bergumschlossene Täler oder dehnen sich auf Hochebenen aus. Pflanzen und Tiere gemäßigter Klimazonen gedeihen in dieser Region, die nur geographische Koordinaten den Tropen zuordnen. Der Boden, größtenteils vulkanischen Ursprungs, ist fruchtbar, die Regenfälle sind im allgemeinen ausreichend und die Temperaturen nie übermäßig heiß oder übermäßig kalt. Im Norden und auf den pazifischen Hängen gedeiht Kaffee unter idealen Bedingungen, im

Hochland werden Weizen und Kartoffeln angepflanzt, und an der pazifischen Meeresküste erstrecken sich meilenweit Zuckerrohr- und Bananenplantagen. Doch alle diese Feldfrüchte wurden aus Europa eingeführt und werden zum größten Teil für den Export angepflanzt. In der Maya-Zeit waren die Haupterzeugnisse Mais und Bohnen, Kürbis und Süßkartoffeln und auf dem pazifischen Hang die Kakaobohne, ein höchst wertvoller Exportartikel, da Kakao in jenen Tagen die Universalwährung Mittelamerikas bildete.

Das Hochland von Guatemala mit seinen tiefen Tälern und von Nadelwäldern bedeckten Bergen, seinen farbigen Maya-Dörfern und seinem krönenden Juwel, dem See von Atitlán, jenem Aquamarin in seiner getriebenen Fassung aus Vulkangestein, ist in der Tat das in den Prospekten angepriesene Touristenparadies. Es muß vor tausend Jahren sogar noch farbenprächtiger gewesen sein.

Für die einheimische Kultur besaßen die Hochländer außer gutem Boden und günstigem Klima noch andere Vorteile. Vulkangestein war zur Hand zum Bauen, und aus ihm wurden ausgezeichnete *metates* (Reibsteine zum Mahlen von Mais) hergestellt. Ablagerungen von Obsidian lieferten das Rohmaterial für scharfe Messer und Speerspitzen, und vulkanischer Tuffstein war, weil er relativ hohe Hitzegrade aushält, ein erstklassiges Material für Töpfer. Eisenkies diente den Hochlandbewohnern als Spiegel, und Roteisenstein war die Basis einer viel verwendeten roten Farbe. Gegen Ende der Maya-Kultur wurde wahrscheinlich Gold aus Strömen gewonnen und Kupfer vermutlich im Bergbau.

Was jedoch wahrscheinlich am meisten zu dem Reichtum des Maya-Hochlands beitrug, war die hochgeschätzte Schwanzfeder des Quetzal, denn dieser Vogel bewohnt nur begrenzte höher gelegene Regionen, besonders die nordwestlichen Hochländer von Guatemala und benachbarte Gebiete in Chiapas im Westen sowie in Honduras im Osten. Die Vögel wurden in Fallen gefangen und ihrer vier langen, blaugrün schillernden Schwanzfedern beraubt. Ebenso hoch geschätzt war Jade. Eine alte Abbaustätte dieses Minerals wurde in der Sierra de Las Minas im nordöstlichen Hochland entdeckt, und zweifellos wird man auf weitere stoßen. Jade war ein Symbol des Reichtums, hatte jedoch auch religiöse Bedeutung. So wurde z. B. Toten von Rang eine Jadeperle in den Mund gelegt, und Jadesteine dienten als Opfergaben und spielten eine Rolle bei Weissagungen.

Trotz aller Vorteile des Klimas und der Bodenbeschaffenheit, der

Vielfalt von Flora und Fauna, des Reichtums an Mineralien, der ziemlich hohen Bevölkerungsdichte und der strategischen Lage scheint das Südgebiet zu den geistigen Fortschritten der Maya-Kultur nicht viel beigetragen zu haben. In der Architektur blieb es weit hinter dem Tiefland zurück. Tempel wurden gewöhnlich aus unbearbeiteten, verlegten Steinen errichtet und hatten hölzerne und strohgedeckte Dächer; Grabgewölbe kommen nur an ein oder zwei Stellen vor, die den Einflüssen des Tieflands ausgesetzt waren. In der Skulptur ist nach einem glänzenden Start in der formativen Periode, in der die Maya-Kultur ihre Identität entwickelte, ein außergewöhnlicher Rückgang zu beobachten, und plastische Arbeiten sind selten und zugleich grob in der Ausführung. Das gleiche trifft zu für die Hieroglyphenschrift. Es scheint, daß die Maya-Hieroglyphen im Südgebiet entwickelt wurden, entweder im Hochland oder auf dem pazifischen Hang von Guatemala, und sich von hier aus im Tiefland verbreiteten, wo sie ihre höchste Entwicklung erlebten. Man hat noch keinen einzigen Hieroglyphentext der klassischen oder der nachklassischen Periode im Hochland gefunden, noch gibt es Anzeichen dafür, daß die Hochland-Maya, wie ihre Vettern im Tiefland, von der Spekulation über die Ewigkeit besessen waren.

Es ist schwierig zu sagen, warum dieses große, materiell so fortgeschrittene Gebiet geistig so verarmte. Erdbeben mögen Versuche, es den Bewohnern des Tieflandes in der Baukunst gleichzutun, entmutigt haben, doch dies erklärte nicht die Tatsache, daß es den Hochland-Maya nicht gelang, in anderen Zweigen der Kunst und Wissenschaft Schritt zu halten. Schöne bemalte Keramik wurde zu einer bestimmten Zeit im Hochland hergestellt, doch bezeichnenderweise nur in der Nordbastion der Alta Verapaz, wo der Einfluß des Tieflandes am stärksten war. Bemaltes Stuckdekor gelangte für eine kurze Periode zu hoher Entwicklung in Kaminaljuyú, in den Außenbezirken der heutigen Hauptstadt Guatemala, doch dies geschah zu einer Zeit, da diese Stadt beherrscht war von fremden Einflüssen, die größtenteils aus Mexiko, doch in gewissem Maß auch aus dem Maya-Tiefland kamen. Auch dies wiederum erscheint bedeutungsvoll. Es mag sein, daß die starken Einflüsse aus Teotihuacán, die sich zu Beginn der klassischen Periode auf das guatemaltekische Hochland auswirkten, verantwortlich waren für das Verschwinden der Hieroglyphenschrift bei den Hochland-Maya und für das Nichtschritthalten der Architektur mit den Fortschritten des Tieflandes, denn keines der beiden Elemente erreichte in Teotihuacán einen sonderlichen Entwicklungsstand. Andererseits können wir Teotihuacán nicht verantwortlich machen für den Verfall der Skulptur im Hochland.

Es kann nicht jede Facette der Maya-Kultur in einem Buch dieses Umfangs erörtert werden, das sich in der Hauptsache mit den herausragenden Leistungen der Maya und den für sie verantwortlichen Gruppen beschäftigen will. Dem Hochland von Guatemala wird hier, obwohl es in der Sprache und in den Grundlagen seiner Kultur den Maya zugehört, nur deshalb wenig Platz eingeräumt, weil es im allgemeinen nicht von erstrangiger Bedeutung ist. Die Vernachlässigung seines kulturellen Lebens ist hier vom Raummangel diktiert.

Im Zentralgebiet der bedeutungsvollsten der drei Regionen erreichte die Maya-Kultur ihren höchsten Gipfel. Hier sind Hieroglyphentexte in größter Fülle vorhanden. Dieses Gebiet umfaßt die nördlich und nordwestlich des Hochlands gelegene Tieflandregion sowie das Hochland von Chiapas, das geographisch als eine Art Übergangszone betrachtet werden kann, doch kulturell und sprachlich zum Zentralgebiet gehört. Die auf der Karte (S. 333) zwischen dem Südgebiet und dem Zentralgebiet verlaufende Linie kennzeichnet die Zugehörigkeit der Tieflanddialekte von Chiapas zum letzteren. Man bemerke, daß keine einzige Fundstätte mit einem Maya-Hieroglyphentext aus Stein oder Holz südlich dieser Linie vorkommt. Es gibt einige Texte auf Keramik aus dem Hochland, doch diese Texte scheinen, ausgenommen am Rand des Tieflandgebiets, weitgehend Ornamentcharakter zu haben. Würde man die Ruinenstätten mit Kraggewölben kennzeichnen, so wäre der gleiche Kontrast fast ebenso scharf. Eine begrenzte Verwendung des Kraggewölbes bei Grabdächern reicht ein kurzes Stück über die Linie in die nördlichen Grenzgebiete des Hochlands hinaus, doch abgesehen von solchen sporadischen Einbrüchen und zufälligen Vorkommen von Gewölbebauten an zwei Stätten im südöstlichen Guatemala, die wahrscheinlich auf Einflüsse von Copán aus dem Tiefland zurückzuführen sind, erscheint das Kraggewölbe nur im Tiefland und in Chiapas.

Das Zentralgebiet ist zum größten Teil tiefliegendes Kalksteinland, zwischen 30 und 180 Meter über dem Meeresspiegel, durchschnitten von Flüssen und in früherer Zeit bedeckt von Seen und Teichen, von denen viele infolge von Verschlammung heute zu Sümpfen geworden sind.

Der große Kern dieses Gebietes, der den Petén-Distrikt von Guatemala und die angrenzenden Teile von Mexiko und Britisch-Honduras umfaßt, ist heute weitgehend unbewohnt. Innerhalb seiner Grenzen liegen viele der größten Maya-Städte, einschließlich Tikal, das Ziel einer Reise, mit der dieses Kapitel eröffnet wurde. Die Beschreibung der Gegend auf dem Weg nach Tikal kann auf nahezu das gesamte Gebiet übertragen werden. Es ist ein riesiges welliges Tropenwaldgebiet mit bis zu 35 Meter hohen Bäumen, durchzogen von großen Sümpfen. Für einen Beobachter ohne botanische Vorbildung sind die Hauptmerkmale die einzelnen im Wald verstreuten Mahagonibäume, die spanische Zeder, der den Maya heilige Riesenkapokbaum, viele Arten von Palmen und der Sapodilla, von dem Chicle, der Rohstoff für Kaugummi, abgezapft wird. Typisch sind auch der Brotnußbaum (nicht zu verwechseln mit dem Brotfruchtbaum, jedoch eine wichtige Nahrungsquelle für Mensch und Tier), gelegentliche Gummibäume und Vanillesträucher sowie eine unglaubliche Zahl von Luftpflanzen, Bromeliazeen und Lianen. Auch Blumen gibt es hier, doch meistens kaum sichtbar hoch in den Baumwipfeln. Hibiskus und Oleander und die leuchtende Bougainvillea sind Kennzeichen der Zivilisation, sie wachsen nicht im Wald. Doch in den Baumgabeln halb verborgen blühen Orchideen. Wo der Wald dicht ist, ist das Unterholz oft spärlich, und wenn einige Riesen stürzen, schießt eine wilde Vegetation empor, um sich einen Platz an der Sonne zu erkämpfen.

Wollten die Maya Felder anlegen, mußten sie zunächst diesen Wald mit ihren unzulänglichen Steinwerkzeugen roden. Die großen Bäume konnten abgebrannt werden; die kleineren Bäume und Schößlinge aber mußten mit Steinäxten geschlagen werden. Und was noch schlimmer war, das Land konnte nur ein oder zwei Jahre bestellt werden, bevor es sich wieder in Wald zurückverwandelte.

Der Wald ist voller Leben, das aber, abgesehen von Insekten, Vögeln und Eidechsen, nur selten sichtbar wird. Jaguare und Tapire sind nichts Ungewöhnliches, doch sieht man von ihnen selten mehr als ihre Spuren. Rehwild, Nabelschweine, Wildschweine, das zierliche Aguti und das Faultier wie auch zwei Affenarten, der Spinnenaffe und der Brüllaffe, treten mehr in Erscheinung. Die letzteren erfüllen besonders in der Nacht und während der Dämmerung den Wald mit dem Chor ihres tiefen Gebrülls.

Papageien sind ziemlich häufig; auch gibt es wilde Truthühner der Ozellenart mit grünlichem Bronzegefieder und Pfauenaugenfedern dort. Der Curassow ist trotz seiner Anmut eine weitere willkommene Bereicherung des Menüs. Tukane und rotbrüstige Trogone, Vettern des Quetzal, sind zahlreich, doch liegt das Land zu niedrig für den Quetzal. Makaos sind nicht sehr häufig in den meisten Teilen; sie neigen dazu, Gebiete unter 300 Meter zu meiden.

Zu den wichtigen Flüssen gehört der mächtige Usumacinta (eine Entstellung des aztekischen ›Ort der kleinen Affen‹), an dessen Ufern die Fundstätten Piedras Negras und Yaxchilán liegen. Der Pasión-Fluß, an dem Seibal liegt, und der Chixoy, der im Territorium der Quiché-Maya im Herzen des guatemaltekischen Hochlands entspringt, verbinden sich und bilden den Usumacinta. An ihrem Zusammenfluß liegt die große Ruinenstätte Altar de Sacrificios, in der kürzlich das Peabody-Museum der Harvard-Universität Ausgrabungen durchführte. In dem sumpfigen, von Wasserläufen durchschnittenen Delta des Usumacinta und des Grijalva, den Mexikanern als ›Ort der Kanus‹ bekannt, lebten die Chontal-Maya, die mehr auf dem Wasser als auf dem Land zu Hause waren. Später wurden sie Seefahrer und die größten Händler Mittelamerikas.

Die Regenmenge ist sehr groß, besonders an dem südlichen Rand des Gebiets, wo sie eine Höhe von drei Metern pro Jahr erreichen kann. Es gibt eine Trockenperiode von Ende Januar bis Mai, doch während der übrigen Monate fallen ständig heftige Regengüsse, die nur in manchen Jahren im September und Oktober oder Dezember etwas nachlassen. In der Regenzeit werden die Sümpfe und Niederungen zu unpassierbaren Morasten; Gegenstände aus Leder verschimmeln.

Gruppen von Kaugummisammlern verbringen die Regenzeit, solange der Chicle-Saft fließt, tief in den Wäldern, doch ihre primitiven Lager sind nicht ortsfest, und bis vor wenigen Jahren konnte man von Flores, der kleinen Hauptstadt des Petén-Distrikts, 240 Kilometer nach Norden durch das Herz des alten Maya-Landes reisen, ohne ein einziges Dorf zu berühren, oder man konnte dem Pasión oder dem oberen Usumacinta folgen und das nordöstliche Chiapas durchqueren, ohne auf mehr als eine gelegentliche Hütte oder eine tief im Wald verborgene Siedlung der fast ausgestorbenen Lacandón-Maya zu stoßen. Der Bevölkerungsrückgang in diesem Gebiet, das einst dicht besetzt war von Maya-Städten, ist weitgehend zurückzuführen auf die Verbreitung der Malaria und des Hakenwurms, die beide höchstwahrscheinlich nach dem Eintreffen der Spanier aus der Alten Welt eingeschleppt wurden, ferner auf den Mangel an

Straßen und natürlichen Hilfsquellen sowie auf die Schwierigkeit, den Wald unter Kontrolle zu halten.

Es ist wiederholt die These aufgestellt worden, das Klima des Gebiets habe sich zum Schlechteren verändert, seit die Maya dort herrschten. Doch die vorgebrachten Argumente überzeugen nicht sehr. In diesem Zusammenhang ist die Tatsache von Interesse, daß bei Cobá in Quintana Roo zwei den See durchquerende große Maya-Dammwege heute selbst auf dem Höhepunkt der Trockenzeit unter dem Wasserspiegel liegen, doch dies ist nicht notwendigerweise ein Beweis für die Zunahme der Regenhöhe, denn der See kann verschlammt oder die Dammwege können unter ihrem eigenen Gewicht gesunken sein. Außerdem scheint der Wasserpegel eines alten Reservoirs in einer anderen Maya-Siedlung, wie die zu ihm hinunterführenden Treppenstufen zeigen, konstant geblieben zu sein. Zumindest glaube ich, daß klimatische Veränderungen nicht genügt haben, die Flora und Fauna des Gebietes wesentlich zu verändern. Bodenproben aus dem Bett des Petén-Sees enthalten große Mengen von Savannenblütenstaub aus der klassischen Periode, doch glaube ich, diese weisen eher auf eine Richtungsänderung der vorherrschenden Winde hin — es hat immer Savannenland südlich dieses Sees gegeben — als darauf, daß die Tieflandgebiete der Maya zu jener Zeit Savannenland waren.

Das Binnenland von Chiapas bietet einen anderen Anblick, denn das Gelände, das allmählich bis zu Erhebung von 1500 Metern ansteigt, hat teilweise den Charakter einer von Fichten und Savannengras oder von immergrünen Eichengürteln bedeckten Hochebene. Im Südosten, in der Umgebung der großen Maya-Stadt Copán (etwa 600 Meter hoch liegend) erstreckt sich ebenfalls ein kleines Gebiet, das gebirgig ist, und das gleiche trifft zu für Teile von Britisch-Honduras. Die fortgeschrittene Maya-Kultur unterhielt eine unsichere Vorpostenstellung im binnenländischen Chiapas und in den Bergen von Britisch-Honduras, behauptete sich jedoch erfolgreich in Copán. Diese Regionen sind jedoch Ausnahmen; im großen und ganzen besteht das Zentralgebiet, wie bereits erwähnt, aus bewaldeten Niederungen.

Der Kern des Petén-Gebiets und die angrenzenden Regionen sind ungewöhnlich arm an Naturschätzen, und der Boden, ausgenommen in den Tälern, ist karg. Der allgegenwärtige Kalkstein liefert erstklassiges Material für Baukunst und Bildhauerei und enthält stellenweise Ablagerungen von Feuerstein und Quarz, die einen guten Ersatz für den fehlenden und in mancher Beziehung brauchbareren Obsidian des Hochlands darstellen. Es gibt weder Eruptivgesteine noch Eruptivmetalle in dieser Region, ausgenommen in einem kleinen Gebiet von Britisch-Honduras, in dem von Gruppen, die am Rande dieses Gebietes wohnten, in kleinem Maßstab Granit für die Herstellung von *metates* gewonnen wurde. Gold kommt in dieser Gegend, die im Gegensatz zu Petén gebirgig ist, auch vor, doch nicht in nennenswerter Menge, und es gibt keinen Grund zu glauben, daß es je von den Maya gewonnen wurde, die während des größten Teils ihrer Geschichte kein Metall verwendeten. Außerdem scheint in der klassischen Periode das Kerngebiet von Petén von den wichtigsten Handelsrouten des alten Mittelamerika abgeschnitten gewesen zu sein, doch es produzierte den hochgeschätzten Kakao in beträchtlicher Menge und exportierte zweifellos andere tropische Erzeugnisse ins Hochland, so z. B. Papageien, Trogon- und Tukanfedern, Jaguarfelle, Blauholzfarbstoff, Chilipfeffer, Kopalweihrauch und kleinere Mengen von Vanille und Gummi. Es ist wahrscheinlich, daß auch andere Spezialitäten des Gebietes, wie Feuersteinspitzen, das Mark von Palmbäumen (eine Art von Ersatz für Sellerie), das trotz seines bitteren Geschmacks von den Maya hochgeschätzt wurde, bemahlte Keramik und Gegenstände aus seltenen Hölzern exportiert wurden. Dies waren jedoch weit weniger wertvolle Waren, als sie das Hochland bieten konnte. Ein kleiner Teil der importierten Jadesteine wurde bearbeitet und dann wieder ausgeführt. Berichten zufolge existieren Jadevorkommen in den Bergen von Britisch-Honduras, und vielleicht sind sie ausgebeutet worden, um die Tieflandbewohner in bezug auf diesen wertvollen Artikel weniger abhängig von dem Hochland zu machen.

Für mich liegt eines der größten Geheimnisse darin, warum die Maya-Kultur ihren Höhepunkt in dieser an natürlichen Reichtümern so ungewöhnlich armen Region erreicht haben soll, wo der Mensch, nur bewaffnet mit Steinwerkzeugen und Feuer, ewig mit dem unerbittlichen Wald um Land für die Aussaat seiner Feldfrüchte zu kämpfen hatte. Außerdem fand er, wenn er dem Wald vorübergehend das notwendige Land abgerungen hatte, einen Boden vor, der so mager war und so schnell verwilderte, daß er nach ein oder zwei Ernten von neuem mit dichter Vegetation bedeckt war.

Toynbee hat in seiner *Study of History* zahlreiche Beispiele angeführt, um zu zeigen, daß die Bedingungen, unter denen eine Kultur sich entwickeln und leben soll, weder zu milde noch zu hart sein

dürfen. Seine Beweisführung ist überzeugend. Doch im Maya-Tiefland finden wir so ungünstige Bedingungen, daß es nicht leicht ist,
sich vorzustellen, wie die Maya-Kultur sich dort je entwickeln
konnte. Ist es möglich, daß wir von unserem westlichen, durch ein
leichtes Leben bedingten Gesichtspunkt aus die Schwierigkeiten
überschätzen? Vielleicht waren für den Maya die Hindernisse nur ein
Anlaß zu höchster Anstrengung, stachelten ihn an, sein Bestes zu
geben. Diese Möglichkeit besteht durchaus. Andererseits waren die
Bedingungen, wenn die Verfechter der Theorie einer Klimaver-
schlechterung recht haben, vor zwölfhundert Jahren nicht so hinder-
lich.

Das Nordgebiet, der dritte Teil, umfaßt Yucatán sowie den größten Teil von Campeche und des Territoriums von Quintana Roo.
Wenn man vom Zentralgebiet nordwärts reist, wird das Klima
trockener, bis an der äußersten Nordspitze die Regenhöhe ungewöhnlich niedrig wird, knappe 40 Zentimeter im Jahr, etwa ein
Sechstel der für manche Teile des Zentralgebiets registrierten Regenhöhe. Diese Tatsache spiegelt sich wider in der Vegetation, die um so
mehr Gestrüppcharakter annimmt, je weiter nördlich man kommt.
Der Kalkstein, der das ganze Gebiet bedeckt, ist poröser als in der
Zentralregion und läßt den Regen in unterirdische Abflußsysteme
durchsickern mit dem Resultat, daß oberirdische Flußläufe nicht
existieren und Seen nur an den Verwerfungslinien im östlichen Teil.
Ein großer Teil des Landes wäre vollkommen wasserlos, hätte nicht
die einstürzende Kalksteinkruste an manchen Stellen den Zugang zu
Grundwasseransammlungen freigegeben. Diese natürlichen Brunnen, bekannt als Cenotes, eine Entstellung des mayanischen Wortes
dz'onot, waren und sind immer noch zusammen mit einigen künstlichen Brunnen und Auffangbecken die einzige Wasserquelle in ganz
Yucatán. Doch das Land hatte und besitzt heute immer noch eine beträchtliche Bevölkerung.

Diese Region ist wie das Zentralgebiet arm an Naturschätzen,
denn es hat nur Kalksteinboden, und in mancher Beziehung ist seine
Lage sogar noch schlechter, weil einige der Produkte des Zentralgebiets, wie Kakao, Gummi und Vanille, in dieser trockeneren Region
nicht gut gedeihen. Die Baumwolle war ein wichtiges Erzeugnis und
wurde weitgehend exportiert in der Form von gewebten und verzierten ärmellosen Mänteln. Die Fauna ist weniger reich. Jaguare
kommen vor, doch Affen, Tapire und Makaos sind äußerst selten
oder gar unbekannt.

Die Maya-Kultur war auf ihrem Höhepunkt im Zentralgebiet weiter entwickelt als im Norden, doch Yucatán ist von erstrangiger Bedeutung, weil dieses Gebiet uns die ergiebigsten Auskünfte über Wesen und Wirken der Maya-Kultur zur Zeit der spanischen Eroberung liefert. Alternative Bezeichnungen für diese drei Gebiete sind: Hochland, südliches Tiefland und nördliches Tiefland.

Sprache und Bevölkerung

Es gibt fünfzehn Maya-Sprachen oder Hauptdialekte, die noch immer gesprochen werden, sowie zwei weitere, die erst in jüngster Zeit erloschen sind. Mehrere von ihnen haben Untergruppen entwickelt, die ineinander übergehen. Sie bilden eine Familie, vergleichbar mit der romanischen Sprachfamilie. Einige Maya-Sprachen sind enger miteinander verwandt als das Spanische mit dem Portugiesischen; andere dagegen stehen in etwa dem gleichen Verhältnis wie das Französische zum Italienischen. Es wäre durchaus möglich, zwei Maya-Sprachen zu unterscheiden; eine Hochlandsprache und eine Tieflandsprache, und die übrigen als Dialekte zu bezeichnen. Keinesfalls ist Maya eng verwandt mit irgendeiner anderen Sprache Mexikos oder Zentralamerikas.

Im Nordgebiet und im nördlichen Teil des Zentralgebietes wird nur Yucatekisch (oft Maya genannt) gesprochen. Südwestlich und südöstlich dieser Region wurden einst Chontal und Mopan gesprochen, jenseits der Südgrenze des Zentralgebiets waren Chontal, zwei Zweige des Chol und um Copán schließlich der Chorti-Dialekt des Chol verbreitet. Im östlichen Chiapas begegnen wir dem Tzotzil, dem Tzeltal, dem Chaneabal und dem Chuh, das sich bis hinauf zum guatemaltekischen Hochland ausdehnte. Alle, mit Ausnahme des letzteren, sind eng miteinander verwandt, und wenn man von Yucatán südwärts reist, kann man einen graduellen und gleichmäßigen Übergang vom Yucatekischen zum Tzotzil verfolgen, und je größer die Entfernungen werden, um so größer werden auch die Unterschiede. Dies ist ein klarer Beweis dafür, daß jahrhundertelang keine großen Bevölkerungsbewegungen stattgefunden haben und daß daher die klassische Kunst und Architektur der Maya sowie die großen Leistungen in Astronomie und Arithmetik den Vorfahren der heutigen Tiefland-Maya zugeschrieben werden müssen.

Die gleiche Korrelation zwischen Entfernung und Veränderung trifft auch zu für das Maya-Hochland, dessen Hauptgruppen das Quiché, das Cakchiquel, das Mam, das Kekchi und das Pokoman sind. Der Übergang ist so allmählich, daß es oft schwierig ist zu unterscheiden, wo eine Sprache aufhört und eine andere beginnt. Wie Andrade, der hervorragende Kenner der Maya-Sprachen, es einmal ausgedrückt hat, müßte man die Sprachenkarte mit ineinander übergehenden Pastellfarben kolorieren und nicht mit scharf abgegrenzten grellen roten, grünen und gelben Flächen. Es ist ebenso klar, daß im Hochland keine markanten Verschiebungen stattgefunden haben, obwohl kleinere Veränderungen und Ausdehnungen nachgewiesen sind.

Ich möchte hier auf die Glottochronologie zu sprechen kommen, ein Verfahren, das die Zeitdauer der Trennung zweier verwandter Sprachen voneinander messen will nach dem Prozentsatz, den beide von einer kleinen Auswahl von Alltagsworten noch immer benutzen. Die Methode ist scharf kritisiert worden mit der Begründung, daß Veränderungen in der Sprache, wo sie gemessen werden können — z. B. im Isländischen —, in vollkommenem Widerspruch zu der ›Regel‹ stehen können und daß der menschliche Faktor nicht ganz außer acht gelassen werden darf. Die Glottochronologie z. B. behauptet, festgestellt zu haben, daß das Huaxatekische sich vom Yucatekischen vor 2200 und vom Mam vor 3600 Jahren, das östlich von Palenque im Herzen der Zentralregion gesprochene Palencano-Chol sich vom Yucatekischen vor 1600 und vom Quiché, einer Hochlandsprache, vor 2600 Jahren getrennt hätten. Einige Archäologen haben die Glottochronologie in höchst unkritischer Weise benutzt, um mittelamerikanische Zeittafeln zu erstellen. Natürlich werden zwei Sprachen, je länger sie voneinander getrennt sind, um so weniger Worte gemeinsam benutzen, doch ist das etwas anderes als die für die Glottochronologie beanspruchte mathematische Präzision. Es ist bezeichnend, daß der beiderseitige Verlust eines einzigen Wortes im Falle der Trennung des Huaxtekischen vom Yucatekischen diese um mehrere Jahrhunderte zurückdatieren würde! Dennoch kann die Glottochronologie als grober Maßstab von Nutzen sein.

Die Maya-Sprache klingt musikalisch und angenehm. Äquivalente für unser d und unser f fehlen, und das r erscheint in nur einem Tieflanddialekt, doch Knacklaute (eine Art von Atemanhalten ähnlich dem Bellen eines Stabsfeldwebels) sind häufig. Yucatekisch wird von vielen Weißen und Mestizen Yucatáns als Zweitsprache gesprochen und soll leicht zu erlernen sein.

Die Nachkommen der Maya existieren noch in großer Anzahl in vielen Teilen der Gebiete, die sie einstmals beherrschten, doch in manchen Gegenden sind sie kulturell und bis zu einem gewissen Grad auch physisch von der lateinamerikanischen Mestizenbevölkerung absorbiert worden. Das Zentralgebiet ist, wie bereits erwähnt, mit Ausnahme seines Anhängsels, des Flachlands von Chiapas, heute zum größten Teil unbewohnt. Karl Sapper schätzte vor rund 50 Jahren, daß die Maya sprechende Bevölkerung etwa eineinviertel Millionen betrug, von denen drei Fünftel Hochlandidiome sprachen. Hierzu müßten noch die kleineren Gruppen, die ihre Muttersprache verloren haben, und die vielen Mischlinge gezählt werden.

Schätzungen der präkolumbischen Bevölkerungszahl sind sehr unterschiedlich. Die niedrigsten Zahlen sind 1 250 000 für das gesamte Gebiet (Kroeber) und 800 000 für das Nordgebiet und Zentralgebiet zusammen (Termer). Morley andererseits schätzt die Bevölkerung der Halbinsel Yucatán allein auf über 13 000 000. Ich habe eine Schätzung von 3 000 000 für das gesamte Maya-Gebiet im Jahr 800 n. Chr. angenommen, von denen der größere Teil in den Hochländern gelebt haben dürfte. Dies mag etwas zu niedrig gegriffen sein, doch verläßliche Daten sind so spärlich, daß alle Zahlenangaben nur Schätzungen sein können.

Physische Erscheinung und psychologische Merkmale

In physischer Hinsicht sind die Maya ziemlich homogen. Allgemein ist der Maya untersetzt, mit stark entwickelten Beinmuskeln. Er hat ein breites Gesicht und vorstehende Backenknochen. Die Gesichtszüge sind weich, und beide Geschlechter können als schön bezeichnet werden, unterscheiden sich jedoch in der Erscheinung sehr stark von dem konventionellen Bild des großen, schlanken Prärieindianers. Die Männer sehen intelligenter aus als die Frauen. Die Yucateken gehören zu den Menschen mit den breitesten Köpfen in der Welt, denn der durchschnittliche Schädelindex (Länge des Kopfes geteilt durch die Breite) ist 80 : 5, mit so extremen Beispielen wie 90 : 3. Keine andere Maya-Gruppe ist ganz so rundschädelig, und in den Hochländern und im Tiefland von Chiapas gibt es schmalere

Schädelreihen, die den Durchschnitt für die gesamte Gruppe reduzieren. Es ist wahrscheinlich bezeichnend, daß die Yucateken sowohl die am stärksten isolierte als auch die Gruppe mit der stärksten Rundköpfigkeit sind. Die Maya betonen diese Rundköpfigkeit durch künstliche Schädeldeformierung.

Reinblütige Maya haben glattes (oder manchmal leicht welliges) schwarzes Haar und dunkelbraune Augen. Die Lider haben oft eine ziemlich prononcierte Falte, die den Augen eine Mandelform verleiht: charakteristisch für die Behandlung des Auges in der Maya-Skulptur. Viele Maya haben eine fleischige, gebogene, sogenannte Adlernase und eine etwas hängende Unterlippe. Dies sind die Züge, die, zusammen mit der deformierten Stirn — ein Kennzeichen des idealisierten Schönheitstypus — in der Kunst der großen Periode des Zentralgebietes überall anzutreffen sind.

Durch Abschätzung des Charakters und der Intelligenz des heutigen Maya können wir eine Vorstellung erlangen von jenen Charakterzügen seiner Vorfahren, die die Maya-Kultur schufen, und da diese Kultur sicherlich ein Produkt von Tieflandbewohnern war, wollen wir zunächst sehen, was uns ein Studium der Yucateken, der am besten bekannten Tieflandgruppe, enthüllt.

Vor einigen Jahren bewog Morris Steggerda eine kleine Gruppe amerikanischer Ethnologen, Archäologen und Missionare, die ziemlich enge Kontakte mit den yucatekischen Maya gehabt hatten, sie nach bestimmten psychologischen Kriterien zu beurteilen. Die Mehrzahl der Befragten schrieb ihnen folgende Charakterzüge zu: Der durchschnittliche yucatekische Maya ist gesellig und liebt es, in Gruppen zu arbeiten. Er hat starke Familienbindungen, ist jedoch nach außen hin wenig zärtlich. Er ist nicht streitsüchtig. Obwohl gutmütig und teilnahmsvoll gegenüber Notleidenden, liebt er derbe Späße. Er ist ein scharfer Beobachter und hat ein gutes Gedächtnis, ist ziemlich intelligent, doch nicht besonders erfindungsreich oder phantasievoll; auch neigt er nicht zum Ortswechsel. Zwar ist er fatalistisch und abergläubisch, fürchtet aber den Tod nicht sonderlich. Sein Sexualleben ist nicht übertrieben, er neigt jedoch stark zur Trunksucht. Er ist sparsam und ungewöhnlich ehrlich. Er ist ausnehmend sauber, badet morgens und abends, und seine Frau ist eine gute Haushälterin. Die einzelnen Individuen variieren in ihrem Geltungsbedürfnis, in ihrem religiösen Eifer und in ihrer Haltung gegenüber Veränderungen. Mörder und Bettler sind Ausnahmen in der Maya-Gemeinschaft.

Meine eigenen Antworten stimmen ziemlich genau überein mit diesen soeben angeführten, mit der Ausnahme, daß meine Beobachtungen in abgelegenen Dörfern von Britisch-Honduras mich zu der Ansicht veranlaßten, daß die Maya als Individuen wie als Gruppe gern von einem Ort zum andern wechseln. Ich möchte als sehr ausgeprägten Charakterzug auch körperliche Sittsamkeit nennen und den Mayas eine sehr hohe Note in Fleiß geben. Ich habe festgestellt, daß ein Maya, wenn er noch nicht stark beeinflußt worden war durch spanische Kontakte, wenig zum Singen geneigt ist, und noch weniger dazu, ein Lied vor sich hinzupfeifen. Ich halte den Maya eher für sehr religiös als für nur abergläubisch und möchte behaupten, daß er im Umgang sehr höflich ist, und, nach zwei Freundschaften zu urteilen, von denen eine über zwanzig Jahre dauerte, tiefe und echte Gefühle der Treue entwickeln kann. Obwohl im allgemeinen friedlich, kann er wütend sein, wenn er gereizt wird oder wenn in ihm unter Alkoholeinfluß verborgene Ressentiments zur Wirkung kommen.

Ich denke, diese Beurteilung dürfte ziemlich für alle heutigen Maya-Gruppen des Tieflands zutreffen, obwohl einige von ihnen nicht so sauber und friedlich sind wie die Yucateken. Sie würde wahrscheinlich auch richtig gewesen sein für die Masse der Tiefland-Maya in vorspanischer Zeit, ausgenommen in zwei Punkten, nämlich was Intelligenz und künstlerische Fertigkeit betrifft. Der Tiefland-Maya von heute ist ziemlich intelligent, doch nicht in ungewöhnlichem Maße, und er zeigt nur wenig künstlerische Neigung. Dies ist ein Rückschritt, der vielleicht dem Verschwinden der alten herrschenden Klasse in der Kolonialzeit zuzuschreiben ist, doch gab es bereits in den Jahrhunderten unmittelbar vor der spanischen Eroberung klare Anzeichen von Verfall. Im Hochland von Guatemala und im Flachland von Chiapas gewebte und mit Brokatmustern geschmückte Textilien zeigen, daß die alte Liebe zur Schönheit dort weiterbesteht, wo die Bedingungen für ihr Überleben günstiger waren; und der Tag mag kommen, an dem die Maya einen großen modernen Anführer hervorbringen werden — der große Gouverneur von Yucatán, Felipe Puerto Carillo, war zum Teil Maya —, wie andere indianische Völker, besonders die Zapoteken von Oaxaca, es in Mexiko bereits getan haben.

Die spanischen Priester und Laien des 16. Jahrhunderts waren höchst beeindruckt von der architektonischen Großartigkeit der Maya-Städte, obwohl diese damals bereits in Ruinen zerfielen, doch ihre Berichte über die Maya-Kultur in der Zeit der spanischen Eroberung vermoderten zum größten Teil unveröffentlicht in spanischen Archiven oder Klöstern der Neuen Welt. Erst im Jahr 1785 besuchten Kommissionen die neuentdeckten Ruinen der großen Maya-Stadt Palenque und fertigten illustrierte Berichte an, die zusammen mit Proben der Maya-Plastik und anderen Kunstwerken an Karl III. geschickt und prompt in den spanischen Archiven vergraben wurden. Eine Kopie eines dieser Berichte fand ihren Weg nach London, wo sie 1822 als das erste Buch über Maya-Archäologie veröffentlicht wurde. Der Autor war Antonio del Río, ein Artilleriehauptmann in der spanischen Armee, der seinem Souverän stolz verkündete: »Dank meiner Beharrlichkeit habe ich alles durchgeführt, was getan werden mußte, so daß schließlich weder ein Fenster noch eine Tür übrigblieb, die noch versperrt, keine Wand, die nicht eingerissen, noch ein Gemach, Korridor, Hof, Turm oder unterirdischer Gang, in dem nicht Ausgrabungen bis zu einer Tiefe von zwei oder drei *varas* gemacht worden waren.«

Nachdem das allgemeine Interesse auf diese Weise erweckt worden war, besuchte Graf Jean Frédéric Waldeck Palenque und hielt sich dort zwei Jahre auf, um Pläne zu zeichnen und, größtenteils recht ungenau, Maya-Skulpturen in dieser künstlerisch bedeutsamsten Stadt zu kopieren. Waldeck war ein seltsamer Charakter. Er hatte in der Armee Napoleons in Ägypten gekämpft und vielleicht dessen berühmte Rede an seine Truppen im Schatten der Pyramiden gehört. Später diente er unter dem exzentrischen Seefahrer Lord Chochrane während der Befreiung von Chile. In einem Alter, in dem die meisten Archäologen sich zur Ruhe setzen, mit 66 Jahren, begann er seine praktische Forschertätigkeit im Maya-Gebiet und widerlegte alle Ansichten über die tödlichen Eigenschaften des zentralamerikanischen Waldes, in dem er bis zum hohen Alter von 109 Jahren lebte. Zudem soll er seinen Tod im Jahre 1875 bei einem Straßenunfall in Paris selbst verschuldet haben; er wendete den Kopf, um einem hübschen Mädchen nachzuschauen. Sein Titel war ebenso falsch wie viele seiner Zeichnungen. Er versah eine Maya-Figur mit einer Freiheitsmütze und gab ihr eine anmutige neoklassische Pose des späten

18. Jahrhunderts, und er verwandelte andere Skulpturen reinsten Maya-Stils in höchst überzeugende Elefanten, eine künstlerische Abweichung, die noch fast ein Jahrhundert später ihre Rückwirkungen haben sollte.

Die Maya-Archäologie hatte mit einem bösen Start begonnen: del Río, der wie ein Bulldozer in den Ruinen hauste — bis heute kann man die traurigen Resultate seiner artilleristischen Taktik in Palenque in Augenschein nehmen —, und Waldeck mit seinem Neoklassizismus und seinen Elefanten. Es folgte ein weiteres wunderliches, wenn auch nicht so katastrophales Kapitel.

Lord Kingsborough, ein exzentrischer Charakter im England der Regentschaftszeit, war überzeugt, daß die alten Völker Mexikos und Mittelamerikas Nachkommen der verlorenen zehn Stämme Israels waren, und er opferte sein ganzes Vermögen, dies zu ›beweisen‹. Zwischen 1830 und 1848 wurden seine *Antiquities of Mexico* in neun mächtigen Bänden veröffentlicht. Die Bände enthielten Reproduktionen von indianischen Kodizes und Skulpturen und seltene oder unveröffentlichte Berichte über das Leben der Eingeborenen, entweder ungekürzt oder in Auszügen, außerdem Lord Kingsboroughs Interpretationen zur Stützung seiner Ansichten. Die Reihe kostete 175 Pfund, was etwa dem heutigen Gegenwert von 14 000 DM entspricht, und es gab natürlich nur wenige Käufer. Nachdem er sein beträchtliches Vermögen für die Veröffentlichung dieser Bände ausgegeben hatte, war Lord Kingsborough nicht mehr in der Lage, die Druckerrechnungen für die letzten Bände zu bezahlen, und wurde ins Schuldgefängnis geworfen. Dort starb er, nachdem er einige Zeit unter Bedingungen verbracht hatte, wie sie uns Charles Dickens lebendig geschildert hat.

Er hätte ein besseres Ende verdient. Ein großer Teil des Materials, das er protokollarisch festhielt, war von unschätzbarem Wert, und bis heute sind seine Reproduktionen von zwei oder drei der mexikanischen Kodizes die einzigen existierenden. Die Bände bringen neues Material über Palenque und die erste Reproduktion des Dresdener Kodex, des schönsten der drei erhaltenen mayanischen Hieroglyphenbücher.

Im Jahr 1839 entschloß sich ein energischer Mann aus New Jersey, John L. Stephens, Graduierter der Columbia-Universität, die Maya-Ruinen zu besuchen, von denen er in den Berichten del Ríos und anderer gelesen hatte. Um sich sein Vorhaben zu erleichtern, ließ er sich als Spezialbeauftragter der Vereinigten Staaten zu der damaligen Zentralamerikanischen Föderation delegieren, eine Position, mit der wenig Arbeit verbunden war, da die Föderation sich bereits im letzten Stadium der Auflösung befand. Er nahm seinen englischen Freund Frederick Catherwood mit, der ein vorzüglicher Maler war. Auf dieser und einer späteren Reise nach Yucatán besuchten die beiden Freunde, meistens auf Maultierrücken, über vierzig bis dahin meist noch unbekannte Maya-Ruinenstätten. Die zwei Bücher, die aufgrund ihrer Reise entstanden — *Incidents of Travel in Central America, Chiapas and Yucatán* (1841) und *Incidents of Travel in Yucatán* (1843) —, wurden Bestseller. In neun Monaten erlebte das erste Buch zwölf Auflagen, und innerhalb eines Jahrzehnts wurden von beiden Werken etwa 25 000 Exemplare verkauft, ein für die damalige Zeit ungewöhnlicher Erfolg. Beide Werke werden auch heute noch gelesen und sind kürzlich in den Vereinigten Staaten neu erschienen, sie wurden außerdem ins Spanische übersetzt.

Stephens gab klare und interessante Beschreibungen der von ihnen besuchten Ruinen, frei von all dem Geschwätz über Atlantis und Ägypten, das im 19. Jahrhundert üblich war. Seine Berichte über das Leben in Mittelamerika vor einem Jahrhundert sind anschaulich und reizvoll. Catherwoods Beitrag waren die hervorragenden Illustrationen von mayanischen Ruinen oder Skulpturen, die allen bis damals veröffentlichten weit überlegen waren. Ihre Genauigkeit kann an der Tatsache ermessen werden, daß viele der Glyphen auf seinen Stichen fast ebenso gut erkennbar sind wie auf Fotos. Die beiden Bücher dieses hervorragenden Teams sind heute noch so frisch wie damals, als sie geschrieben und illustriert wurden.

Durch die Veröffentlichung dieser Reisebücher erfuhr das Interesse an den Maya einen starken Impuls. Es können hier nicht alle genannt werden, die zur Maya-Forschung beigetragen haben, doch ein Wort muß über die Tätigkeit des Abbé Brasseur de Bourbourg gesagt werden, denn er war es, der mehrere unserer besten schriftlichen Quellen über die Maya ans Tageslicht brachte und in einigen Fällen vor der Zerstörung bewahrte.

Die bedeutendste dieser Quellen war die Geschichte Yucatáns des Bischofs Diego de Landa, geschrieben um 1560, eine Fundgrube der Information über Bräuche, religiöse Vorstellungen und die Geschichte der Maya, ergänzt durch eine ziemlich detaillierte, mit Zeichnungen der Glyphen illustrierte Darstellung des Maya-Kalenders. Dieses Werk war das unerläßliche Fundament zur Rekonstruktion der Maya-Hieroglyphenschrift und ist ein glückliches Gegenstück zu dem Stein von Rosetta, aufgrund dessen Champollion die ägyptischen Hieroglyphen entzifferte. Es ist in der Tat zweifelhaft, ob wir ohne dieses Buch die Glyphen der Maya je entziffert hätten, und mit Sicherheit wüßten wir heute sehr viel weniger über sie. Bischof Landa, damals ein Franziskanerpater, der wenige Jahre nach der spanischen Eroberung nach Yucatán kam, war ein Mann von unbestreitbaren Fähigkeiten. Er ist viel kritisiert worden wegen seines strengen Vorgehens gegen Rückfälle in das Heidentum, doch hierbei handelte er nur im Geiste seines Jahrhunderts. Außerdem hatte er schauerliche Beweise dafür entdeckt, daß die Maya, obwohl nominell Christen, noch immer heimlich Kinder opferten, selbst in den Kirchen, und als Resultat ihrer Kontakte mit dem Christentum begonnen hatten, sie zu kreuzigen. Er wußte, daß nur Strenge diesen Unmenschlichkeiten ein Ende machen konnte. Landa besorgte sich sein Material wie jeder moderne Ethnologe bei einheimischen Gewährsleuten. Diese wichtige Quelle verdanken wir Landas heftigem Kampf gegen die Rückfälle der Maya in das Heidentum, denn er stellte sein Material zusammen, als er in Spanien weilte und auf seinen Prozeß wegen Überschreitung seiner Autorität wartete, um es als indirektes Zeugnis für seine Verteidigung zu verwenden.

Brasseur de Bourbourg entdeckte auch einen Teil eines der drei erhalten gebliebenen Maya-Kodizes und rettete viel Manuskripte vor der Vernichtung, als die Mönchsorden in Mexiko aufgelöst wurden. Bei einer Gelegenheit erwarb er am Stand eines Antiquars in Mexiko für vier Pesos das Manuskript des besten je verfaßten Wörterbuches in Maya und Spanisch. Es handelte sich um das unentbehrliche Motul-Lexikon, heute einer der Schätze der John Carter Brown Library.

Von den vielen Forschern des 19. Jahrhunderts war Alfred Maudslay bei weitem der bedeutendste. Die Ergebnisse seiner zwischen 1881 und 1894 durchgeführten ausgedehnten Untersuchungen erschienen in fünf hervorragend ausgestatteten Bänden, die eine große Anzahl herrlicher Fotos von Stelen und Gebäuden enthielten, genaue Zeichnungen von Hieroglyphen-Inschriften sowie viele Kartenpläne und Schnitte. Zusammen mit den Gipsabgüssen von Steinskulpturen, die er zwecks Vervielfältigung und Weiterverbreitung für das Britische Museum mitbrachte, bildete sein veröffentlichtes Werk eine unvergleichliche Grundlage für intensive Forschungen unter vielen Aspekten. Maudslay wies der Maya-Forschung einen wissenschaftlichen Weg, den das 20. Jahrhundert fortsetzen und erweitern sollte.

Kurz vor der Jahrhundertwende begann die institutionelle Bemühung die individuelle abzulösen. Das Peabody-Museum für Archäologie und Ethnologie der Harvard-Universität machte im Jahr 1892 den Anfang und entsandte bis 1915 zwanzig Expeditionen zur Erforschung verschiedener Teile des Maya-Gebietes. Zahlreiche neue Ruinenstätten wurden entdeckt und viele neue Informationen gesammelt. Die Resultate, die ebenfalls mit ausgezeichneten Fotos veröffentlicht wurden, waren eine bedeutsame Ergänzung des Materials von Maudslay.

Die Maya-Archäologie scheint abenteuerliche Charaktere anzuziehen. Ein großer Teil der Forschungsarbeit dieser Expedition der Harvard-Universität wurde durchgeführt von einem einzelnen Menschen, von Teobert Maler, einem gebürtigen Deutschen und naturalisierten Österreicher, der im Gefolge Kaiser Maximilians nach Mexiko kam. Nachdem ein Erschießungskommando dem Leben Maximilians ein Ende gemacht hatte, wurde Maler nach Mittelamerika verschlagen, wo er sich für die Maya-Kultur zu interessieren begann. Mehrere Jahre lang durchwanderte er die Wälder des Petén und abgelegene Teile von Yucatán, Campeche und Quintana Roo, nur begleitet von seinen eingeborenen Dienern, die häufig wechselten. Er legte keinen Wert auf Komfort und durchstreifte die Wälder sowohl in der Regenzeit als auch in der Trockenperiode. Er war ein erstklassiger Fotograf und besaß eine seltene Entschlossenheit und Ausdauer gegenüber Schwierigkeiten, die er sich oft selbst bereitete. Später bildete Maler sich ein, das Peabody-Museum würde große Profite aus dem Verkauf seiner Berichte erlangen können, und weigerte sich, weiterhin etwas mit dem Museum zu tun zu haben.

Ein anderer seltsamer Charakter war Le Plongeon, der glaubte, die Maya seien aus Atlantis gekommen, und das griechische Alphabet sei eine Maya-Hymne, die vom Untergang dieses mythischen Landes berichtete. In Chichén Itzá, wo er längere Zeit arbeitete, hielt er einige an einem skulptierten Fenstersturz hängende Wurzelfasern für Telegrafendrähte und erklärte, die Maya hätten zehntausend Jahre vor seiner Zeit ein Telegrafensystem besessen. Er schrieb ihnen auch die Erfindung des metrischen Systems zu. Doch die Erforscher der Maya-Kultur waren nicht alle Phantasten; der Deutsche Ernst Förstemann leistete hervorragende Pionierarbeit in der Entzifferung der Maya-Kodizes, und Eduard Seler, ebenfalls Deutscher, lieferte Beiträge von ausnehmender Bedeutung. Alfred Tozzer, emeritierter Professor der Harvard-Universität, der einige Zeit unter den primitiven Lacandón-Maya lebte, führte die ersten ethnologischen Studien in Mittelamerika durch. Nach seiner Rückkehr in die Vereinigten Staaten lehrte er mittelamerikanische Archäologie in Harvard, wo viele der heute auf diesem Gebiet tätigen Wissenschaftler unter ihm studierten.

Im Jahr 1915 eröffnete die Carnegie-Stiftung in Washington ihre Tätigkeit auf dem Gebiet der Maya-Forschung. In den folgenden Jahren hatte sie überall bis zu einem Dutzend Leute im Einsatz, die jeden Aspekt der Kultur studierten. Das Programm umfaßte Ausgrabungen in großem Maßstab an drei verschiedenen Typen von Ruinenstätten — Uaxactún, nördlich von Tikal, einer typischen Petén-Stadt der klassischen Periode, Chichén Itzá in Yucatán, wo sich in späterer Zeit mexikanische Einflüsse stark auswirkten, und Kaminaljuyú am Rande der Hauptstadt Guatemala City, einem bedeutenden frühen Zentrum des Hochlandes. Das letzte Unternehmen der Stiftung wurde in Mayapán durchgeführt, der Hauptstadt der Maya von Yucatán kurz vor der spanischen Eroberung. In den letzten Jahren haben mexikanische Archäologen in Chiapas, Campeche und Yucatán die Führung in der praktischen Forschung übernommen.

Das Universitätsmuseum von Pennsylvania startete im Jahr 1956 ein Zehnjahresprogramm in Tikal. In großem Maßstab und mit den neuesten Methoden und Techniken arbeitend, hat das Team eine Menge neuer Daten über das Land der Maya während der klassischen Periode und über die späte formative Periode gesammelt, auf die vieles in Tikal zurückgeht. Das Peabody-Museum von Harvard hat seine Tätigkeit wieder aufgenommen mit Ausgrabungen in Britisch-Honduras und später an den strategischen Ruinenstätten von Altar de Sacrificios und Seibal und im oberen Usumacinta-Pasión-Gebiet.

Andere Forschungszentren — das Middle American Research Institute der Universität Tulane, das Instituto de Antropología e Historia von Mexiko, das Britische Museum und das Chicago Natural History Museum — haben ebenfalls wichtige Beiträge zu unserem heutigen Wissen über die Maya geliefert. Die Forschung hat sich von der Oberflächenuntersuchung zur detaillierten Ausgrabung gewandt, vom Allgemeinen zum Besonderen. Aufgrund dieser intensiven Arbeit ist in den letzten fünfunddreißig Jahren mehr über die Maya in Erfahrung gebracht und veröffentlicht worden als in den vergangenen eineinhalb Jahrhunderten mit dem Resultat, daß die Forschung sich jetzt wieder vom Besonderen zum Allgemeinen zurückzuwenden beginnt. So viele haben zu unserem Wissen über die Maya beigetragen, daß ich auf diesen Seiten nicht versuchen werde, ihre Leistungen im einzelnen zu würdigen. Der Laie dürfte wenig daran interessiert sein, zu erfahren, daß dieses Grab von Brown und jenes von Black ausgegraben, dieser Tempel von Gray freigelegt und diese Glyphe von Green entziffert wurden. Der Spezialist weiß, wem das Verdienst gebührt.

Wir sollten jedoch nicht versäumen, allen Kaugummikauern unseren Dank abzustatten. Um sie laufend zu beliefern, verbringen Hunderte von *chicleros* alle Regenperioden tief in den Wäldern Mittelamerikas, um dem Sapodillabaum seinen dicken, milchigen Saft, das Chicle-Gummi, den Rohstoff für den Kaugummi, abzuzapfen. Auf der Suche nach neuen Revieren stoßen sie oft auf im Wald verborgene Maya-Ruinen. In der Trockenzeit fließt der Saft nicht, und die *chicleros* verlassen dann den Wald, um sich in die kleinen Städte und Dörfer an seiner Peripherie zu begeben, doch dies ist die Zeit, in der der Archäologe tätig wird (Maler war eine Ausnahme). *Chicleros* führten ihn zu neuentdeckten Ruinen, er bediente sich der Maultiere der Chicle-Aufkäufer auf dem Pfad, der für den Abtransport des eingekochten Gummis benutzt wurde.

Allerdings ersetzt synthetischer Gummi heute zunehmend das Naturprodukt, und die *chicleros* ziehen sich aus vielen Teilen des Waldes zurück, so daß ihre Hilfe für die Archäologie bald der Vergangenheit angehören wird. Die letzten Pfade durch den Wald werden überwachsen; kleine Landebahnen, die vor kurzem noch der Verladung des Gummis dienten, verwandeln sich wieder in Wald. So werden diese unsere Vorposten wie die Maya-Städte vor tausend Jahren von der grünen Flut überschwemmt. Da sie nicht aus dauerhaftem Material gebaut sind, werden sie in wenigen Jahren vollkommen verschwinden, in ihrem Untergang vielleicht ein Vorzeichen des Schicksals der ausgehöhlten Zivilisation, die sie hervorgebracht hat. In noch jüngerer Zeit hat eine intensive Suche nach Öl das Gebiet von Petén von neuem erschlossen, doch es scheint, daß es dort kein Öl gibt, und so werden wir vielleicht erleben, daß der Wald von neuem vordringt. Andererseits schreitet der Straßenbau schnell voran, und man kann heute mit dem Bus nach Tikal und mit dem Zug nach Palenque gelangen!

Die Archäologie ist nicht der einzige Schlüssel zum Leben der Maya. Außer den drei erhalten gebliebenen mayanischen Hieroglyphenbüchern (S. 208 f.) besitzen wir die sogenannten Chilam-Balam-Bücher. Diese Werke indianischer Autoren, die ihre Traditionen und ihr Wissen erhalten wollten, sind in der Maya-Sprache von Yucatán, jedoch in europäischer Schrift geschrieben. Neben einem Mischmasch von medizinischen Rezepten, Astronomie, Astrologie und Material über den spanischen und den Maya-Kalender enthalten sie Beiträge zur vorkolonialen Geschichte. Ein ähnliches Bedürfnis im Hochland von Guatemala führte zur Zusammenfassung der Mythen und der Geschichte der Quiché-Maya in einem in europäischer Schrift geschriebenen, als der Popol Vuh bekannten Buch (S. 286).

Außer in den bereits erwähnten Schriften von Bischof Landa ist auch umfangreiches Material über die Maya enthalten in den Aufzeichnungen von spanischen Mönchen und Reisenden der Kolonialperiode. Oft können diese Beobachtungen von Schriftstellern der Kolonialzeit mit archäologischen Daten koordiniert werden. Zur Veranschaulichung dieser Möglichkeit sei mir eine kleine Abweichung gestattet.

Ein spanischer Historiker berichtet, daß im Jahr 1696 der Neffe des Herrschers der damals noch unabhängigen Itzá von Tayasal in Petén (S. 162) als eine Art Botschafter seines Onkels zu dem spanischen Gouverneur von Yucatán kam und ihm als Symbol der Unterwerfung unter die spanische Herrschaft den Kopfschmuck seines Onkels aus leuchtenden Federn überreichte. Wir besitzen keine Hinweise aus anderen Quellen, daß die Überreichung dessen, war wir als eine Herrscherkrone bezeichnen können, bei den Maya ein Symbol der Unterwerfung war. Es müßte sich also um eine Vorstellung handeln, welche die Itzá, die den Spaniern 150 Jahre, nachdem sie Yucatán erobert hatten, standhielten, von ihren weißen Gegnern übernommen hätten. Doch dafür liegen keinerlei Beweise vor. Zwei Reliefs in Palenque zeigen eine auf einem Thron sitzende Person (in einem Fall stellt der Thron Jaguare dar, im andern zwei mürrische Männer in höchst unbequemer Haltung), der eine weniger bedeutende Person einen prächtigen, mosaikartig verzierten und mit Quetzalfedern besetzten Kopfschmuck darbietet (Abb. 26 d). Ein Satz aus dem weitschweifigen und langweiligen Werk eines Historikers des 18. Jahrhunderts erklärt also Reliefs, die ein Jahrtausend zuvor in Palenque gemeißelt worden waren. Manchmal bleibt ein mitgeteiltes Detail unerklärt; so erwähnt ein Franziskaner beiläufig das *pechni*-Ritual, bei dem man einem Opfer die Nase zerquetschte und es dann tötete.

Es gibt nichts in der Archäologie oder in anderen ethnologischen Quellen, das die Information über diese seltsame Zeremonie erweitern könnte, die immerhin so bedeutend war, daß ihr Name in einem Geschichtswerk festgehalten wurde (*pech* heißt zwischen zwei Gegenständen zermalmen, *ni* bedeutet Nase).

Untersuchungen der Glaubensvorstellungen und Bräuche der heutigen Maya waren von noch größerem Wert für die Rekonstruktion der Vergangenheit. Vieles von dem, was wir über die Religion der Maya wissen, geht auf heute noch vorhandene Überbleibsel zurück (S. 283), und ebenso hilft die Rolle, die der alte Maya-Kalender noch heute in abgelegenen Maya-Dörfern des Hochlands von Guatemala spielt, bei der Interpretation der Vergangenheit. Manchmal ist es nicht leicht, Elemente spanischer Herkunft von den einheimischen zu unterscheiden oder von jenen, die aus der Vermischung beider entstehen.

Datierung der Maya-Geschichte und die Kohlenstoff-14-Analyse

Die Umrechnung von Maya-Daten in unsern Kalender erfolgt in diesem Buch nach der sogenannten Goodman-Martínez-Thompson-Korrelation, die heute von fast allen Maya-Forschern akzeptiert wird; die alternative Spinden-Korrelation macht alle Daten in unserer Zeitrechnung um 260 Jahre jünger.

Die Lösung dieses Problems hing von vielen Faktoren ab: der Astronomie, historischem Belegmaterial aus der Periode der ersten spanischen Kontakte, Keramik, Architektur, dem heutigen Maya-Kalender, dem aztekischen Kalender und in jüngerer Zeit mit der Kohlenstoff-14-Analyse datierten Holzbalken in Maya-Tempeln. In den ersten Stadien der Kohlenstoff-14-Untersuchungsmethoden, als einige der Fehlerquellen noch nicht ausgemerzt waren, stützten die Resultate die Spinden-Korrelation; seit das Verfahren verfeinert wurde, hat sich die Situation umgekehrt.

Wegen ihrer immensen Bedeutung für die Archäologie soll ein Wort über das obenerwähnte, gewöhnliche Kohlenstoff-14- oder C-14-Radiokohlenstoff-Verfahren gesagt werden. Kohlenstoff 14 ist ein Element im pflanzlichen und tierischen Leben, das zu zerfallen beginnt, wenn der Tod eintritt. Vor etwa 15 Jahren entdeckte man, daß am Ende eines Zeitraums von etwa über 5000 Jahren die Hälfte des C-14-Gehalts eines toten Organismus zerfallen war. Der Wert dieser Entdeckung für die Archäologie wurde sofort erkannt, denn durch Messung des Verlustes von C-14 in einem Stück Holzkohle, Holz oder auch, weniger zuverlässig, Knochen in einer Ablagerung konnte man das Alter des Fundes bestimmen.

Leider lagen die Dinge nicht ganz so einfach. Proben konnten durch Verunreinigung gelitten haben und ergaben dann die abenteuerlichsten Resultate. Da ein Baum außen stirbt, konnte eine Probe aus dem innersten Kern des Stammes ein Jahrhundert älter scheinen. Außerdem ist die ältere Verwendung festen Brennstoffs weniger verläßlich als die heute angewandte Methode der Umwandlung in Gas. Einzelne C-14-Proben waren unsicher, lange Reihen von Untersuchungen dagegen verläßlicher. Im Jahr 1959 führte das Laboratorium der Universität von Pennsylvania 33 Proben von zehn Balken eines Tempels in Tikal durch. Die gesamte Versuchsreihe ergab als Durchschnitt das Jahr 746 n. Chr. mit einer Toleranz von 34 Jahren in beiden Richtungen. Diese Balken waren mit einem Maya-Datum verziert, das dem Jahr 741 n. Chr. in der hier befolgten Goodman-Martínez-Thompson-Korrelation entspricht; die entsprechende Jahreszahl in der Spinden-Korrelation ist 481 n. Chr. Spätere Analysen von Tikal-Balken haben die Übereinstimmung mit der ersten Korrelation bestätigt.

*Ein gewisser intellektueller Abstand ist not-
wendig, um jedes große Werk in seiner gesamten Anlage und seinen wahren Ausmaßen zu
erfassen; Betrachtung aus der Nähe offenbart
die kleineren Feinheiten, doch die Schönheit
des Ganzen wird nicht mehr wahrgenommen.*

SAMUEL JOHNSON, PREFACE TO SHAKESPEARE

II. Aufstieg und Blüte der Maya-Stadtstaaten

Besiedelung der Neuen Welt

Das Studium der Archäologie ist in nicht geringem Maße angewiesen auf die Untersuchungen von Zehntausenden von Gefäßscherben
und des mannigfaltigen Inhalts von Schutthaufen. Gründliche Methoden sind wesentlich für die Rekonstruktion des Rahmenwerks der
Geschichte, doch sie ergeben eine langweilige Lektüre für den Durch-
schnittsleser.

Hiervor warnt Philip Guedalla die Archäologen in einer seiner
mehr von *Fin-de-siécle*-Stimmung getragenen Passagen in der Ba-
rockfassade seines *Conquistador*. Er schreibt: »Eins der gefährlich-
sten Risiken der Geschichtsschreibung besteht darin, daß sie der
Nachwelt das spezifische Merkmal diktiert, an dem sie ein vorange-
gangenes Zeitalter erkennen soll. Rom besteht, aus irgendeinem
Grunde, in unserer Erinnerung fast nur aus Aquädukten, Ägypten
fast nur aus Gräbern... Solche ganz zufälligen Überbleibsel verursachen die seltsamsten Mißverständnisse und die schiefsten Rekonstruktionen der Vergangenheit, und es ist beunruhigend, daran zu
denken, daß wir eines Tages, ohne jede Möglichkeit des Wider-
spruchs, solchen Zufällen auf Gnade und Ungnade ausgeliefert sein
können.«

Es ist durchaus zu befürchten, daß die Maya-Archäologie sich als
endloser Katalog von Veränderungen in Form und Dekor von
Töpferwaren oder von kleineren Entwicklungen in den Typen des
Mauerwerks erweisen könnte.

Gefäßscherben sind wichtig für die Rekonstruktion von Handels-straßen und für den Nachweis der Gleichzeitigkeit von Kulturzen-tren, und Hiob fand sie geeignet, den Eiter seiner Geschwüre abzu-schaben, doch um den intellektuellen Abstand zu erreichen, den Samuel Johnson mit Recht fordert, muß die detaillierte Diskussion vermieden werden. Zu diesem Zweck ist die spezialisierte Informa-tion dieser Art hier stark komprimiert oder weggelassen, um die Leinwand freizuhalten für ein Bild in großen Umrissen.

Die Archäologen stimmen darin überein, daß Amerika von Ein-wanderern aus Asien besiedelt wurde, die über die Beringstraße kamen; es besteht freilich weniger Einigkeit darüber, wann die frühesten Überquerungen stattfanden, doch die Mehrheit ist der Meinung, daß es vor etwa 20 000 Jahren geschah. Ziemlich allgemein nimmt man an, daß es sich nicht um große Wanderungen handelte, sondern um Infiltrationen von kleinen Gruppen, die langsam die Neue Welt bevölkerten, im Verlauf von Tausenden von Jahren. Der früheste sicherste Beweis für die Anwesenheit von Menschen (in Tule Springs, Nevada) führt uns zurück bis 11 000 v. Chr., doch man wird sicherlich auf noch frühere Fundstätten stoßen.

Das ganze Problem der ersten Menschen in Amerika ist äußerst komplex und noch immer weit von seiner Lösung entfernt. Eine Schwierigkeit besteht darin, daß die Archäologen, die in Jahrzehnten und Jahrhunderten denken, in dieser Sache weitgehend abhängig sind von den Geologen, in deren Sicht »tausend Zeitalter ... nur ein verflossener Abend sind«. Auf jeden Fall ist die Frage nicht von großer Bedeutung, soweit die Maya-Kultur betroffen ist, denn es be-steht kein Grund zu glauben, daß die Maya mit jenen ersten Ameri-kanern ins Land kamen; ihre Vorfahren waren wahrscheinlich späte Einwanderer.

Kein Fachspezialist nimmt an, daß Amerika von Einwanderern be-siedelt wurde, die über den Atlantik oder den Pazifik kamen, obwohl die Möglichkeit, daß späte Einflüsse die Neue Welt von Polynesien aus erreicht haben, nicht ausgeschlossen werden kann. Es ist sogar noch viel unwahrscheinlicher, daß zu irgendeiner Zeit einmal Rei-sende von Peru oder einem anderen Ort Lateinamerikas nach Poly-nesien gesegelt sind.

Der amerikanische Indianer ist ein gemischter Typus, doch es überwiegen bei ihm mongolide Züge, die ziemlich klar anzeigen, daß die Mehrheit der Einwanderer aus Nordostasien und Ostasien kam. Es sind jedoch auch noch andere Rassenmerkmale vorhanden.

Ernest Hooton, berühmt durch sein Buch *Up from the Ape*, bemerkt beim Beschreiben einer Reihe von Maya-Schädeln, man könnte ohne Schwierigkeit Seitenstücke zu ihnen finden in Pueblo-Schädeln aus Neumexiko oder Arizona oder aus Grabstätten der peruanischen Küste. Nachdem er festgestellt hat, daß Schädeldeformation im Nahen Osten und in den westlichen Teilen der Neuen Welt anzutreffen ist, doch bei den zum mongoliden Typus zählenden Asiaten fehlt, fährt er fort: »Ich bin geneigt anzunehmen, daß die Vorfahren der klassischen Maya nicht sehr verschieden waren von dem weißen Mischtypus, den wir armenid nennen — Hakennasen von Henry Fields Rasse des iranischen Hochlands, Rundschädel der guten alten Alpinen und erfüllt von der gleichen ästhetischen Ambition, ihre Schädelform zu verbessern. Schließlich nahmen sie einige mongolide Züge an — Haar, Hautfarbe, (hohe) Backenknochen usw.«

Wenn Hooton recht hat — und es gibt wenige, die seine Autorität auf dem Gebiet der Anthropologie in Frage stellen —, ist es ein erregender Gedanke, daß die Maya sozusagen Vettern dritten Grades von Völkern wie den Sumerern waren, die sich etwa 3000 Jahre vor den Maya damit beschäftigten, Pyramiden zu errichten, die Astronomie zu entwickeln und eine hohe Kultur zu begründen und zu verbreiten. Waren diese Parallelen zufällig? Brachten die Maya und andere Vertreter ihrer Rasse den Samen solcher Ideen mit sich, als sie zur Neuen Welt übersetzten? Oder gibt es etwas im Armenidenblut, das sie solchen Interessen zugeneigt machte? Das Problem besteht darin, daß wir keine wirklichen Beweise dafür haben, welche Gruppe in beiden Hemisphären als erste auf solche Gedanken kam. In der Alten Welt mögen es die Ägypter gewesen sein, doch trotz allem, was unseres Wissens dagegen spricht, dürften die ersten Pyramidenbauer und Astronomen der Neuen Welt eine langschädlige Gruppe ohne Spur von Hakennasen gewesen sein. Über solche Spekulationen schrieb Hilaire Belloc einmal einige zutreffende Zeilen: »Der Forscher sei gewarnt, daß sie Theorien sind und nur Theorien, deren ganzer Sinn und Wert darin besteht, daß sie sich nicht beweisen lassen; was sie amüsant und interessant macht, ist die Gewißheit, daß man sich über sie streiten kann, und der innere Glaube, daß man sie, wenn man ihrer müde wird, ohne Bedauern fallenlassen kann. Ältere Menschen wissen dies, jüngere Menschen jedoch häufig nicht.«

Die ersten Bewohner der Neuen Welt waren Jäger und Wildpflanzensammler, und zu dem Wild, das sie jagten, gehörte das

Mammut. Zeugnisse für die Jagdmethoden dieser Gruppen sind in weit voneinander entfernten Gebieten, von den Vereinigten Staaten bis nach Südamerika, gefunden worden, jedoch bis jetzt noch nicht im Maya-Gebiet, und zwar fast sicher deshalb, weil man bis jetzt in dieser Region nur wenig nach Spuren dieser frühen Kultur gesucht hat; man kann aber ihre frühere Existenz aufgrund ihres Vorkommens auf beiden Seiten des späteren Maya-Territoriums annehmen.

Gewichtige Beweise für frühe Jäger sind kürzlich in einer nur wenige Meilen nördlich von Mexiko City gelegenen Gegend, am einst sumpfigen Rand des Texcoco-Sees, gefunden worden. In Iztapan fand man im Jahr 1952 die Überreste eines jungen Mammuts mit einer Feuersteinspitze zwischen zwei Rippen und anderen unter den Knochen liegenden Geräten aus Feuerstein und Obsidian. Das Tier war geschlachtet worden, nachdem man es offenbar in den zähen Boden der sogenannten Oberen Becerra-Formation getrieben hatte, die man etwa 9000 bis 10 000 Jahre zurückdatiert. Knochen eines anderen, zwei Jahre später unter ähnlichen Bedingungen gefundenen Mammuts waren eindeutig durch menschliche Kraft umherbewegt worden, und wiederum lagen Feuersteinspitzen in ihrer Nähe. Einige der Knochen zeigten tiefe, von den Jägern bei der Zerlegung des Tieres verursachte Einschnitte.

In Tepexpan, nur anderthalb Kilometer entfernt, barg man in einer ähnlichen Formation die Überreste einer Frau von etwa dreißig Jahren, des einzigen bisher mit jenen frühen Jägern assoziierbaren menschlichen Wesens. Ihre Knochen unterschieden sich nicht merklich von jenen des Durchschnitts der heutigen Indianer Mexikos; es war nichts Primitives ân ihr, obwohl sie begraben wurde, als das Mammut noch das Land durchstreifte.

Grabungen in Höhlen im nordöstlichen Mexiko und in der Umgebung von Tehuacán, etwa auf halbem Wege zwischen Mexiko City und der Westgrenze des Maya-Gebiets, förderten den von diesen frühen Jägern zurückgelassenen Abfall zutage, der unter dem der ersten Ackerbauer lag; der Abfall zeigte, wie zu erwarten war, daß wildwachsende Pflanzen und Samen sowie Heuschrecken und andere Insekten einen weitaus größeren Bestandteil der Nahrung dieser frühen Jäger bildeten als Wildbret.

Wie und wo Mais zum erstenmal angebaut wurde, diese Frage beschäftigte die Botaniker lange Zeit, und in der Hauptsache ging es darum, ob Südmexiko, also das Maya-Gebiet, oder Peru als Ursprungsland anzusehen seien. Die jüngsten von dem kanadischen

Archäologen Richard MacNeish und seinen Assistenten in den oben erwähnten Höhlen in der Nähe von Tehuacán gemachten Entdeckungen beweisen über jeden ernsthaften Zweifel hinaus, daß Mais zuerst im Maya-Gebiet angebaut wurde.

In jenen trockenen, geschützten Höhlen lagen Schichten von Siedlungsabfällen übereinander, die einen Zeitraum von etwa neuntausend Jahren umspannten. Die ersten angebauten Pflanzen, die in Erscheinung traten, waren Mais, Squash und Chili, gefolgt vom Flaschenkürbis und später von Bohnenkürbis und Amarant. Die ersten Maiskolben waren nur etwa 4 cm lang, kürzer als Weizenähren, doch sie besaßen genau jene Merkmale, welche die Botaniker bereits früher vorausgesagt hatten. Die Entwicklung dieser frühesten Kolben bis zu denjenigen, die die Indianer zur Zeit der Ankunft des weißen Mannes anbauten, zeugt für ihre Fähigkeiten als Züchter. Coxcatlán-Komplex hat man die Abfallschichten genannt, in denen der Feldbau zum erstenmal erscheint. Fünf Kohlenstoff-14-Daten zeigen, daß er von etwa 5200 bis etwa 3400 v. Chr. gedauert haben muß. Viel wilder, doch auch ein wenig angebauter Mais wurde in den frühesten Schichten dieses Komplexes gefunden. Man beobachtet einen graduellen Anstieg des Prozentsatzes an kultivierten im Gegensatz zu nichtkultivierten Pflanzenresten, wenn man sich durch die Zeit nach oben arbeitet. In der nachfolgenden Abejas-Phase (3400—2300 v. Chr.) wird angebauter Mais häufiger als Wildmais.

Gleichzeitig muß man jedoch die Möglichkeit im Auge behalten, daß es mehr als ein Zentrum der Pflanzenkultivierung in der Neuen Welt gab. Maniok hatte mit ziemlicher Sicherheit seinen Ursprung im östlichen Südamerika, und die große rituelle Bedeutung des Amarant im alten Mexiko hat mich lange in dem Glauben gehalten, er habe eine sehr frühe Entwicklung vielleicht im westlichen Mexiko gehabt. Wie groß der Zeitraum zwischen jenen frühen Stadien des Feldbaus und seiner Übernahme und Verbreitung im Maya-Hochland war, darüber kann man heute vorläufig nur Vermutungen anstellen, doch aufgrund der Arbeiten von MacNeish in den Höhlen in Tamaulipas im nordöstlichen Mexiko, nicht weit von der texanischen Grenze, wissen wir, daß die Zeitspanne bis zur Übernahme des Feldbaus nicht sehr groß war.

Eine entwickelte Landwirtschaft erfordert ein seßhaftes Leben und eine weitaus größere Bevölkerungsdichte, beides förderlich für den kulturellen Fortschritt. Über diese frühen Phasen in Mittelamerika ist nur äußerst wenig bekannt.

Anfänge der Kultur in Mittelamerika
(Die Formative Periode)

Wir wissen immer noch nicht, wann die Keramik, diese größte Stütze der Archäologie — aufgrund ihrer Empfänglichkeit für Stilveränderungen und ihrer Unzerstörbarkeit —, zum erstenmal in Mittelamerika auftauchte, noch wo sie ihren Ursprung hatte. Die Töpferkunst ist vielleicht von späten Einwanderern aus Asien nach Alaska gebracht worden, es ist jedoch wahrscheinlicher, daß sie sich unabhängig in der Neuen Welt entwickelte. Bis heute wurden die frühesten Funde in Tehuacán gemacht, und zwar in Schichten, die nach der Kohlenstoff-14-Methode in die Zeit um 2500 datiert wurden, die frühesten bisher bekannten Funde im Maya-Gebiet sind jedoch erheblich jünger.

Archäologen der New World Archaeological Foundation, die in der Nähe von Chiapa de Corzo in Zentral-Chiapas, nur vierzig Kilometer westlich der heutigen Grenze des Maya-Territoriums, arbeiteten, fanden eine lange Reihe von Keramikstätten, von denen die früheste, Chiapa I, nach einer Kohlenstoff-14-Analyse um 1300 blühte. In noch jüngerer Zeit wurde bei La Victoria an der Pazifik-Küste von Guatemala, genau östlich der mexikanischen Grenze und etwa 240 Kilometer südsüdöstlich von Chiapa, ein gleichaltriger Horizont entdeckt, den man Ocós-Horizont genannt hat. Die Gegend von La Victoria gehörte zur Zeit der spanischen Eroberung sehr wahrscheinlich zum Maya-Sprachraum oder lag höchstens wenige Kilometer außerhalb des Maya-Territoriums. Welche Sprachen in diesen beiden Gebieten vor dreitausend Jahren gesprochen wurden, können wir nur mutmaßen; unser einziger Anhaltspunkt ist der Anschein, daß die Grenzen des Maya-Territoriums sich nur wenig verändert haben.

Die Menschen des Ocós-Horizonts bauten mit ziemlicher Sicherheit Tempel auf künstlichen Hügeln, ein Beweis dafür, daß schon zu dieser frühen Zeit die Gemeinschaften gut organisiert waren und wahrscheinlich begannen, soziale Schichten herauszubilden, denn Tempel-Mounds deuten auf eine organisierte, von der Gruppe unterhaltene Priesterschaft hin.

Man hat diesen frühen Kulturen verschiedene Bezeichnungen gegeben — archaisch, vorklassisch, formativ. Ich ziehe die letztere vor, denn sie zeigt an, daß in ihrem Verlauf die Merkmale, welche die nachfolgende klassische Periode charakterisieren, Form annahmen.

Um die Mitte des ersten Jahrtausends v. Chr. war Mittelamerika ziemlich dicht besetzt mit Siedlungen der formativen Periode.

Ich neige zu der Annahme, daß kleine Gruppen, die über die Beringstraße kamen, viele Erfindungen mitbrachten, vielleicht sogar die Webkunst und die Töpferkunst, und daß die letzten Ankömmlinge, die Sibirien vielleicht erst zu Beginn der christlichen Zeitrechnung verließen, bestimmte religiöse Vorstellungen einführten, die bis heute im östlichen Asien, vermischt mit dem Hinduismus und einem entarteten Buddhismus, erhalten geblieben sind. Ich denke dabei an Entwicklungen wie die Assoziation von Farben und Himmelsdrachen mit den vier Weltgegenden, Vorstellungen, die meiner Ansicht nach zu komplex und unnaturalistisch sind, um sich unabhängig voneinander in Asien und in Amerika entwickelt zu haben.

Es handelt sich hier nicht um orthodoxe Anschauungen; man nimmt allgemein an, daß Einwanderer aus der Alten Welt ein Minimum an Kultur mitbrachten und daß praktisch alle Erfindungen der Alten Welt, die auch in der Neuen Welt anzutreffen sind, in dieser Hemisphäre selbständig gemacht wurden. Andererseits vertreten einige Autoren die These, daß es so etwas wie Wiedererfindung in der Neuen Welt nicht gibt, sondern daß es sich in allen derartigen Fällen von Duplizität um geistige Importe aus Asien handelt. Hier dürfte ein Standpunkt zwischen diesen beiden Extremen am Platz sein.

Ein Reisender, der vor etwa 2500 Jahren vom heutigen Mexiko City nach dem heutigen Guatemala City wanderte, dürfte auf seinem Weg keine großen Unterschiede in der Lebensweise der verschiedenen indianischen Gemeinden bemerkt haben — er ging zu Fuß oder er wurde in einer Sänfte getragen, denn es gab keine Lasttiere noch andere Fortbewegungsmittel. Vielleicht saß er in einer Art Sessel, gegen den Rücken eines Indianers gelehnt und gesichert durch ein Seil, das um die Stirn eines Indianers gelegt war, doch ich vermute, daß dies ein Reisekomfort war, der erst in der spanischen Kolonialzeit in Mittelamerika eingeführt wurde. Ich nehme an, daß er zu Lande reiste. Möglicherweise legte er einen Teil des Weges im Einbaum zurück, von Tehuantepec entlang der pazifischen Küste bis an die Grenze von Guatemala, denn dies war eine häufig benutzte Route in der aztekischen Zeit.

Was hätte er gesehen? Wahrscheinlich sehr viel Wald, nachdem er einmal das Hochtal verlassen hatte, und immer wieder eine kleine Lichtung mit ein paar Hütten. In einigen Gegenden wären sie rund und in anderen rechteckig oder oval gewesen, doch alle mit Gras oder mit Palmblättern gedeckt. Im Innern der Hütten hätte er eine Vielfalt von Gegenständen entdeckt, einen Mühlstein und eine Handwalze für den Mais, Gefäße aus Ton, Kürbisschalen und Holz, einfache, mit Matten belegte Bettgestelle, Netzbeutel zur Aufbewahrung von Mais, gewebte Beutel für Bohnen, eine Feuerstelle, einige kleine Tonidole, einen aufgerollten Webstuhl mit einer halbfertigen Webarbeit, hölzerne Pflanzstöcke, Stäbe und Holzstücke zum Feuermachen, runde, vom Dach herabhängende Tabletts, vielleicht einen gekerbten Pfosten, der als Leiter zum Dachboden diente, Behälter für Wasser und Kalk, der zum Einweichen der Maiskörner vor dem Mahlen verwendet wurde, und vielleicht zwei oder drei ponchoähnliche Kleidungsstücke, die in der Nacht als Decken und am frühen Morgen als Mäntel benutzt wurden, doch keine Ersatzkleider. Spitzen aus Obsidian oder Feuerstein, Fallen, Speere, eine zugerichtete Tierhaut oder zwei, Farbbeutel, zwei Hunde und mehrere Kinder hätten das Bild vervollständigt. In der Nähe der Hütten hätte er Lichtungen entdeckt, auf denen Mais, Kürbis, Bohnen und andere Feldfrüchte angepflanzt waren.

Einige Meilen weiter mag der Pfad eine ›Stadt‹ streifen, die im Augenblick, da unser Reisender an ihr vorbeiwandert, vollkommen verlassen ist, da nicht Markttag ist und in der nahen Zukunft keine wichtige Zeremonie stattfinden wird. In diesen Zentren begegnet er ziemlich großen und manchmal sehr stattlichen Pyramidenhügeln, doch tragen sie nur Altäre oder kleine gedeckte Gebäude. So würde der Besucher weiterziehen, immer wieder diese kleinen Siedlungen erblicken, hin und wieder ein Dorf, ein Maya-Kultzentrum, Felder mit Mais, Baumwolle, Agaven oder Maguey, er würde ab und zu Jägern begegnen, Zeuge einer religiösen Zeremonie sein oder einen in vollem Betrieb befindlichen Markt passieren. Am Ende seiner Reise würde er sich dessen erinnern, was er gesehen hatte, und sich der allgemeinen Monotonie des Bildes bewußt werden.

Hier würden die Gefäße größtenteils aus Kürbisschale oder Holz bestehen, dort aus Ton. Manche Dörfer verwenden Kleidungsstücke aus Maguey-Fasern, in andern (in reicheren oder solchen, die in der Nähe von gutem Baumwolland liegen) sind einige der wichtigsten Bewohner in Baumwolle gekleidet. Hier trugen die Götter eine bestimmte Garnitur von Namen und dort eine andere, doch wie Judy O'Grady und des Colonels Lady würden sie im Grunde die gleichen sein, die allgegenwärtigen Götter der Ernte und des Regens. Die Tongefäße variieren von Region zu Region vielleicht in Form und Verzierung, doch im wesentlichen zeigen sie die gleiche Meisterschaft in der Technik der Töpferei. Pyramiden aus den späteren Phasen der formativen Periode in Teotihuacán oder bei Guatemala City oder im entfernten Yaxuna in Yucatán zeigen lokale Differenzen, doch sie sind die gleichen in der Grundauffassung. Hätte der Wanderer sich zu Beginn seiner Reise nach Osten gewandt, wäre er dem Golf von Mexiko südlich gefolgt und hätte seinen Weg entlang der Basis der Halbinsel Yucatán bis nach Honduras fortgesetzt, dann hätte er festgestellt, daß sogar die Töpfereien von Veracruz bis nach West-Honduras einander sehr glichen und kleine Tonfiguren von Altären in Hütten tief im Petén-Gebiet in vielen Fällen kaum zu unterscheiden waren von jenen in Hütten im Schatten des Pic de Orizaba. Er hätte auch entdeckt, daß das Leben überall geregelt war nach den wechselnden Aspekten der Tagesgötter, die nacheinander den 260tägigen Almanach (S. 182 f.) beherrschten, von einem Ende des Landes bis zum anderen Glück und Unglück bringend entsprechend ihrer Natur.

Der hier gegebene Umriß ist notwendigerweise sehr allgemein. Der Aufstieg zur Hochkultur setzte sich während der ganzen formativen Periode fort. Um die Darstellung zu vereinfachen, teilen die Archäologen die formative Periode in die frühe (1500—1000 v. Chr.), mittlere (1000—500 v. Chr.) und späte (500 v. Chr.—100 n. Chr.) Unterperiode ein, wobei es sich in allen Fällen nur um Versuchsdaten handelt.

Die mittlere formative Periode erlebte die ersten Fortschritte der Kultur von La Venta, auch Olmeken-Kultur genannt, die in einem kleinen Gebiet des südöstlichen Veracruz unmittelbar westlich der Chontal-Maya und knapp außerhalb der Karte (S. 333) entstand. Die Olmeken entwickelten eine außergewöhnliche Geschicklichkeit in der Bearbeitung von Jade und anderen harten Steinen und schufen eine einzigartige Kunst mit Motiven, die von fauchenden Jaguaren und menschlichen Formen (Kind oder Zwerg) abgeleitet waren. An der Fundstätte von La Venta selbst werden frühe Schichten nach der festen und weniger zuverlässigen Kohlenstoff-14-Methode in die Zeit um 800 n. Chr. datiert. Doch alle großen Skulpturen sind Oberflächenfunde und vermutlich der Phase 4 oder einer noch späteren zugehörig; nach ziemlich schwachen Zeugnissen soll die Phase 4 etwa um 400 n. Chr. geendet haben. Die einzige Skulptur mit Hieroglyphen in La Venta ist nicht typisch und war ein Oberflächenfund.

Die Informationen über die späte formative Periode nehmen rasch zu, doch bis jetzt ist das Schlüsselproblem der Rolle von La Venta beim Aufstieg der Kultur noch immer Gegenstand der Erörterung. Manche Forscher sehen in ihr eine Art Mutterkultur, von der alle anderen Kulturen in Mittelamerika abstammen. Der gleiche Rang wurde früher den Maya zugeschrieben, und es bedurfte längerer Zeit und großer Mühe, das Bild der Maya-Kultur als eines einzelnen, aus einem Sumpf von niederen Kulturen emporwachsenden Gipfels zu zerstören. Die eifrigsten Verfechter der führenden Stellung von La Venta glauben, ihren Schatten noch im entfernten Peru feststellen zu können; andere Forscher sehen in La Venta einen von mehreren Brennpunkten einer in ganz Mittelamerika zwei oder drei Jahrhunderte vor der christlichen Zeitrechnung entstehenden Hochkultur, die ihre zeitgenössischen Kulturen beeinflußte und von ihnen beeinflußt wurde. Außerdem ist La Venta mit Mittel-Tlatilco verknüpft, und es gibt Felsgravierungen im La-Venta-Stil auf der mexikanischen Hochebene, eine Tatsache, die einen führenden mexikanischen Archäologen dazu veranlaßt, den Ursprung von La Venta auf der mexikanischen Hochebene zu suchen. Wir befinden uns in einem Stadium, in dem eine größere Reihe von Kohlenstoff-14-Daten — im Gegensatz zu einzelnen Daten — aus allen Schichten von so wichtigen Fundstätten wie La Venta und Monte Albán uns eine weitaus klarere Vorstellung von der Entstehung der Hochkulturen aus der formativen Periode vermitteln. La Venta ist sicher eine frühe — vielleicht die früheste — Manifestation fortgeschrittener Plastik, und es beeinflußte zweifellos die Klassik in ganz Mittelamerika; es gibt jedoch keine Beweise, daß es in sonstiger Hinsicht bahnbrechend gewirkt hat. Alle größeren Kulturen Mittelamerikas hatten ihre Wurzeln in der formativen Periode; sie entfalteten daher ihre spezifischen Persönlichkeiten etwa um die gleiche Zeit und hatten aus dem gleichen Grund während ihrer ganzen Geschichte so viele Gemeinsamkeiten in Kultur und Religion.

Mit Sicherheit erlebten die Maya im Hochland von Guatemala, an der pazifischen Küste und im Tiefland der Halbinsel Yucatán während der gleichen späten formativen Periode eine Zeit glänzender Blüte.

Die Ausgrabungen einiger weniger der nahezu zweihundert Grabhügel innerhalb der heute durch die Ausdehnung der modernen Guatemala City zerstörten Ruinenstätte Kaminaljuyú hat umfangreiches Informationsmaterial über den dortigen späten formativen Horizont und auch über die nachfolgende frühe klassische Periode zutage gefördert. Kaminaljuyú liegt in dem Territorium, das zur Zeit der spanischen Eroberer von Maya bewohnt wurde, die den Pokoman-Zweig der Maya-Sprachengruppe sprachen, und es ist wahrscheinlich, daß die gleiche Gruppe das Gebiet zweitausend Jahre früher beherrschte. Der Spaten legte eine Reihe von formativen Phasen frei, deren früheste, Las Charcas, aufgrund eines Kohlenstoff-14-Datums in die Zeit um 380 v. Chr. verlegt werden konnte, während sich für die späteste, Miraflores, eine Reihe von Daten ergaben, die in einem Zeitraum von wenigen Jahrzehnten vor und nach dem Jahr 1 n. Chr. liegen. Las Charcas ist nur durch Keramik vertreten.

Miraflores hingegen hat Zeugnisse einer regen Bautätigkeit geliefert. Eine nicht weniger als sechsmal vergrößerte oder umgebaute Pyramide hatte eine Höhe von über 18 Meter. Sie bestand aus luftgetrocknetem Lehm, ihre Seitenflächen waren abgestuft, und sie besaß eine einzelne breite Treppe. Pfostenlöcher in verschiedenen Gipfelplattformen, die mit mehr als einem Umbau in Zusammenhang standen, lieferten den Beweis, daß ein Gebäude aus vergänglichen Materialien einst einige der ineinandergeschachtelten Pyramiden krönte.

Innerhalb des Bauwerks befanden sich zwei Gräber, die Auskunft gaben über die soziale Organisation und den Reichtum der Gemeinde. Zur Veranschaulichung folgte eine kurze Beschreibung von Grab 1 und seinem Inhalt.

Zur Anlage des Grabes hob man auf der Gipfelplattform einen mit Stufen versehenen, etwa 3,5 Meter tiefen Schacht aus, auf dessen Grund sich das 3,3 mal 3 Meter große Grab befand. Dieser Schacht wurde abgedeckt durch ein nach der Beerdigung eingezogenes Balkendach, das auf Pfosten ruhte, die in jeder Ecke der Grube tief eingelassen waren. Die Lücken zwischen den Balken wurden dann mit Schilfrohr ausgefüllt und das Ganze mit Matten bedeckt. Der rot angemalte tote Häuptling lag auf einer hölzernen, auf den Boden der Grube hinabgelassenen Bahre; die reiche Ausstattung für sein Leben in der anderen Welt wurde auf der Bahre und um sie herum aufgehäuft, so daß sie den gesamten Boden bedeckte, weitere Beigaben legte man auf das fertiggestellte Dach und die Stufen des Schachts. Ein Erwachsener, der vermutlich geopfert wurde, um seinem Herrn in der anderen Welt zu dienen, wurde mit nach oben zum Dach des Grabes gerichteten Beinen auf die unterste Stufe des Schachts gelegt. Nach Beendigung der Beisetzungszeremonien wurde der Schacht ausgefüllt, und man legte auf der Gipfelplattform einen neuen Fußboden an.

Leider wurde das Grab in alter Zeit, nicht lange nachdem sein Besitzer zur Ruhe gebettet worden war, geplündert, mit dem Resultat, daß die große Menge an Jade, die das Grab zweifelsohne einmal enthielt, nur noch durch einige kleine, übersehene Stücke vertreten war. Doch die phantastische Zahl von etwa 300 Tongefäßen, viele aus entfernt liegenden Gegenden importiert, bezeugt die Bedeutung des Verstorbenen. Kleine Schalen aus graugrünem Chloritschiefer und weißem Marmor, die Überreste kleiner, mit Pyrit inkrustierter Platten, die als Spiegel oder Ornamente dienten, der Staub dessen, was einmal erlesene Baumwollstoffe gewesen sein müssen, reich beschnitztes Holz, Obsidianklingen und Muscheln gehörten zum Grabinhalt. Eine Maske, deren Züge in Albit und wahrscheinlich auf einer Unterlage von Holz eingelegt gewesen waren, hatte offenbar einmal das Antlitz des toten Häuptlings bedeckt, war jedoch herabgeglitten und mit der Unterseite nach oben auf dem Fußboden neben der Bahre liegengeblieben und so der Aufmerksamkeit der Plünderer entgangen. Unter den Beigaben des Grabes war von besonderem Interesse ein pilzförmiger Stein auf einem Dreifuß in der Gestalt eines Jaguars oder Pumas in einer Gesamthöhe von etwa 35 Zentimeter. Solche Steinplastiken sind häufig im Hochland von Guatemala, und es gilt als sicher, daß sie mit dem Kult Visionen spendender narkotischer Pilze in Verbindung standen, der bis heute in entlegenen Teilen Südost-Mexikos lebendig geblieben ist. Vor zweitausend Jahren hatte der Herr dieses Grabes im rituellen Ablauf seines Tages diese Pilze gegessen und die von ihnen hervorgerufenen farbigen Visionen erlebt.

Wir haben hier also den klaren Beweis für eine hochentwickelte Gruppe, die im Besitz der Mittel war, große Pyramiden zu errichten, kommerzielle Transaktionen mit entfernten Gegenden durchzuführen und eine herrschende Klasse im Luxus zu erhalten. Die Art der Bestattungen und die Anwesenheit des Dieners, der mit ziemlicher Sicherheit beim Begräbnis seines Herrn geopfert wurde, deuten auf einen stark entwickelten Glauben an ein zukünftiges Leben hin; die Schönheit einiger Keramiken und vieler Steingefäße beweist einen ausgeprägten ästhetischen Geschmack und die Kunstfertigkeit, ihn zu befriedigen. In diesem Miraflores-Horizont in Kaminaljuyú finden sich auch hervorragende Plastiken und mit ihnen Maya-Hieroglyphen, ein guter Beweis dafür, daß diese frühen Grabhügelbauer Maya waren.

Das Vorkommen von Hieroglyphen-Schrift, sowohl in diesem

Tafel 1/Oben (a): Palast im Puuc-Stil, Yucatán, um 850. — Unten (b): Teilrekonstruktion von Piedras Negras, um 800

Tafel 2: *Pyramidentempel in Tikal*

Tafel 3/Oben (a): ›Castillo‹, Tempel des Kukulcan, in Chichén Itzá.
Frühe mexikanische Periode, um 1000. — Unten (b): Tempel der Inschriften in Palenque, 692

Tafel 4/Oben (a): ›Nonnenkloster‹-Viereck und Adivino-Tempel in Uxmal, um 900. — Unten (b): Tempel der Krieger in Chichén Itzá. Mexikanische Periode, um 1150

späten formativen Horizont in Kaminaljuyú um Christi Geburt als auch auf formativen Plastiken an der pazifischen Küste Guatemalas — San Isidro Piedra Parada im pazifischen Küstenstreifen hat Stelen mit später formativer Skulptur geliefert, eine eindeutige Maya-Glyphe sowie eine Felsgravierung in reinem La-Venta-Stil nur einen Steinwurf entfernt, jedoch kein Zeugnis darüber, ob das letztgenannte Werk mit den anderen kontemporär ist —, wirft eine bedeutsame Frage auf. Lange Zeit hatte man angenommen, die Hieroglyphenschrift der Maya sei im Petén-Gebiet entstanden, wo die frühesten sicheren Daten des Maya-Kalenders gefunden wurden. Heute jedoch erscheint dies weit weniger sicher, einmal weil Hieroglyphen mit späten formativen Horizonten in Monte Albán, in Chiapas, vielleicht in La Venta und, wie wir gesehen haben, in den Hochländern und an der pazifischen Küste von Guatemala verbunden sind, was bedeutet, daß die Schrift in jedem dieser Gebiete hätte entstehen können, zum andern, weil eindeutige Maya-Glyphen im späten formativen Horizont in Kaminaljuyú erscheinen, für diesen Horizont jedoch in der Zentralregion noch nicht festgestellt wurden, während für das Nordgebiet eine einzige Skulptur des formativen Stils auf einem Felsen in Loltún, Yucatán, existiert, die eine einzelne Glyphe trägt. Diese Seltenheit formativer Skulpturen in Ruinenstätten des Tieflandes ist vielleicht nicht so bedeutungsvoll, wie es zunächst scheint, weil alte Skulpturen oft zerbrochen und vergraben oder weggeworfen wurden. Fragmentarische Texte der späten formativen Periode liegen möglicherweise tief unter späten Bauten in Tikal oder anderen Petén-Stätten.

Im Maya-Tiefland wie im Hochland ist die frühe formative Periode durch nicht viel mehr als durch monochrome Keramik von charakteristischen Formen vertreten — ein Fund in Dzibilchaltún im nordwestlichen Yucatán ergab ein Kohlenstoff-14-Datum von 965 v. Chr. mit einem Spielraum von zwei Jahrhunderten in beiden Richtungen; in der späten formativen Periode (die Petén-Form wird Chicanel genannt) kam es kurz vor der christlichen Zeitrechnung zu einer großen Aufwärtsentwicklung. Auf eine ziemlich dichte Bevölkerung weist die Tatsache hin, daß an fast allen ausgegrabenen Fundstätten Überbleibsel der späten formativen Periode — zum größten Teil Scherben — unter der Schicht der klassischen Besiedlungsperiode liegen.

Das schönste erhalten gebliebene Bauwerk der späten formativen Periode ist eine Pyramide in Uaxactún, tief im Petén-Gebiet und nur wenige Kilometer nördlich von Tikal gelegen; sie trägt die unromantische, doch streng archäologische Bezeichnung E-VII Sub, die ihr verliehen wurde, weil sie im Innern der Pyramide VII der Gruppe E gefunden wurde. Denn einem allgemeinen Brauch der Maya entsprechend, ist dieser erste Bau in der Folge ganz von einer größeren und höheren Pyramide bedeckt worden, so daß die innere und ältere Schicht in der äußeren lag wie die Schale einer Zwiebel. Als die stark beschädigte äußere Pyramide entfernt wurde, kam die innere fast unbeschädigt zum Vorschein.

Die viereckige Pyramide ist nur acht Meter hoch, doch sie wirkt eindrucksvoll durch die kunstvollen Treppenanlagen mit ihren Hilfstreppen, durch die 18 riesigen, die Treppen flankierenden Masken und die komplizierte Anordnung von Terrassen, die zwei Plattformen, eine über der andern, tragen. Das Ganze erinnert eindeutig an das Rokoko, obwohl es sich hier, soweit wir wissen, um eine beginnende und nicht um eine niedergehende Kunst handelte. Die grotesken Masken, von denen jede 2,4 Meter breit und 1,8 Meter hoch ist, strahlen eine Heiterkeit aus, die in seltsamem Kontrast zu der Unruhe der Pyramidenmasse steht. Die gekrümmten Zähne in den Mundwinkeln, die betont zottigen Augenbrauen, die flachen Schnauzen und der eigenartige, halb zungen-, halb zahnförmige von der Oberlippe herabhängende Teil lassen nur wenig Zweifel, daß hier der Jaguargott dargestellt ist. Die noch stärker stilisierten Masken der untersten Zone sind so geformt, daß sie den Eindruck erwecken, als blicke man direkt auf den Rachen eines Wesens, das teils Schlange, teils Jaguar ist. Einige Autoren haben in diesen Masken starke Einflüsse aus La Venta gesehen, doch liegen sie deutlich innerhalb der Maya-Tradition, so wie sich diese in den frühen Stadien der klassischen Periode ausdrückt.

Die ganze Oberfläche der Pyramide ist mit einer dicken Schicht von hellem, gelblichweißem Stuck bedeckt, der, als er freigelegt wurde, im tropischen Sonnenlicht grell leuchtete. Einer der eindrucksvollsten und bewegendsten Anblicke, die ich je erlebte, war diese Pyramide, als sie, soeben ausgegraben, vom Licht eines Vollmonds übergossen wurde. Die ragenden Bäume des ungeschlagenen Waldes, der den kleinen Hof umgibt, in dem sie steht, schufen einen Hintergrund von schwarzem Samt für ihre strahlende Stuckmasse. Aus einer bestimmten Entfernung gesehen, verlor sie ihre Ruhelosigkeit und schien in der Friedlichkeit des Alters zu ruhen. Nur wenige Weiße haben oder werden diese frühe Pyramide in ihrer ursprünglichen Schönheit zu Gesicht bekommen, denn mit jeder Regenzeit und infolge des ungehemmten Wachstums der Vegetation verschwindet immer mehr von ihrer Stuckoberfläche. Es kann nur eine Frage von wenigen Jahren sein, bis sie zu einer formlosen Masse geworden ist.

In der flachen, mit Stuck überzogenen Gipfelfläche waren vier Pfostenlöcher, die ein Rechteck von etwa 4,8 zu 3,3 Meter bildeten, ein Beweis dafür, daß einst ein Tempel aus vergänglichem Material die Pyramide krönte. Seine Größe, die eines durchschnittlichen Raumes, hätte Zeremonien ermöglicht, die die Anwesenheit von sechs oder acht Priestern erforderten.

Ausgrabungen in Uaxactún legten ebenfalls Plattformen der späten formativen Periode von etwa 30 Zentimeter Höhe frei. Die größeren sind annähernd rechteckig, die kleineren rund oder oval, manchmal mit einem rechtwinkligen Vorsprung an der Vorderfront, so daß sie im Grundriß gedrungenen Schlüssellöchern gleichen. In manchen Fällen zeigten Pfostenlöcher in diesen Plattformen, daß Hütten von vergänglichem Material auf ihnen gestanden hatten, und in einem Fall waren in dem rechtwinkligen Vorsprung zwei Pfostenlöcher so angeordnet, daß man annehmen kann, sie waren für Pfosten bestimmt, die das mit Stroh gedeckte Dach einer Veranda trugen — die amerikanische *porch* hat ein respektables Alter. Seltsamerweise wurden gedrungene Schlüsselloch-Pyramiden, im Grundriß nicht unähnlich diesen Plattformen in Uaxactún, zur Zeit der spanischen Eroberung in dem Gebiet um Veracruz errichtet, das damals von den Totonaken, einem Nicht-Maya-Volk, bewohnt wurde. Maya-Hütten werden in Yucatán noch immer mit vier Pfostenlöchern gebaut, doch mit abgerundeten Ecken, und Rundhütten finden sich auf Fresken dargestellt. Demnach hatten diese frühen Bewohner von Uaxactún rechtwinkelige Hütten für den Gottesdienst und kleinere, runde oder ovale Wohnhütten.

Tikal, das in der frühen formativen Periode eine kleinere Bevölkerung hatte als Uaxactún, liefert ergiebige Informationen über die späte formative Periode. Um 100 v. Chr. war die große Plaza von Tikal mit der angrenzenden Nordterrasse bereits etwa ebenso groß wie auf dem Höhepunkt der späten klassischen Periode um 700, doch sind die Bauten in der Spätzeit in die Höhe gewachsen. Die Nordterrasse war in der späten klassischen Zeit eine massive, acht Tempel tragende Plattform geworden — daher ihr Name Akropolis —, und an das frühe, tiefer liegende Material zu gelangen war daher ein langsames schwieriges und kostspieliges Unternehmen. Ein etwa 42 Meter langer Schnitt wurde durch über ein Dutzend Fußböden bis zu einer Tiefe von etwa 18 Meter durchgeführt, wobei Teile von Tempeln und anderen Bauten sowie zwei sehr wichtige Gräber freigelegt wurden.

Stuckmasken, die die Haupttreppen flankierten, erinnerten an jene der kontemporären Pyramide E-VII Sub in Uaxactún, doch die Masken von Tikal waren polychrom und leider beschädigt. Einer dieser Bauten hatte einen Steintempel getragen, von dem die Maya in früher Zeit einen großen Teil abgetragen hatten, um ein neues Bauwerk hinzuzufügen. Daher wird man nie wissen, ob der Tempel ein Kraggewölbedach hatte, wie es in der klassischen Periode üblich war (S. 197 f.). Jedoch am Fuß der Treppe befand sich ein etwas älteres Grab, das ein Kraggewölbe besaß und im echten Maya-Stil mit einer Reihe von Schlußsteinen geschlossen war. Architektonisch war Tikal somit dem zeitgenössischen Kaminaljuyú voraus, das über Bauten von vergänglichem Material noch nicht hinausgelangt war.

In diesem Gewölbegrab der späten formativen Periode wurden 26 Tongefäße gefunden, eine prächtige Jademaske, zwölfeinhalb Zentimeter hoch und mit Zähnen und Augen aus eingelegten Muscheln, ferner der Stachel eines Rochen, den die Maya verwendeten, um Blut aus dem Körper abzulassen, und Überreste von Stoffumhüllungen. Das Skelett war das eines Mannes, doch die Oberschenkelknochen und der Schädel fehlten. Der Tote war in Hockstellung, die Schienbeine gegen den Rumpf gekehrt, in eins der Gefäße gesetzt worden. Splitter von verkohltem Fichtenholz in einem Gefäß ergaben eine Kohlenstoff-14-Datierung in die Zeit um Christi Geburt.

Ein Toter, ebenfalls ohne Oberschenkelknochen und aus der späten formativen Periode stammend, wurde in Uaxactún gefunden. Das Skelett lag jedoch in seiner ganzen Länge ausgestreckt. Die Schienbeine waren an den Knöcheln in einer friedlichen Haltung gekreuzt, doch zwischen den Knien lag ein Schädel — eine Trophäe oder der des Verstorbenen —, der so durchgesägt worden war, daß alle Gesichtsknochen fehlten. Die rechte Hand ruhte in einer Pickwickschen Pose unterhalb des Beckens. Nun war das Absägen der Gesichtsknochen bei einem verstorbenen Häuptling und das Ersetzen des Fleisches durch in Pech modellierte Züge ein Brauch bei den Cocom in Yucatán zur Zeit der spanischen Eroberung. Dieser Tote läßt daher darauf schließen, daß ein ähnlicher Brauch im Zentrum des Petén-Gebietes annähernd zweitausend Jahre früher praktiziert wurde.

Ein zweiter Toter der späten formativen Periode in Tikal lag in einem Grab, dessen Wände mit glyphenähnliche Elemente enthaltenden Malereien geschmückt waren. In diesem Fall waren Kopf und Oberschenkelknochen des Skeletts vorhanden.

Importe von Jade, Obsidian, Keramik, Muscheln, Rochenstacheln und anderen Artikeln bestätigen den Wohlstand und die weitausgedehnten Handelsbeziehungen der Tieflandbewohner der späten formativen Periode. Die gewaltigen Bauprogramme, besonders in Tikal, sind Zeugnisse für das Vorhandensein von streng organisierten Gemeinschaften, die von einer privilegierten, über zahlreiche Arbeitskräfte verfügenden Minderheit regiert wurden. Vorbereitungen für ein luxuriöses Leben nach dem Tod sprechen für einen hohen Lebensstandard dieser herrschenden Klasse in dieser Welt. Kraggewölbe, Stuckmasken, Steintempel und Wandmalereien kennzeichnen Fortschritte in Architektur und Kunst und demonstrieren meistens die religiöse Einstellung der Gemeinde. Seltsame Bestattungsriten und die Verwendung von Rochenstacheln sind ebenfalls Anzeichen für starke religiöse Interessen.

Es kann wenig Zweifel darüber bestehen, daß diese Tieflandbewohner Maya waren. Kleine Tonfiguren der frühen formativen Periode weisen Kopfdeformationen im Maya-Stil und Maya-Hakennasen auf. Die großen Stuckmasken von Uaxactún entsprechen, ebenso wie auch das Kraggewölbe, der Maya-Tradition. Gut erhaltenes Skelettmaterial der formativen Periode ist spärlich, doch mindestens ein Schädel war der eines sehr breitköpfigen Individuums, und die Tiefland-Maya von Yucatán gehören, wie bereits vermerkt, zu den breitschädligsten Menschen der Welt. Darüber hinaus ist unsere Einteilung in formativ und klassisch unrealistisch insofern, als sie plötzlich Brüche impliziert. In Wirklichkeit war der Übergang vom Formativen zum Klassischen sicherlich graduell — eine Blüte nach ruhigem Wachstum, nicht eine neue Aussaat.

Die klassische Periode: Anfänge

Wann genau wird ein Welpe ein Hund oder ein Kätzchen eine Katze? Wann erwarb die Maya-Kultur das Recht, Anspruch auf eine individuelle Persönlichkeit zu erheben? Natürlich kann man in solchen

Fällen langsamen Wachstums den Augenblick nicht genau bestimmen. Manche werden sagen, daß die Anwesenheit von spezifischen Maya-Glyphen auf diesen Monumenten und die Verwendung des Kraggewölbes die Erreichung dieser Phase kennzeichnen; andere mögen mit dem gleichen Recht behaupten, daß man erst von einer Maya-Kultur sprechen kann, nachdem der originale Kunststil der Maya sich entwickelt hatte. Es ist so, wie William Browne vor nahezu 350 Jahren schrieb:

»Wo keiner sagen kann, obwohl es sich vor seinen Augen vollendet: Hier beginnt das eine, und dort das andere endet.«

Die Unterscheidung zwischen formativ und klassisch ist bedeutungslos geworden, seit man weiß, daß Kraggewölbe und Hieroglyphenschrift bereits in der späteren formativen Zeit begannen. Da diese Bezeichnungen in der Literatur jedoch zu fest etabliert sind, um fallengelassen zu werden, befinden wir uns jetzt in der peinlichen Lage, den Beginn der klassischen Periode, der einst als ein wichtiger Wendepunkt betrachtet wurde, in eine Beziehung zu bringen mit Veränderungen, die sich um 200 n. Chr. in der Form und Farbe der Luxuskeramik vollzogen. Es gibt eine ebenso bedeutungslose Datierung des Beginns der klassischen Periode in Teotihuacán, die ihn ein wenig weiter in die Vergangenheit zurückverlegt. Man darf nicht annehmen, die Grenzlinie zwischen diesen beiden Perioden sei in ganz Mittelamerika auf das Jahr genau synchron verlaufen. Es war kein auf ein Kommando vollzogenes Manöver. Bis vor kurzem war das früheste erhalten gebliebene datierte Monument im Maya-Tiefland die Stele 9 in Uaxactún. Diese 2,70 Meter hohe, sich unregelmäßig nach oben verjüngende Kalksteinsäule ist in Flachrelief auf der Vorderseite mit einer im Profil gezeigten menschlichen Gestalt verziert und auf der Rückseite mit Hieroglyphen. Glyphen und Figur sind durch Erosion stark entstellt. Die Inschrift gibt das Maya-Datum 8.14.10.13.15. in unserer Bezeichnung (S. 362) wieder, das dem 9. April 328 n. Chr. entspricht (alle Daten in der Goodman-Martínez-Thompson-Korrelation). Die Stele stand noch immer, obwohl sehr stark mitgenommen, als der verstorbene Maya-Forscher Sylvanus Morley sie im Jahr 1916, fast 1600 Jahre nach ihrer Aufstellung, fand.

Heute können wir die Entwicklung der Hieroglyphenschrift in Uaxactún noch weiter — bis zum Beginn der christlichen Zeitrechnung hin — zurückverfolgen. Vor Stele 9 stand ein Altar, der die umgestaltete untere Hälfte einer anderen Stele (Nr. 10) war. Leider sind die kleinen Glyphen auf diesem erhalten gebliebenen Fragment zu stark verwittert, um entziffert werden zu können, und es ist nicht möglich zu sagen, ob es als der Altar von Stele 9 bei deren Weihe aufgestellt wurde. Tatiana Proskouriakoff, die hervorragende Kennerin der Maya-Skulptur, ist jedoch der Ansicht, daß das Fragment älter ist als Stele 9 — sie sieht in einigen Details Analogien zu solchen früheren Stelen der pazifischen Küste. Somit wäre es wahrscheinlich, daß Stele 10 umgestaltet wurde, um bei der Weihe von Stele 9 als Altar zu dienen. Die Maya zerlegten manche Monumente und verwendeten die Steine von neuem, während andere, wie Stele 9, unbeschädigt blieben. Warum manche Werke zerstört wurden, andere dagegen verschont blieben, wissen wir nicht. Wenn eine Stele einem Neubau im Wege stand, so daß sie in einer neuen Plattform oder einem neuen Gebäude halb vergraben worden wäre, wurde entschieden, sie zu zerlegen, und das ist wahrscheinlich mit Stele 10 geschehen. Es besteht daher die Möglichkeit, daß dieses Monument die Stelenreihe in Uaxactún noch weiter zurückdatiert zum Beginn unserer Zeitrechnung.

Im Verlauf der jüngsten Ausgrabungen in Tikal wurde der Oberteil einer Stele (Nr. 29) gefunden; er trägt das Datum 8.12.14.8.15 in Maya-Bezeichnung, was dem 6. Juli 292 n. Chr. entspricht. Die menschliche Figur auf der Vorderseite des Monuments zeigt Einzelzüge, die eindeutig in die Hauptrichtung der vollentfalteten klassischen Maya-Kunst gehören. Dieses Stelenfragment ist das früheste datierte Monument, das bis jetzt im Zentralgebiet gefunden wurde.

Neben diesem frühesten bekannten Tieflanddatum von 292 gibt es möglicherweise ein noch früheres Datum auf einer Stele an der pazifischen Küste von Guatemala, das dem Jahr 58 n. Chr. entspricht. Diese Stele wurde auf der großen Ruinenstätte El Bal gefunden. Sie zeigt ein Datum in Strich- und Punkt-Notation ohne Periodenglyphen, ähnlich der in dem sogenannten Dresdener Kodex befolgten Datierungsmethode. Stilistisch scheint sie in die Zeit des Beginns der christlichen Zeitrechnung oder in eine etwas frühere Epoche zu passen, doch um zu einem dem Jahr 58 entsprechenden Datum zu gelangen, muß man von der sehr fragwürdigen Annahme ausgehen, daß sie vom gleichen Ausgangspunkt aus berechnet war wie die Kalender des Tieflands, daß das Jahr 360 Tage hatte (ein 400-tägiges Jahr wurde aber in dem nahen Hochland von Guatemala, möglicherweise auch im südlichen Veracruz benutzt) und daß der Tag am Kopf des Textes das Enddatum darstellt, während normalerweise das Eröffnungsdatum der Beginn des Zählens ist. Außerdem müssen erodierte Zahlen-Balken und Scheiben restauriert werden, um die Lesung zu ermöglichen. Die Stele ist zweifellos sehr alt, doch das wirkliche Datum muß im dunkeln bleiben. Als ich bei meinem zweiten Besuch in El Bal im Jahr 1964 vor dieser Stele stand, brannten Copal-Weihrauch und Kerzen an ihrer Basis; nach fast zweitausend Jahren nimmt die Stele noch immer indianische Gebete und Opfer entgegen.

Nach den zur Zeit vorliegenden Zeugnissen empfingen die Maya des Tieflandes Skulptur und Hieroglyphen von außen — ein wenig später beeinflußten sie dann andere, besonders in Cerro de las Mesas, im fernen Staat Veracruz. Jedoch die Tieflandbewohner entwickelten diese Elemente, so wie auch die Architektur, bedeutend höher als ihre Nachbarn.

Datierte Monumente waren ein sehr wichtiger Faktor im Zeremonienwesen der Maya und sind wegen des Datengerüstes, das sie liefern, von eminenter Bedeutung für die Archäologen. Fast alle Zeremonialzentren in der Zentralregion ließen es sich angelegen sein, diese datierten Monumente zu errichten, und zwar in Form von Stelen, Altären, Türsturz-Platten, Felsblöcken, Friesen, Gesimsen oder Treppen. Zu Beginn der klassischen Periode erinnerten diese Inschriften an außergewöhnliche Ereignisse, doch bald wurde es Brauch, am Ende eines jeden zwanzigsten Jahres (zu 360 Tagen) ein Monument zu errichten. Dieser Zeitabschnitt, *katun* genannt, war von sehr großer Bedeutung im Leben der Maya (S. 178, 208). Einige Zentren — vor allem Quiriguá und Piedras Negras — setzten ihren Stolz darein, Monumente am Ende jedes Viertelkatuns (alle fünf Jahre) oder jedes Halbkatuns (alle zehn Jahre) zu errichten.

Obwohl die auf den Monumenten angegebenen Daten — und manche von ihnen tragen ein halbes Dutzend oder mehr — gelesen werden können, ist die Bedeutung der sie begleitenden Hieroglyphen weitaus schwieriger zu ermitteln. Sicherlich spielen astronomische, religiöse und wahrscheinlich auch wahrsagerische Elemente eine Rolle. So werden z. B. Angaben über das Alter des Mondes und die betreffende Lunation gemacht. Und diese waren durchaus nicht nebensächlich, denn die Priester-Astronomen der Maya nahmen die Handhabung und den Inhalt von Mond- und Finsternistafeln sehr ernst. Es kommen auch Hinweise auf die am Tag und in der Nacht während des dem ersten Datum der Inschrift entsprechenden Monats herrschenden Götter vor sowie andere ähnliche Angaben.

Kürzlich sind zwingende Argumente vorgebracht worden für die Annahme, daß die auf den Monumenten einiger, wenn nicht aller Tieflandzentren eingemeißelten Inschriften sich auf weltliche Ereignisse beziehen, wie die Geburt oder Initiation von Herrschern, auf ihre Thronbesteigung, ihre Triumphe im Krieg und die gefangengenommenen Feinde, und sogar auf Einzelheiten aus dem Leben von Frauen und Kindern. Eine solche Interpretation hat viel für sich; sie veranlaßte mich, die früher von mir vertretene Ansicht aufzugeben, daß es sich bei diesen Aufzeichnungen um rein unpersönliche Erörterungen von Problemen der Astrologie, der Weissagung und des Glücks oder Unglücks der einzelnen Tage handle. Obwohl das allgemeine Problem historischer Aufzeichnungen auf den Stelen meiner Ansicht nach unlösbar ist, dürfte in kleineren Details eine Neuinterpretation am Platz sein. So mögen sich zum Beispiel Glyphen, von denen man heute glaubt, daß sie sich auf Individuen beziehen, auf Brüder oder Väter und Söhne hinweisen. Nach der heutigen Deutung herrschte ein Mann sechzig Jahre über Yaxchilán und war weit über 90, als er aus diesem Leben schied. Und in dem benachbarten Piedras Negras betragen sechs Regierungszeiten im Durchschnitt 29,5 Jahre, und außerdem wird der Durchschnitt durch eine Regierungszeit von nur fünf und eine andere von 17 Jahren verringert. Die berechenbaren Lebenszeiten betrugen durchschnittlich 57 Jahre. Doch die acht aztekischen Regierungszeiten vor der Thronbesteigung von Moctezuma II. betragen 16 Jahre, und die 17 Regierungszeiten, die etwa ein Drittel des Jahrtausends zwischen dem Tod Elizabeths I. von England und der Thronbesteigung Elizabeths II. umfassen, 19 Jahre. Solche Vergleiche und die kurze Lebensdauer, die man für in den Tropen lebende primitive Gruppen annimmt, lassen die Regierungszeiten der Maya zweifelhaft erscheinen.

Man kann daher sagen, daß die Stelen und andere mit Texten versehene Monumente errichtet wurden, um die Götter anzuflehen, um die Herrscher der Gemeinschaft zu verherrlichen und jener außergewöhnlichen Vorliebe für die Beschäftigung mit dem Gang der Zeit zu frönen.

Vor 450 war der Brauch der Errichtung datierter Monumente, nach den bisherigen Funden zu urteilen, auf ein halbes Dutzend innerhalb eines Territoriums von weniger als zweihundert Quadratmeilen in den Wäldern des nördlichen Petén gelegene Zentren beschränkt. Gegen Ende des Jahrhunderts hatte sich der Brauch nordwärts bis nach Oxkintok, im fernen Yucatán, und südostwärts bis nach Copán über die Grenze in das heutige Honduras ausgebreitet und am oberen Usumancinta in Altar de Sacrificios Eingang gefunden. Er ist vielleicht auch bis nach Veracruz vorgedrungen, was den Maya-Einfluß auf den Stelen in Cerro de las Mesas erklären würde.

Man darf sich nicht zu dem Schluß verleiten lassen, dieser Brauch sei von Einwanderern verbreitet worden, ebensowenig wie man annehmen würde, daß Gruppen von Kolonisten aus Chikago den Brauch der Errichtung von Wolkenkratzern nach New York, St. Louis, Dallas und Minneapolis brachten. Die Maya hatten sicher schon lange bevor sie begannen, Stelen bildhauerisch zu bearbeiten oder Gewölbebauten zu errichten, in Copán und Oxkintok gelebt. Es handelte sich um Manifestationen eines sich verbreitenden Kultes, ebenso wie Moscheen und die arabische Schrift die Ausbreitung des Islams kennzeichnen.

Ein halbes Jahrhundert später, also etwa um 550, war der Kult der datierten Monumente bis in das mittlere Usumacinta-Tal vorgedrungen, hatte Eingang gefunden in den großen Maya-Zentren Yaxchilán und Piedras Negras und war in Calakmul, im südlichen Campeche, übernommen worden. Gegen Ende des 6. Jahrhunderts errichteten die Städte Tulúm und Ichpaahtún an der Ostküste von Yucatán, Lacanhá und andere Zentren in den Wäldern von Chiapas südlich des Usumacinta, und Pusilhá in Britisch-Honduras Stelen. Der Brauch verbreitete sich in alle Richtungen, genauso wie es die Errichtung von Wolkenkratzern dreizehn Jahrhunderte später tat, doch das Fehlen des Stelenkults bedeutete nicht, daß ein Zeremonialzentrum nicht von den Maya stammte, ebensowenig wie eine Stadt in den Vereinigten Staaten ohne einen Wolkenkratzer nicht amerikanisch wäre.

Für diese Zeit gibt es Anzeichen für eine nachlassende Aktivität. Einige Zentren, die den Stelenkult bereits übernommen hatten, errichteten eine Zeitlang keine Monumente mehr. Tikal und Uaxactún, die dem Brauch im 4. Jahrhundert am eifrigsten huldigten, scheinen ihn vorübergehend aufgegeben zu haben. Zumindest sind keine dieser Periode zuschreibbaren verzierten Stelen gefunden worden.

Um 650 gab es eine andere und weitaus stärkere Welle der Aktivität, die mit wachsender Kraft und Schnelligkeit vorwärtsrollte, jedoch nur, um 250 Jahre später wieder abzuklingen.

Die Ursache der Ruhe vor dieser von neuem einsetzenden Aktivität ist unbekannt, doch es dürfte von Bedeutung sein, daß an ihrem Ende die Kunst und die Architektur der Maya bemerkenswerte Veränderungen erfahren hatten. Die Formen der Keramik änderten sich plötzlich und ebenso ihr Dekor. Die Hauptfiguren auf den Stelen, die gewöhnlich im Profil gearbeitet gewesen waren, wobei der eine Fuß den anderen teilweise verdeckte, werden jetzt allgemein mit dem Körper in Vorderansicht und mit nach außen gedrehten Füßen gezeigt, wenn auch der Kopf manchmal noch im Profil gehalten ist und die Schultern leicht gedreht sind. Das Verschwinden archaischer Details beschleunigt sich, und man gewinnt den Eindruck einer Emanzipation von der Unbeholfenheit und einer Hinwendung zu dem, was bald die Blüte der Maya-Skulptur sein sollte. In der Bauweise vollzieht sich ein Übergang von großen unverkleideten, tief in den Massivkern der Mauern eingelassenen Steinen zu verputzten und gut zugerichteten, den Kern gewissermaßen als Furnier bedeckenden Blendsteinen, eine gefälligere, doch weniger stabile Methode. Diese Veränderungen scheinen sich etwa gleichzeitig vollzogen zu haben, doch sie treten nicht überall zur gleichen Zeit in Erscheinung.

Man mag sich fragen, ob solche Neuerungen einen Richtungswandel im Leben der Maya widerspiegeln, vielleicht bewirkt durch äußeren Druck von Ideen oder gar von Menschen. Der Archäologe ist natürlich ständig auf der Suche nach Einflüssen von außen, doch aus eben diesem Grunde läuft er Gefahr, ihre Bedeutung und ihre Wirkung zu überschätzen. Im England des 15. Jahrhunderts erschienen die Neuerungen der Spätgotik — riesige Fenster, das Fächergewölbe und natürlich die Ersetzung von bogenförmigen Linien durch vertikale und horizontale Achsen — nicht nur in der Architektur, sondern in der gesamten Kirchenausstattung. Doch wissen wir, daß diese tiefgreifenden Veränderungen nicht aufgrund äußerer politischer oder kultureller Einflüsse erfolgten. Daher dürfte es bei dem heutigen Stand unserer Kenntnisse geraten sein, sich jeder Spekulation über die Ursache dieser Entwicklung bei den Maya zu enthalten.

Sobald die Maya-Kultur wieder zu neuem Leben erwachte, machte die Entwicklung schnelle Fortschritte. Stadt auf Stadt übernahm den Stelenkult, und die Städte wetteiferten miteinander in der Errichtung von tempelbekrönten Pyramiden und ›Palästen‹ und in der Verschönerung von Gebäuden und Monumenten mit Skulpturen und Stuckverzierungen. Hieroglyphen-Inschriften sind auf nicht weniger als neunzig Ruinenstätten gefunden worden. In einigen Zeremonialzentren ist nur eine Inschrift entdeckt worden, in anderen dagegen eine reiche Fülle. Tikal hält mit 151 Stelen den Rekord, doch davon sind nur 32 verziert. Es weist auch 18 bildhauerisch bearbeitete und 74 schmucklose Altäre sowie Texte auf hölzernen Türsturzen auf. An zweiter Stelle steht Calakmul mit 103 Stelen, von denen 73 Inschriften tragen. In Copán gibt es etwas mehr als 100 Texte. Viele finden sich auf Altären und einige auf Gebäuden, doch keine auf Türsturzen. Palenque, Yaxchilán und Piedras Negras haben sehr lange Texte, doch in vielen Fällen kommen sie nicht auf Stelen vor, sondern in Verbindung mit Gebäuden — eingemeißelt auf Stufen, Türsturzen, Türpfosten oder Friesen (Tafeln 9—15). Diese zahlreichen Inschriften, im Zusammenhang betrachtet mit den riesigen Bauprogrammen, bezeugen die gewaltige Aktivität, die die klassische Periode im ganzen Tiefland kennzeichnet.

In Tikal nahm der Stelenkult in der spätklassischen Periode außergewöhnliche Ausmaße an: Dort wurde der Abschluß eines jeden der sechs zwischen 692 und 790 endenden *Katune* (Perioden von zwanzig Jahren) durch die Anlage eines besonderen Hofes markiert. An seinem östlichen und westlichen Rand errichtete man zwei gedrungene Pyramiden mit den ziemlich selten vorkommenden Treppen auf allen vier Seiten, doch ohne ein Gebäude von dauerhafter Natur auf der Spitze. Vor der östlichen Pyramide wurde eine Reihe von Stelen ohne plastischen Schmuck aufgestellt und vor jeder der ihr zugeordnete runde Altar. Auf der Südseite des Hofes erstreckte sich auf einer niedrigen Plattform ein langer Bau, wie immer mit neun Eingängen, und ihm gegenüber stand ein großer, fast quadratischer einräumiger Bau. Dieser muß mit Palmblättern gedeckt gewesen sein, wenn er überhaupt ein Dach hatte, denn er war zu breit für ein Gewölbedach aus Steinen oder ein Flachdach aus Balken und Mörtel, es wurden auch keine Überreste solcher Dächer gefunden. In seinem Inneren stand eine Stele und vor ihr ein Altar. Die Stelen bezeugten mit einer einzigen Ausnahme das Ende des Katun, an das die gesamte Reihe erinnerte. Es sei als seltsam vermerkt, daß das

Flachrelief des Schmuckes ohne Schräglicht, das die Muster hervortreten ließ, nur sehr schwach sichtbar gewesen wäre. Doch man muß viel Mühe aufgewendet haben für den Bau dieser ›Zwillings-Pyramiden-Komplexe‹, um den Ablauf der Zeit zu ehren; der größte dieser Höfe ist fast 150 Meter breit und über 120 Meter tief. In keinem anderen Maya-Zentrum hat man vergleichbare Anlagen gefunden.

Obwohl der Stelenkult im Hochland von Guatemala niemals Anklang fand, liegen genügend Zeugnisse dafür vor, daß der gleiche Baueifer diese Region befiel, doch bereits zu einer früheren Zeit. In der Tat hatten einige Hochlandstädte, besonders Kaminaljuyú, sowie auch Nicht-Maya-Zentren, wie Teotihuacán, La Venta und offenbar auch Monte Albán, ihren Höhepunkt überschritten und waren im Abstieg begriffen, als die Tiefland-Maya sich in der Gipfelphase der Produktivität befanden.

Was war eine Maya-Stadt, und welche Funktion hatte sie? Zunächst war sie, wie ich bereits erläutert habe, keineswegs eine Stadt in unserem Sinne des Wortes, denn sie war keine Wohnstadt, sondern ein Zeremonialzentrum, in das die Menschen sich begaben, um religiöse Zeremonien zu vollziehen, staatliche Funktionen auszuüben und Märkte zu besuchen. Die Steinbauten waren vollkommen ungeeignet für eine ständige Bewohnung; sie hatten weder Schornsteine noch Fenster, wenn auch manche Räume kleine Belüftungsluken in den Mauern besaßen. Außerdem waren sie feucht und schlecht beleuchtet, und dies in so hohem Maße, daß die *chicleros* oft nicht zwischen Höhlen und teilweise zerfallenen Maya-Bauten unterscheiden konnten und das gleiche Wort verwendeten, um beide zu bezeichnen: Das Maya-Wort *actun* bedeutet sowohl eine Höhle als auch ein Steinhaus.

Die inneren Räume, die nur durch das aus einem Außenraum durch eine schmale Tür hereinfallende Licht erhellt wurden, waren fast vollkommen dunkel, und es gibt viele Fälle, in denen das Licht zwei Räume passieren mußte, um den innersten zu erreichen, außerdem waren die Türen manchmal nicht in einer Flucht angeordnet (Abb. 5 f). In solchen Innenräumen kann man, wenn die Sonne nicht tief steht und durch die Außentür hereinfällt, die eigene Hand vor den Augen nicht sehen. Sie können nie bewohnt gewesen sein und wurden wahrscheinlich nur zur Lagerung von Kultgegenständen oder vielleicht für Geheimriten benutzt. Da jede Gottheit und jede Gruppe verwandter Gottheiten ihre eigenen Insignien hatte, war viel Raum nötig, um diese Objekte aufzubewahren.

Selbst die Außenräume hätten nur schlechte Wohngelegenheit geboten. Das Fehlen von Schornsteinen und Fenstern bedeutete, daß man in ihnen nicht kochen konnte, und die Räume waren nicht nur dunkel, sondern auch feucht. Die Wände triefen heute in der Regenzeit vor Wasser, größtenteils aufgrund der durch Wurzeln beschädigten Dächer, doch Ausgrabungen von Bauten, die nicht durch Wurzeln beschädigt waren, zeigten die gleichen Bedingungen. Bei der oft fehlenden oder nur mangelhaften Durchlüftung kann man kaum erwarten, daß solche Räume in der Regenzeit nicht feucht und kalt sind. Schließlich nehmen in vielen Räumen riesige Podien oder Plattformen den größten Teil des Raumes ein, so daß der eigentliche Fußboden auf einen kleinen, vielleicht 90 Zentimeter breiten und 2,40 Meter langen Bereich unmittelbar hinter dem Eingang beschränkt war. Solche Aufteilungen mögen günstig gewesen sein für Zeremonien zu Ehren eines auf der Plattform sitzenden Gottes oder Häuptlings, denen eine kleine, auserwählte Gruppe, auf dem kleinen freien Raum stehend, bewohnte, doch sie dürften höchst unbequem gewesen sein für Haushaltszwecke.

Es sind Grabstätten von Männern, Frauen und Kindern unter den Fußböden solcher Räume gefunden und als Beweis dafür angeführt worden, daß diese Gebäude Wohnbauten waren (die Maya begruben tatsächlich Tote unter den Fußböden ihrer Häuser), doch ich glaube, die beste Erklärung für diese Grabstätten ist darin zu suchen, daß es sich um die Leichen von Menschenopfern handelte oder um diejenigen von Familienmitgliedern der Häuptlinge und Priester, die aufgrund ihres Ranges hier bestattet wurden. In der Westminster Abbey sind Frauen und Kinder beigesetzt, sogar eine Alabasterwiege zur Erinnerung an eines der Kinder Jakobs I., doch hieraus zu schließen, die Westminster Abbey sei ein Wohngebäude gewesen, dürfte irrig sein.

In der Tat haben wir gute Gründe für die Annahme, daß diese Plattformen als Podien bei wichtigen Amtshandlungen benutzt wurden. Ein sehr schönes Relief aus Piedras Negras zeigt einen Häuptling, der, umgeben von verschiedenen Würdenträgern, auf einem kunstvollen Podium sitzt, und ähnliche Szenen sind auf Wandmalereien in Bonampak dargestellt, doch hier befindet sich der Häuptling in der Gesellschaft seiner Familie.

Es ist wahrscheinlich, daß während der langen Perioden des Fastens und der Enthaltsamkeit, die den meisten wichtigen Festen vorausgingen, Priester und Novizen und vielleicht auch Zivilbeamte in diesen Gebäuden Wohnung nahmen. Die unbequemen Verhältnisse, besonders während der Regenzeit, dürften genau das gewesen sein, was man brauchte, denn wir wissen aus aztekischen Quellen, daß rauhe Bedingungen ein Merkmal dieser Vorbereitungszeiten waren. Man stelle sich eine Schlange von Dienern, Ehefrauen und Müttern vor, die sich jeden Morgen mit Trinkwasser und den sehr mageren Rationen für die Insassen einfanden — in manchen Teilen Mexikos wird uns berichtet, daß die Ration aus einer Tortilla bestand! Salz wurde während der Fastenperiode nicht gegessen — und sie vielleicht an den Eingängen zum Zeremonienzentrum deponierten.

Die Zeit verging zweifellos langsam in langen Nachtwachen, bei der Unterhaltung der heiligen Feuer, beim Abzapfen von Blut aus Zungen und Ohren für Götteropfer und beim Verbrennen von großen Mengen von Kopalweihrauch in grotesk verzierten Räuchergefäßen. Der alle fünf Tage abgehaltene Markt reizte vielleicht ein wenig das Interesse am Leben, doch sicherlich mußte er von weitem beobachtet werden, denn der Kontakt mit Frauen war während dieser Vorbereitungsperioden nicht gestattet.

Dann kam die große Feier, und nach ihrem Abschluß vollzog sich ein allgemeiner Exodus aus Tempel und Palast, zurück ins Alltagsleben. Die Stadt lag verlassen bis auf diejenigen, die Höfe und Gebäude reinigten oder die Masken und Gewänder verwahrten, und auf Priester, die ihres Amtes walteten. Am nächsten Markttag erwachte die Stadt wieder zum Leben. Käufer und Händler kamen nach getätigten Geschäften, um andächtig zu staunen und vor den einfacheren Schreinen ihre Opfer darzubringen; Personen von Rang, in Sänften getragen, verrichteten ihre Andacht gesondert vor den großen Schreinen oder versammelten sich zu einem Staatsrat; ein Ballspiel, beobachtet von vielen Zuschauern, wurde veranstaltet, und vielleicht tanzten phantastisch maskierte Tänzer auf einem der sonnenbeschienenen Höfe zum Klang von Trommel und Flöten ihre Figuren.

Diese Schilderung findet ihre Bestätigung im Bericht des großen Missionars Las Casas: Die Männer hätten sich in ein besonderes Gebäude in der Nähe der Tempel zurückgezogen, um von ihren Frauen getrennt zu fasten und tägliche Opfer von ihrem eigenen Blut darzubringen, und zwar bis zu hundert Tage lang vor einer wirklich bedeutenden Zeremonie. Las Casas bemerkt auch, daß der Markt in der Nähe der Tempel abgehalten wurde. Ein anderer Mönch schrieb über die Steinbauten in Yucatán: »Sie waren in so gutem Zustand, daß keine zwanzig Jahre vergangen zu sein schienen, seit sie errichtet worden waren. Die Indianer lebten nicht in ihnen, als die Spanier kamen, denn sie wohnten als Familiengruppen in strohgedeckten Häusern in den Wäldern, und sie (die Steinbauten) dienten ihnen als Tempel und Andachtsstätten, und auf der Spitze eines jeden, an der höchsten Stelle, hatten sie ihren Gott.« Ein anderer Bericht lautet: »In dieser ganzen Provinz Yucatán gibt es keine Stadt mit zwei nebeneinander stehenden Häusern. Vielmehr steht jedes Haus für sich allein, umgeben von Bäumen, so daß eine Stadt von fünfzig Häusern sich über mindestens eine viertel Legua erstreckt.« Was den Tanz betrifft, besuchten die Lacandón, die einzige heidnische Maya-Gruppe, noch vor wenigen Jahren die alten Zeremonialzentren zur Abhaltung von Gottesdiensten und sollen hier auch rituelle Tänze veranstaltet haben.

Außerdem stimmt diese Rekonstruktion der Funktion eines Kultzentrums der Maya weitgehend mit dem überein, was manche Maya-Gemeinden bis zum heutigen Tag im Hochland von Guatemala und Chiapas tun. Dort wohnen die heutigen Maya in verstreuten Siedlungen, die ein weites Areal bedecken, in dem sie ihre Maisfelder haben und ihre alltäglichen Tätigkeiten ausüben, doch sie haben auch ihre Stadtzentren, in die sie sich zu wichtigen religiösen Veranstaltungen, römisch-katholischen, heidnischen und Mischungen von beiden, begeben und sich zu zivilen Ereignissen, wie die Einsetzung neuer Kommunalbeamter, und zu den Märkten einfinden. Die moderne Stadt hat in der Tat in hohem Maße die gleichen Funktionen, wie sie unserer Ansicht nach die alten Maya-Städte hatten, bis auf die Tatsache, daß heute im Zentrum auch Familienhäuser in wachsender Zahl anzutreffen sind. Zwischen den Zeremonien ist die Stadt ziemlich menschenleer — wie wir annehmen, daß sie in alter Zeit gewesen ist.

Die religiösen Zeremonien haben sich verändert, einige der heute auf dem Markt verkauften Waren mögen aus New Jersey oder Ohio stammen, in dem örtlichen Kino wird vielleicht Brigitte Bardot angekündigt, und Marimba-Musik tönt aus einem Lautsprecher über den Platz. Doch im Grunde hat sich nichts verändert. Die Kontinuität des Lebens ist eine von der Archäologie immer wieder bewiesene glückliche Tatsache.

Moderne Maya-Städte und alte Maya-Zentren haben noch etwas anderes gemeinsam: Sie waren unverteidigt. Hier jedoch gibt es keine Kontinuität, denn in der Periode der Unruhe, die dem Ende der klassischen Periode folgte, wurden die Maya-Städte mit Befestigungswerken umgeben oder auf leicht zu verteidigende Hügel, Inseln, Halbinseln oder an durch tiefe Schluchten geschützte Punkte verlegt. Die Maya-Kultzentren der klassischen Periode sind offene Siedlungen ohne Wälle oder Bastionen.

Man kann ebensowenig von einer typischen Maya-Stadt sprechen wie von einer typisch europäischen Stadt, denn es gibt markante lokale Unterschiede im Maya-Gebiet, wie es sie in Europa gibt; jedoch haben alle Maya-Stätten bestimmte Merkmale gemeinsam, von denen der auf allen Seiten von Terrassen, Plattformen, Pyramiden und Tempeln umgebene und oft mit Stelen übersäte Zeremonialhof das bedeutsamste war. Er erinnert in Grundriß und Funktion entfernt an das moderne Stadion mit seinen Tribünen, abgesehen davon, daß der Hof rechteckig ist und die in ihm abgehaltenen Veranstaltungen hauptsächlich religiöser Natur waren.

Es ist nur eine Vermutung, daß die Menge zuweilen auf den Treppen und Terrassen der Pyramiden und auf den sie flankierenden Plattformen saß, um die Schaustellungen in dem großen Hof zu verfolgen. Vor kurzem ließ die Regierung von Veracruz anläßlich eines archäologischen Kongresses in Mexiko in dem großen Hof des Tajín einheimische Tänze und die spektakuläre *Volador*-Zeremonie vorführen, und fast alle von uns setzten sich automatisch auf die Stufen und Terrassen der großen Pyramide, um das Schauspiel zu beobachten, so daß man, falls es nicht ein religiöses Verbot gab, ziemlich sicher sein kann, daß ein Maya-Publikum sich ebenso verhalten hat. Es gibt mehr als einen Hinweis, daß die Azteken das gleiche taten.

Eine Beschreibung des großen Hofes von Tikal und der ihn umgebenden Bauwerke, auf die wir zu Beginn des vorangegangenen Kapitels einen kurzen Blick geworfen haben, mag dazu dienen, eine allgemeine Vorstellung von diesen Zentren zu vermitteln. Der Hof mißt fast 120 Meter von Osten nach Westen und etwa 75 Meter von Norden nach Süden, bietet also genug Raum für zwei parallel liegende Fußballfelder einschließlich der Enden (Abb. 1). Dabei ist diese Anlage noch klein im Vergleich mit anderen; so ist der Hof von Yaxchilán 300 Meter, der von Xultún im nordöstlichen Petén 245 Meter und der von Copán 236 Meter lang. Zum Vergleich sei gesagt, daß das Forum Romanum etwa 126 Meter und die Piazza und der Vorhof von St. Peter in Rom zusammen 246 Meter lang sind.

Im Osten und im Westen ist der Hof begrenzt von zwei großen, von Pyramiden bekrönten Tempeln. Bei unserem Besuch im einleitenden Kapitel betraten wir den Hof in seiner südöstlichen Ecke und erstiegen dann die östliche Pyramide. Die Pyramide auf der Westseite des Hofes ist sehr ähnlich. Die heute stark beschädigte breite Treppe, deren Stufen einst verputzt waren, führt zu der Gipfelplattform, auf der ein weiterer massiver Tempel mit seinem hochragenden Dachfirst steht. Ein einziger Eingang, durch den drei, jedoch nicht vier Menschen nebeneinander hineingehen könnten, führt in einen quer verlaufenden, 4,80 Meter langen, doch weniger als 1,20 Meter breiten Raum. Eine weitere breite Tür und eine Stufe führen in einen Innenraum, der parallel zum ersten liegt und etwa die gleichen Maße hat. Eine dritte Tür führt in den Hinterraum, der ebenfalls mit den anderen parallel verläuft, doch nicht so lang ist und nur von dem durch den Außeneingang hereinfallenden Licht erhellt wird (Abb. 5 a). Es erscheint fast unglaublich, daß die Maya diese gewaltige Pyramide errichtet und auf ihr diesen massiven Tempel mit seinem ragenden Dachfirst gebaut haben sollen, um ihn drei Räume enthalten zu lassen, die so klein waren, daß sie, nach New York gezaubert, von dem beredtesten Makler auch dem unkritischsten Mieter nicht als Kochnischen hätten angeboten werden können. Eine sehr rohe Schätzung der von der Pyramide und der Treppe eingenommenen Fläche allein ergibt ein Volumen von etwa einer halben Million Kubikfuß Geröll und Mauerwerk als Unterlage für drei Räume, die zusammen eine Fußbodenfläche von weniger als 150 Quadratfuß haben. Wenn man den Inhalt dieser Räume in Beziehung setzt zur Gesamtmasse des Tempels mit seinen massiven Mauern und seinem ragenden Dachkamm, sind die Proportionen ebenso phantastisch.

Diese winzigen Räume wirken deprimierend nach der imponierenden Großartigkeit der terrassenförmig ansteigenden Masse der Pyramide und der überwältigenden Schönheit der Silhouette des Tempels mit seinem ragenden Dachkamm; sie sind auch nicht typisch für die Maya-Architektur. Die Erklärung hierfür liegt vielleicht in der mangelnden Kühnheit des Architekten. Man kann sich vorstellen, daß er sich seiner selbst nicht sicher genug war, Räume mit dünneren Mauern und somit größerer Fußbodenfläche zu planen angesichts des gewaltigen Gewichts der Dachkonstruktion, die die Mauern tragen mußten. Der Einsturz eines früheren Baus mit dünnen Mauern war vielleicht eine Mahnung zu größerer Vorsicht gewesen, besonders wenn der Einsturz eines Gebäudes den leitenden Architekten auf den Opferstein bringen konnte, was nicht unwahrscheinlich ist, denn wir wissen von einem Trommler, der geopfert wurde, weil er beim Schlagen seiner Trommel nicht den Takt hielt.

Die Nordseite des Zeremonienhofes ist begrenzt von einer großen Plattform, auf der vier kleinere, von Tempeln gekrönte Pyramiden stehen. Hinter diesen Pyramiden, also nördlich von ihnen, steigt die Plattform erneut an, um einen kleinen Zeremonienhof zu bilden, der von fünf weiteren kleinen Pyramiden umgeben ist, deren Tempel ebenso hoch sind wie die der ersten Reihe oder noch höher. Es muß ein phantastischer Anblick gewesen sein für einen Beobachter, der in der Mitte des großen Hofes stand und nach Norden schaute. Rechts und links von ihm ragte eine gewaltige Pyramide mit ihrem Tempel und dessen emporstrebendem Dachkamm wie ein Vulkan in den Himmel; vor ihm standen Reihen von Stelen, und dahinter türmte sich wie ein Kreml der Komplex der neuen, kleineren, von Tempeln gekrönten Pyramiden. Überall fiel sein Blick auf Stuck, einmal wie gefrorene Sahne wirkend auf den verzerrten Göttermasken der Fassaden und Tempelfirste, dann glattgestrichen in geometrischem Gleichgewicht auf Treppen und Terrassen — Dynamik und Statik in schweigendem Konflikt. Sein Auge wurde gefangen von den Tempeleingängen, dunkel gähnend im Schatten oder in der Sonne leuchtend in den buten Farben ihrer Vorhänge.

Hinter ihm, im Süden, erstreckte sich eine weitere Akropolis oder ein zweiter Kreml, dessen Basis höher lag als die des nördlichen Komplexes, denn er erhob sich etwa 24 Meter über dem Niveau des Hofes. Auf ihm standen etwa 20 Gebäude des ›Palast‹-Typs, im Gegensatz zu den kleinen, von Pyramiden gekrönten Tempeln des nördlichen Kreml. Es war der südlichste dieser Tempel, in dem ich geschlafen hatte; die Wände mehrerer seiner Räume waren mit eingeritzten Kritzeleien bedeckt, die meiner Ansicht nach in Augenblicken der Langeweile von jungen Priesterkandidaten Tikals gemacht worden waren.

Südlich von diesem Komplex verläuft eine tiefe Schlucht, an deren jenseitigem Rand eine weitere mächtige, von einem Tempel gekrönte Pyramide steht, und westlich von dieser erhebt sich eine weitere akropolis-ähnliche, etwa 38 Meter hohe Plattform, die weitere Gebäude trägt. Es wäre ermüdend, die Aufzählung von Pyramiden, Plattformen, Tempeln und Palästen fortzusetzen. Die erwähnten Bauwerke hätte ein auf der großen Plaza stehender Beobachter im Blickfeld gehabt, so wie ein auf der Kreuzung von Broadway und 42. Straße in New York stehender Beobachter die rings um ihn hochstrebenden Gebäude sehen würde, die ihm indessen die entfernteren Bauten verbergen.

Nicht alle Bauten in einer Maya-Stadt waren aus Stein. Viele Plattformen und manche Pyramiden, die jetzt keine Ruinen auf ihren flachen Gipfeln haben, trugen einst Gebäude mit Mauern aus vergänglichem Material und Dächern aus Stroh, und manche Bauten mit Mauern aus behauenen Steinen oder aus Bruchsteinen hatten flache Decken aus Holz und Beton oder strohgedeckte Dächer. Hütten mögen als Klubhäuser für die unverheirateten Männer gedient haben, denn wir wissen, daß in Yucatán zur Zeit der Eroberung solche Gebäude existierten. Andere Hütten mögen reserviert gewesen sein für unverheiratete Mädchen von edlem Blut — das Maya-Äquivalent zü den vestalischen Jungfrauen Roms —, denen bestimmte Pflichten oblagen, wie das Ausfegen der Höfe und das Weben der bei religiösen Zeremonien verwendeten kunstvollen Textilien, und die an mannigfaltigen religiösen Bräuchen teilnahmen.

Außer den bereits beschriebenen Gebäudetypen gab es verschiedene andere mit speziellen Funktionen. Von diesen war der wichtigste der Hof, in dem das heilige Ballspiel der Maya ausgetragen wurde. Die Azteken hatten besondere Gebäude für Märkte, und es ist wahrscheinlich, daß es solche auch in den Maya-Städten gab. Ein riesiges, von korridorartigen, mit Kraggewölben versehenen Bauten umschlossenes Rechteck, das zur Zeit in Tikal ausgegraben wird, mag ein solches gewesen sein.

In manchen Ruinen, so auch in Tikal, sind komplette Schwitzbäder gefunden worden. Diese enthalten einen kleinen Schwitzraum mit einer Vorrichtung zur Erzeugung von Dampf und einen Abkühlraum. Viele Städte haben Wasserreservoire, deren Böden mit Stein oder Beton verkleidet sind. Komplizierte Systeme von mit Steinen ausgekleideten Kanälen, die das Wasser aus den umfriedeten Höfen ableiteten, sind entdeckt worden, und weitere Ausgrabungen würden wahrscheinlich zeigen, daß sie überall existierten. In Palenque wurde ein Fluß, der sich durch die Stadt schlängelte, so abgeleitet, daß er durch ein unterirdisches Aquädukt mit Kraggewölbe floß. Teile dieser Anlage sind jetzt eingestürzt, doch durch die unversehrten Strecken können vier oder fünf Mann nebeneinander hindurchgehen. Abzugskanäle aus der Akropolis leiteten höchstwahrscheinlich das Wasser aus Höfen und von Dächern in dieses Aquädukt. Weiter unten, wo der Fluß aus seinem von Menschenhand geschaffenen

Gefängnis auftauchte, ist er von einer Bogenbrücke überspannt. In Pusilhá, im südlichen Britisch-Honduras, sind auf beiden Seiten des Flusses noch immer die steinernen Widerlager einer breiten Brücke zu sehen.

Palenque besitzt ferner drei unterirdische Gänge mit drei Kraggewölben, die von einem tiefliegenden Bau an der Nord-Ecke der Palast-Akropolis ausgehen. Der bedeutendste von ihnen, etwa 19,5 Meter lang, endet an einer Treppenflucht, die durch eine Öffnung im Boden in einen Raum im Zentrum des Palastgebäudes führt. Wenn er nicht benutzt wurde, war dieser Ausgang mit Steinplatten bedeckt, die planeben mit dem Fußboden des Raumes waren. Die beiden anderen Gänge mündeten ebenfalls durch den Fußboden in Räume dieses Palastes. Jeder Gang hatte einen aus der Wand hervortretenden Mauervorsprung, der offenbar irgendwelchen Zwecken der Täuschung oder der Geheimhaltung diente oder es ermöglichte, das Licht auszuschließen, denn kein Lichtstrahl drang von einem Ende des Ganges bis zum andern.

Die Vermutung liegt nahe, daß diese Gänge für kleine religiöse Gaukeleien benutzt wurden. Es gab zum Beispiel bei den Azteken eine äußerst wichtige Zeremonie, bei der, wie man meinte, die Götter, die einige Monate abwesend gewesen waren, zurückkehrten und als Zeichen ihrer Ankunft einen Fußabdruck in Maismehl, das vor dem Tempel ausgestreut worden war, zurückließen. Wenn man annimmt, daß es bei den Maya eine ähnliche Zeremonie gab, dann konnten die Hauptgebäude des Palastes von prominenten Laien inspiziert und leer befunden werden. Dann konnte der Priester, der den Gott darstellte, nach Passieren des geheimen Ganges wunderbarerweise aus dem Gebäude hervortreten oder unbeobachtet seinen Fußabdruck in dem Maismehl hinterlassen. Diese unterirdischen Gänge können auch bei Zeremonien benutzt worden sein, die mit der Unterwelt in Verbindung standen. Diese Erklärung ist vielleicht logischer, denn es findet sich kunstvoller Reliefschmuck in den Gängen, der in Geheimgängen überflüssig gewesen wäre. Mittelamerika ist voll von Geschichten über geheime Tunnels, die eine Ruinengruppe mit einer anderen verbinden, Geschichten, von denen man nicht weiß, ob sie Überbleibsel spanischer Folklore sind oder nicht. Es ist durchaus möglich, daß unterirdische Gänge wie diese Anlaß zu solchen Geschichten gegeben haben. Man hat auch vermutet, diese Gänge hätten der Verteidigung gedient — um Angreifern in den Rücken zu fallen —, eine Ansicht, der ich nicht beipflichten kann.

Palenque rühmt sich auch eines drei Stockwerke hohen viereckigen Turms mit einer Innentreppe, bei dem jedes Stockwerk überdacht ist, und zwar nicht mit dem üblichen Kraggewölbe, sondern mit einer Decke aus Holzbalken.

In den späteren Städten Chichén Itzá und Mayapán gibt es Rundbauten, die mit der Verehrung des Kukulcán, des gefiederten Schlangengottes, verknüpft gewesen sein sollen.

Mehrere Städte in Yucatán besitzen kunstvolle Tore von oft imponierender Größe, doch in der Zentralregion ist bis jetzt kein derartiges Tor gefunden worden. Diese Tore können nur einem zeremoniellen Zweck gedient haben, denn die Maya besaßen weder Räderfuhrwerke noch Lasttiere. Breite Wege verbinden die verschiedenen Teile bestimmter Städte, vor allem in Tikal, Uaxactún und Oxkintok, und im nordöstlichen Quintana Roo gibt es ein kompliziertes Netz von Straßen, von denen eine, etwas über 9 Meter breit, die Stadt Cobá über eine Distanz von etwa 100 Kilometer mit Yaxuna verbindet. Andere Straßen führen von Ake nach Izamal sowie von Uxmal nach Nohpat. Ein früher Autor erwähnt lange Straßen in Chiapas und im südöstlichen Petén. In den letzten Jahren sind lange Straßen im nördlichen Petén entdeckt worden, die sich mit denen in Cobá vergleichen lassen.

Die Silhouette eines mayanischen Kultzentrums besaß eine seltsame Ähnlichkeit mit der einer modernen amerikanischen Stadt. In der Mitte erhoben sich, unseren massiven Wolkenkratzern entsprechend, die Stufenpyramiden rings um den Zentralhof. Die äußeren Ringe allmählich an Höhe abnehmender, gelegentlich von wiederansteigenden Komplexen unterbrochener Bauten können mit den weniger bedeutenden Geschäftsvierteln einer modernen Großstadt verglichen werden. Der Außenring einer Maya-Stadt schließlich, der aus den mit Stroh gedeckten Wohnhäusern der Priester und der Mitglieder des Adels besteht, entspricht den Vororten der amerikanischen Großstadt.

Jemandem, der mit der mittelalterlichen Architektur nicht vertraut ist, mögen gotische Kathedralen auf den ersten Blick einander sehr ähnlich erscheinen, doch bei näherer Betrachtung wird er eine bestürzende Menge lokaler Variationen in kleineren Details entdecken, die dazu dienen, den Mangel an prinzipieller Abweichung von einem den Baumeistern durch Tradition, Funktion und die Gesetze des Drucks und der Schwerkraft aufgezwungenen Muster auszugleichen. Das gleiche trifft für die Zeremonialzentren der Maya zu. In den Grundzügen herrscht von einem Ende des Zentralgebietes bis zum andern eine erstaunliche Uniformität, doch läßt Vertrautheit mit dem Material die zahlreichen lokalen Abweichungen erkennen und enthüllt viel an reizvoller Individualität.

Tikal besitzt mit seinen dichtgedrängten Bauten und ragenden Pyramiden, ja sogar in seiner bildhauerischen Kunst die nervöse Ruhelosigkeit einer Symphonie von Tschaikowskij, während in Palenque, weit im Westen gelegen, der Rhythmus von Architektur und Kunst friedlicher dahinfließt. Die ruhigen Linien seiner in Stein gehauenen und in Stuck modellierten Flachreliefs (Tafel 12, 14—16; Abb. 20, 22) und die weniger anspruchsvolle Anmut seiner kleineren und weniger zahlreichen Bauwerke mit ihren verzierten Dachaufsätzen zeugen von einem größeren kulturellen Selbstbewußtsein. Sie entsprechen am ehesten dem Charakter eines Menuetts des 18. Jahrhunderts. Keine Stadt ist so malerisch gelegen wie Palenque am Fuße der großen Gebirgskette von Chiapas. Steil ansteigende Hänge bilden einen prächtigen Hintergrund für seine Gebäude, während man von allen nordwärts gerichteten Eingängen aus einen unvergleichlichen Blick über die Ebene hat, die sich, so weit das Auge reicht, wie ein grüner Teppich über Chiapas und Tabasco bis zu dem unsichtbaren 108 Kilometer entfernten Golf von Mexiko entrollt.

Die vielleicht bemerkenswerteste Entdeckung im gesamten Maya-Gebiet wurde in Palenque von dem mexikanischen Archäologen Alberto Ruz gemacht. Durch Zufall bemerkte er, daß eine große Platte im Fußboden des Innenraums des Gebäudes, das man den Tempel der Inschriften benannt hat (Tafel 3), Löcher hatte, die offenbar dazu dienten, sie herauszuheben. Die Platte erwies sich als eine Falltüre zu einer engen, überwölbten Treppe, die in das Innere der Pyramide hinunterführte. Diese Treppenanlage war in alter Zeit absichtlich vom Boden bis zur Decke mit Felssteinen und Erde ausgefüllt worden, deren Entfernung eine langwierige Arbeit war. Eine Treppenflucht ging auf einen Absatz hinunter, von dem aus eine zweite Treppe in entgegengesetzter Richtung weiter hinunterführte, bis sie, in einer Tiefe von etwa 18 Meter, einen durch eine Mauer blockierten Gang erreichte. Wenige Meter hinter der Mauer war der Weg wiederum versperrt, diesesmal durch eine große Steinplatte. Vor dieser Platte lagen die Knochen von sechs jungen Männern, vermutlich Diener, die getötet worden waren, um ihrem Herrn in der anderen Welt zu dienen (Abb. 6, 7).

Nachdem die Steinplatte entfernt worden war, schauten die Forscher hinunter in einen großen, überwölbten Raum, einen wahrhaften Märchenpalast, denn er war mit Stalagmiten und Stalaktiten angefüllt, die das jahrhundertelang von der darüberliegenden Pyramide heruntertropfende Wasser geformt hatte. Ringsherum an den Wänden befanden sich neun Stuckreliefs von Göttern (die neun Herren der Unterwelt?); der größere Teil des Fußbodens wurde eingenommen von einem großen Steinsarkophag, dessen auf fünf Tonnen geschätzter Deckel herrlich skulptiert war (Tafel 12). Glyphen auf seiner Seitenwand datieren die Begräbnisstätte in die Zeit um 700. In dem Sarkophag lag das Skelett eines Maya-Fürsten, reich mit Jadesteinen und mit einer über zwei Zentimeter langen Komposit-Perle geschmückt. Der vierzig bis fünfzig Jahre alte Fürst war in voller Länge ausgestreckt. Eine auf das Gesicht des Fürsten gelegte, aus zweihundert in Mosaikform angeordneten Jadestücken bestehende Maske war zur Seite herabgeglitten; an jedem Finger trug der Fürst einen Jadering. Halsketten und Armbänder aus Jade erhöhten die Anzahl der Jadestücke auf 978, was, in Maya-Werten gerechnet, dem Reichtum eines Maharadschas entspricht.

Die Gewölbekammer — ihr Fußboden lag etwas niedriger als der des Hofes vor der Pyramide und etwa acht Meter unter dem Fußboden des darüberstehenden Tempels — war eindeutig vor der über ihr stehenden Pyramide erbaut worden, wahrscheinlich noch zu Lebzeiten des Fürsten, und wir können annehmen, daß die Treppe unmittelbar nach seiner Beisetzung zugeschüttet wurde.

Im hinteren Teil der Kammer lagen schwere Steinblöcke, auf denen wahrscheinlich der Sarkophagdeckel geruht hatte, bis der Fürst zur Ruhe gebettet worden war. Dann wurde er über den Sarkophag geschoben (Abb. 7). Natürlich mußte die Deckplatte sich in der Kammer befinden, bevor die Pyramide erbaut wurde.

In der Pyramide des Grabes des Hohenpriesters im fernen Chichén Itzá führte ein senkrechter, sorgfältig konstruierter und mit Steinplatten des Tempelfußbodens bedeckter Schacht in eine natürliche Höhle. Auf dem Boden dieser Höhle wurden zerbrochene Knochen, Jade, mehrere Perlen und andere Kostbarkeiten gefunden. Der Schacht war in alter Zeit absichtlich ausgefüllt worden, und in der Füllung befanden sich mehrere Tote, einer über dem andern. Es handelte sich vielleicht auch hier um die Überreste getöteter Diener, doch das Vorhandensein von kleinen Kupferschellen zeigt, daß diese Grabstätten beträchtlich jünger waren als die von Palenque. Ein ähnlicher Schacht befindet sich in einer der Pyramiden von Mayapán. Im Laufe der Zeit werden vielleicht noch mehr solcher geheimer Beisetzungen gefunden werden.

Ich hatte das Glück, mit Ruz als Führer jene Treppe in Palenque hinabzusteigen, noch bevor man die verborgene Kammer erreicht hatte. Es war ein Erlebnis, das ich nie vergessen werde. Die Vergangenheit war sehr nahe, und es bedurfte nur geringer Einbildungskraft, mir die Vorfahren der Maya-Arbeiter von Ruz vorzustellen, wie sie den Treppenschacht zuschütteten. Man brauchte nur die elektrischen Taschenlampen durch Pechfackeln zu ersetzen, die Hosen durch Hüfttücher und Ruz durch einen Maya-Vorarbeiter mit künstlich deformiertem Schädel.

Yaxchilán und Piedras Negras am Ufer des großen Usumacinta-Flusses, der Petén von Chiapas trennt, und Copán, der südöstliche Vorposten im fernen Honduras, teilen sich mit Palenque in den Ruhm der Maya-Skulptur.

Yaxchilán spezialisierte sich in skulptierten Steinsturzen über den äußeren Eingängen zu Tempeln und Palästen — die meisten Städte des Zentralgebietes verwendeten hölzerne Sturze. Einige dieser Sturze gehören zu den schönsten Beispielen der uns erhaltenen Maya-Plastik (Tafeln 10—13, Abb. 21), doch die Hieroglyphentexte von Yaxchilán wiederholen sich, die gleichen Angaben erscheinen immer wieder auf Sturzen und Stelen.

Piedras Negras kam Yaxchilán und Copán gleich in der geschmackvollen Gestaltung der Tracht, des Schmucks und der Details des kunstvollen Kopfschmucks der dargestellten Personen und in der Anmut, mit der Hieroglyphen gemeißelt waren. Seine Besonderheiten waren Stelen, auf denen in buddha-ähnlicher Haltung in Nischen sitzende Fürsten dargestellt wurden, herrliche Wandfriese, belebt mit Figuren und Glyphenreihen, sowie skulptierte Podien; in der Schaffung von Friesen und Podien leistete auch Palenque Hervorragendes (Tafeln 1, 7, 6, 8, 13).

Copán, das 600 Meter über dem Meeresspiegel und mit dem Rükken am Fluß gleichen Namens liegt, genoß hohes Ansehen in Wissenschaft und Kunst. Dieses Maya-Zentrum scheint führend gewesen zu sein in der Lösung der mit der Länge des tropischen Jahres verbundenen Probleme, bei den Maya eine Angelegenheit von höchster Bedeutung für die Rituale und die Weissagung. Es gibt Anzeichen dafür, daß Astronomen von Copán die höchst genauen, von den Maya benutzten Tabellen für Mond- und Sonnenfinsternisse entweder selbst formulierten oder intelligent genug waren, um die hervorragende Leistung eines Außenseiters anzuerkennen und seine Gedanken in ihr eigenes System aufzunehmen. Doch auch in der Kunst war Copán jeder anderen Maya-Stadt gleichwertig und in einer Beziehung vielleicht allen voraus, denn die auf einigen seiner Stelen skulptierten Gestalten treten in bemerkenswerter Weise aus der Steinmasse der Säulen heraus, und die Friese, die sitzende Personen darstellen, verraten eine ungewöhnliche Geschicklichkeit in der Porträtierung (Tafel 9). In der Maya-Architektur stellt die hinreißende Hieroglyphentreppe von Copán eine einmalige Leistung dar. Die Steigung jeder Stufe dieser Steintreppe ist mit Hieroglyphen verziert, von denen jede einzelne tief und sorgfältig eingemeißelt ist. Die Flucht von 63 Stufen steigt majestätisch an bis zu einer Höhe von 26 Meter über dem Niveau des Hofes. In bestimmten Abständen thronten etwa fünf 1,80 Meter hohe sitzende Figuren von Göttern oder Priestern in der Treppenmitte, als ob sie den Aufstieg zu dem Tempel bewachten, der einst die Pyramide krönte. Auf beiden Seiten der Treppe verläuft eine Schmuckrampe, wodurch die Gesamtbreite auf 10 Meter erhöht wird. Auch diese Rampen sind erlesen verziert mit Reliefs von himmlischen Vogelschlangenungeheuern. Von dem kleinen Tempel, der einst auf der Spitze stand, ist nichts erhalten geblieben außer Fragmenten des Stuckfußbodens und einer Anzahl von herrlich skulptierten Steinen, die einst an der Innenseite des Tempels in der Höhe des Gewölbeanfangsteins einen Hieroglyphenfries bildeten. Die Stuckfragmente enthüllten, als man sie wie ein Puzzlespiel zusammensetzte, den ursprünglichen Fußboden!

Von der Tür dieses Tempels hatte der Maya einen wundervollen Blick auf den etwas rechts unter ihm liegenden Ballplatz und den sich dahinter erstreckenden, mit Stelen besetzten Zeremonialhof. Wenn er sich halb nach links wandte, sah er den heute prosaischerweise Nr. 11 genannten Tempel mit seinen schönen Relieffriesen von Menschen und mythologischen Wesen. Der Ballspielplatz mit seinen in den Spielgrund eingelassenen Markierungssteinen, seinen steinernen Papageienköpfen, von denen je drei einander gegenüber tief in die Seitenwände eingelassen waren, und seinen Gewölbetempeln auf beiden Seiten, in denen die Spieler vor und nach dem Spiel ihre Opfer darbrachten, muß einer der prächtigsten im Zentralgebiet gewesen sein. Man kann sich leicht den mit seinen religiösen Obliegenheiten beschäftigten Novizen auf dem Gipfel der Pyramide mit der Hieroglyphentreppe vorstellen, wie er einen verstohlenen Blick auf einen unten auf dem Platz stattfindenden Wettkampf warf, wenn der

Applaus der Zuschauer ihn auf eine besonders interessante Spielphase aufmerksam machte.

Diese große Stadt mit ihren herrlichen Stelen, mit der sanften Schönheit ihres in so eindrucksvoller Menge verarbeiteten hellgrünen Trachytsteins und mit der erlesenen Pracht ihrer großen Hieroglyphentreppe besitzt eine erregende Faszination, die noch verstärkt wird durch die Großartigkeit der sie umgebenden Berge:

»Eines verleiht dem andern doppelten Charme,
Wie Perlen an eines Äthiopiers Arm.«

Über dieser Stadt liegt ein friedlicher Glanz, der, wenn man die Grausamkeit der Kinderopfer vergißt oder vergibt, an den unvergleichbaren dritten Satz von Beethovens fünfter Symphonie erinnert.

Quiriguá, an der Eisenbahnstrecke zwischen Puerto Barrios und der Hauptstadt Guatemala, liegt in einer fruchtbaren Ebene auf dem Hang des Motagua-Tales, die einst von Regenwald bedeckt, jetzt dem Bananenanbau dient.

Quiriguá besitzt keine hohen Pyramiden und wenige Steingebäude, doch es ist unter den Maya-Zentren berühmt für die erhabene Anmut vieler seiner skulptierten Sandsteinstelen und für seine seltsamen Altäre, riesige, als phantastische Himmelsungeheuer gestaltete Felsblöcke, die in harmonischer Weise gewichtige Masse und die zierliche Feinheit dekorativer Details gut vereinen (Tafel 9; Abb. 15, 22 b—d). In seiner Bildhauerkunst und in seinen Hieroglyphentexten offenbart Quiriguá eine starke, liebenswerte Unabhängigkeit.

Lubaantún, im südlichen Britisch-Honduras, besitzt keine Stelen und keine Gebäude mit Kraggewölben, bringt jedoch seine Individualität zur Geltung in der schönen Abstufung seiner Pyramiden aus vierkantigen Blöcken meisterhaft behauenen kristallinischen Kalksteins, der das Aussehen und die meisten Eigenschaften des Marmors besitzt. Vielleicht waren sie in der Vergangenheit nicht so schön, wie ich sie vor wenigen Jahren in ihrer blendenden Weiße sah, die teilweise durch das dunkelgrüne Laubwerk und die korallenfarbenen Blüten großer, in den Spalten zwischen den Steinblöcken wildwuchernder Begoniensträucher verdeckt war. Bonampak, in den Wäldern von Chiapas, ist berühmt für seine Wandmalereien, die Tänze, Zeremonien und Schlachtszenen trefflich darstellen (Abb. 8—10). Auch dort habe ich Massen von Begonien gesehen, doch von einer anderen, einer weißen Spielart.

Die Reihe imposanter Städte mit ihren individuellen Besonderheiten ist nicht auf das Zentralgebiet beschränkt; in Yucatán und Campeche liegt der Akzent auf großen Bauten des sogenannten Palasttyps, die oft zwei oder drei Stockwerke hoch sind (Tafel 4, 5).

Sayil liefert ein extremes Beispiel für diese ›Apartment‹-Häuser, denn sein größter Bau hat insgesamt 70 Räume in drei Stockwerken, von denen das zweite und das dritte zurückgesetzt sind, so daß die Dächer des ersten und des zweiten Stockwerks als Terrassen für die Bewohner des zweiten und des dritten dienen. Eine große Mittel-treppe führt zum dritten Stockwerk hinauf. Eine solche Masse könnte unbeholfen und monoton wirken, doch die Maya-Architek-ten führten Kontraste und Variationen ein, die dem Ganzen eine außergewöhnliche Leichtigkeit verleihen (Tafel 1). So hat das zweite Stockwerk z. B. sehr breite Eingänge, die durch zwei Säulen aufge-gliedert werden, ein praktisch im Zentralgebiet niemals vorkommen-des Element, im Gegensatz zu den einzelnen, engen Eingängen zu den Räumen des dritten Stockwerks und zu den meisten Räumen des Erdgeschosses. Die Fassade des zweiten Stockwerks ist reich ge-schmückt mit Halbsäulen und Masken der Regendrachen; die Fassa-de des dritten Stockwerks ist größtenteils unverziert, war jedoch ur-sprünglich mit Stuck verkleidet. Es handelt sich hier um ein spätes klassisches Gebäude des sogenannten Puuc-Stils (abgeleitet von einer Kette niedriger Hügel des gleichen Namens im südwestlichen Yucatán und den angrenzenden Teilen von Campeche). Das Mauer-werk ist wie bei allen Bauten dieses Stils massiver Beton, der mit dünnen, schön zugerichteten, wie Kacheln in Zement gebetteten Stei-nen verkleidet ist.

In dem nahe gelegenen Uxmal kommt der gleiche Puuc-Stil mit seinem Blendmauerwerk ebenfalls vor, doch hier ist das spektaku-lärste Gebäude das der sogenannten *Monjas* oder des Nonnenklo-sters. Vier Raumfluchten umschließen ein Viereck wie einen Kloster-garten, zu dem man Zutritt hat durch ein gewölbtes Tor in der Mitte der südlichen Flucht (Tafeln 4, 6). Im Jahr 1843 beschrieb Stephens das Quadrat mit folgenden Worten: »Wir betreten einen vornehmen Hof, umgeben von vier großen auf ihn herabblickenden Fassaden, von denen jede von einem Ende bis zum andern geschmückt ist mit den reichsten und feinsten in der Kunst der Bauten von Uxmal be-kannten Bildhauereien, ein Anblick von seltsamer Pracht, der alles übersteigt, was jetzt in seinen Ruinen zu sehen ist.« Eine von je vier Räumen flankierte Treppe führt zum zweiten Stockwerk des Nord-traktes. Der Klostergarten selbst ist 77 Meter lang und 64 Meter breit, eine Fläche wiederum halb so groß wie ein Fußballplatz. Und wieder einmal fällt uns die Mannigfaltigkeit der Schmuckmotive auf. Der Nordtrakt zeigt Gitterwerk und Masken von Regendrachen; der Osttrakt hat als Motiv ein von den Schuppen einer Schlange abgeleitetes Rautenmuster, auf dem in die Länge gezogene zweiköpfige Schlangen mit horizontalen balkenähnlichen Leibern so übereinander gesetzt sind, daß sie riesige ›V‹ bilden. Auf den anderen Fassaden finden sich Details wie sich windende Schlangen, Statuen von Menschen oder Göttern, kleine Modelle von Hütten (Abb. 24 f), Winkel-Mäander und weitere Masken. Im Osten erhebt sich die große Masse des Adivino, die mit ihrer Gewichtigkeit die Szene beherrscht. Der Eindruck sollte überwältigend sein, doch er ist es nicht. Der wie ein Turm zu Babel der Neuen Welt in den Himmel ragende Adivino — er ist über 30 Meter hoch — betont im Verein mit der Größe des Vierecks die mangelnde Höhe der Gebäude des Nonnenklosters, so daß sie an der Erde zu kleben scheinen. Die Wirkung ist die einer französischen Kathedrale auf die zu ihren Füßen kauernde Stadt oder des ragenden Turms von Fountains Abbey neben dessen niedrigen Gebäuden. Es liegt ein Hauch von Demut über diesen Bauwerken trotz der Üppigkeit ihrer Fassaden.

Der Name ›Nonnenkloster‹ war der Gebäudegruppe in der frühen Kolonialzeit von den in der Theorie stets mehr als in der Praxis an der Keuschheit interessierten Spaniern in der gewiß irrtümlichen Annahme gegeben worden, daß sie von den vestalischen Jungfrauen der Maya bewohnt wurden. Die Anlage ist späten Datums, dürfte aus der Zeit der ausgehenden klassischen Periode stammen oder vielleicht noch einige Jahrzehnte jünger sein. Einige der Räume haben die breitesten Kraggewölbe im Maya-Gebiet — mit Ausnahme der Räumlichkeiten, die aufgrund der Verwendung von Innensäulen mehr als eine Gewölbeflucht hatten —, die größte Breite beträgt etwa 4,20 Meter.

In der Nähe steht das sogenannte ›Haus des Gouverneurs‹, eine über 90 Meter lange Flucht von Räumen, das die ganze Stadt überblickt und auf einer großen Plattform steht. Es ist eins der imponierendsten Bauwerke im Maya-Gebiet und etwa ebenso alt wie das Nonnenkloster.

Weitere Varianten in der Architektur könnte man im Gebiet von Río Bec verfolgen, wo es von hohen Ziertürmen flankierte Gebäude gibt (Tafel 5), oder im nahe gelegenen Chenes-Gebiet von Campeche mit seinen Fassaden, die so konstruiert sind, daß der Haupteingang den aufgerissenen Rachen eines Regenungeheuers bildet, dessen Nase über und dessen Augen zu beiden Seiten des Eingangs dargestellt sind, während die Zähne seines Unterkiefers die Schwelle bilden.

Ein weiteres Beispiel muß genügen, und hierfür wollen wir dem Flachland des Zentralgebiets und des Nordgebiets den Rücken kehren und uns in das Hochland von Guatemala begeben, außerhalb des Gebiets der Hieroglyphenstele und der Bauten mit Kraggewölbe.

Kaminaljuyú, am Rande von Guatemala City, war — denn viel von ihm ist zerstört worden — eine sehr bedeutende Stadt in der frühen klassischen Periode. Außer den schönen Gräbern der formativen Periode (S. 62 f.) hat die Ruinenstätte noch reicher ausgestattete Gräber der frühen klassischen Periode (Abb. 23 a) in und unter ihren eher unscheinbaren Pyramiden geliefert. Unter den gefundenen Keramiken gibt es einen ausdrucksvollen Bucklingen und Gefäße aus der sogenannten ›dünnen orangefarbenen‹ Ware (Tafel 18 a, c), die aus Zentralmexiko eingeführt wurde. Andere Stücke zeigen in Form und Verzierung sehr starke Einflüsse aus Teotihuacán. Diese fremden Einflüsse spiegeln sich auch wider in einigen der Pyramiden, denn diese haben die gleiche Art oben horizontaler und unten mit einer Leiste gerahmter Friese, wie man sie in Teotihuacán findet. Nach unserer derzeitigen Kenntnis kommen diese Friese in keiner Stadt des Maya-Tieflandes mit Ausnahme von Chichén Itzá vor, wo sie an Gebäuden der mexikanischen Periode erscheinen (Tafel 4 b). Das Baumaterial, das bei diesen Pyramiden verwendet wurde, ist ebenfalls vollkommen verschieden von demjenigen der Ruinenstätten des Tieflandes. Es gibt hier keine Steintempel mit Gewölben, doch Pfostenlöcher auf den Plattformen der Pyramiden weisen auf Gebäude mit Strohdächern hin. Kaminaljuyú hat auch überaus viele Ballspielplätze.

Es ist möglich, daß die mexikanische Herrschaft über die mayanischen Hochlandbewohner in der frühen klassischen Periode stark genug war, um zu veranlassen, daß die Hieroglyphentexte verschwanden, und zu verhindern, daß die Hochlandbewohner die Ideen ihrer Brüder im Tiefland über Kunst und Architektur übernahmen.

Die Städte im Petén sind aus Kalkstein gebaut. Bitterspat wurde verwendet für Bauten in Teilen des Usumacinta-Tales; Copán verwendete, wie bereits erwähnt, einen Trachyt mit einer köstlichen und aparten Grünfärbung; Quiriguá brach Sandstein für seine Bauten und Stelen, und Lubaantún verwendete einen kristallinischen Kalkstein. In Comalcalco, Chiapas und im nahe gelegenen Bellote am Westrand des Maya-Gebietes wurden die Gebäude aus gebrannten Ziegelsteinen errichtet, von denen einige einfache eingeritzte Muster tragen. Die Verwendung von Backsteinen ist erklärt worden durch das Fehlen von geeigneten Natursteinen in diesem Gebiet; es ist eines der wenigen Gebiete in Amerika, in denen im Ofen gebrannte Ziegel architektonisch verwendet wurden. Kaminaljuyú gebrauchte in bestimmter Zeit luftgetrocknete Ziegel für seine Pyramiden, verkleidete sie jedoch später mit in Schlamm verlegtem Bimsstein und mit einer sehr dünnen Außenhaut von weichem Kiesbeton, die mit Gips überzogen wurde. Einige Zentren drückten ihre Individualität in den Formen ihrer Stelen aus. Cancuen z. B. errichtete Stelen, die an der Spitze mit Zinnen versehen waren, eine gefällige Abwechslung von dem plumpen, abgerundeten Oberteil der meisten Maya-Zentren; Quiriguá hatte seine schlanken Säulen (Tafel 9 b). Einige Städte, besonders Caracol, mit leichtem Zugang zu Lagerstätten im südlichen Pine Ridge von Britisch-Honduras, verwendeten Schiefer für Stelen, Altäre oder als Baustein. In Altar de Sacrificios, einem relativ steinarmen Gebiet, wurden Bauten der späten formativen Periode mit Muschelschalen aus dem Fluß verkleidet, die in natürlichen Kalkablagerungen verkrustet waren und das Mehrfache ihrer natürlichen Größe erreichten. Diese von der Natur produzierten künstlichen Steine erreichten beträchtliche Ausmaße und wurden in Lehm eingelassen: eine beachtliche Erfindung. Die größte Mannigfaltigkeit jedoch herrschte in der Planung. Die verschiedenartige Größe der Siedlungen hing nicht nur von ihrem Reichtum ab. Einige sehr große Zentren, wie Holmul im östlichen Zentralgebiet des Petén, errichteten nur sehr wenige oder gar keine Stelen, während andere, wie Pusilhá im südlichen Britisch-Honduras, eine beachtliche Anzahl von skulptierten Stelen aufstellten, doch nur niedrige Hügel aus Geröll und Felsblöcken aufführten, ohne den Versuch zu machen, deren Oberfläche zu verputzen. Im Falle von Pusilhá ist dies besonders überraschend, denn knappe 48 Kilometer entfernt in Lubaantún, dessen Tongefäße und Tonfiguren bezeugen, daß es zur gleichen Zeit eine Blüteperiode erlebte, findet man das genaue Gegenteil — keine Stelen, doch schönes Mauerwerk. Es ist schwer, solche Verschiedenartigkeiten zu erklären. Es gibt Kalkstein in Fülle in Pusilhá, und zwar von der gleichen Art, wie er anderswo behauen wurde. Er wurde auch in Pusilhá selbst zugerichtet und skulptiert, wenn man ihm die Form von Stelen geben wollte. In Wirklichkeit war der Unterschied mehr eine Sache des Materials als des äußeren Aussehens, denn die Maya überzogen die Oberflächen aller ihrer Pyramiden, Hügel und Gebäude mit Kalkstuck und verdeckten auf diese Weise selbst die schönsten Steine, wie den kristallinischen Kalkstein von Lubaantún oder den grüngetönten Trachyt von Copán. Es besteht daher wenig Zweifel, daß die Hügel von Pusilhá nicht einfach Kieselhaufen waren, sondern mit einem glatten Stuckmantel versehen wurden, wobei man die Lücken zwischen den Steinen mit einem jetzt zerfallenen Mörtel ausfüllte, um eine möglichst glatte Unterlage für den Stucküberzug zu erhalten.

Einige Städte waren stark konzentriert angelegt, andere dagegen weit ausgedehnt und in voneinander getrennte Viertel aufgeteilt. In manchen Fällen mag vielleicht gebirgiges Terrain diese Streuung diktiert haben, doch in andern scheint kein geographischer Grund vorzuliegen. Die Orientierung der Gebäude nach den vier Himmelsrichtungen ist ein weiterer variabler Faktor.

Außer den vielen großen Städten des Maya-Gebietes, die etwa die gleiche Bedeutung hatten wie Canterbury, Rom und Reims für die Alte Welt, gab es eine Unzahl von kleineren Zentren, Gegenstücken unserer Kleinstädte oder Dörfer. Das Studium dieses Typs kleiner Siedlungen ist von großer Bedeutung, denn er spiegelt, wie Gopher Prairie bei Sinclair Lewis, die lokale Kultur getreuer wider, weil er Veränderungen von außen weniger ausgesetzt ist. Fremde Einflüsse, die sich so weit auswirkten, wurden durch die großen Zentren übermittelt, die als erste importiertes Gedankengut modifizierten und übernahmen. Die moderne Tendenz in der Geschichtswissenschaft ist darauf gerichtet, dem äußerlichen Aufwand weniger Aufmerksamkeit zu schenken und statt dessen zu versuchen, den kulturellen und physischen Hintergrund zu rekonstruieren und zu betonen, vor dem der Durchschnittsmensch seine einfache Rolle spielte.

San José, im westlichen Zentralteil von Britisch-Honduras, dürfte ein typisches Beispiel für das kleinere Maya-Kultzentrum sein. Es umfaßt vier getrennte kleine Ruinengruppen, von denen jede aus einem von künstlichen Hügeln flankierten Hof besteht. Drei dieser Gruppen haben bis zu zwölf Meter hohe Pyramiden. Ferner sind vorhanden: ein kleiner Ballspielplatz, ein Wasserreservoir, eine kleine unverzierte Stele und ein ziemlich solide ausgeführter, zweistöckiger Palast mit elf überwölbten Räumen, mehreren Bänken oder Podien und einer Innentreppe. Das nächste anspruchsvolle Gebäude hat sechs in zwei parallelen Reihen angeordnete Räume und ein weiteres, quer verlaufendes Gemach an einem Ende; sie haben alle eine Kraggewölbedecke (Abb. 5 e). Ein anderes Gebäude hat Räume mit und solche ohne Kraggewölbe. Die Keramik bezeugt eine kontinuierliche Besiedlung der Stätte von der formativen Periode an, während der ganzen klassischen und wahrscheinlich bis in die ersten Phasen der mexikanischen Periode. Die Freilegung von Grabstätten förderte in den meisten Fällen Skelette zutage, die mit gebeugten, an den Körper herangezogenen Knien auf der Seite lagen. In den Gräbern befanden sich gewöhnlich einige der Besitztümer des Verstorbenen, nicht die besten, die zu haben waren, sondern solche, wie man sie bei einem Mitglied der Bourgeoisie einer kleinen Provinzstadt, in der man mißtrauisch war gegenüber Angabe und Prahlerei, zu finden erwartet.

San José war jedoch nicht vollkommen abgeschlossen von der Außenwelt, wie eine beträchtliche Anzahl von Handelsstücken bezeugt (Abb. 22 a). Zu ihnen gehören bestimmte aus Yucatán importierte Tongefäße mit einer schieferartigen Oberfläche, Schwungringe (Wirtel) aus Veracruz, Muscheln von den Küsten des Pazifik, Obsidian vom Vulkan Ixtepeque oder aus anderen Quellen im Hochland von Guatemala, Jade unbekannter Herkunft, Kupfer vielleicht aus Mexiko, Korallen aus dem Karibischen Meer, Marmorgefäße wahrscheinlich aus Honduras und große Mengen bemalter Keramik bestimmt nicht lokaler Herstellung. Die Bewohner von San José schufen keine Skulpturen, doch sie schmückten ihre Gebäude mit Stuckornamenten und waren mit Maya-Hieroglyphen vertraut, denn sie verzierten die Vorderseite eines Podiums mit Glyphen aus dem gleichen Material. Sie waren natürlich etwas hinter der Zeit zurück. Dies zeigt sich in ihrer Architektur, denn die Bauweise, die sie jeweils anwandten, war anderswo bereits außer Mode. Es gibt einige Hinweise darauf, daß Menschen geopfert wurden, Erwachsene und Kinder, doch dies geschah nach den vorliegenden Zeugnissen nur in beschränktem Umfang, entsprechend dem provinziellen Charakter der Siedlung.

Eins oder zwei der kleineren Gebäude mögen als ständige Wohnsitze gedient haben, doch in sonstiger Beziehung war San José eines der relativ kleinen Maya-Kultzentren, von denen es Dutzende im Zentralgebiet und vielleicht Hunderte im gesamten Maya-Gebiet gegeben haben muß.

Kürzliche topographische Aufnahmen — besonders die von William Bullard im östlichen Petén durchgeführten — einiger in der

Umgebung verstreuter Häuserhügel vermitteln eine gute Einsicht in die Verteilung der umwohnenden Bevölkerung, welche die Kultzentren unterhielt.

Von den Hütten ist nichts übriggeblieben, denn sie waren aus vergänglichem Material gebaut und wahrscheinlich fast die gleichen, wie sie die Maya bis zum heutigen Tag benutzen. Doch die aus Stein und Geröll bestehenden Plattformen, auf denen sie standen, sind erhalten geblieben. Es gibt sie in allen Größen, doch Längen von 9 Meter, Breiten von 3,6 Meter und 30—90 Zentimeter Höhe sind die typischen Dimensionen. Diese Plattformen jedoch können auf zwei oder drei Seiten eines kleinen künstlichen Hofes stehen. Wohnsiedlungen, vermerkt Bullard, erscheinen oft als kleine Gruppen von fünf bis zwölf Häusern, an Weiler erinnernd, in einem Areal von etwa zehn bis zwanzig Morgen. Diese Gruppen bilden wiederum eine Zone, zu der ein kleineres Maya-Kultzentrum gehört, obwohl dieses oft nicht in der Mitte der Zone, sondern am Rande oder isoliert liegt, da Maya-Kultzentren gewöhnlich auf einem Hügel lagen. San José ist zu groß, um in diese Kategorie einer kleineren Maya-Kultstätte zu gehören. Außerdem besitzt es Merkmale, wie z. B. einen Ballspielplatz und eine Stele, die normalerweise nicht dazugehören.

Die Zonen, jede mit ihrem kleinen Maya-Kultzentrum, bilden zusammen einen Distrikt, der wiederum ein größeres Maya-Kultzentrum des oben besprochenen Typs unterhielt. Die Distrikte waren in ihrer Größe verschieden. Bullard nimmt als durchschnittliche Größe etwa 60 Quadratkilometer an.

Diese Einteilung in eine Anzahl von Zonen, jede mit ihrem kleinen Maya-Kultzentrum, die gemeinsam ein größeres Kultzentrum der Maya unterhalten, erinnert uns an die Verhältnisse in Tenochtitlán, der alten Hauptstadt der Azteken, auf deren Gelände die heutige Stadt Mexiko steht. Dort war das große Maya-Kultzentrum, in dem die großen nationalen Zeremonien abgehalten wurden, von zwanzig Distrikten oder Bezirken·umgeben, jeder bewohnt von einem anderen *calpulli*, einer Art ›Klan‹ mit einer geographischen Basis. Jeder ›Klan‹ hatte seine eigene Verwaltung, kontrollierte seine eigenen Ländereien, hatte sein eigenes kleines religiöses Zentrum, in dem die Gottheiten des Stammes und des Klans verehrt wurden, und seine eigenen Beamten zur Erledigung der verschiedenen lokalen Angelegenheiten. Die ›Klane‹ waren in vier ›Viertel‹ zusammengefaßt, und jeder ›Klan‹ hatte eine weltliche und eine religiöse Vertretung in seinem Viertel und in der übergeordneten Stammesorganisation. Wir besitzen keinerlei Zeugnis für eine Einteilung in Viertel im Maya-Gebiet, doch es scheint eine gewisse Parallele bestanden zu haben zwischen der wahrscheinlichen Einteilung im Maya-Tiefland zur klassischen Zeit und der Situation bei den Azteken zur Zeit der Ankunft der Spanier, obwohl man berücksichtigen muß, daß die mayanische Kultur ländlichen, die aztekische weitgehend städtischen Charakter besaß.

Was die Größe eines Distrikts betrifft, so hat der verstorbene George Brainerd bemerkt, daß Berechnungen der Zeit und der Arbeit, die für den Bau eines mayanischen Kultzentrums erforderlich waren, zeigen, daß bei einer Bevölkerungsdichte von dreißig Personen pro Quadratmeile, was der von Yucatán vor einigen Jahren entspricht und etwas geringer ist als die für die Zeit der spanischen Eroberung geschätzte Zahl, die Arbeitskräfte aus einem Umkreis von wenigen Kilometern genügt hätten, um ein normal großes Maya-Kultzentrum zu bauen. Natürlich stellte er dabei in Rechnung, daß die Arbeit des Bauens und der Vergrößerung vom Tag der Inangriffnahme bis zur Aufgabe des Zentrums niemals aufhörte.

Eine neue Untersuchung in einem Gebiet rund um Tikal führte zu dem Schluß, daß es dort mindestens 1948 angenommene Häuserhügel — ausschließlich Küchen, Familientempelhügeln und solcher, wie sie auf dem Höhepunkt der klassischen Periode bewohnt wurden — in einem Gebiet von zehn Quadratkilometer gab. Bei der Annahme von 5,6 Personen pro Haushalt ergibt dies eine Mindestbevölkerung von 10800 oder eine Dichte von nicht weniger als 1724 Seelen pro Quadratmeile.

Jedoch ein übersehener Faktor reduziert diese gewaltige Konzentration. Die späte klassische Periode, die durch die Keramiktypen Tepeu I und II repräsentiert wird, dauerte mehrere Jahrhunderte, und es ist unmöglich zu schließen, daß alle Hügel, die Keramik dieses Typs enthielten, zur gleichen Zeit bewohnt waren. Ein Hügel mag ein Haus getragen haben, sagen wir, zu Beginn der Phase Tepeu I, war dann jedoch vielleicht gegen Ende der Phase aufgegeben worden, obwohl in Wirklichkeit Keramikphasen nicht plötzlich abbrechen, sondern langsam abklingen. So sieht man denn auch in fast allen modernen Maya-Dörfern zerfallene Häuser, die vor einem oder zwei Jahrzehnten aufgegeben wurden, doch Ausgrabungen würden nicht ergeben, daß nicht alle Häuser in dem Dorf zur Zeit des spätesten nicht bewohnt waren. Außerdem berichtet uns Bischof Landa, daß eine Hütte nach einem Todesfall in der Familie aufgegeben wurde. Ob dieser Brauch im Petén-Gebiet zur Anwendung kam, ist nicht bekannt; er wurde nicht angewandt in Yucatán bei Steingebäuden; aber Steingebäude stellen eine große Wertanlage dar, während eine strohgedeckte Hütte, wie sie die Hügel rund um Tikal größtenteils trugen, in wenigen Tagen erbaut werden konnte. Noch ein weiterer Gesichtspunkt ist anzuführen: Die Aufgabe von Häusern mag in alten Zeiten, als die Menschen weit über das Land verstreut wohnten, häufiger gewesen sein als heute, da infolge der durch die Mönche bewirkten Konzentration Siedlungen sich innerhalb von Dörfern befinden, in denen Bauland nicht in so reichem Maße zur Verfügung steht; ein gutes Grundstück in einem Dorf wird nicht gern aufgegeben.

Das Gebiet um Tikal, das größte Maya-Zentrum, muß eine starke Bevölkerungsdichte gehabt haben, doch sicherlich nicht so stark, wie die oben angegebene Schätzung errechnet.

Was die politische Organisation der klassischen Periode betrifft, so nehme ich an, daß die Provinzen, in die Yucatán nach dem Fall von Mayapán (S. 148) wieder zerfiel, lange vor dem Aufstieg von Mayapán bestanden und fortfuhren, mehr oder weniger die Einteilung in die von jedem größeren Maya-Kultzentrum kontrollierten ›Distrikte‹ widerzuspiegeln. Wie die Spanier feststellten, wurde das Oberhaupt, eine Persönlichkeit von höchster Autorität — ein Tuch wurde vor sein Antlitz gehalten, damit ein Bittsteller sein Gesicht nicht sehen konnte —, halach uinic, ›wirklicher Mann‹, genannt; ihm beigesellt war ein Hoherpriester, ah kin Mai, der religiöse Führer der gesamten Provinz, obwohl der halach uinic amtlich ebenfalls ein religiöser Führer war. Beide Ämter waren erblich. Jede Stadt unter dem halach uinic, vermutlich der Zone des kleineren Maya-Kultzentrums entsprechend, wurde von einem Häuptling regiert, der batab, ›Axtträger‹, genannt und von einem Rat unterstützt wurde. Zu den Mitgliedern des Rates gehörten die ah cuchab, ›Amtsträger der Stadtgemeinde‹, die vermutlich über kleine, mit Bullards Weilern vergleichbare Gebiete herrschten. Dem halach uinic stand zweifellos ein Rat zur Seite, dem auch seine batab angehörten, doch unsere Informationen über die politische Organisation sind sehr spärlich. Der halach uinic ernannte die batab, die Nachfolge vollzog sich häufig, doch nicht immer, in der gleichen Familie. Halach uinic und batab wurden unterhalten durch die von ihren Untertanen gezahlten Steuern und von den Erträgen der Ländereien, die sie kontrollierten. Es war möglich, daß ein Mann von niederer Geburt zum Rang des *batab* aufstieg, obwohl dies sicherlich nicht leicht war; er konnte aber nicht *halach uinic* oder Hoherpriester werden. Wie in Zentral-Mexiko war die Organisation teils autokratisch, teils demokratisch.

In den letzten Jahren haben Sozialanthropologen, welche die heutigen Maya-Gruppen in Chiapas untersuchten, geglaubt, in dem politischen System der Maya der klassischen Periode den Vorläufer des Systems zu sehen, das in den heutigen Maya-Gemeinden herrscht und das den Aufstieg eines fähigen und ehrgeizigen Mannes von einer niedrigen Stellung zum höchsten Rang in der Dorforganisation ermöglicht. Daß die alte Maya-Gesellschaft im wesentlichen eine demokratische Organisation gewesen sein soll, ist ein angenehmer Gedanke, besonders für Amerikaner, deren Glauben an die allgemeine Übernahme demokratischer Institutionen durch Nichteuropäer in den letzten Jahren so brutal erschüttert wurde — doch ich bezweifle seine Richtigkeit. Der demokratische Charakter des Lebens in einem heutigen Maya-Dorf mag dem der alten Zeit ähnlich sein, doch in seinen sozio-religiösen Formen ist er gleichzeitig tief beeinflußt worden durch die Berührung mit dem spanischen System demokratischer religiöser Gesellschaften — der Bruderschaften und der Laienorden. Es ist aber sehr gefährlich, einen Schritt weiterzugehen und anzunehmen, daß diese Organisation die Formen regionaler (nationaler), religiöser und politischer Institutionen von vor tausend Jahren widerspiegelt. Man kann diese Schlußfolgerung selbst heute nicht ziehen. Denn die überdörfliche Organisation Guatemalas und der Bundesstaaten Mexikos ist, da sie in nichtindianischen Händen liegt, außerhalb der Reichweite des ehrgeizigen Dorfhäuptlings. Dies hat seinen Grund darin, daß die Spezialkenntnisse, die er erworben hat, um im Dorf aufzusteigen, außerhalb des Dorfes für ihn nutzlos sind und er nicht die notwendigen Kenntnisse besitzt, um auf einer breiteren politischen Basis zu wirken. Ich glaube, die gleichen Barrieren für ein Weiterkommen müssen auch in der alten Zeit existiert haben.

Alle verfügbaren Daten aus spanischen Quellen schildern die obersten Herrscher der Maya, weltliche wie religiöse, als Mitglieder einer kleinen erbberechtigten Gruppe, und das gleiche trifft für andere Völker Mittelamerikas zu. So stammten z. B. die Herrscher der Azteken und benachbarter Zentren, wie Texcoco und Culhuacán, aus einer einzigen ›königlichen‹ Familie. Außerdem unterrichten uns die gleichen Quellen, daß nur eine beschränkte Anzahl der Mitglieder des Adels und der oberen Priesterschaft die Hieroglyphenschrift beherrschten. Selbst wenn man annimmt, daß solche Hindernisse zum Weiterkommen nicht existierten, fällt es schwer zu glauben, daß ein biederer Maya niederer Herkunft nach seinem Aufstieg in den höchsten Rang in seinen späten Jahren noch lernen konnte, zu lesen und zu schreiben und die Umlaufperioden der Venus und die Daten, an denen eine Sonnenfinsternis stattfinden würde, zu berechnen. Solche Kenntnisse spielten keine Rolle bei seinem Aufstieg an die Spitze seiner Dorfschamanen, doch sie waren ein wesentliches Requisit für die obere Priesterschaft. Die falsche Art von Kenntnissen, die den heutigen Maya-Führer daran hindern, über seine lokale Gemeinde hinaus aufzusteigen, war auch ein Handikap für seinen Vorfahren in der klassischen Periode. Abgesehen von solchen Überlegungen besagen die dynastischen Berichte, besonders die in Piedras Negras von Tatiana Proskouriakoff entdeckten, daß Herrscher anscheinend mit etwa zwanzig Jahren an die Macht kamen, einmal sogar mit etwa 13 Jahren. Solche Altersangaben deuten auf ein Erbsystem hin und kaum auf einen romantischen Aufstieg von der Blockhütte zum Weißen Haus.

Es gibt linguistische Beweise im yucatekischen Maya-Gebiet für ein früheres System der Vetternheirat, d. h. ein Mann heiratete die Tochter der Schwester seines Vaters, doch der Begriff ›Schwester‹ galt wahrscheinlich in einem weiteren Sinne, als wir ihn benutzen. Nur unvollständige Beweise gibt es für ein System totemistischer Klane bei den fast ausgestorbenen Lacandón-Maya, nach dem die Heirat mit einer Person, die das gleiche Totemtier hatte, verboten war. Das in Yucatán geltende Verbot der Heirat mit einer Person gleichen Namens ist vielleicht ein Hinweis auf eine frühere Klanorganisation in diesem Gebiet, doch war das ganze System vor der Ankunft der Spanier bereits zerfallen. In Teilen des Hochlands von Guatemala war dagegen die Klan-Organisation, in der Heiraten nur mit Nichtmitgliedern des Klans erlaubt waren und jeder Klan gewöhnlich lokal begrenzt war, noch intakt. Es ist denkbar, daß in Analogie zu den geographischen Klanen des Hochlands von Guatemala und anderer Gebiete in Mittelamerika — z. B. bei den Azteken —, in Bullards Weilern der klassischen Periode die Mitglieder des gleichen Klans wohnten, doch dies ist reine Spekulation.

Vermutlich befand sich das Land nicht in Privatbesitz, sondern wurde von der Gemeinde zugeteilt, infolgedessen darf man nicht den Adel als Alleinbesitzer allen Reichtums und die Bauern als eine zur Armut verdammte Gruppe betrachten. So konnte wahrscheinlich

z. B. auch ein erfolgreicher Jaguarjäger seine Felle gegen schönes polychromes Geschirr eintauschen; ein Bauer, der geschickt war in der Bemalung von Kürbisflaschen oder in der Bearbeitung von Schildpatt oder der eine Frau hatte, die eine hervorragende Weberin war, konnte ebenfalls zu Wohlstand gelangen und sich durch richtige Anwendung seiner Mittel die Ämterleiter seiner Gemeinde hinaufarbeiten. Wohlstand war auch abhängig von lokalen Hilfsquellen. Ein guter Teil des Gewinnes, den Kakaopflanzer erzielten, verblieb sicherlich in ihren Händen. Der Inhalt von Gräbern am Mittellauf des Belize-Flusses, einem bekannten Zentrum von Kakaoplantagen, scheint dies zu bestätigen, denn die Grabbeigaben zeugen von überdurchschnittlichem Wohlstand.

Außer dem Adel und den Gemeinen scheint es eine kleine Mittelklasse gegeben zu haben, die sich aus den letzteren rekrutierte und zu ihren Mitgliedern Künstler, Kunsthandwerker — z. B. Hersteller von Götterbildern — und die religiösen und politischen Funktionäre kleiner Städte und Dörfer zählte. Zur Zeit der spanischen Eroberung existierten zahlreiche Sklaven, und vermutlich gab es sie auch während der klassischen und wahrscheinlich sogar in der formativen Periode. Sie wurden rekrutiert aus den Kindern von Sklaven, aus Gemeinen, die im Krieg gefangengenommen oder wegen Schulden oder ziviler Verbrechen zur Sklaverei verurteilt worden waren. Bei manchen Vergehen, z. B. bei Diebstahl, konnte ein Sklave durch Zahlung der Schuld freigekauft werden. Manchmal kaufte die Gemeinde einen Sklaven frei, der mißhandelt worden war. Es gab auch ein uns nicht ganz verständliches System von Kontraktarbeit.

Es bleibt das Problem der Beziehungen zwischen zwei Stadtstaaten. Wir haben eine große Anzahl von größeren und kleineren Städten vor uns, die während der klassischen Periode (200—925) und im Hinblick auf Raum und Zeit ausgeprägte Verschiedenheiten aufweisen. Hier gibt es kein sklavisches Nachahmen, sondern individuelle Kräfte finden ihren Ausdruck in Experimenten und abweichenden Entwicklungen, bewahren jedoch — vorzugsweise im Tieflandgebiet — eine deutliche Ähnlichkeit.

Weist diese Einheitlichkeit mit lokalen Unterschieden auf ein System von Stadtstaaten hin, wie sie in Griechenland oder im Italien des Mittelalters existierten — Staaten mit politischer Unabhängigkeit, jedoch mit einer ziemlich einheitlichen Kultur und einer gemeinsamen Sprache —, oder auf die Existenz eines einzigen Staates?

Offen gestanden, für die Beantwortung dieser Frage sind wir weitgehend auf Vermutungen angewiesen, doch es gibt Faktoren, die unser Urteil beeinflussen können.

Für ein gewisses Maß von Einheit spricht die Tatsache, daß die Sprache praktisch im ganzen Tieflandgebiet die gleiche war, denn die Unterschiede zwischen den Sprachen und Dialekten des Tieflandes müssen vor tausend bis fünfzehnhundert Jahren geringer gewesen sein, als sie heute sind, und es scheint wenig Zweifel zu bestehen, daß ein Chol einen Yucateken, oder ein Tzotzil einen Chorti gewiß ebensogut verstand, wie ein Neapolitaner einen gebürtigen Turiner versteht. Skulptur und Namensglyphen von Göttern zeigen, daß die religiösen Vorstellungen im ganzen Gebiet ziemlich die gleichen gewesen sein müssen (unsere Informationen über Yucatán sind freilich nicht so umfassend, wie sie sein könnten), zumindest was den hierarchischen Kult betrifft, obwohl das religiöse Denken der Bauern von Region zu Region variiert haben mag. Die Philosophie der Zeit — ein hierarchischer Zug, der ein abstrakteres, den Bauern sicherlich fremdes Denken voraussetzte — war, wie die Glyphen-Inschriften zeigen, im ganzen Maya-Tiefland verbreitet.

Das Fehlen von Befestigungsanlagen, die Tatsache, daß die meisten klassischen Zentren in offenem Gelände lagen, und die nur geringen Zeugnisse für kriegerische Tätigkeit — die Kampfszenen auf den Wandmalereien von Bonampak (Abb. 9) deuten klar auf einen Überfall und nicht auf einen regulären Krieg hin — sprechen für die Annahme, daß während der klassischen Periode meistens Frieden herrschte, ebenso auch die außergewöhnliche Bautätigkeit, die offensichtlich während der ganzen Periode ununterbrochen andauerte.

Soweit Hinweise auf kriegerische Tätigkeit vorhanden sind, beschränken sie sich weitgehend auf den Südwesten des Maya-Gebietes, also auf ein den nicht zu den Maya gehörenden Völkern der Zoque und der Chiapaneken benachbartes Gebiet, und sind am stärksten für die letzten Jahrzehnte der klassischen Periode bezeugt. Angesichts ihrer langen Tradition in der Mauerwerkkonstruktion, die schließlich feuerbeständig ist, bezweifle ich, daß die Maya der klassischen Periode hölzerne Befestigungen bauten, die inzwischen längst zerfallen wären.

Hieroglyphentexte zeigen, daß neue Ideen ungehindert von einer Stadt in die andere gelangten. So führte man in Copán im Jahr 682 eine neue Methode der Mondberechnung ein, die sehr bald von fast allen großen Städten des Zentralgebiets übernommen wurde. Um 700 scheint Copán die neueste Berechnung der Länge des Wendekreisjahres erstellt zu haben — nicht alle Fachspezialisten akzeptieren diese Interpretation der hieroglyphischen Berechnungen, doch ich bin überzeugt, daß sie korrekt ist — und hielt sie auf einer Reihe von Monumenten fest. Die Seiten eines Altares, der an diese Leistung erinnert, zeigen die skulptierten Figuren von sechzehn Personen, die nach innen dem betreffenden Datum zugekehrt sind. Teeple, der als erster die Erklärung vorbrachte, daß es sich hier um eine Berechnung der Länge des Sonnenjahres handle, spricht treffend von einer »Gruppenaufnahme der Akademie der Wissenschaften von Copán unmittelbar nach ihren Sitzungen«.

Zwanzig Jahre später wurde ein weiterer Altar eingeweiht, der an den Jahrestag der Einführung dieser Berechnung erinnern sollte; auf ihm sind die Reliefs von zwanzig Personen eingemeißelt, die dem jeweiligen Datum zugewendet sind. Mehr als die Hälfte von ihnen trägt hier Masken oder stellt Götter dar. Eine von ihnen ist als Fledermaus verkleidet. Leider kennen wir nur von sehr wenigen Maya-Städten oder Sprachgruppen die alten Namen, doch es sei hier daran erinnert, das *Tzotzil*, der Name für eine der Sprachengruppen von Chiapas, ›Fledermaus‹ bedeutet. Es ist daher nicht ausgeschlossen, daß die Mitgliedschaft in Teeples Akademie der Wissenschaften von Copán nicht auf Priester-Astronomen aus Copán beschränkt war, sondern daß die Akademie aus Vertretern des gesamten Maya-Tieflandes bestand und sich unter den Anwesenden auch ein Vertreter der Tzotzil befand. In diesem Fall, der zugegebenermaßen nicht sehr überzeugend ist, haben wir möglicherweise einen Beweis für die Einheit des Tieflandes.

Andere Zeugnisse sprechen zumindest für freundliche Beziehungen zwischen den Städten. Einige Städte entwickelten bestimmte eigene Glyphen und verwendeten sie häufig, doch manchmal wurden diese lokalen Glyphen von anderen Städten übernommen, so wurde z. B. eine Glyphe, die in Piedras Negras entstand, später in Palenque gefunden. Auch Einflüsse in Architektur und Skulptur wurden von einer Region zur andern übertragen. Architektonische Konzepte des Petén verbreiteten sich bis zum Usumacinta, und die für das Nordgebiet typische bildhauerische Behandlung erscheint in Yaxchilán, zusammen mit einer nördlichen Methode des Aufzeichnens von Zeitangaben.

Diesen Faktoren müssen aber die hierarchischen Züge entgegengestellt werden, die lokal variieren. In Teilen von Campeche und Yucatán blieb die Methode der Aufzeichnung von Monatspositionen um einen Tag hinter der Standardpraxis zurück, als ob Texas »Montag, den 15. März« schriebe, während der Rest der Vereinigten Staaten als Datum »Montag, den 16. März« angibt. Angesichts der großen Rolle des Maya-Kalenders im Leben der Gruppe und des Individuums ist dieses abweichende Verfahren bedeutungsvoll. Außerdem variierten die Satzglieder in der Hieroglyphenschrift von Stadt zu Stadt. Palenque z. B. benutzte die gleichen Glyphenkombinationen immer wieder, doch keine andere Maya-Stadt verwendete sie. Jede hatte ihre eigenen Zusammenstellungen, die Palenque und andere große Städte nicht kannten. Wir wissen jetzt, daß diese Herrschernamen enthielten und anscheinend die Namen von Städten oder Stadtstaaten.

Es gibt hinreichend Zeugnisse für die Existenz von regionalen Stilen in der Skulptur und der Glyptik, die auf die Existenz von Städten mit bestimmten Einflußgebieten hindeuten. Yaxchilán z. B. übte einen starken Einfluß auf die Skulptur, Architektur und Hieroglyphenschrift von Bonampak aus. Die ›Emblem‹-Glyphe von Yaxchilán erscheint in Hieroglyphentexten von Bonampak, und dies ist ein beredter Hinweis darauf, daß Bonampak ein Teil des ›Stadt-Staates‹ Yaxchilán war. Hier ist ein Wort über ›Emblem‹-Glyphen am Platze.

Heinrich Berlin war vor kurzem in der Lage nachzuweisen, daß jedes der wirklich bedeutenden Maya-Zentren seine eigene spezifische Glyphe mit bestimmten Affixen besaß, die ungeachtet der unterschiedlichen Emblem-Glyphen immer die gleichen waren. Die Emblem-Glyphe muß also mit ziemlicher Sicherheit eine Transkription entweder des Namens des Maya-Kultzentrums oder seiner herrschenden Familie oder von etwas Ähnlichem gewesen sein. Wegen der Ungewißheit über ihre genaue Bedeutung wählte Berlin die Bezeichnung Emblem-Glyphe.

Während nun große Stätten wie Palenque, Copán und Piedras Negras ihre eigenen Emblem-Glyphen hatten (Abb. 18 a—f) und große und nahe gelegene kleinere Siedlungen die gleiche Emblem-Glyphe benutzen, z. B. Yaxchilán und Bonampak sowie Piedras Negras und das ziemlich unbedeutende El Cayo, besaßen Tikal und eine Gruppe verhältnismäßig großer und annähernd ebenso bedeutender Siedlungen im Tal des Río Pasión (oberer Usumacinta) die gleiche Emblem-Glyphe. Dieser Tatbestand läßt den Schluß zu, daß wir es vielleicht mit einer Zusammenfassung von Maya-Kultzentren dieses Gebietes zu einer einzigen Einheit zu tun haben.

Ich neige zu der Annahme, daß das mayanische Tieflandgebiet während der klassischen Periode eine lockere Föderation von autonomen Stadtstaaten bildete, deren Regierung weitgehend in den Händen einer kleinen Kaste von Priestern und Adligen lag, die blutsverwandt und von religiösen Motiven beherrscht waren. Es ist sehr wahrscheinlich, daß die Herrschaft in jedem Stadtstaat, wie in Zentral-Mexiko, zweigeteilt war: Das eine Oberhaupt war der zivile Herrscher, der jedoch auch priesterliche Funktionen ausübte — der *halach uinic*; das beste Maya-Wörterbuch übersetzt dieses Wort mit Gouverneur und mit Bischof; das zweite Oberhaupt dagegen widmete sich ausschließlich priesterlichen und astrologischen Obliegenheiten. Die herrschende Klasse dürfte eine kleine quasi-religiöse Minderheit gewesen sein, welche die bäuerlichen Massen in Abhängigkeit hielt durch ihr angebliches Vermögen, die Götter zufriedenzustellen, günstig zu stimmen und vielleicht durch magisch-religiöse Prozesse zu beherrschen. Im übrigen bin ich der Ansicht, daß ihre Herrschaft eine verhältnismäßig wohlwollende war, abgesehen von der ständigen Aushebung von Arbeitskräften für größere und bessere Pyramiden, Tempel und ›Paläste‹. Vielleicht die engste Parallele zu dieser Theokratie war die wohlwollende Jesuiten-Herrschaft des 17. Jahrhunderts über die Guarani in Paraguay.

Ich glaube, wir können annehmen, daß die Beziehungen zwischen den Stadtstaaten der klassischen Periode im ganzen freundlich waren. Vermutlich waren ihre Herrscher untereinander verwandt, und sicherlich hatten sie die gleiche Erziehung, den gleichen künstlerischen Geschmack und die gleichen religiösen Vorstellungen. Deshalb müssen aber die Beziehungen nicht immer herzlich gewesen sein. Ich glaube, man kann annehmen, daß es ziemlich ständige Reibungen über Grenzen gab, die manchmal zu einem kleinen Gefecht und zu gelegentlichen Überfällen auf Randgebiete des benachbarten Stadtstaates führten, auch um Nachschub für die Menschenopfer zu besorgen, doch meiner Ansicht nach sprechen die Anzeichen gegen die Annahme einer regulären kriegerischen Tätigkeit in größerem Umfang. Es ist denkbar, daß es einen obersten Herrscher über eine Stadt gab, wir können auch als wahrscheinlich annehmen, daß größere Städte danach strebten, die kleineren zu beherrschen. So kann man sich vorstellen, daß der Hohepriester von Tikal bei den Menschen benachbarter Stadtstaaten wie Nakum und Yaxha wegen der Pracht seines Amtssitzes in hoher Achtung gestanden hat, und man kann annehmen, daß ein Überfall von seiten Tikals auf eine abgelegene Siedlung im Territorium von Nakum ohne Gedanken an Vergeltung erduldet wurde. Das Motto der Maya lautete: »Leben und leben lassen«, und ich sehe keine Anzeichen dafür, daß kleine Stadtstaaten von einem größeren allzu sehr tyrannisiert wurden.

Es ist kaum möglich, daß Tikal der Sitz eines obersten Herrschers des Zentralgebietes war. Seine Gesamtanlage ist gewaltig in ihrer Ausdehnung, doch es gibt andere Maya-Kultzentren in der Umgebung — Uaxactún ist 19, Nakum 22 und Yaxhá 27 Kilometer entfernt —, die mit ihm in der Arbeitsleistung konkurrieren konnten. Außerdem ist es schwer, hinreichende Gründe für Tikals Größe anzugeben. Es besitzt wenig natürliche Reichtümer, sein karger Sandsteinboden und seine ausgedehnten Sumpfgebiete sind ungeeignet für die Anpflanzung von Kakao, der das ergiebigste Produkt des Tieflandes darstellt, noch sind gute Feuersteinlager in der Umgebung Tikals bekannt. Außerdem lag es, soweit zu erkennen ist, nicht an einer Handelsstraße. Doch die Tatsache, daß Städte im Pasión-Tal die Emblem-Glyphe von Tikal benutzten, deuteten darauf hin, daß sie in einem Abhängigkeitsverhältnis zu dieser entfernten Metropole standen.

Die offensichtlichen Bindungen Bonampaks an Yaxchilán scheinen zu beweisen, daß ein Stadtstaat aus mehr als einer Stadt bestehen konnte. Die Tatsache, daß Grenzen zwischen Architektur- oder Hieroglyphenstilen nicht denen zwischen verschiedenen Sprachgebieten zu entsprechen scheinen, ist von Bedeutung für unser Problem. So haben wir jeden Grund zu der Annahme, daß sowohl diejenigen, die im Río-Bec-Stil bauten (Tafel 5 b), als auch die Menschen, die den Puuc-Stil (Tafel 1 a) anwendeten, die gleiche Maya-Sprache, nämlich das Yucatekische, sprachen. In gleicher Weise sprachen die Bewohner von Städten des Petén-Gebietes, wie Tikal oder Uaxactún, mit ziemlicher Sicherheit einen Dialekt zwischen dem Yucatekischen und den Chol-Chontal-Dialekten, die wahrscheinlich in Yaxchilán, Piedras Negras und Palenque verbreitet waren, wo jeweils lokale Stile in Kunst und Architektur vorherrschten. Copán sprach eine Variante des östlichen Chol, die sich vornehmlich durch die Ersetzung des *r* durch *l* unterschied. Kleinere Unterschiede, die Dialektabweichungen entsprachen, gab es wahrscheinlich in den Künsten, den Gewerben und den religiösen Vorstellungen der bäuerlichen Dorfbewohner, jedoch nicht in den Manifestationen des hierarchischen Kults.

Somit haben wir nunmehr ein Bild dieses gesamten Tieflandgebietes gewonnen, das, abgesehen von Steppen, Sümpfen und anderen zur Siedlung ungeeigneten Gebieten, übersät ist von zahlreichen Maya-Kultzentren verschiedenster Größe, variierend von vier einfachen, mit Stroh gedeckten Tempelhütten mit einem kaum fünfzehn Meter im Quadrat messenden Hof bis zu den großen Massen von Plattformen und Pyramiden, Palästen und Tempeln, die in gezackter Unregelmäßigkeit wie Kornspeicher in Iowa in den Himmel ragen oder mit der architektonischen Harmonie einer andalusischen Stadt angelegt sind. Das umliegende Land stellen wir uns als einen Flekkenteppich von Wäldern, gerodeten Feldern und wieder zu Wald werdenden Ländereien vor, in dem die Wälder vorherrschen, und vereinzelt sehen wir die strohgedeckten Hütten der Bauern in Gruppen zu viert oder fünft in von Obstbäumen beschatteten Lichtungen. Die Maya-Kultzentren machten zeitweise einen verlassenen Eindruck, dann wieder fänden wir sie überfüllt von Menschen, die zu einer Zeremonie oder zum Markt zusammengekommen sind; und falls wir sie in der Zeit geringer Feldarbeit besuchten, sähen wir vielleicht Schlangen von Männern, Frauen und Kindern, die Steine und Erde herantragen zur Vergrößerung einer Pyramide, und Maurer und Zimmerleute, die geschäftig weitere Steinmauern errichten und Treppen bauen oder Sturze und Querbalken für einen weiteren Tempel zurichten.

Ich bin geneigt anzunehmen, daß ein Teil des Adels, einschließlich des obersten Herrschers und des Hohepriesters eines jeden Stadtstaates, in einer außerhalb des Maya-Kultzentrums gelegenen Gebäudegruppe wohnte und nicht im Stadtkern. Der Unbequemlichkeit der fensterlosen, aus Steinen erbauten und mit Steinen gedeckten ›Paläste‹ und der der sengenden Sonne ausgesetzten, gepflasterten Höfe zogen sie sicherlich einen Ort vor, an dem sie sich schattiger Bäume und vielleicht einer Blume — oder eines mit Sträuchern bestandenen Hofes oder Gartens — erfreuen konnten, denn überall in Mittelamerika liebt man die Blumen, und sie wurden sogar als Opfergaben verwendet. Vermutlich wohnte ein Teil des Priesteradels in oder nahe den kleineren Maya-Kultzentren, wie es die *batab* später in Yucatán taten und wie es die Verteilung größerer (angenommener) Häuserhügel im Zentralgebiet anzudeuten scheint. Wir hätten hier also eine Situation, wie sie bis in die jüngste Zeit in

Europa bestand, wo die meisten Mitglieder der Aristokratie über das Land verstreut lebten, oder wie im heutigen New York, wo die meisten Mitglieder der Harvard-, Yale- und Princeton-Klubs in den Gemeinden von Long Island und Connecticut eine lokale Aristokratie bilden, sich jedoch eifrig in das Kultzentrum der Wall Street begeben, um dem Mammon zu huldigen.

Während des 7., 8. und eines Teils des 9. Jahrhunderts beschleunigte sich das Tempo der Entfaltung; immer mehr Gebäude wurden angefügt, immer mehr Stelen errichtet. Auch die Qualität verbesserte sich. Das Mauerwerk wurde solider, die Bauten wurden geräumiger, die Keramik feiner, die Stelen kunstvoller. Und die Skulptur? Bei ihr sind wachsende Empfindsamkeit und Inspiration und dann ein Hang zu überladenem Schmuck festzustellen. Die Kunsthistoriker sagen uns, letzterer sei ein Anzeichen dafür, daß der Stil seine Endphase erreicht hat und der Samen des Verfalls in der Kunst zu keimen beginnt und vielleicht auch in der Kultur, aus der sie entstand.

Der Zerfall der Stadtstaaten

Sicherlich trifft dies für die Maya zu. Gegen Ende dieser Blüte leuchteten die Maya-Städte so prächtig und bunt wie Herbstlaub, und dann begannen die Blätter zu fallen. Eine nach der andern ließen die verschiedenen Städte in ihrer Rührigkeit nach; es wurden keine Stelen mehr errichtet, keine neuen Tempel oder ›Paläste‹ mehr gebaut. In manchen Fällen wurde die Arbeit so plötzlich abgebrochen, daß Plattformen, die gebaut worden waren, um Gebäude zu tragen, ungekrönt blieben, und in Uaxactún blieben die Mauern des letzten Gebäudes unvollendet. Die Einstellung der Bautätigkeit läßt sich jeweils am besten nach den letzten Hieroglypheninschriften datieren.

Copán hörte im Jahr 800 auf, Monumente mit Hieroglyphen zu errichten, dem gleichen Jahr, in dem Karl der Große in Rom gekrönt wurde; Quiriguá, Piedras Negras und Etzna (in Campeche) folgten 810; Tila gab 830 auf; das letzte Datum in Oxkintok ist das Jahr 849; Seibal, Jimbal, ein Außenbezirk von Tikal, Uaxactún, Xultún und Chichén Itzá, dies vielleicht ein wenig länger, machten weiter bis 889. La Muñeca, etwas nördlich der Grenze zwischen Campeche und Petén, besitzt eine Stele, die wahrscheinlich an das Jahr 909 erinnert, und möglicherweise ist das gleiche Datum auf der letzten Stele in

Naranjo eingemeißelt. Ebenso ist es möglich, daß eine grob bearbeitete Stele in San Lorenzo, in der Nähe von La Muñeca, ein Maya-Datum trägt — 10.5.0.0.0. in der Maya-Berechnung —, was dem Jahr 928, dem spätesten von allen, entspricht. Fünf Jahre später wurden die magyarischen Horden in der Schlacht an der Unstrut zurückgeschlagen, und die europäische Kultur war gerettet.

Das letzte bekannte Datum in Palenque — mit Ausnahme eines auf einem Gefäß eingeritzten — ist 784, aber da Palenque-Daten größtenteils auf Wandreliefs verzeichnet oder in Stuck an Pfeilern angebracht sind, ist es möglich, daß noch vergrabene Reliefplatten oder heute zerstörte Stuckglyphen die Rechnung fortführen. Die Inschriften von Yaxchilán können nicht in jedem Fall datiert werden, doch das Gebiet von Yaxchilán-Bonampak dürfte wahrscheinlich bis etwa 810 aktiv gewesen sein.

Eine Anzahl dieser sehr späten Stelen ist in einem entarteten Stil gearbeitet, und einige von ihnen zeigen mexikanischen Einfluß — z. B. toltekischer Sandalen-Typ und toltekischer Darstellungsstil bei der letzten Stele in Seibal oder ein Gott, mit Speer und Speerschleuder aus einer Art Sonnenscheibe hervorkommend und an toltekische Auffassungen in Chichén Itzá erinnernd, auf der spätesten Stele von Ucanal —, beides Tatsachen, die mit dem Niedergang der Städte der klassischen Periode in Zusammenhang stehen.

Viele Jahre glaubte man, die Maya des Zentralgebietes hätten aus irgendeinem Grund ihre Städte aufgegeben und wären in nördlicher Richtung nach Yucatán und in südlicher auf das Hochland von Guatemala gewandert und hätten in diese Gebiete ihre Kultur, die weiterblühte und eine Renaissance erlebte, mitgenommen. Neuere archäologische Untersuchungen haben erwiesen, daß diese Ansicht nicht haltbar ist; denn beide Gebiete waren während der gesamten klassischen Periode blühende Zentren der Maya-Kultur. Über das Aufhören der baulichen und künstlerischen Aktivität in den verschiedenen Zeremonialzentren ist eine ganze Reihe von Theorien aufgestellt worden, von denen keine zu befriedigen vermag.

So hatte man gemeint, die Feldbaumethoden der Maya — Roden und Abbrennen der Wälder für eine ein- oder zweijährige Bestellung, um dann die Lichtungen in etwa zehn Jahren sich wieder in Wald verwandeln zu lassen — seien so verschwenderisch gewesen, daß mit der Zeit und mit dem Anwachsen der Bevölkerung Nahrungsmittelmangel zur Wanderung zwang. Gegen diese Theorie kann man einwenden, daß der Boden um Quiriguá, durch häufige Überflutung des

Motagua-Flusses gedüngt, sehr fruchtbar war, doch Quiriguá war eine der ersten Städte, die ihre Aktivität aufgaben.

Man hat auch die Erklärung vorgebracht, wiederholte Rodung von Wäldern sei gefolgt gewesen von wucherndem Graswuchs, der allmählich das Land bedeckte und zur Bildung von Savannen führte, die die Maya, da sie keine Pflüge und nicht einmal Spaten hatten — die dünne Bodenschicht in manchen Teilen würde den Gebrauch solcher Geräte nicht gestattet haben —, zur Bepflanzung nicht hätten umgraben können. Diese von meinem verstorbenen Kollegen Sylvanus G. Morley lebhaft vertretene Erklärung ist von Agronomen des Ackerbauministeriums der Vereinigten Staaten zur Diskussion gestellt worden. Sie klingt recht einleuchtend, doch ich bin nicht sicher, daß sie haltbar ist. Es trifft zu, daß Gras auf gerodetem Waldboden wächst, wenn die Lichtungen mehrere Jahre von Bäumen und Sträuchern freigehalten werden. Doch die Maya gaben ihre dem Wald abgerungenen Felder nach ein- oder zweijähriger Benutzung wieder auf, und in dieser kurzen Zeit kann Gras sich nicht durchsetzen. Ich habe festgestellt, daß die Ränder der in die Wälder geschlagenen und mehrere Jahre für den Abtransport von Mahagoniholz benutzten Wege oft mit Gras bewachsen sind, doch wenn diese Wege aufgegeben werden, verwandeln sie sich schnell wieder in Wald. Vor einigen Jahren war ich in Chichanha, einer bis zu ihrer Aufgabe im Jahr 1852 bedeutenden Maya-Stadt im südlichen Quintana Roo. Während ihrer Besiedlung müssen der Hauptplatz und die Straßen, wie in jeder anderen Maya-Stadt, mit Gras bewachsen gewesen sein. Doch als ich die Stadt besuchte, war sie vollständig mit dichtem Wald bedeckt, der für einen Laien nicht von dem umliegenden Urwald zu unterscheiden war. Erst als ich die Mauern von Häusern und Gärten und dann die zerfallene Kirche sah, begriff ich, daß ich auf früheren Straßen und über einen einstmals großen Platz ritt. So wird Wald das Gras schnell verdrängen, selbst wenn es, wie auf der Plaza von Chichanha, sehr viele Jahre Zeit gehabt hatte, ungehindert zu wachsen.

Der Botaniker Lundell hat diese Theorie modifiziert und behauptet, sie gälte nur für Gebiete mit tieferem Boden wie die Savannen von Campeche und südlich des Sees Petén. Diese Savannen sind nicht sehr ausgedehnte Alluvialgebiete. Die Tatsache, daß auf ihnen oder in den angrenzenden Gebieten keine Maya-Siedlungen anzutreffen sind, bedeutet keine große Unterstützung für die Theorie, daß ihr Wachstum die Aufgabe der Maya-Zentren veranlaßte. Es gibt

Tafel 5/Oben (a): Tempel der drei Türsturze in Chichén Itzá. Vormexikanisches Bauwerk der klassischen Periode, um 875. — Unten (b): Tempel im Río-Bec-Stil in Xpuhil, Quintana Roo, um 875

Tafel 6/Oben (a): Nordkolonnade mit Chacmol-Figur in Chichén Itzá. Mexikanische Periode, um 1150. — Unten (b): Fries aus Bonampak. Früher Stil, wahrscheinlich um 600

Tafel 7/Links (a): Stele 13 aus Piedras Negras, 771. — Rechts (b): Stele 10 aus Seibal, 849

Tafel 8: *Teil von Stele 40 aus Piedras Negras, 746*

keine Savannengebiete im Umkreis der großen Konzentration von Maya-Kultzentren im nördlichen Petén oder rings um Quiriguá mit seinem tiefen Boden, oder entlang dem Usumacinta. Ich nehme an, daß jene Savannen bereits entstanden waren, lange bevor die klassische Periode ihren Höhepunkt erreichte.

Kürzlich dem Boden des Sees Petén entnommene Proben enthalten einen hohen Prozentsatz von für Savannen typischen Pollen aus der klassischen gegenüber von für Wald typischen Pollen aus der nachklassischen Periode. Die Wahl dieses Sees war aber nicht glücklich, denn es gibt, wie bereits erwähnt, große, wahrscheinlich natürliche und nicht von Menschenhand geschaffene Savannengebiete südlich des Sees. Richtungsänderungen der vorherrschenden Winde könnten die unterschiedlichen Vorkommen an Blütenstaub erklären.

Eine höchst ergötzliche Theorie ist kürzlich vorgebracht worden. Man hatte bemerkt, daß in zwei kleinen Maya-Dörfern in der Nähe des Sees Petén die Sterbeziffer bei Mädchen höher ist als bei Knaben, und glaubte, dies damit erklären zu können, daß die Mädchen vernachlässigt werden, weil sie von geringerer wirtschaftlicher Bedeutung sind. Die zehntausendmal multiplizierten und tausend Jahre rückwärts projizierten Zahlen wurden angeführt als die Ursache für das Ende der klassischen Periode: Frauenknappheit also soll dieses Ende herbeigeführt haben. Der Verfechter dieser Theorie vergaß jedoch das Gesetz von Angebot und Nachfrage. Hätte es aufgrund ihrer Vernachlässigung eine Frauenknappheit gegeben, so wäre der Preis der Bräute gestiegen und hätte die Eltern dazu angestachelt, ihren Töchtern größere Sorgfalt angedeihen zu lassen und so der Knappheit ein Ende zu machen.

Das Verlassen der Städte ist auch dem Auftreten von Malaria oder Gelbfieber zugeschrieben worden, doch diese beiden Krankheiten haben mit ziemlicher Sicherheit ihre Heimat in der Alten Welt und wurden erst von den Spaniern in die Neue Welt gebracht. Heutigentags ist der Hakenwurm eine ernsthafte Plage in diesem Gebiet, doch auch er ist ein nachkolumbischer Import. Außerdem setzen alle diese Erklärungen einen langsamen Tod der Maya-Kultur in einer Stadt nach der andern voraus, doch das bereits erwähnte Bauwerk in Uaxactún, mit seinen halbfertigen Wänden, deutet auf eine plötzliche Katastrophe hin.

Ich glaube, der grundlegende Irrtum bestand darin, daß man annahm, das ganze Gebiet sei verlassen worden, weil die Aktivität in den großen Maya-Kultzentren aufhörte. Wir wissen jedoch, daß es im 16. Jahrhundert in diesem Gebiet eine nicht unbeträchtliche, große Bevölkerung gab. Die Gegend um Copán war in den frühen Kolonialzeiten dicht bevölkert, und Cortés stieß auf seinem Marsch durch die Halbinsel auf eine große Anzahl von Siedlungen. Mönche und Militärs berichteten im 16., 17. und 18. Jahrhundert von vielen anderen Gruppen, obwohl die Pocken und andere neu eingeschleppte Krankheiten eine große Anzahl von Einwohnern dahingerafft hatten. Die Bevölkerung des Zentralgebietes war zur Zeit der spanischen Eroberung zwar beträchtlich kleiner, als sie achthundert Jahre zuvor gewesen war, doch ist es falsch, anzunehmen, dieses große Gebiet sei Hunderte von Jahren lang ein Vakuum gewesen. Diese verdünnte Bevölkerung kann von Gruppen abstammen, die später in das Gebiet einsickerten, doch es spricht mehr für die Ansicht, daß es sich um Nachkommen der ursprünglichen Bauernbevölkerung des 9. Jahrhunderts handelt.

Es ist nicht unlogisch anzunehmen, daß es eine Reihe von Bauernaufständen gegen die theokratische Minorität von Priestern und Adligen gab. Diese Revolten mögen ihren Grund in der stetig wachsenden Nachfrage nach Arbeitskräften für die Bauvorhaben und in der Lebensmittelproduktion für eine wachsende Anzahl von Nichtproduzierenden gehabt haben. Fremdländische religiöse Entwicklungen, wie der von der Hierarchie übernommene Kult des Planeten Venus, mögen einen Keil zwischen die beiden Gruppen getrieben und den Bauern das Gefühl gegeben haben, die Hierarchie übe nicht länger ihre Hauptfunktion, nämlich die Versöhnung der Götter des Bodens, an die allein sie aufrichtig glaubten, aus. Ich bin ziemlich skeptisch in der Frage einer militärischen Invasion und Eroberung des Zentralgebiets, doch es mag sehr wohl zu ideologischen Invasionen gekommen sein, wie fremde Ideen auf sehr späten Stelen anzeigen. Ob Entartung in der Kunst — und sie ist nur an wenigen Stätten erkennbar — eine moralische Schwächung in der Hierarchie widerspiegelt, ist eine Frage, die wahrscheinlich nie beantwortet werden kann. Huxley hat aufgezeigt, daß die italienische Kunst ihre reinste Form fand, als die Moral sehr tief gesunken war.

Es bestehen Gründe zu der Annahme, daß der Verfall des Stelenkults längs der Basis der Halbinsel Yucatán seinen Anfang nahm, jener Region, die am leichtesten zugänglich war für die Invasion revolutionärer Ideen oder vielleicht sogar von Heeren nicht zu den Maya gehörender Völker oder der nonkonformistischen Maya des Hochlandes, und daß dieser Kult sein letztes Bollwerk in der weit abgelegenen Region des nördlichen Petén und des südlichen Campeche besaß. Dies war jedoch nur eine allgemeine Tendenz. In der Umgebung von Comitán im Hochland von Chiapas, das sicher ein Vorposten des Stelenkults an der Grenze des hierarchischen Reiches war, wurden weiterhin Monumente errichtet bis zur Mitte des 9. Jahrhunderts, und der Kult behauptete sich außerdem im mittleren Usumacinta-Tal. Doch diese Ausnahmen mögen ihre Gründe in allen möglichen lokalen Umständen gehabt haben wie bei der Gründung von Königreichen in Europa.

Der schrittweise Niedergang im gesamten Gebiet spricht gegen die Anschauung, daß es eine starke Zentralautorität gab, und zugunsten der Stadtstaatentheorie. Nach meiner Meinung wurde in einer Stadt nach der andern die herrschende Schicht vertrieben oder, was wahrscheinlicher ist, von den abhängigen Bauern niedergemetzelt, und dann ging die Macht auf die Bauernführer und kleinstädtischen Zauberer über. Die Bautätigkeit und die Errichtung von Stelen hörten plötzlich auf, doch das Volk strömte weiterhin in den Maya-Kultzentren zusammen, um bestimmte religiöse Feiern und vielleicht auch Märkte abzuhalten; doch die Gebäude gerieten, da sie nicht länger instand gehalten wurden, allmählich in Verfall. Die Vegetation begann, die Höfe und Terrassen und schließlich die Dächer der Gebäude zu überwuchern.

Grabungen in Uaxactún haben gezeigt, daß auch nach Aufgabe der Gebäude noch immer Tote in der Stadt beigesetzt wurden. Ein Leichnam lag in den Trümmern eines eingestürzten Gemaches, ein anderer auf einem Abfallhaufen in einer Hofecke, ein weiterer, ein Kind, auf einem Podium oder einer Bank, umgeben von einigen Steinen und viel Holzkohle und bedeckt mit Schmutz und Trümmern des Daches. In zwei Fällen waren die Schädel deformiert, ein Beweis, daß es sich nicht um nachkolumbische Beisetzungen handelte. Das Kind hatte ein Stück Jade im Mund — ein verbreiteter mittelamerikanischer Brauch — und zwei Jadeperlen. Da Kinder häufig geopfert wurden, handelt es sich bei diesem Kind mit Jade und Holzkohle in diesem verlassenen Raum möglicherweise ebenfalls um ein Opfer. Bestattungen sind auch in zerfallenen Räumen anderer Ruinenstätten gefunden worden, so vor allem in Copán eine Beisetzung mit Keramik des nachklassischen Typs.

Als die Gebäude einzustürzen begannen, wurden die Eingänge nachlässig blockiert, um sie zu versperren; heute findet man Abfall, der zerbrochene Keramik und Knochen enthält und dünne Schichten von Trümmern zerfallender Gewölbe und Mauern bedeckt. In der klassischen Periode des Petén-Gebietes unbekannte Spinnwirteln sind in dünnen Schmutzablagerungen auf den spätesten Fußböden sowohl in Uaxactún als auch in San José entdeckt worden. Ein Bogen lag auf dem Fußboden eines Gemaches in Uaxactún unter einer 2,40 Meter dicken Schicht zerfallenen Mauerwerks.

Solche Funde deuten auf Besuche der Kultstätten nach ihrer Aufgabe hin, auf zaghafte Bemühungen, sie durch Blockierung eingestürzter Räume instand zu halten, sowie auf wahrscheinliche Benutzung für Menschenopfer. Man kann meiner Ansicht nach diese Tätigkeit mit einiger Sicherheit der Bauernbevölkerung nach der Ausrottung oder Vertreibung der Hierarchie zuschreiben. Die Jade-Stücke mögen Beutegut gewesen sein, denn Bauern dürften solche Wertgegenstände nicht besessen haben; das rohe Mauerwerk eines der blockierten Eingänge in Uaxactún legt den Schluß nahe, daß die Arbeit durchgeführt wurde, nachdem der letzte der für die Hierarchie arbeitenden Maurer sich der großen Mehrheit angeschlossen hatte. In Tikal wurden sogar zerbrochene Stelen mit dem Kopf nach unten wieder aufgestellt.

Sich mehrende Funde in einer Reihe von Ruinenstätten des Petén und in Britisch-Honduras deuten jetzt ziemlich klar darauf hin, daß die Überreste der spätklassischen Töpferware, als das sogenannte Tepeu III angesehen, in Wirklichkeit nachklassisch sind und zeitweilige Benutzung der Maya-Kultzentren in der oben beschriebenen Weise nach der Vernichtung oder Austreibung der herrschenden Klasse widerspiegeln. Vor 25 Jahren habe ich vorgeschlagen, dieses späte keramische Material einem nachklassischen Zeitalter zuzuordnen, um die Oberflächenfunde in San José und Uaxactún zu erklären, doch damals konnte ich keinen Kollegen finden, der diesen Gedanken unterstützt hätte.

Altar de Sacrificios mit guter strategischer Lage am Zusammenfluß der Flüsse Pasión und Chixoy, die sich verbinden, um den Usumacinta zu bilden, liefert sehr interessante Zeugnisse für eine nachklassische Besiedlung. Das Maya-Kultzentrum ist übersät mit Figurinen und ungehärteter Töpferware der Feines Orange Y und Feines Grau genannten Typen. Es handelt sich um Ware, die nicht am Ort hergestellt wurde, sondern vom Südrand des Golfs von Mexiko stammt, wo Töpfer sie jahrhundertelang aus dem gleichen unvermischten Ton fabrizierten, doch in verschiedenen Formen und mit Verzierungen, die von Zentrum zu Zentrum und von Generation zu Generation variierten. Diese kleinen Tonfiguren sind von besonderer Bedeutung, weil sie Menschen wiedergeben, denen die klassischen Maya-Züge der zurücktretenden Stirn (Schädeldeformation), der Hakennase, des zurückweichenden Kinns und der kunstvollen Frisur fehlen. Statt dessen sind Nase und Stirn gerade, das Kinn springt vor, und das Haar ist glatt und fällt bis auf die Schultern. Die Tatsache, daß diese kleinen Figuren nicht dem idealisierten Stil der Maya-Schönheit entsprechen, könnte ein Hinweis darauf sein, daß ihre Hersteller keine Maya waren. Leider sind wir dessen nicht sicher, denn im Mündungsgebiet der Flüsse Usumacinta und Grijalva, der Heimat der Chontal-Maya, sind viele der Tonköpfe nicht im klassischen Stil ausgeführt. Außerdem scheinen an den Wänden eines Grabes in Comalcalco, am westlichen Rand des Chontal-Territoriums, Fürstenporträts beider Typen angebracht zu sein. Man könnte auch annehmen, daß das Schönheitsideal der Maya, falls es mit der Hierarchie assoziiert war — und es gibt Argumente für diese Annahme —, sehr wohl seine Beliebtheit verloren haben könnte, nachdem der Priesteradel beseitigt worden war.

Im Zusammenhang mit dem Rätsel von Altar de Sacrificios mag es von Bedeutung sein, daß sehr späte Stelen in Seibal Bildnisse des nichtklassischen Maya-Typus (Tafel 7 b) tragen, und in einem Fall sind die Hieroglyphen ebenfalls nicht im Maya-Stil. Seibal liegt etwa 64 Kilometer östlich von Altar de Sacrificios, doch wenn man im Kanu den Windungen des Pasión-Flusses folgt, ist der Weg etwa viermal so weit. Hier wurden im letzten Jahrhundert der klassischen Periode die Maya-Herrscher offensichtlich durch Fremde ersetzt, die den Maya-Ritus der Errichtung von Stelen beibehielten, jedoch den Kunststil veränderten und ketzerische Anschauungen über die Hieroglyphentexte hatten. Dieses Regime in Seibal scheint ausgangs der klassischen Periode ein Ende gefunden zu haben. Ebenso muß das Eindringen fremder Einflüsse in Altar de Sacrificios von ziemlich kurzer Dauer gewesen sein, denn es werden hier keine Scherben der weitverbreiteten und hochgeschätzten Bleiglanz-Keramik gefunden. Diese eigenartige Ware (S. 219) wurde um 1000 weit und breit gehandelt. Ich denke, daß Invasion nur ein unbedeutender Faktor im Zerfall der Maya-Kultzentren war, ausgenommen in den Fällen, in denen eine Gruppe von Usurpatoren zusätzlichen Grund zur Revolte gaben.

In Piedras Negras ist ein prächtiges Podium (Tafel 13 a) absichtlich zerschlagen worden. Diese Zerstörung mag das Werk von

Invasoren gewesen sein, doch ebensogut oder noch eher kann es ein Akt der Rache oder des Hasses revoltierender Bauern gewesen sein, da das Podium der Sitz des früheren Herrschers war — also vielleicht eine Art Schleifung der Bastille. Es ist auch möglich, daß die Beschädigung jüngeren Datums ist und abergläubischer Furcht zugeschrieben werden kann. Die modernen Maya glauben, daß Stelen, Räuchergefäße mit Gesichtern und ähnliche Überbleibsel der Vergangenheit böse Geister beherbergen, die des Nachts lebendig werden und Tod und Krankheit bringen, und sie zerstören sie häufig aus Angst. Die schönen Wandmalereien in Santa Rita, im nördlichen Britisch-Honduras, wurden wahrscheinlich von Indianern aus diesem Grunde zerstört, sobald sie entdeckt und noch bevor sie vollständig kopiert worden waren. Jedoch die Tatsache, daß die Götterbildnisse auf den Stelen von Piedras Negras nicht ebenfalls zerstört wurden, besagt vielleicht, daß der Thron weder von Invasoren noch von abergläubischen Indianern beschädigt wurde, sondern von revoltierenden Bauern, die das Symbol ihrer weltlichen Knechtschaft angriffen, doch die Bildnisse ihrer Götter respektierten.

In Yucatán verlief die Schlußphase des Niedergangs der großen Städte etwas anders, wie wir im nächsten Kapitel sehen werden.

Wahrscheinlich werden die Ursachen des Verfalls nie mit Sicherheit ergründet werden können, und man wird sich in Spekulationen über diese Rätsel ergehen, lange nachdem dieses Buch in Vergessenheit geraten sein wird.

Shelley hat vor anderthalb Jahrhunderten eine ähnliche Situation auf einem Schauplatz der Alten Welt geschildert:

»Und auf dem Sockel steht die Schrift: ›Mein Name
ist Ozymandias, aller Könige König:
Seht meine Werke, Mächt'ge, und erbebt!‹
Nichts weiter blieb. Ein Bild von düstrem Grame
dehnt um die Trümmer endlos, kahl, eintönig
die Wüste sich, die den Koloß begräbt.«

Vergeblich der Ehrgeiz der Könige,
die durch Trophäen und tote Dinge
einen lebendigen Namen zu hinterlassen suchen
und doch nur Netze weben, den Wind zu fangen.

JOHN WEBSTER (1580—1630)

III. Zerfall und Untergang der Maya-Kultur

Wachsmotten im Bienenkorb der Maya

In seinen *Actions and Reactions* hat Kipling eine kurze Parabel, *Der Mutterbienenkorb*, die Geschichte der moralischen und physischen Degeneration eines Bienenkorbes, wiedergegeben. Arbeitsbienen legen Eier, Wachsmotten dringen in den Bienenkorb ein, mißgestalte Abnormitäten werden in zunehmender Zahl geboren, die jungen Bienen weigern sich, ihre Pflicht zu tun, kreisrunde Zellen werden gebaut, und für eine Zeitlang ist der Korb ohne eine Königin. Schließlich öffnen der Imker und sein Sohn den Bienenkorb und zerstören seinen Inhalt bis auf einen sehr kleinen Schwarm des alten, guten Stammes, dem es gelingt, auf einen nahen Ast auszuschwärmen, um von neuem zu beginnen.

»›Bei Gott, das ist kein Bienenkorb! Das ist ein Museum von Kuriositäten‹, sagte die Stimme hinter dem Schleier. Es war nur der Bienenvater, der zu seinem Sohn sprach. ›Kannst du ihnen einen Vorwurf machen, Vater?‹ sagte eine zweite Stimme. ›Der Korb ist verseucht mit Wachsmotten.‹ ... ›Verwechselst du nicht *post hoc* mit *propter hoc*?‹ sagte der Bienenvater. ›Wachsmotten setzen sich nur durch, wenn schwache Bienen sie einlassen.‹«

Kipling richtete seine Parabel an das Wilhelminische England. Für ihn war der Schlüssel zu jener moralischen Entartung die Übervölkerung und das Heilmittel Auswanderung. Doch die Parabel gilt auch für die Maya-Kultur.

Die Abnormitäten und die runden Zellen des Maya-Bienenkorbs sind ebenso deutlich zu erkennen wie die von den Tunnels der Wachsmotten durchlöcherten Waben. Wir können nur Vermutun-

119

gen anstellen über die Schwächen, die eine solche Entwicklung zuließen und die Wachsamkeit so sehr minderten, daß die Wachsmotte eindringen konnte, die Wachsmotte Mittelamerikas in Gestalt der neuen Begriffe und Einflüsse einer moralisch schwächeren Kultur, die ihren Ursprung in Zentralmexiko hatte. Kipling war nicht der erste, der dieses Gleichnis der Wachsmotte anführte; Jahrhunderte zuvor brandmarkten die Maya jene Eindringlinge, die ihnen diese niedrigeren Maßstäbe aufzwangen.

Wir haben die Degeneration der Skulptur, die in der Endphase der klassischen Periode im Zentralgebiet sichtbar ist, bereits kurz erwähnt. Die Beweise für diese Degeneration und das Auftauchen neuer Begriffe sind in Yucatán weitaus stärker als im Zentralgebiet, das mit der Aufgabe der großen Kultzentren aus der Maya-Geschichte ausscheidet. Für Yucatán gibt es umfangreiches archäologisches Belegmaterial für eine fortgesetzte, doch neuorientierte Aktivität, und dieses wird ergänzt durch historische Daten.

Während der klassischen Periode hatte das Nordgebiet, das Yucatán und den größten Teil von Campeche sowie Quintana Roo umfaßt, in Architektur und Skulptur seine eigenen Ideen entwickelt. In der Baukunst unterscheiden sich die lokalen Stile, so die Stile von Puuc, Chenes und Río Bec, von den Architekturstilen des Zentralgebiets etwa im gleichen Maße, wie sich die englische Spätgotik von der zeitgenössischen Flamboyantgotik Frankreichs unterscheidet. Das bedeutet: Beide benutzten die gleichen allgemeinen Prinzipien und Begriffe, doch jede hatte ihren eigenen lokalen Charakter, aber die von einem gemeinsamen Erbe abgeleitete Einheitlichkeit überwog bei weitem die regionalen Divergenzen. In der Skulptur gibt es eine beachtliche Anzahl von Flachreliefs in der klassischen Tradition mit deutlich ausgeprägten Lokaleigenarten, doch es gibt auch andere Stile, die nur wenig gemeinsam haben mit typischen Arbeiten des Zentralgebietes (Tafel 14), und schließlich weitere Arbeiten, die der klassischen Auffassung vollkommen fremd sind. Tatiana Proskouriakoff, die eine Spezialuntersuchung über diesen Gegenstand durchgeführt hat, sagt von der yucatekischen Skulptur, sie sei »wesensmäßig heterogen« und scheine eine »nicht geglückte Mischung verschiedener unabhängiger Stile darzustellen.« Einige Skulpturen — besonders eine Reihe zwergartiger Figuren mit aufgeblähten Bäuchen, die Parallelen in der Kunst des südlichen Veracruz besitzen — weisen auf nichtmayanische Einflüsse in Yucatán während der klassischen Periode hin. Die kleinen zwergartigen Figuren scheinen grotesk eine unausgeglichene Kultur widerzuspiegeln. Vielleicht ist dies eine subjektive Auffassung, doch viele dieser seltsamen Skulpturen vermitteln den Eindruck von kultureller Kränklichkeit oder Ruhelosigkeit.

Es gibt in Yucatán auch eine nicht unbeträchtliche Anzahl phallischer Skulpturen, die wahrscheinlich gegen Ende der klassischen Periode auftauchten und bis in die mexikanische Periode hinein anzutreffen sind. Die Datierung dieses Fremdeinflusses ist nicht sehr sicher, doch phallische Symbole sind zahlreich in Uxmal, das die klassische Periode nicht lange überlebte, und erscheinen in einem Gebäude der klassischen Periode in Chichén Itzá. Dies ist um so bemerkenswerter, als die Maya-Skulptur des Zentralgebietes vollkommen frei ist von allen derartigen Vorstellungen. Solche Ideen sind dagegen stark entwickelt im südlichen Veracruz, und es ist ziemlich klar, daß der Kult aus dieser Region nach Yucatán gelangte. Er hielt sich während der mexikanischen Periode, und die Tatsache, daß er dem Denken und dem Geschmack der Maya widersprach, wird in Passagen der Bücher des Chilam Balam (›Erzjaguar‹) zum Ausdruck gebracht.

Die Übernahme solcher Vorstellungen, selbst wenn nur eine Minderheit sie als nicht vereinbar mit dem alten Maya-Ideal der Mäßigung in allen Dingen betrachtet, ist, so glaube ich, symptomatisch für eine kranke Kultur; das Land war reif für eine Veränderung.

Während die Maya-Kultur in der Sonne der klassischen Periode zur Reife gelangt war, hatten ihre kulturellen, vom gleichen Ahnen der formativen Periode abstammenden Vettern sich ebenfalls zur Blüte entfaltet. Große Zentren, wie Teotihuacán bei Mexiko City, Monte Albán, die Standartenträgerin der zapotekischen Kultur in Oaxaca, und verschiedene regionale Kulturen in verschiedenen Teilen des heutigen Staates Veracruz, hatten das gemeinsame Erbe entsprechend ihrer individuellen Linie entwickelt, ihm jedoch einen weniger geistigen, doch materiell erfolgreichen Aspekt verliehen. Wie wir gesehen haben, hatten sich starke Einflüsse aus Teotihuacán sowie sekundäre Impulse aus Monte Albán in der Hochlandstadt Kaminaljuyú bemerkbar gemacht, doch zu jener Zeit hatten die Kulturen von Mexiko ähnlich wie die klassischen Städte des Zentralgebiets vorwiegend religiösen Charakter. Später scheint ein Wandel zu einer weltlich orientierten Gesellschaft stattgefunden zu haben, die dann streng militaristische Tendenzen entwickelte. Soweit wir heute wissen, hatte die Aufgabe der großen Kultzentren der klassischen Maya-Periode teilweise eine Parallele in Mexiko. Die Anlagen selbst wurden in den meisten Fällen nicht aufgegeben, aber es vollzog sich eine betonte Abkehr von der Errichtung religiöser Gebäude, wie Pyramiden, zu der großer weltlicher Bauwerke in der Form von Wohnkomplexen mit Räumen, die in kleine Höfe mündeten. Diesen Gebäudetypus hatte es in der ersten Hälfte der klassischen Periode gegeben, doch nach den Malereien zu urteilen, die oft seine Wände schmücken, hatte er Priester oder Führer einer vorwiegend theokratischen Organisation beherbergt. Später trat der Bau von Tempeln und Pyramiden zurück hinter der Errichtung weltlicher Gebäude. Dieser Wandel scheint von einer kulturellen Orientierung zum Krieg hin als ausschlaggebendem Faktor begleitet gewesen zu sein und etwa um 400 begonnen zu haben, bevor die Maya im Süden den Gipfel ihrer klassischen Periode erreicht hatten. Kaminaljuyú und Teotihuacán waren von zweitrangiger Bedeutung in der späten klassischen Periode.

Kriege scheinen in ganz Mesoamerika ihren Ursprung in dem Bedürfnis gehabt zu haben, Gefangene zu machen, um sie den Göttern zu opfern. Vor allem die Sonne mußte mit Blut ernährt werden, vorzugsweise mit Menschenblut. Jeden Abend, nachdem sie den Himmel überquert hatte, stieg die Sonne in die Unterwelt, in das Land des Todes und der Todesgötter, hinab, um sie während der Nacht von Westen nach Osten zu durchwandern, und erreichte rechtzeitig den Osten, um jeden Morgen wieder aufzugehen. Während dieser nächtlichen Reise durch die Unterwelt nahm sie die Eigenschaften des Todes an, so daß sie bei ihrem Wiederauftauchen aus der Unterwelt teilweise zum Skelett geworden war und ihre Gestalt und ihre Stärke nur wieder erlangen konnte, indem sie in vollen Zügen Blut, am besten Menschenblut, trank. Erfolgreiche Kriege sicherten einen genügenden Vorrat an Menschenblut, ohne das Menschenreservoir des eigenen Stammes zu erschöpfen; gleichzeitig entwickelten sie aber, auf Kosten der Priesterschaft, eine beherrschende Kriegerkaste. Krieger erwarben Sonderprivilegien, nicht nur in dieser Welt, sondern auch in der nächsten, als Retter ihres Volkes durch ihre Fähigkeit, die Götter stark und geneigt zu erhalten.

Es ist nicht leicht, die Motive einer kriegerischen Tätigkeit richtig abzuwägen. Zu sagen, die Gefangennahme von Feinden sei der einzige Kriegsgrund in Mesoamerika gewesen, wäre unrichtig; die Eroberung von Land und die Auferlegung von Tributen waren ebenfalls wichtige Faktoren in der Zeit der Azteken und vielleicht auch vorher, doch nach meiner Meinung müssen sie als sekundäre Entwicklungen betrachtet werden, die erst entscheidende Bedeutung erlangten, nachdem der Krieg eine nationale Einrichtung geworden war. Die Mexikaner jedenfalls waren überzeugt, daß der Krieg sich auszahlte, sowohl wirtschaftlich als auch geistig. Sie bildeten junge Männer für das Kriegshandwerk aus, ehrten ihre jungen Krieger und verliehen ihnen Privilegien entsprechend der Zahl der Feinde, die sie gefangengenommen hatten. Sie begründeten auch militärische Ritterorden; von diesen waren die vornehmsten der Adlerorden und der Jaguarorden, so benannt, weil diese Tiere die Sonne am Himmel bzw. in der Unterwelt symbolisierten.

Unsere Kenntnisse über den mexikanischen Militarismus stammen weitgehend aus den Augenzeugenberichten von Spaniern, die den aztekischen Militärapparat aus eigener Erfahrung kennengelernt oder ihr Material aus Quellen des 16. Jahrhunderts erhalten hatten, doch es bestehen gute Gründe zur Annahme, daß der Militarismus in Zentralmexiko bereits fast ein halbes Jahrtausend vorher hoch entwickelt war, denn die Tolteken von Tula hatten damals bereits den Jaguarorden und den Adlerorden, und Skulpturen und Wandmalereien zeugen für die wichtige Rolle des Militarismus.

Als mexikanische Formationen, die in der militärischen Ausbildung, in der Organisation und sogar in der Bewaffnung den Maya weitaus überlegen waren, in Yucatán einrückten, konnte kein Zweifel über den Ausgang bestehen, besonders angesichts der Auflösung der alten klassischen Kultur und Hierarchie. Die Mexikaner gingen in die Schlacht mit Bündeln von Wurfspeeren, die sie mit einem mechanischen Gerät, genannt Speerschleuder (Abb. 11 a, b), abschossen; die Maya dagegen benutzten Stoßspeere, von denen sie offenbar eine Salve auf den Gegner abgaben, um dann zum Nahkampf überzugehen (Abb. 11 c). Speerschleuder und Wurfspeere der Mexikaner verliehen ihnen die Vorteile größerer Reichweite, stärkerer Durchschlagskraft und weit überlegener Feuerkraft. Es war gewissermaßen ein Präzedenzfall der Neuen Welt von Hitlers Blitzkrieg gegen die polnische Armee des Jahres 1939, die sich auf ihre Kavallerie verließ.

Wahrscheinlich war die mexikanische Eroberung räumlich nicht total wegen der zahlenmäßigen Schwäche der Invasoren, doch die von ihr ausgehenden Einflüsse reichten weit. Daher wird diese Periode die mexikanische Periode genannt.

Wir sind unserer Geschichte vorausgeeilt; es ist notwendig, noch einmal zum Ende der klassischen Periode in Yucatán zurückzukehren und über die erkennbaren Einzelheiten des Verlaufs dieser Ereignisse und ihre Ursachen zu sprechen.

Die meisten Maya-Städte von Yucatán und Campeche scheinen zur gleichen Zeit aufgegeben worden zu sein wie die des Zentralgebietes, jedenfalls nicht viel später. Dies trifft mit ziemlicher Sicherheit zu für die große Zahl von Zentren mit Puuc-Architektur, wie unter anderem Labná, Sayil, Kabah, und wahrscheinlich auch für die Chenes- und Río-Bec-Architektur. Was die Puuc-Zentren betrifft, so haben Grabungen noch keine Keramiktypen zutage gefördert, von denen man weiß, daß sie während der mexikanischen Periode benutzt wurden. Die einzige Ausnahme bildet Uxmal, wo kleine Mengen von Scherben gefunden wurden, die der mexikanischen Periode zugeschrieben werden können, und wo auch mexikanische Motive deutlicher in Erscheinung treten als an irgendeiner anderen Puuc-Stätte. Auch in Uxmal gibt es, wie wir bereits sahen, Zeugnisse für den Phalluskult, der wahrscheinlich vom Golf von Mexiko kam und von den Mexikanern übernommen wurde. Alberto Ruz fand über dem Boden des Innenhofes der *Monjas* in Uxmal Abfälle, unter denen sich zwei Scherben der Bleiglanzkeramik des Exporttypus und andere Keramik befanden. Dies weist auf Besiedlung — vielleicht Wiederbesiedlung — im 10. oder 11. Jahrhundert hin, wahrscheinlich auf eine lockere Kontrolle durch spätere Ankömmlinge, vielleicht durch die Xiu. Das jüngste Datum in Uxmal, auf dem Schlußstein eines Gewölbes in den *Monjas* aufgemalt, verzeichnet wahrscheinlich das Jahr 909. Die spätesten Daten in benachbarten Puuc-Stätten sind 849 in Oxkintok, wenige Kilometer nordwestlich, und 869 in Labná.

In Kabah zeigen zwei Eingangsreliefs, die ein vielleicht dem Jahr 879 entsprechendes Datum tragen, Figuren mit Speerschleudern und enganliegenden Jacken des mexikanischen Typus. Sie sind wahrscheinlich Kennzeichen der Infiltration mexikanischer Ideen nach Yucatán vor der Hauptinvasion, da das Gebäude, in dem sie vorkommen, im typischen Puuc-Stil gehalten ist, den man der klassischen Periode zurechnet. Es sei daran erinnert, daß auch die normannische Architektur England vor 1066 erreichte.

Die große Invasion von Fremden und von fremden Ideen vollzog sich in dem auf das Ende der klassischen Periode folgenden Jahrhundert. Sie hat ihren Ursprung in Tula, der Hauptstadt der Tolteken im heutigen Staat Hidalgo, nördlich der Hauptstadt Mexiko, und tritt am deutlichsten in Chichén Itzá in Erscheinung. Der kürzeste Landweg zwischen diesen beiden Stätten beträgt nicht weniger als 1280 Kilometer, etwas weniger als die Entfernung zwischen New York und Chicago. Für uns, die wir im Zeitalter der Flugzeuge und der *20th Century Limited* leben, ist dies eine Reise von wenigen Stunden; für die Menschen Mittelamerikas des 10. Jahrhunderts war diese Entfernung ungeheuer, denn die einzige Transportmöglichkeit waren Schusters Rappen oder für Mitglieder der Aristokratie eine Sänfte — ein Teil des Weges wurde möglicherweise in Einbäumen zurückgelegt. Außerdem war ein großer Teil des zu durchquerenden Territoriums feindselig. Nicht nur waren die Bewohner unfreundlich, sondern Sümpfe, Wälder und Berge bildeten natürliche Hindernisse. Dennoch gibt es sehr große Ähnlichkeiten in der Bildhauerkunst, der Architektur, der Bauplanung, im religiösen Symbolismus und sogar in Details der Bekleidung, der Ornamente und der Waffen beider Stätten (Tafeln 4 b, 6 a; Abb. 11—13). Die höchst ungewöhnliche Tatsache besteht darin, daß nirgends zwischen Zentralmexiko und Yucatán Bauten der Skulpturen in diesem spezifischen Stil gefunden worden sind, obwohl es natürlich immer noch möglich ist, daß irgendwo im südlichen Veracruz oder im Küstengebiet von Tabasco derartige Spuren auftauchen.

Spanische Berichte des 16. Jahrhunderts und die mayanischen Bücher des Chilam Balam machen widersprechende Angaben darüber, wer die mexikanische Kultur eingeführt hat und wann es geschah. Ich werde hier nicht alle diese Möglichkeiten anführen, sondern der Interpretation folgen, die ich für die vernünftigste halte, jedoch nicht ohne daran zu erinnern, daß andere Deutungen vorgeschlagen wurden und weitere zu erwarten sind, bevor das Problem, wenn überhaupt, endgültig gelöst wird.

Chichén Itzá, es sei daran erinnert, war eine Maya-Stadt von ziemlicher Bedeutung während der klassischen Periode, wie viele Bauwerke in der Maya-Tradition (Tafel 5 a), Skulpturen im klassischen yucatekischen Stil und Hieroglyphentexte bezeugen. Die mit diesen Bauten im Zusammenhang stehenden datierten Monumente gruppieren sich um das Maya-Äquivalent des Jahres 889, das annähernd dem Ende der klassischen Periode im Zentralgebiet entspricht. Es gibt ein zweifelhaftes Datum des Jahres 909 an der Fassade des runden, Caracol genannten Turmes, der eins der spätesten Gebäude im Maya-Stil zu sein scheint (toltekische Ornamente wurden später an ihm angebracht). Es gibt ein Übergangsgebäude im inneren Tempel des Kukulcan im Innern der späteren Pyramide El Castillo (Tafel 3 a), das im Maya-Stil gehalten ist, doch bestimmte mexikanische Motive aufweist, und außerdem die Masse der toltekischen Bauten. Da es Fälle gibt, in denen ein toltekischer Bau oder ein toltekischer Flügel an eine Maya-Anlage angebaut wurde, doch kein Beispiel des umgekehrten Verfahrens, ist es klar, daß der mexikanische Stil jünger ist als der Maya-Stil. Es gibt auch Fälle, in denen im Maya-Stil verzierte Steine bei mexikanischen Bauten wiederverwendet wurden; so wurde z. B. ein Teil eines Steinsturzes mit mayanischer Hieroglypheninschrift von neuem bildhauerisch bearbeitet, um als Schwanz eines typisch toltekischen Elements, der Federschlangensäule, zu dienen, doch ein umgekehrter Fall ist unbekannt. Es liegen also unumstößliche Beweise dafür vor, daß die mexikanische Architektur von Chichén Itzá jünger ist als der Maya-Stil, und daher muß seine Einführung in die Zeit kurz nach 889 oder vielleicht 909, also die spätesten mit der mayanischen Architektur verbundenen Daten, verlegt werden.

Aus verschiedenen Quellen erfahren wir, daß die Itzá, die Fremde waren und nur gebrochen Maya sprachen, sich in Chichén Itzá ansiedelten, und auch, daß Kukulcan, der ein mexikanischer Führer war, Chichén Itzá in Besitz nahm. Bischof Landa, unsere beste spanische Quelle über das Leben der Maya, schreibt: »Die Indianer sind der Meinung, daß bei den Itzá, die sich in Chichén Itzá ansiedelten, ein großer Herr namens Cuculcan (Kukulcan) herrschte, ... und sie sagen, daß er vom Westen kam, und sie sind verschiedener Meinung darüber, ob er vor oder nach den Itzá kam oder mit ihnen.« Da jedoch eine Maya-Prophezeiung davon spricht, daß sowohl Kukulcan als auch die Itzá in einem Katun 4 Ahau wiederkommen würden, und da nach Maya-Ansicht die Geschichte sich immer wiederholt, möchte es auf den ersten Blick scheinen, daß Kukulcan der Führer der Itzá-Invasion war, die Chichén Itzá in dem Maya-Katun 4 Ahau, der 987 endete, in Besitz nahm und die toltekische Religion, die toltekische Architektur und die toltekische Kunst einführte.

Es bleibt die Frage, wer Kukulcan war und wer die Itzá waren.

Kukulcan (*Kukul*, Feder oder Quetzal; *can*, Schlange) ist die Maya-Form des mexikanischen Quetzalcoatl (*Quetzal*, der Quetzalvogel, dessen Federn im alten Mittelamerika hoch geschätzt waren; *coatl*, Schlange). Quetzalcoatl war ein Herrscher von Tula, der später als Gott des Planeten Venus und der Fruchtbarkeit verehrt wurde. Durch die Machenschaften seines Rivalen, des Gottes Tezcatlipoca, aus Tula vertrieben, begab er sich in das südliche Veracruz oder nach Tabasco, bestieg ein Floß und ward nicht wieder gesehen. Nach einer anderen Version errichtete er, nachdem er das Meer erreicht hatte, einen Scheiterhaufen, auf dem er sich selbst verbrannte. Acht Tage später — die Periode der Unsichtbarkeit bei der unteren Konjunktion — erschien er bei Sonnenaufgang als der Planet Venus wieder am Himmel. Wegen der in Zentralmexiko angewandten abgekürzten Datierungsmethode ist das Datum der Vertreibung Quetzalcoatls nicht sicher, doch mexikanische Archäologen neigen dazu, es auf das Jahr 978 oder etwas später anzusetzen.

Dies spricht gewiß für die Maya-Angaben — Katun 4 Ahau entspricht dem Zeitraum 967—987, doch bevor wir allzu sicher werden, müssen wir uns daran erinnern, daß Quetzalcoatl auch der Titel des mexikanischen Hohepriesters war, und Quetzalcoatls scheinen in der altmexikanischen Geschichte ebenso häufig zu sein wie Roosevelts oder Adams im öffentlichen Leben Nordamerikas. Es erscheint als zu einfach, um wahr zu sein, daß der historische Quetzalcoatl und seine tolektischen Anhänger nach ihrer Flucht aus Tula Chichén Itzá eroberten. Außerdem besitzen andere Teile des Maya-Gebietes ebenfalls Überlieferungen über die Ankunft Quetzalcoatls.

Außer dem Problem der Identität von Kukulcan gibt es das Geheimnis, wer die Itzá waren. Waren sie toltekische Anhänger von Quetzalcoatl-Kukulcan, oder waren sie eine andere Volksgruppe, vielleicht sogar ein Maya-Stamm aus Tabasco wie die Chontal, die den Quetzalcoatl-Kult und die toltekische Kultur übernommen hatten? Zumindest scheint Itzá ein alter Maya-Name zu sein, denn er ist für von Yucatán weit entfernte Regionen nachgewiesen. Die Ausdrücke ›Fremde‹ und ›diejenigen, die unsere Sprache gebrochen sprechen‹ können sich sehr wohl auf eine Gruppe von Chontal-Maya beziehen.

Das Buch des Chilam Balam von Chumayel enthält einen Bericht über die Ankunft der Itzá und die Orte, die sie passierten, nachdem sie in Polé angekommen waren. Polé war ein kleiner Hafen im nordöstlichen Yucatán, von dem aus man auf die Insel Cozumel übersetzte. Dieser Bericht ist in mehrfacher Hinsicht von Interesse. Erstens wird Kukulcan während der Wanderung oder der nachfolgenden Ereignisse in Chichén Itzá nicht erwähnt. Zweitens können wir schlußfolgern, daß die Itzá Seefahrer waren, denn sie kamen über das Meer, und zwar zu einem Hafen, der ihrem Ausgangsort durchaus nicht am nächsten lag. Wandmalereien in Chichén Itzá zeigen Krieger in Kanus vor einem Dorf an der Meeresküste sowie verschiedene Meerestiere. Die Chontal waren die großen Seefahrer und Händler Mittelamerikas, die Tolteken hingegen Landratten. Drittens erinnert uns dieser Bericht an einen alten Glauben in Yucatán, daß die Invasionen sowohl von der Ost- als auch von der Westküste kämen. Schließlich ist der Landungsplatz von Interesse angesichts der Tatsache, daß die Insel Cozumel zumindest in späterer Zeit von den Chontal-Maya beherrscht wurde.

Nach Berücksichtigung all dieser Punkte neige ich zu der Auffassung, daß die Itzá Chontal-Maya waren, die in ihrer Heimat an der Südspitze des Golfs von Mexiko unter starken mexikanischen Einfluß geraten waren, daß sie in Yucatán einfielen und sich, von der Ostküste her kommend, in Chichén Itzá festsetzten, und zwar vor der Ankunft des Kults der Federschlange, möglicherweise im Jahre 918. Eine Quelle datiert die Inbesitznahme von Chichén durch die Itzá auf 2 Akbal 1 Yaxkin, während eine andere besagt, sie sei in einem Tun (Jahr) 11 Ahau erfolgt, eine Kombination, die dem Jahre 918 entspricht. Ich möchte annehmen, daß sie das innere Castillo-Gebäude in Chichén Itzá errichteten, das nicht rein mayanisch ist, doch keine Merkmale zeigt, die auf Riten der Federschlange hinweisen. Später, so glaube ich, kamen Kukulcan und einige seiner Anhänger im Katun 4 Ahau (967—987), und die beiden Gruppen wurden zusammengeschweißt, vielleicht keine allzu schwierige Aufgabe angesichts des starken mexikanischen Charakters der Itzá-Kultur. Die so verwandelte Kultur war ausgeprägt toltekisch in der Religion, der Architektur, der sozialen Organisation und Auffassung. Da hier Einflüsse aus Mexiko, besonders aus Veracruz, vorliegen, die ihren Ursprung nicht in Tula haben, erscheint es richtiger, diese Periode als die mexikanische und nicht als die toltekische zu bezeichnen und die Wahrscheinlichkeit in Rechnung zu stellen, daß die Itzá schon etwa 60 Jahre vor dem offiziellen Anfangsdatum der mexikanischen Periode in Chichén waren. Außerdem finden, da Kukulcan nach der Überlieferung von Westen kam, beide Invasionen so ihre Erklärung.

Die mexikanische Periode von Chichén Itzá dauerte nach den Maya-Chroniken zwei Jahrhunderte, von etwa 978 bis etwa 1185; sie veränderte die Lebensweise der Maya grundlegend. Wie groß das Territorium war, das von Chichén Itzá zu jener Zeit beherrscht wurde, ist nicht bekannt. Einheimische Quellen sprechen davon, daß das gesamte Land unter der Herrschaft von Chichén Itzá war, doch die toltekische Kunst und Architektur sind außerhalb der Hauptstadt nicht weit verbreitet. Wir lesen von Eroberungen solcher Städte wie Izamal und Mayapán durch die Itzá. Maya-Quellen sprechen auch von einer Tripleallianz zwischen Chichén Itzá, Mayapán und Uxmal, die während der zwei Jahrhunderte (987 bis 1185) der Itzá-Herrschaft in Chichén Itzá andauerte. Doch die Archäologie zeigt, daß Uxmal während des größeren Teils dieser beiden Jahrhunderte verlassen war und daß Mayapán nur geringe Bedeutung besaß.

Dies ist ein interessantes Beispiel dafür, wie die Archäologie dazu benutzt werden kann, mayanische Berichte zu kontrollieren, die so, wie sie auf uns gelangt sind, nicht allzu verläßlich sind. Ein guter Teil der Maya-Geschichte war in Prophezeiungen eingekleidet aufgrund des mayanischen Glaubens, daß das, was in einer bestimmten zwanzigjährigen Periode, dem Katun, geschah, sich wiederholen würde, wenn die Zwanzig-Jahre-Periode sich wiederholte. Jeder Katun trug den Namen und die Ziffer des Tages, an dem er endete. Aufgrund der Konstruktion des Maya-Kalenders mußte der Katun an dem Tage Ahau enden, und da die angefügten Ziffern 1—13 lauteten, kehrte ein Tag wie 4 Ahau als Abschluß-Tag und daher als der Name eines Katun erst nach 260 Maya-Jahren wieder (in Wirklichkeit 256½ unserer Jahre, denn dieser Typ des Maya-Jahres — das Tun — bestand aus nur 360 Tagen). Weiterhin verringerte sich wegen des Aufbaus des Maya-Kalenders die dem Tag Ahau verbundene Ziffer, mit der jeder Katun endete, um zwei, so daß die Katune in dieser Reihenfolge benannt wurden: 11 Ahau, 9 Ahau, 7 Ahau, 5 Ahau, 3 Ahau, 1 Ahau, 12 Ahau (1 plus 13 minus 2 gleich 12), 10 Ahau, 8 Ahau, 6 Ahau, 4 Ahau, 2 Ahau, 13 Ahau, und danach begann die Zählung wiederum mit 11 Ahau.

Maya-Altertumsforscher des 18. Jahrhunderts, die versuchten, die Geschichte ihres Volkes zu einer Zeit zu schreiben, in der das alte Wissen im Begriff war, verlorenzugehen, bemühten sich, diese Hinweise auf Ereignisse, die in bestimmte Katune fielen, zu entwirren und die Geschehnisse in ihre richtige Reihenfolge zu bringen. Dies ist etwa so, als wenn jemand im Jahr 2500, wenn fast alles Wissen über die europäische und amerikanische Geschichte verlorengegangen sein wird, versuchte, diese an Hand von ein paar Notizbüchern zu rekonstruieren, die abgekürzte Eintragungen enthalten wie etwa: Schlacht von Waterloo '15; Übergabe in Yorktown '81; Niederlage der Armada '88; Lincoln ermordet '65; Sturm auf die Bastille '89.

Der Historiker könnte zu der Entscheidung gelangen, daß die Übergabe bei Yorktown und die Niederlage der Armada in das gleiche 17. Jahrhundert fielen, er könnte die Flucht des Kaisers nach Holland mit der Schlacht von Waterloo assoziieren und beide Ereignisse in das 20. Jahrhundert verlegen, während er vielleicht die Schlacht von New Orleans mit den Franzosen in Verbindung bringt und sie daher in das 18. Jahrhundert datiert. Die Altertumsforscher der Maya des 18. Jahrhunderts hatten das gleiche Problem bis auf den Umstand, daß sie die Ereignisse in Zyklen von 260 Jahren datieren mußten, anstatt das Jahrhundert auszurechnen. Ihre Antworten waren nicht immer korrekt. Die Tripleallianz, wenn sie je existierte, fiel wahrscheinlich nicht in das 11. und 12. Jahrhundert, in die sie datiert wurde, sondern in das 8. und 9., in die späte klassische Periode, als Uxmal seine Blüte erlebte; oder das Bündnis begann, als die Itzá Chichén Itzá eroberten, dauerte jedoch nur wenige Jahrzehnte, nicht zwei Jahrhunderte. Nur diese zeitlichen Ansetzungen entsprechen dem archäologischen Zeugnis, daß Uxmal im 10. Jahrhundert oder sehr bald danach aufgegeben wurde.

Die mexikanischen Invasoren führten neue religiöse Kulte ein, von denen der bedeutendste die Verehrung des Quetzalcoatl-Kukulcan, des Federschlangengottes, war. Überall an diesen neuen Gebäuden ist die gefiederte Schlange dargestellt, deren mit Federn bedeckter Leib auf einer Seite in einem übertrieben großen Kopf mit drohend aufgerissenem Maul endet und auf der anderen in dem warnenden Klappern der Klapperschlange (Tafel 6 a; Abb. 12 a, c, d und 13 b). Gefiederte Schlangen winden sich auf den Flachreliefs — als begleitendes Band von Kriegerkolonnen, die ihrem Gott huldigen; sie steigen Balustraden herab, die steile Treppen flankieren; sie erheben sich hinter Kriegern oder Priestern, die Menschenopfer darbringen; mit dem Kopf auf dem Boden und dem Schwanz in der Luft dienen sie als Säulen in dreigeteilten Eingängen; paarweise stehen sie einander auf Altarsimsen mit offenem Rachen streitlustig gegenüber oder verschlingen ihre Leiber auf freundlichere Weise ineinander, um Ornamente zu bilden, die an englische Möbel des frühen 17. Jahrhunderts erinnern. Die Wiederholung ist übertrieben und monoton; man wird an die Hitlerjugend mit ihren nicht enden wollenden Heilrufen und Hakenkreuzen erinnert, doch mit dem Unterschied, daß die Chichén-Künstler nicht ganz so phantasielos waren. In Tula ist die Federschlange ebenfalls ein dominierendes Element. Gefiederte Schlangen sind selten in der klassischen Periode des Zentralgebiets, doch es gibt ein oder zwei hervorragende Beispiele im Copán, die bezeichnenderweise kurze Zeit vor der Aufgabe dieser Stadt geschaffen wurden (Abb. 12 e). Ihre Auffassung ist aber vollkommen verschieden von der in Tula und Chichén Itzá üblichen, und man darf bezweifeln, daß sie den gleichen Begriff darstellen. Weitere Götter kamen aus Tula nach Chichén Itzá. Tezcatlipoca, die allmächtige Gottheit, die Quetzalcoatl überwand, tritt auf, doch in einer weit weniger schrecklichen Rolle; Tlalchitonatiuh, ›Sonne am Horizont‹, Gott des Kriegerkults, genoß großes Ansehen, wenn man nach seinen zahlreichen Darstellungen urteilt (Abb. 13 c); und Chicomecoatl, ›Siebenschlange‹, eine Maisgöttin, ist wie in Veracruz als eine kopflose Gestalt dargestellt, aus deren Hals sieben Schlangen fächerartig hervorkommen. Es gibt auch Darstellungen der mexikanischen Regengötter, der Tlaloc, doch diese fremden Götter waren nicht in der Lage, ihre sehr geliebten mayanischen Gegenstücke, die Chac, zu verdrängen. Ein mexikanischer Sonnengott schaut aus zahllosen Sonnenscheiben auf die Erde herab, und ein Erdungeheuer tulanischen Ursprungs verdrängt seinen weniger stereotypen mayanischen Vetter.

Mit diesen Manifestationen einer neuen Religion ist ein aggressiver Militarismus eng verbunden. Wir haben bereits über den Aufstieg des Kriegers als Diener einer entarteten Religion gesprochen; es bleibt seine Wirkung auf die Maya-Kultur zu vermerken, für die das beste Zeugnis die Kunst des mexikanischen Chichén Itzá ist.

In der Skulptur und in der Wandmalerei begegnet man immer wieder Kolonnen von stolzen Kriegern, die sich einem Altar zuwenden, auf dem der Federschlange geopfert wird, oder die die Kapitulation besiegter Maya entgegennehmen (Tafel 6 a). Die beiden Gruppen sind gut erkennbar an Unterschieden in ihrer Kleidung und an Details, wie den Speerschleudern, dem charakteristischen Vogel am Kopfputz und dem Brustschmuck oder Helmzierat, der wie ein stark stilisierter Schmetterling aussieht; sie werden nur von den Mexikanern getragen und kommen ebenso häufig in der Kunst Tulas vor (Abb. 12 c, 11 a, b). Auf jeder Seite der zahllosen viereckigen Tempelpfeiler schaut ein großer bewaffneter Krieger mit leerem Blick nach links oder rechts. Trotz kleinerer Unterschiede in der Kleidung sehen alle aus, als kämen sie aus der gleichen Gußform; man erwartet fast, wenn man sich umdrehen würde, die Führer Rußlands zu sehen, die vor dem Grab Lenins die Parade abnehmen. Wir haben es nicht länger mit einer Theokratie zu tun, sondern mit einer Gesellschaft, in der die Priester den Soldaten untergeordnet sind, obwohl jene die Kriegerkaste begründet haben.

Doch das ist nicht alles. Auf Pyramiden und Plattformen umlaufenden Friesen bieten Jaguare, Pumas und Adler, die Symbole der militärischen Orden, die Herzen geopferter Menschen Tlalchitonatiuh, der aufgehenden Sonne, dar (Abb. 13 b, c), und Wandreliefs mit ganzen Reihen auf Pfählen aufgespießter Menschenschädel erinnern grausig an jene mexikanische Barbarei, den *tzompantli,* ›das Schädelgestell‹, auf dem die Köpfe der Geopferten zu Ehre blutdurstiger Götter und zum Ruhm der Kriegerkaste zur Schau gestellt wurden. Es ist in der Tat eine traurige Abkehr von der klassischen Periode, in der das Leben ein freundlicheres Gesicht hatte.

Daß solche Ideen den Maya fremd waren, beweist die Tatsache, daß die mexikanischen Ausdrücke für einige von ihnen von den Maya übernommen wurden, wahrscheinlich weil ihrer Sprache die Worte für solche ihrer Kultur fremden Begriffe fehlten. Diese entliehenen Worte werfen ein bezeichnendes Licht auf die neue, unter dem Einfluß von Tula eingeführte Sozialstruktur.

In Verbindung mit dem Übergang von einer theokratischen zu einer stark unter weltlichem Einfluß stehenden Gesellschaft, in der eine stark militaristische Kaste dominierte, finden wir die folgenden Worte mexikanischer Ableitung: *tepal* oder *tepual,* ›Herr‹, und *macehual,* ›gemeines Volk‹; *tecpan,* ›großer Gemeindebau‹ oder ›Königspalast‹; *tenamitl,* ›befestigte oder umwallte Stadt‹; *tepeu,* ›Größe‹, ›Ruhm‹.

Zweifellos hatten die Maya lange vor ihrer Unterwerfung durch die Mexikaner Herrscher, doch angesichts der anderen übernommenen Begriffe sind wir zu der Annahme berechtigt, daß die Veränderung im Herrschersystem so ausgeprägt war, daß zu ihrer Beschreibung ein neues Wort notwendig wurde. Die Übernahme der Bezeichnung *tecpan,* die sowohl ein Gemeinschaftsgebäude und Arsenal für Waffen als auch die Residenz des Herrschers bedeutet, wie auch die neu übernommenen Worte für ›befestigte Stadt‹ und ›Ruhm‹ kennzeichnen in gleicher Weise den Übergang von dem alten, friedlichen und wesentlich introvertierten Geist der Mäßigung zu der militaristischen und extrovertierten Haltung der kriegerischen Mexikaner.

Selbst bei den Bezeichnungen für Waffen stoßen wir auf einige Neueinführungen, denn die Maya übernahmen die mexikanischen Namen für ›Schild‹ und ›Banner‹. Sie hatten natürlich auch vor der Ankunft der Mexikaner Schilde und einen Maya-Namen für sie, und es ist daher wahrscheinlich, daß die mexikanische Bezeichnung für einen neuen, von den Invasoren eingeführten Schildtyp gilt. Die Bezeichnung für ›Banner‹ bezieht sich mit ziemlicher Sicherheit auf die kleinen Flaggen, die der mexikanische Krieger auf dem Rücken trug, wenn er in die Schlacht ging, ein den Maya der klassischen Periode unbekannter Brauch. Die Maya übernahmen auch den mexikanischen Namen für eine enganliegende ärmellose Jacke, die manchmal von Kämpfern getragen wurde, und auch die mexikanische Schutzkleidung, ein dick wattiertes Baumwollgewand, das wegen seiner Widerstandsfähigkeit gegen einheimische Waffen auch die Spanier benutzt haben.

Im Hochland von Guatemala vollzog sich nach dem Ende der klassischen Periode ein deutlicher Übergang von offenen Maya-Kultzentren zu leicht zu verteidigenden Ansiedlungen, z. B. auf Hügeln oder auf von zwei oder drei Seiten von tiefen Schluchten umgebenen Landzungen. Das gleiche geschah im Nordgebiet. Mayapán z. B., das nach dem Niedergang von Chichén Itzá die Hauptstadt von Yucatán werden sollte, ist von einer massiven, jetzt im Zerfall befindlichen Steinmauer umgeben, die eine Länge von acht Kilometer hat und sechs Haupttore besitzt.

Tulúm, an der Ostküste von Yucatán gelegen und eine bedeutende Stadt nach den mexikanischen Invasionen Yucatáns, hat auf der Landseite eine Mauer, die sie in einer Länge von fast 720 Meter auf drei Seiten umgibt, während die vierte durch Klippen abgeschirmt ist. Die Mauern sind drei bis viereinhalb Meter hoch und bis zu sechs Meter dick und haben fünf enge Tore. Sie sind viel besser erhalten als die Mauern in Mayapán, und einige von ihnen wurden eindeutig mit dem Gedanken an Verteidigung errichtet. In einem Fall ist der schmale Tordurchgang nur 1,20 Meter hoch, so daß ein Angreifer sich beim Passieren bücken mußte und, wenn er vom Hellen ins Halbdunkel kam, beachtlich im Nachteil war. Xelhá und Ichpaahtún, ebenfalls an der Ostküste gelegen, sind in gleicher Weise durch starke Mauern befestigt.

Xelhá, das in der klassischen Periode große Bedeutung besaß, würde in der Mayapán-Zeit erneut besiedelt; Ichpaahtún und Tulúm gelangten gleichzeitig mit Mayapán zur Blüte. Es ist augenscheinlich, daß ihre Mauern aus der Zeit stammen, in der Mayapán dominierte. Das Fehlen einer Stadtmauer in Chichén Itzá stützt diese Ansicht. Der Prozeß der Militarisierung hätte sich demnach sehr in die Länge gezogen, wobei die Steinmauern nur eine späte Konsequenz weitaus früherer Veränderungen in der Lebensweise waren. »Das Böse, das Menschen tun, überlebt sie.«

Wir wissen aus frühen spanischen Quellen, daß einige Maya-Städte auf Inseln in Seen lagen und daß andere von Palisaden umgeben waren. Eine Maya-Stadt war durch eine lebendige Mauer von Agaven geschützt. Cortés stieß auf seinem berühmten Marsch auf mehrere befestigte Maya-Städte im nordwestlichen Petén, von denen er eine wie folgt beschreibt: »Die Stadt ist auf einem hohen Felsen gelegen, hat einen großen See auf der einen Seite und auf der andern einen tiefen Strom, der in den See fließt; es gibt nur einen zugänglichen Eingang, und alles ist umgeben von einem tiefen Festungsgraben, hinter dem eine brusthohe Palisade steht; und jenseits dieser Palisade ist ein Zaun aus sehr dicken Planken, zwei Faden hoch mit Schießscharten nach allen Seiten, um aus ihnen Pfeile abzuschießen; ihre Wachttürme sind sieben oder acht Fuß höher als die erwähnte Mauer, die ebenfalls mit Türmen versehen war, auf deren Spitze viele Steine waren, um mit ihnen von oben her zu kämpfen.« (Nach der Übersetzung von MacNutt.) Es ist bemerkenswert, daß in Tulúm an den Ecken der Mauern kleine Tempel standen, von deren flachen Dächern aus die Mauern verteidigt werden konnten.

Im Jahr 1934 entdeckte eine Expedition des Carnegie-Instituts unter der Führung von Karl Ruppert im südöstlichen Campeche eine ziemlich große Maya-Stadt, Becan, die von einem künstlichen Wassergraben umgeben war. Dieser Wassergraben variierte in der Breite zwischen drei und 24 Meter und in der Tiefe zwischen zwei und neun Meter und war überspannt von sieben entweder drei oder viereinhalb Meter breiten Stämmen. In seinem Bericht vermerkt Ruppert, es gäbe Anzeichen dafür, daß der Wassergraben nie vollendet wurde.

Becan spricht gegen die hier von mir vertretene Auffassung, daß die verstärkte kriegerische Tätigkeit und die Befestigungen auf mexikanische Einflüsse zurückzuführen sind, denn die identifizierbare Architektur in Becan gehört dem Río-Bec-Stil an, der zweifellos in der zweiten Hälfte der klassischen Periode blühte. Es ist natürlich möglich, daß der Wassergraben zu einer späteren Zeit hinzugefügt wurde oder daß einige, jetzt eingestürzte Gebäude der mexikanischen Periode angehört haben — Gebäude des toltekischen Typs in Chichén Itzá haben bauliche Mängel, aufgrund deren die meisten von ihnen zusammengestürzt sind —, doch es ist wahrscheinlicher, daß der Graben in der allerletzten Phase der klassischen Periode angelegt wurde, als Einflüsse aus Mexiko bereits begannen, sich bemerkbar zu machen, denn es gibt Gründe für die Annahme, daß das nordöstliche Petén und die angrenzenden Gebiete das letzte Bollwerk der Hierarchie waren. Die Möglichkeit, daß der Graben nie vollendet wurde — sein Grund liegt zum Teil um etwa fünf Meter höher als an der Stelle, wo der Graben in einen Sumpf, die wahrscheinliche Wasserquelle, übergeht, und einige der Dammwege sind noch immer intakt, so daß das Wasser nicht von einem Teil in den andern fließen konnte —, stützt die These, daß es sich um ein letztes Unternehmen der klassischen Periode handelte, das nie vollendet wurde infolge des Sturzes der Hierarchie, die das Werk begonnen hatte.

Das Bild, das sich uns somit bietet, ist das einer vollständigen Neuorientierung des Lebens. Fremde Götter und eine fremde Herrscherklasse zwingen den Maya von Yucatán und der Hochländer von Guatemala eine neue Lebensart auf; das alte, vom Feldbau bestimmte Leben des Bauern geht weiter wie zuvor, doch nun erhält er neue Herren, die, da sie den Krieg als Mittel zu einem Zweck betrachteten, zu dem unausweichlichen Schluß kamen, daß die Mittel weitaus wichtiger sind als der Zweck, Krieger zu organisieren, um den Göttern zu dienen, die wiederum zu Schutzherren des Krieges werden.

Wenn die Theorie stimmt, daß die Bauern die alte Theokratie wegen der Lasten, die sie ihnen auferlegte, stürzten, dann können wir sicher sein, daß die Revolte ihnen nicht gut bekam; die neuen Herrscher beschäftigten sie mit der Errichtung neuer Bauten zur Ehre der neuen Götter und zum Ruhm ihrer Anhänger. Statt mit Peitschen wurden sie jetzt mit Skorpionen gezüchtigt.

Teile Yucatáns, die nicht unter Fremdherrschaft kamen, wurden gezwungen, in militaristischen Kategorien zu denken und zu handeln, um überleben zu können. Nur das Zentralgebiet scheint im allgemeinen von der Veränderung unberührt geblieben zu sein, weil es zu abgelegen war, um zur Eroberung einzuladen. Aufgrund des Fehlens einer starken Herrscherkaste scheint dort der Bau von Städten ein Ende gefunden zu haben. Das Land war jedoch, wie wir bereits bemerkt haben, nicht unbevölkert. In Britisch-Honduras, wo archäologische Tätigkeit und moderner Straßenbau intensiver waren als in anderen Teilen im Kern des Zentralgebiets, sind Zeugnisse für eine spätere Bewohnung zutage gefördert worden: Funde von Metall — das während der klassischen Periode unbekannt war —, Typen von Tongefäßen und kleinen Figuren, die aus der Zeit nach dem großen Auszug stammen, und, in Santa Rita im äußersten Norden der Kolonie, hervorragende Wandmalereien mit ausgeprägten mexikanischem Einfluß. Eine nachklassische Aktivität ist auch in Tikal und Topoxté festzustellen.

Wir besitzen anschauliche Berichte über die Reaktion der Maya gegenüber ihren Bezwingern. Diese Zeugnisse haben sich — wenn auch teilweise verstümmelt und bearbeitet, um auch ihren spanischen Überwindern zu gefallen — in den einheimischen Maya-Büchern erhalten, die als Bücher des Chilam Balam bezeichnet werden. Die Maya waren besonders schockiert über die von den Itzá, offenbar als Teil des Kultes des Quetzalcoatl-Kukulcan, eingeführten erotischen Praktiken. An einer Stelle, nach der Übersetzung von Ralph Roys, heißt es über die Itzá: »Ihre Herzen sind in Sünde versunken. Ihre Herzen sind tot in ihren fleischlichen Sünden, sie sind häufig Abtrünnige, tun sich hervor in der Verbreitung der Sünde, Nacxit Xuchit in der fleischlichen Sünde seiner Gefährten, die Zwei-Tage-Herrscher ... Sie sind die hemmungslos Unzüchtigen des Tages und die hemmungslos Unzüchtigen der Nacht, die Schurken der Welt. Sie verrenken ihre Hälse, sie zwinkern mit den Augen, sie geifern aus dem Munde vor den Herrschern des Landes, o Herr. Sehet, wenn sie kommen, ist keine Wahrheit in den Worten der dem Lande Fremden. Sie sagen sehr feierliche und geheimnisvolle Dinge, die Söhne der Männer siebenmal verlassener Gebäude, die Nachkommen der Frauen siebenmal verlassener Gebäude.« *Nacxit* ist hier ein Name für Quetzalcoatl-Kukulcan. In der Tat wird er an anderer Stelle in diesen Büchern Nacxit Kukulcan genannt, und zwar in einer Passage, die ihn als Herrscher von Chichén Itzá erwähnt und von der Einführung der Gewalt und der Sünde spricht.

Ein altes Lied über die Itzá-Invasoren — sie werden das Putun-Volk genannt, eine alte Bezeichnung für die Chontal — erscheint in dem Buch des Chilam Balam von Chumayel. Dort heißt es, nach der Übersetzung von Roys: »Ein zarter Knabe war ich in Chichén, als der böse Mann, der Herr des Heeres, kam, das Land in Besitz zu nehmen. Wehe! In Chichén Itzá wurde die Ketzerei begünstigt. *Yulu uayano.* Ho! 1 Imix war der Tag, an dem der Herrscher in Chikin

Ch'en gefangengenommen wurde ... Wir waren wie zahme Tiere für Mizcit Ahau. Ein Ende naht für seine Schurkerei. Siehe, so singt es mein Lied, Ketzerei wurde begünstigt. *Yulu uayano! Eya!* Ich sterbe, sprach er, wegen des Stadtfestes. *Eya!* Ich werde kommen, sprach er, wegen der Zerstörung der Stadt ...«

Die kursiv gesetzten Worte sind wahrscheinlich mexikanische Ausrufe. *Mizcit* ist mit ziemlicher Sicherheit der mexikanische *mizquitl*, der Meskitestrauch. Ein Mann dieses Namens dürfte aus dem nördlichen Mexiko stammen, denn der Meskite wächst meines Wissens nicht weiter südlich als das Gebiet von Tula, doch viele Chontal übernahmen mexikanische Namen aufgrund von Kontakten oder Heiraten. Ketzerei — das Originalwort ist eine Entstellung des spanischen Ausdrucks — muß sich auf die Einführung einer neuen Religion durch die Invasoren beziehen; das Wort wird anderswo benutzt, um den Begriff Heidentum zu bezeichnen.

Die mexikanischen Invasoren entwickelten in Chichén Itzá eine neue Architektur. Im Grunde genommen war es der Stil des fernen Tula, doch das Kraggewölbe der Maya wurde beibehalten. Die ritualistischen Bedürfnisse der Maya der klassischen Periode hatten kleine, enge Räume gefordert, die eine Atmosphäre der völligen Abgeschlossenheit erzeugten (Abb. 8). Man gelangte von einem engen äußeren Gemach in einen Innenraum und dann manchmal auch in einen weiteren Innenraum oder, wie in Palenque, zu einem umschlossenen Schrein in dem zweiten Gemach (Abb. 3, 5 c). In die Räume wurden Trennwände eingezogen, um sie kleiner zu machen, oder der Eingang zu einem Innengemach lag nicht in einer Linie mit dem des Außengemachs, so daß das Licht absichtlich ausgeschlossen wurde (Abb. 5 d, f). Es handelte sich hier um berechnete Schritte, Stille und Abgeschiedenheit zu erreichen; die Vermittlung zwischen Göttern und Menschen erforderte offensichtlich nicht die Anwesenheit vieler Priester innerhalb des Heiligtums. Die Maya des Puuc-Gebietes hatten vielleicht zwei Jahrhunderte lang vor der Ankunft der Mexikaner in Chichén Itzá Säulen in ihren Außeneingängen verwendet, und in den Städten des Zentralgebiets war eine Art Kolonnade entwickelt worden, indem man den Mauerteil zwischen den Eingängen immer schmäler machte, bis die übrigbleibenden Teile zu breiten Mauerpfeilern geworden waren. Man setzte jedoch nie Säulen oder Pfeiler in die Trennwände zwischen einem Außenraum und einem Innengemach, zweifelsohne, weil hierdurch das Geheimnis, das im Innengemach vor sich ging, entheiligt worden wäre, und nicht, weil es den Baumeistern an Intelligenz mangelte, an der Rückwand eines Raumes den Durchbruch zu wiederholen, den sie in der Vorderwand durchgeführt hatten, oder weil man die besondere Last fürchtete, die eine Zwischenwand tragen muß. Eine Ausnahme bilden zwei Innenräume in Sayil, die durch Säulen aufgegliederte Eingänge haben. Die Außenräume wurden vielleicht erst später hinzugefügt.

Die mexikanische Religion, wie sie in Tula praktiziert und in Chichén Itzá eingeführt wurde, war zweifelsohne weniger priesterlich orientiert; die Krieger als Lieferanten der Menschenopfer waren mit den Göttern ebenso vertraut wie die Priester; diese waren nicht länger die alleinigen Vermittler zwischen Göttern und Menschen. Es gibt eine Parallele zu dieser Entwicklung, die allerdings nicht zu weit gezogen werden darf, in den Unterschieden zwischen römisch-katholischen oder orthodoxen Kirchen und jenen des fortgeschrittenen Protestantismus. Das Allerheiligste mit seinem Gitter oder seinen Schranken oder das abgetrennte Chorgestühl sowie die Marienkapelle und die Seitenkapellen entsprechen den Funktionen jener Kirchen, die Priester haben; sie verschwinden in protestantischen Kirchen, in denen der Priester durch einen Pastor ersetzt ist. Statt dessen finden wir einen großen, nicht unterteilten Innenraum, der beherrscht wird von einer zentralen, an der Stelle des Allerheiligsten errichteten Kanzel. Der klassische Maya-Tempel entspricht dem erstgenannten Innenraum, der toltekische Tempel dem letzteren.

Die mexikanischen Invasoren brachten die weiten Innenräume, die sie wünschten, zustande, indem sie die Innenwände des Maya-Tempels durch Säulenreihen ersetzten, auf denen Balken ruhten, die ihrerseits Kraggewölbe trugen (Tafel 6 a; Abb. 5 g). Gewöhnlich trennten kurze Wände den inneren Teil der Halle vom äußeren ab. Man dachte vermutlich nicht daran, für die Ewigkeit zu bauen, und so zögerte man nicht, die Gewölbe von Holzbalken tragen zu lassen, gewöhnlich aus dem harten Holz der Sapodilla, die das Chicle lieferte, doch das Resultat war, daß mit der Zeit die Balken verfaulten und das ganze Dach einstürzte. Es steht heute kein einziges Gebäude dieser Konstruktionsweise in Chichén Itzá, während mehrere der älteren, im alten Maya-Stil errichteten Bauten noch immer intakt sind. Atmosphärische Verhältnisse haben selbstverständlich ihre Wirkung auf die Lebensdauer eines Holzbalkens in Zentralamerika; über tausend Jahre alte Holzsturze sind in Tikal erhalten geblieben, aber in Palenque habe ich Sapotillabalken gesehen, die etwa 20 Jahre zuvor verlegt worden waren und bereits faulten und von Termiten zerstört wurden. Daß einige der Balken in den mexikanischen Bauten verfaulten, bevor Chichén Itzá aufgegeben wurde, beweisen Mauerteile, die in alter Zeit hinzugefügt worden waren.

Die sozialen oder rituellen Bedürfnisse der Mexikaner in Chichén Itzá forderten auch lange Kolonnaden, die manchmal unabhängig von anderen Gebäuden waren und manchmal vor diesen standen. Sie wurden insofern nach dem gleichen Prinzip wie die Tempel gebaut, als man Weiträumigkeit und Helligkeit dadurch erreichte, daß man die Mauern durch Säulen ersetzte, auf denen Balken ruhten. Sie stehen auf niedrigen, etwa zwei Meter hohen Plattformen und haben eine Rückwand und Seitenwände sowie einen kurzen Vorraum an der Vorderseite, der wahrscheinlich hinzugefügt wurde, um die Endmauer zu stützen, doch der Rest der Fassade ist offen (Tafel 4 b).

Die Nordkolonnade in Chichén Itzá ist die grandioseste dieser Anlagen. Ihr Ostende ist offenbar in alter Zeit niedergerissen worden, und der durch das Carnegie-Institut ausgegrabene Teil hat etwa Dreiviertel der Totallänge, die nahezu 127 Meter betragen haben dürfte. Die innere Breite beträgt 13,50 Meter, und das Dach bestand aus fünf parallel verlaufenden Gewölben, die auf fünf Säulenreihen und der Rückwand ruhten. Ein so großer Raum könnte mehrere hundert Personen fassen, doch bis auf ein Podium, vor dem sich eine Statue eines liegenden Gottes vom sogenannten Chacmol-Typus befand, ist kein Zeichen für die religiöse Verwendung zu finden (Tafel 6 a).

Ich persönlich neige sehr zu der Annahme, daß solche Kolonnaden in erster Linie für weltliche Funktionen bestimmt waren, wie z. B. für die Versammlung der Mitglieder der militärischen Orden der Jaguare und der Adler. Ich nenne sie weltliche Funktionen, doch sie waren auch religiöser Natur und spiegelten vielleicht den religiösen Ursprung der Orden wider, wie es bei dem Tempelritterorden der Fall ist. Im Falle dieser besonderen Kolonnaden ist die Verbindung mit dem Militärorden meiner Ansicht nach bewiesen durch ihre Reliefs. Die Fassade der Vorhalle trägt Schmuckmotive, die offenbar Schilde darstellen; die Rückwand der Plattform trägt einen Fries von Jaguaren, Adlern, Pumas und dergleichen, die der aufgehenden Sonne Menschenherzen opfern (vgl. Abb. 13 c), wodurch der Zweck der nach diesen Tieren benannten Militärorden symbolisiert wird. Außerdem war das Podium oder der Altar geschmückt mit dem Relief einer Prozession von Kriegern, um die sich Federschlangen winden, und weitere derartige Darstellungen des Kukulcan schmükken die Balustraden der Treppen an der Vorderseite des Gebäudes. Die häufigen Darstellungen dieser Symbole der kämpferischen Orden zeigen das Ausmaß, bis zu dem das mexikanische Chichén Itzá von diesem militärischen Komplex beherrscht wurde.

Den gleichen Tempeltyp mit Innensäulen, die gleichen langen Kolonnaden, die gleichen Prozessionen von Kriegern mit fast gleicher Tracht und Bewaffnung, die gleichen Federschlangen, ja sogar die gleichen Statuen des liegenden Gottes gibt es im fernen Tula. Zwar ist der dort verarbeitete Stein ein anderer, die bildhauerische Ausführung ist gröber, es gibt keine Masken des Maya-Regengottes, und die Leute von Tula verwendeten nicht das Kraggewölbe, doch in den meisten anderen Aspekten gleichen die beiden Kulturen einander wie zwei Erbsen.

Reliefs in einigen der Gebäude des mexikanischen Chichén Itzá zeigen Siege über Maya-Nachbarn — wahrscheinlich wurde der größere Teil von Yucatán niemals von den Mexikanern erobert. Gruppen unterworfener Maya, leicht erkennbar an ihrer abweichenden Tracht und den Attributen (Abb. 11 c), erscheinen vor ihren Siegern, die linke Hand auf der rechten Schulter, ein Zeichen für Frieden oder auch Übergabe. Aus dem Opfer-Cenote von Chichén Itzá geborgene Goldscheiben zeigen ebenfalls besiegte Maya in unterwürfiger Haltung vor ihren toltekischen Bezwingern.

Vermutlich waren die Invasoren zahlenmäßig nicht stark genug, um das Gebiet ohne lokale Unterstützung zu beherrschen, und hierfür gibt es Zeugnisse in der Skulptur. Es muß bezweifelt werden, daß die Eroberer Anstrengungen machten, die Bauern zu dem neuen Glauben zu bekehren, den sie als etwas Exklusives betrachtet haben dürften, dessen die unteren Klassen der Einheimischen nicht würdig waren. Sie selbst übernahmen jedoch alte Maya-Gottheiten — die Masken der Regengötter an ihren Gebäuden zeugen hierfür; man räumte ihnen vielleicht eine bevorzugte Stellung ein, um die Besiegten zu versöhnen —, und sie scheinen auch die alte mayanische Priesterschaft anerkannt zu haben, denn es finden sich eindeutige plastische und gemalte Darstellungen von Maya-Priestern in ihren Tempeln. Es mag bedeutungsvoll sein, daß in dem Tempel des Chac Mool, der unterhalb des Kriegertempels stand, die in die Pfeiler des Außengemachs gemeißelten Figuren mexikanische Krieger darstellen, während die auf den Pfeilern der Innenkammer oder des Heiligtums Priester sind, und zwar zum größten Teil Maya-Priester —

zwei oder drei von ihnen weisen keine Schädeldeformation auf und sind daher vielleicht Mexikaner trotz gewisser Maya-Züge.

Die Maya scheinen wie die Chinesen fähig zu sein, fremde Ideen und fremde Vorstellungen zu absorbieren und in Begriffen ihrer eigenen Kultur neu zu gestalten. So wie sie das Christentum mayanisierten, indem sie es mit eigenen Vorstellungen mischten, waren sie imstande, ihre mexikanischen Eroberer und die Religion, die diese einführten, langsam zu mayanisieren. Es gibt in dieser Hinsicht offenbar keine Grenzen für ein Volk, das seinerzeit einen protestantischen Freibeuter als Reinkarnation des Kukulcan identifiziert zu haben scheint, der gekommen war, ihre Freiheit wiederherzustellen.

Soweit wir es beurteilen können, wurden diese mexikanischen oder mexikanisierten Eroberer allmählich yucatekische Maya in Sprache und Anschauung und bewahrten nur ihren Stolz auf ihre Abstammung von mexikanischen Kriegern. Das gleiche geschah im Hochland von Guatemala, denn zur Zeit der spanischen Eroberung waren die herrschenden Familien der Quiché und der Cakchiquel in jeder Beziehung Maya, bis auf ihren stolzen Anspruch, daß ihre Vorfahren aus Tula gekommen waren. Ein in etwa ähnliches Schicksal traf die normannischen Eroberer von England. Doch diese Itzá, ebenso wie die Xiu, die das Volk von Uxmal kurz vor (oder nach?) der Aufgabe dieser Stadt besiegten und das nahe gelegene Maní zu ihrer Hauptstadt machten, wurden noch Jahrhunderte nach der Ankunft der Spanier als Fremde betrachtet. Die Maya-Bücher des Chilam Balam verachten sie als Fremde, als diejenigen, die »unsere Sprache gebrochen sprechen«.

Die Itzá gaben natürlich Chichén Itzá ihren Namen — er bedeutet ›Am Rande des Brunnens der Itzá‹. Der Name der Stadt vor ihrer Ankunft ist nicht mit Sicherheit bekannt, doch es dürfte Uucyabnal sein. Dieses Wort könnte übersetzt werden mit ›Sieben große Eigentümer‹ und erinnert an die obenerwähnten sieben verlassenen Gebäude, von deren Frauen die Itzá abstammten. Die Invasoren heirateten wahrscheinlich einheimische Frauen. Chichén Itzá war Hunderte von Jahren berühmt als Wallfahrtszentrum, ja, heimliche Wallfahrten dorthin wurden noch eine Zeitlang nach der spanischen Eroberung durchgeführt.

Das Hauptziel dieser Wallfahrten war der Heilige Cenote, in den Opfer, sowohl Menschen als auch Wertgegenstände, geworfen wurden, um die Regengötter günstig zu stimmen. Wann dieser Kult begann, ist nicht mit Sicherheit bekannt. Einige aus seinem schlammigen Grund geborgene verzierte Jadestücke sind zweifellos klassischer Herstellung. Ein in Piedras Negras hergestelltes Stück trägt ein Maya-Datum, das dem Jahr 706 entspricht; und eine Jadeperle, die mit ziemlicher Sicherheit in Palenque bearbeitet wurde, trägt ein Maya-Datum aus dem Jahr 690. Das Problem besteht darin, ob diese Jadegegenstände mehrere Jahrhunderte lang als Familienerbstücke oder als Tempelschätze aufbewahrt und erst dann in den Cenote geworfen wurden, oder ob der Cenote-Kult bereits während der klassischen Periode praktiziert wurde. Ich selbst neige zu der Annahme, daß er bereits vor der Ankunft der Itzá in voller Blüte stand, unter ihnen jedoch einen neuen Impuls erhielt. Die Darbringung von Opfern an großen Wasserflächen war ein alter und weitverbreiteter Brauch in Amerika, doch es mag bezeichnend sein, daß die klassischen Maya-Bauten in Chichén Itzá von dem Cenote weiter entfernt sind als jene der mexikanischen Periode. Kürzlich haben Tauchsportenthusiasten eine große Anzahl von geopferten Keramikgefäßen aus dem See Amatitlán im Territorium der Pokoman-Maya des Hochlands von Guatemala und auch aus dem Petén-See geborgen. In beiden Fällen fand man auch Gefäße der formativen Periode, ein Beweis für das Alter dieser Riten.

Der Heilige Cenote — es gibt einen weiteren in Chichén Itzá, der die Stadt mit Wasser versorgte und in späteren Jahrhunderten Archäologen als Badebecken diente — mißt etwa 60 Meter im Durchmesser, sein Wasserspiegel liegt etwa 25 Meter unter der Bodenoberfläche, und seine Tiefe beträgt etwa 28 Meter. Eine Maya-Straße verbindet den großen Hof, auf dem der Tempel des Kukulcan, gewöhnlich *Castillo* genannt, steht, mit dem Cenote. Ich hege jedoch die Vermutung, daß dieser Damm vielleicht älter ist als der große Hof, und Grabungen werden vielleicht erweisen, daß er unterhalb des Hofes verlief, um auf einen der Wege auf der gegenüberliegenden Seite zu stoßen. Am Rande des Cenote stehen die zerfallenen Fundamente eines Tempels, und es gilt als fast sicher, daß von hier aus die Opfer ins Wasser geworfen wurden. Von Edward Thomson in dem Cenote durchgeführte Baggerarbeiten haben große Mengen von Opfergaben zutage gefördert. Unter ihnen befanden sich eine große Anzahl von Jadestücken, in den meisten Fällen absichtlich zerschlagen, Goldscheiben, Kupferschellen, Kupfersohlen für Sandalen, hölzerne Speerschleudern, Idole und Lippenpflöcke aus dem gleichen Material, Weihrauchkugeln aus Kopal, in den man nicht selten Jadestückchen hineingedrückt hatte, während andere einen

Gummikern hatten, aus Kopal und Gummi geformte Idole, Stoff-stücke und Reste von Korbflechtereien sowie Schädel und Knochen. Kürzlich hat die mexikanische Regierung mit Saugpumpen weiteres Material, darunter vor allem Idole aus Gummi, aus dem Cenote ge-borgen, doch das Verfahren verursachte viel Bruch und ist wieder aufgegeben worden.

Spanische Berichte erzählen uns von Jungfrauen, die in den Brun-nen geworfen wurden, ein Detail, das die Phantasie der Öffentlich-keit gefangennahm. Grausige Bilder von schönen Mädchen, die in den Teich springen, erfreuen sich einer makabren Beliebtheit. In Wirklichkeit stammen von den identifizierbaren Überresten dreizehn von Männern, einundzwanzig von Kindern zwischen achtzehn Mo-naten und zwölf Jahren, von diesen war die Hälfte unter sechs Jahren. Nur acht stammen von Frauen, von denen sieben über ein-undzwanzig Jahre alt, also über das normale Heiratsalter hinaus waren.

Der Anteil der Kinder war vermutlich weitaus größer als die fünfzig Prozent der identifizierten Überreste, da Kinderschädel leich-ter zerbrechen als die von Erwachsenen. Dieser hohe Prozentsatz ist verständlich, da im gesamten alten Amerika dort, wo Menschen-opfer Brauch waren, den Regengöttern Kinder geopfert wurden, und der Cenote-Kult den Regengöttern geweiht war.

Die einleuchtendste Erklärung scheint mir zu sein, daß die Mexi-kaner Chichén Itzá zu ihrer Hauptstadt machten, weil der Cenote-Kult das Zentrum bereits in ganz Yucatán berühmt gemacht hatte. Es muß etwas gegeben haben, das durch seine besondere Anzie-hungskraft die Mexikaner veranlaßte, das ferne Chichén Itzá auszu-wählen statt eine der größeren Puuc-Städte, und ich glaube, dies war der Cenote-Kult.

Die Eroberer setzten sich nach verschiedenen Quellen auch in Cozumel, Izamal, Motul und Mayapán fest. Es ist meiner Ansicht nach höchst bedeutsam, daß Cozumel der Schrein der Mondgöttin Ixchel war, die ebenfalls Pilger aus allen Teilen des Landes anzog. Landa vergleicht die Pilgerfahrten nach Chichén Itzá und Cozumel mit christlichen Wallfahrten nach Rom und Jerusalem. Darüber hinaus war Izamal als Wohnsitz des Kinichkakmo, einer Manifesta-tion des Sonnengottes, und des Itzamna, eines der größten Maya-Götter, ebenfalls ein sehr bedeutendes Heiligtum. Zu diesen Städten strömten riesige Scharen von Pilgern, viele von ihnen aus weit ent-fernten Teilen des Landes. Da Itzamna und Ixchel reine Maya-Gottheiten waren, ist es logisch anzunehmen, daß diese Pilgerfahrten, lange bevor die Mexikaner die Szene betraten, bereits voll im Gang waren. In der Tat zeigt die Architektur von Izamal, daß seine glänzendste Periode in die frühe klassische Zeit fiel. So kontrollierten die Itzá die drei größten religiösen Heiligtümer in Yucatán, von denen wir Kenntnis haben, die alle den bedeutendsten Göttern des Maya-Pantheons geweiht waren. Ihre Eroberung muß Absicht, das Ergebnis einer Politik gewesen sein. Indem sie diese drei heiligen Stätten des alten Glaubens und des alten Regimes in Besitz nahmen, konnten die Itzá eine straffe Kontrolle über die alte Maya-Priesterschaft ausüben und gleichzeitig vom Ansehen und den Einkünften aus dem Pilgerverkehr profitieren; indem sie die alten Maya-Götter akzeptierten, konnten sie vielleicht den mayanischen Bauern versöhnen.

Nach den einheimischen Quellen herrschten Chichén Itzá, Mayapán und Uxmal zwei Jahrhunderte lang gemeinsam über Yucatán, offenbar in der Zeit von 987 bis 1185. Dies ist freilich schwer zu glauben; wie bereits erwähnt, war Uxmal im späten 11. Jahrhundert zum zweitenmal aufgegeben worden, und Mayapán besaß eine nur geringe Bedeutung vor dem Ende des 12. Jahrhunderts. Auf dem Gelände von Mayapán oder in seiner Nähe hatte eine frühere Stadt gestanden, von der nicht ein einziges Bauwerk erhalten geblieben ist, aber ihre Bauten wurden ein Steinbruch von vorzüglich zugerichteten Steinen des Puuc-Stils für spätere Bauwerke. Die skulptierten Stelen von Mayapán kamen vielleicht aus dieser früheren Stadt, doch ihr Stil ist spät; keine von ihnen kann datiert werden. Am meisten scheint mir für die Vermutung zu sprechen — und mehr als mutmaßen können wir nicht —, daß Uxmal bald seine Bedeutung verlor und daß der dritte Platz in dieser Triplealllianz von Izamal eingenommen wurde. Hierdurch wurde dieses Dreierbündnis eine ausschließliche Angelegenheit der Itzá.

Nach zweihundert Jahren machte ein Krieg der Allianz ein Ende. Wiederum gilt es zwischen widerstreitenden Versionen zu wählen, und ich glaube, die nachstehend gegebene Erklärung entspricht am besten den Tatsachen, obwohl nicht wenig für vollkommen verschiedene Rekonstruktionen spricht und nach Meinung einiger Autoren die nunmehr zu berichtenden Ereignisse um weitere zweieinhalb Jahrhunderte später angesetzt werden sollten.

Die Zentralfigur an diesem Wendepunkt der Maya-Geschichte war ein gewisser Hunac Ceel, auch Cauich genannt. Sein erstes

Auftreten auf der Maya-Bühne — vielleicht sollten wir sagen maya-mexikanischen Bühne — vollzog sich in dem höchst dramatischen Augenblick eines Opfers für die Regengötter an dem Heiligen Cenote von Chichén Itzá. Es war Brauch, um die Mittagsstunde alle noch lebenden Opfer oder eines von ihnen — die alten Berichte sind in dieser Hinsicht nicht sehr klar — wieder herauszuziehen, und das gerettete Opfer verkündete dann eine Botschaft der Regengötter, ob das Jahr ein Regenjahr oder ein trockenes Jahr sein würde. Hunac Ceel Cauich war bei einer dieser Opferhandlungen anwesend, und als kein Opfer überlebte, die Prophezeiung zurückzubringen, sprang er selbst in den Brunnen, um sie zu holen. Die dramatische Geschichte ist auf Mayanisch wiedergegeben in dem Buch des Chilam Balam von Chumayel:

»Dann kamen diejenigen an, die geworfen werden sollten; dann begann man, sie in den Brunnen zu werfen, auf daß ihre Prophezeiung von ihren Herrschern gehört würde. Ihre Prophezeiung kam nicht (d. h. alle ertranken). Es war Cauich, Hunac Ceel, Cauich war der Name dieses Mannes, der seinen Kopf an der Öffnung des Brunnens an der Südseite herausstreckte (der Opfertempel stand am Südrand). Dann begann er zu springen. Dann kam er heraus, die Prophezeiung zu verkünden. Dann begannen sie ihn zum Herrscher zu machen. Dann wurde er von ihnen auf den Sitz der Herrscher gesetzt. Dann begannen sie, ihn zum Oberhaupt zu machen. Er war vorher nicht der Herrscher.«

Hunac Ceel war, wie Roys bemerkt, »offensichtlich aus dem Stoff, aus dem Herrscher gemacht werden, ein Mann mit genügend Mut und Charakterstärke, sein eigenes Schicksal zu gestalten«. Er war Oberhaupt von Mayapán, der Stadt, aus der er, wie man annehmen möchte, gebürtig war, vielleicht der Sohn eines führenden Mannes dieser Stadt. Offenbar wurde er Oberhaupt beider Städte und machte Mayapán zur wichtigsten Stadt in der Allianz. Ein gewisser Chab Xib Chac war der Herrscher von Chichén Itzá; wenn er seine Herrschaft, wie es der Fall zu sein scheint, nach dem Sprung Hunac Ceels in den heiligen Cenote antrat, müssen wir annehmen, daß er Chichén Itzá für Hunac Ceel regierte. Der Herrscher von Chichén Itzá, vermutlich Chac Xib Chac, stahl die Braut des Ah Ulil, des Oberhauptes von Izamal, während der Hochzeitsfeierlichkeiten, und deswegen vertrieb Hunac Ceel, unterstützt durch eine Gruppe von Mexikanern, den Herrscher von Chichén Itzá und seine Anhänger aus der Stadt.

Diese Maya-Version des Themas der Helena von Troja bezieht sich auf den Verrat des Hunac Ceel, doch worin dieser Verrat genau bestand, wissen wir nicht. Ergriff Hunac Ceel die Partei Izamals gegen seinen eigenen Untergebenen, oder brachte er es dadurch, daß er den Anschein erweckte, Chac Xib Chac zu unterstützen, zu einem Bruch zwischen Chichén Itzá und Izamal, um dann Izamal, vielleicht die schwächere der beiden Städte, zu unterstützen? Wir können hier nur Mutmaßungen anstellen, doch es gibt keine vernünftigen Gründe gegen die Annahme, daß Hunac Ceel an der Loyalität von Chichén Itzá Zweifel hegte und in der Besorgnis, sein Untergebener in dieser Stadt könnte sich mit Izamal verschwören, um ihn zu stürzen, dieser potentiellen Bedrohung durch ein raffiniertes Doppelspiel zuvorkam. Was in Wirklichkeit auch immer geschehen sein mag, Chac Xib Chac wurde »niedergetrampelt«, wie das Maya-Buch es ausdrückt, und die Itzá wurden aus Chichén Itzá vertrieben. Zur gleichen Zeit verschwindet Izamal aus der Geschichte. Nachdem Hunac Ceel Chichén Itzá mit Hilfe des brautlosen Herrschers von Izamal unschädlich gemacht hatte, wandte er sich gegen seinen Verbündeten und besiegte ihn, offensichtlich fest entschlossen, alle Rivalen zu beseitigen. Es gibt einen lakonischen und dunklen Bericht, daß die Söhne (oder der Sohn) des heiligen Izamal als Tribut ausgeliefert worden seien, »um Hapay Can zu füttern und zu ernähren«. Hapay Can, ›Saugende Schlange‹, ist der Name einer Maya-Gottheit, und da Menschenopfer die Götter ernährten, kann man ziemlich sicher sein, daß Izamal vermutlich aufgrund seiner Niederlage Menschenopfer liefern mußte, um diese Gottheit zu ernähren.

Es gibt archäologische Zeugnisse für die Zerstörung und Plünderung von Chichén Itzá. So waren z. B. im Falle des Krieger-Tempels und der ihn umgebenden Kolonnaden Skulpturen von der Höhe der Pyramide hinabgestürzt worden unter Umständen, die einen natürlichen Verfall oder Einsturz ausschlossen, und es gibt Beweise dafür, daß diese Zerstörung stattfand, bevor diese Gebäude einzustürzen begannen. Die Maya pflegten Weihegaben unter ihre Altäre zu legen. Plünderer, die nach einem solchen Versteck suchten, hatten ein Loch durch die mit rotem Stuck überzogene Platte des Altars in der Kolonnade am Fuß der Treppe zum Krieger-Tempel gegraben. Später hatte jemand das Loch wieder ausgefüllt und es mit weißem Stuck von neuem versiegelt, bevor das Dach der Kolonnade einstürzte. Die Plünderer waren erfolgreich gewesen, denn unter den in das Loch zurückgeworfenen Abfällen befanden sich, außer Fragmenten des ursprünglich roten Stucks der durchbrochenen Oberfläche, Teile des mindestens 35 Zentimeter im Durchmesser messenden Tongefäßes, in dem sich die Opfergaben befunden hatten. Später hatten Pilger und unberechtigte Bewohner große Räuchergefäße und rot überzogene Schalen der nachfolgenden Mayapán-Periode über die Trümmer der eingestürzten Gewölbedächer des Tempels und der Kolonnade verstreut. Tatsächlich zog der Heilige Cenote weiterhin Pilger an, bis es den Spaniern um 1560 gelang, den Kult auszurotten. Es ist erwiesen, daß Chichén Itzá sich zur Zeit der Ankunft der Spanier weitgehend wieder in Wald verwandelt hatte, doch der Zugang zu dem Heiligen Cenote und zu zwei oder drei der anliegenden Gebäude war frei gehalten worden.

Es gibt viele Zeugnisse dafür, daß man während jener drei Jahrhunderte zwischen der Vertreibung der Itzá-Gruppe durch Hunac Ceel und der Ankunft der Spanier in Chichén Itzá sozusagen von der Hand in den Mund lebte. Gebäude zerfielen teilweise und wurden aufgegeben oder durch Notmauern gestützt. In einer Ecke einer Kolonnade war ein kleiner Behelfsraum geschaffen worden, und in die rohen Mauern hatte man skulptierte Steine eingebaut, die von der Fassade des Gebäudes und sogar von dem Podium oder dem Altar stammten. Offensichtlich waren diese letzten Bewohner von Chichén Itzá wenig an dem Ruhm ihrer Vorgänger interessiert. Wie bereits bemerkt, wurde das östliche Ende der großen Kolonnade an der Südseite des Krieger-Tempels zweifellos um diese Zeit niedergerissen, und aller Wahrscheinlichkeit nach benutzte man die Steine zur Errichtung armseliger kleiner Gebäude, von denen über fünfzig aufs Geratewohl über den anstoßenden Hof verstreut sind, denn diese enthalten als Bauteile viele wiederverwendete Säulentrommeln.

Es gibt Anzeichen dafür, daß der Verfall von Chichén Itzá fast gleichzeitig mit dem Triumph von Hunac Ceel begonnen haben muß. Im Schutt, der von dem teilweisen Einsturz des Caracol genannten runden Turmes herrührte, fand man ein intaktes Gefäß der sogenannten Bleiglanzware, das offensichtlich deponiert worden war, nachdem der Verfall des Gebäudes bereits begonnen hatte. Bleiglanzkeramik wurde während des 11. und 12. Jahrhunderts in ganz Mittelamerika gehandelt, doch ihr Export und wahrscheinlich auch ihre Herstellung hörten im frühen 13. Jahrhundert auf. Wir können daher als ziemlich sicher annehmen, daß Bauten in Chichén um 1200 in Trümmer zerfielen, was annähernd dem Datum der Eroberung der Stadt durch Hunac Ceel entspricht.

Mit dem Sieg über die Itzá-Gruppe in Chichén Itzá und der offensichtlichen Ausschaltung der in Izamal herrschenden Itzá-Gruppe scheinen Hunac Ceel und die Itzá von Mayapán die Gesamtkontrolle über das nördliche Yucatán erlangt zu haben und wahrscheinlich auch über die einstmals volkreiche Puuc-Region, obwohl die Kultzentren dieser Region seit langem aufgegeben waren.

Für die nächsten zweieinhalb Jahrhunderte, etwa 1200 bis 1450, kontrollierte Mayapán Yucatán politisch und, dank seiner Herrschaft über Chichén Itzá und Izamal, auch in religiösen Angelegenheiten. Die Herrscher von Mayapán hielten Yucatán durch ein einfaches Mittel unter fester Kontrolle, indem sie nämlich die Oberhäupter der verschiedenen Stadtstaaten zwangen, in Mayapán zu residieren. Die Hinwendung zu einer zentralisierten Herrschaft war eindeutig vollzogen, und die Oberhäupter fühlten sich sicherlich nicht ermutigt, Regierungsrechte zu beanspruchen. Zur gleichen Zeit praktizierten mächtige Herrscher in Westeuropa eine ähnliche Politik, indem sie die Söhne anderer Herrscher als Geiseln für das Wohlverhalten unterworfener oder rivalisierender Königreiche zurückbehielten.

Wie viele Maya-Staaten in der Zeit von etwa 1200 bis 1450 von Mayapán kontrolliert wurden, ist nicht sicher, denn wir kennen nicht die genauen Grenzen der Herrschaft von Mayapán, doch ihre Zahl betrug vermutlich etwa ein Dutzend, und das gesamte Gebiet war etwa so groß wie das von Massachusetts und Connecticut zusammen; doch man darf sich diese Bundesstaaten mit ihren Verkehrswegen des 17. Jahrhunderts nicht so vorstellen, wie sie heute sind.

Architektur und Keramik zeigen, daß viele Ansiedlungen an der Ostküste von Yucatán, einschließlich des mit einer Mauer umgebenen Tulúm und südwärts bis Santa Rita im nördlichen Britisch-Honduras, ihre stärkste Entfaltung während der Vorherrschaft von Mayapán erlebten. Sogar im Petén, dem Herzen der Klassik der Tiefland-Maya, kommen Bauwerke und Keramik vor, die jenen von Mayapán verwandt sind, insbesondere auf der kleinen Insel Topoxté im Yaxhá-See mit ihrer auf Defensive eingestellten Lage. In Tikal gibt es Zeugnisse für späte Importe, die wahrscheinlich auf die gleiche Periode zurückgehen, und es ist denkbar, daß sie von Itzá-Pilgern aus Tayasal stammten (S. 230 f.). Auch in der Ebene von

Tabasco erlebten verschiedene Zentren zur gleichen Zeit eine Blüte wie Mayapán.

Die Ruinen von Mayapán sind sehr ausgedehnt. Es wurde bereits die große Mauer erwähnt, die die Stadt umgibt, innerhalb deren, nach Bischof Landa, die Oberhäupter der Staaten ihre Residenzen hatten. Eine von Morris Jones vom United States Geological Survey in den Jahren 1950/51 aufgenommene genaue Karte zeigt die Überreste von etwa 3600 Gebäuden, von denen die große Mehrheit eindeutig Wohnzwecken diente. Es gibt in der Tat nur sehr wenige Bauten, die als ausgesprochen religiös in ihrer Funktion betrachtet werden können. Die meisten von ihnen bilden ein kleines, von Wohnhügeln umgebenes Maya-Kultzentrum. Selbst wenn man annimmt, daß nicht alle Gebäude gleichzeitig benutzt wurden, würde eine vorsichtige Schätzung eine Bevölkerung von nicht weniger als 10 000 Seelen ergeben.

Wir haben es hier also mit einem bemerkenswerten Übergang von den nie ständig bewohnten Kultzentren zu regulären bevölkerten Städten zu tun.

Dies kennzeichnet natürlich den nächsten und unvermeidlichen Schritt im Wandel von einer ziemlich friedlichen Theokratie zu einer kriegerischen weltlichen Autokratie. Sobald ein Staat sich einmal dazu entschlossen hat, durch das Schwert zu leben und seine Nachbarn mit dem Schwert zu beherrschen, muß er danach trachten, seine Bevölkerung zu vermehren und zu konzentrieren, um diese Politik durchführen zu können, und hierzu ist eine Abkehr von einer vorwiegend landwirtschaftlichen Ökonomie erforderlich. In diesem Zusammenhang mag es von Bedeutung sein, daß Mayapán in einem sehr unfruchtbaren Gebiet liegt und die Stadt buchstäblich auf Felsen erbaut worden ist. Der Boden ist fast überall von Fels bedeckt, und Erdinseln sind selten. Das umliegende Land ist weitgehend von gleicher Beschaffenheit, und keine Agrargemeinschaft würde mit Absicht ein solches Territorium zur Ansiedlung wählen.

Die Menschen, die Mayapán zur Hauptstadt machten, hatten zweifellos nicht die Ansichten von Farmern. Für sie war die Fruchtbarkeit des Bodens nicht von großer Bedeutung, denn sie gedachten, ihr Brot nicht durch ihren eigenen Schweiß zu verdienen, sondern durch den ihrer Tributpflichtigen. Schüchtere deinen Nachbarn ein durch die Macht deiner militärischen Organisation, und du kannst sicher sein, reichlich zu ernten bei einem Minimum an Arbeit. Dieser scheinbar mit Rosen bestreute Weg ist im Lauf der Weltgeschichte zahllose Male von militaristisch organisierten Gruppen und aggressiven Diktaturen begangen worden, doch immer zeigen die Rosen ihre Dornen, der Pfad wird immer schwieriger und führt früher oder später in den Abgrund. Macht korrumpiert und schwächt die Machthaber; jede Kultur und jede Diktatur muß vom Schweiß ihres eigenen Angesichts leben, wenn sie überleben will, denn dies ist ihr entscheidendes Opfer. Das Regime von Mayapán war keine Ausnahme.

Das mexikanische Chichén Itzá war durch ein entschiedenes Absinken gegenüber den künstlerischen Leistungen der klassischen Periode gekennzeichnet, und das fast vollständige Fehlen von Hieroglyphentexten während dieser Periode ist ein Beweis dafür, daß sich hier ein intellektueller Rückschritt vollzog. Die prunkhafte, jedoch unsolide Architektur des mexikanischen Chichén Itzá ist ein weiteres Anzeichen für den Wertverfall, der die Hinwendung zum Militarismus begleitete. Ein noch schrofferer Verfall in den Künsten zeigt sich mit dem Aufstieg von Mayapán. Der Tempel des Kukulcan in Mayapán ist, obwohl er auf einer ziemlich großen Pyramide steht, eine im Puppen-Maßstab gehaltene Reproduktion des Tempels in Chichén Itzá und hatte mit Sicherheit kein Gewölbedach; der runde Tempel, heute ein Trümmerhaufen, konnte sicherlich ebenfalls keinen Vergleich mit dem Caracol in Chichén Itzá aushalten. Außerdem gibt es nur wenige religiöse Gebäude in Mayapán.

Angesichts der großen Machtkonzentration in Mayapán und der vermutlich zahlreichen von den unterworfenen Staaten zur Verfügung gestellten Arbeitskräfte ist die geringe Zahl an Tempeln sicher von besonderer Bedeutung. Es war nicht so, daß die Herrscher von Mayapán nicht in der Lage waren, ein großes Kultzentrum zu errichten, sondern sie waren vielmehr nicht daran interessiert, es zu tun. Die Religion hatte ihre dominierende Stellung in der Kultur verloren; der Krieg, eingeführt, um den Menschen seinen Göttern näherzubringen, war der Herr geworden. Die Itzá waren weit genug durch Zeit und Raum gereist, um zu lernen, daß der Zweck niemals die Mittel heiligt, sondern durch sie korrumpiert und geformt wird. Die Spanier sollten in ihren Beziehungen zu den Maya diesen Fehler im 16. Jahrhundert wiederholen. Die gleiche falsche Doktrin ist im Lauf der Jahrhunderte immer wieder vertreten worden und hat noch heute zahllose Anhänger.

Die Architektur von Mayapán zeigt eine traurige Entartung im Vergleich zu der des mexikanischen Chichén Itzá. Die kachelartigen

Blendsteine des Krieger-Tempels, des großen Ballspielplatzes, des Tempels des Kukulcan und anderer Bauten der großen mexikanischen Periode in Chichén Itzá — die auch von früheren Baumeistern an diesem Ort verwendet wurden — sind in der Periode der Herrschaft Mayapáns unbekannt. Statt dessen wurden überall unbehauene Natursteinblöcke benutzt. Sie sind unglaublich roh und würden an Entwicklungsstadien der Steinarchitektur erinnern, wenn man nicht wüßte, daß sie ein Zeichen der Dekadenz sind. Die Maurer von Mayapán bedeckten diese Steinklumpen mit einer dicken Stuckschicht, um getünchte Gräber zu schaffen — so wie man durch ein starkes Make-up Falten zu verbergen sucht.

Es gibt viele kurze Kolonnaden in Mayapán, zum größten Teil grobe und kümmerliche Nachahmungen der Kolonnaden von Chichén Itzá, doch im Gegensatz zu jenen aus der großen Periode in Chichén Itzá sind sie oft nicht an einen Tempel angebaut, sondern stehen für sich allein. Die Säulentrommeln in jenen Gebäuden in Chichén Itzá sind sorgfältig zugerichtet, seien sie nun rund oder viereckig; die in Mayapán sind Felsstücke von variierender Höhe, überaus grob behauen und abgerundet. Man stelle sich sieben oder acht aufeinandergesetzte Gladiolenstengelglieder vor, und man hat eine Mayapán-Säule *en miniature*. Die Räume zwischen den ungleichen Trommeln wurden mit kleinen Felsstücken, Splittern und Mörtel ausgefüllt, und eine dick aufgetragene Stuckschicht verbarg die Übergänge, doch es war eine im höchsten Grade unsolide Bauart.

Die Kolonnaden hatten im Gegensatz zu jenen der frühen mexikanischen Periode in Chichén Itzá auch keine Kraggewölbe. In einigen Fällen scheinen die Dächer aus flachen, mit Mörtel bedeckten Holzplafonds bestanden zu haben. In andern verwendete man, nach der geringen Menge Schutt in den eingestürzten Gebäuden zu urteilen, wahrscheinlich Dachstroh. Über die Funktion dieser kleinen Kolonnaden kann man nur Mutmaßungen anstellen; sie mögen Gebäude für die Zivilverwaltung gewesen sein oder Männerhäuser. Einige waren vermutlich für die Krieger des Jaguar- und des Adler-Ordens bestimmt.

Die vielen Häuserhügel, die dafür zeugen, daß Mayapán eine echte Wohnstadt war, variieren in Größe und Komplexität vom sehr bescheidenen Einzelraum mit einer einzigen Steinlage, die das Fundament der Wände aus vergänglichem Material bildete, bis zu den imposanten Steinbauten, in denen der Adel wohnte.

Ein solches Haus eines Adligen, das ich in Mayapán ausgrub, bestand aus einem langen Vordergemach mit drei kleineren Hinterräumen und einem weiteren Gemach von mittlerer Größe an einem Ende (Abb. 14). Das Vordergemach, etwas über 15 Meter lang und 3,30 Meter breit, war in Wirklichkeit eine Art Säulenhalle oder Veranda, denn die Front war offen bis auf vier Steinpfeiler und kurze Seitenmauern, die das Dach trugen. Die Rückwand hatte drei Eingänge, die in die hinteren Räume führten. Zwischen den Eingängen und vor den Seitenmauern des Vordergemachs standen vier Bänke aus massivem Mauerwerk, jede etwa 40 Zentimeter hoch und verkleidet mit sauber zugerichteten Steinplatten, die von früheren Gebäuden stammten. Es besteht wenig Zweifel darüber, daß diese Bänke als Betten dienten und auch als Sitze oder Ruhelager, auf denen Gäste und Gastgeber im Schneidersitz saßen oder mit einem über die Kante herabhängenden Bein, wie auf Reliefs und Fresken dargestellte Personen zeigen (Abb. 18 c). Eine große Bank nahm den größten Teil des Seitengemachs ein. Vielleicht hatten Personen, die auf ihr saßen, sich über Zugluft beklagt, denn der offene Raum am Fuß der Bank war irgendwann einmal zugemauert worden.

Das mittlere Hintergemach war der Familienschrein; an seiner Rückwand stand ein kleiner Altar. Es ist erwiesen, daß in dieser späten Periode der Kult der Familienahnen sehr wichtig wurde, und eine Adelsresidenz hatte ihre eigene kleine Kapelle, entweder in einem Hinterraum wie hier oder in einem separaten Gebäude. Das Dach hatte aus großen Holzbalken bestanden, die kleinere Querbalken trugen; hierüber hatte man, um die Spalten zwischen den Balken auszufüllen, eine mit Kieselsteinen durchsetzte Mörtelschicht gelegt. Oft befindet sich unter dem Fußboden dieses Wohnhaustyps ein Familienbeinhaus, das, wenn nötig, für die Bestattung eines neuen Toten geöffnet wurde, doch eine solche bequeme Anlage wurde in unserem Gebäude nicht gefunden, obwohl sich mehrere Bestattungen von Kindern unter dem Fußboden befanden. Es ist wahrscheinlich, jedoch nicht endgültig bewiesen, daß in der Nähe des Komplexes stehende Gebäude als Unterkünfte für die Diener und als Küche dienten. Maya-Küchen befanden und befinden sich noch immer in gesonderten Gebäuden: ein strohgedeckter Anbau hinter dem Wohnhaus.

Eine Familie dürfte in diesem Heim ein sehr komfortables Leben geführt haben. Die breiten Öffnungen in der Fassade und die hohe Decke hielten das Vordergemach im Sommer kühl, und da das Haus mit der Front nach Süden lag, blieb man vor den schlimmsten Auswirkungen der kalten ›Nordwinde‹ im Winter verschont. Brandstiftung und Plünderung bereiteten diesem angenehmen Leben leider ein plötzliches Ende.

Große Mengen von Holzkohle, in die das Holz des Daches verwandelt worden war, lagen auf oder direkt über dem Gipsfußboden des Hauptgemachs unter den Kieselsteinen und dem Mörtel der Decke oder waren mit ihnen vermischt. Ein Loch in der Stuckoberfläche des Familienaltars war Beweis für eine stattgehabte Plünderung. Ein kleines Steinidol und zwei Tonkrüge, die einmal auf oder vor dem Altar mögen gestanden haben, lagen unter dem Trümmerschutt. Da es fast unmöglich sein dürfte, daß die Dachbalken zufällig Feuer fingen, darf man billigerweise darauf schließen, daß der Bau ausgeraubt und absichtlich niedergebrannt wurde, als, wie die Geschichte uns berichtet, Mayapán etwa 1450 geplündert und zerstört wurde. In dem Schutt lagen zwei kleine, geglättete Meißel aus grünlichem Stein, die in den Augen der Maya sehr wertvoll waren. Ich denke, sie müssen irgendwo versteckt und so von den Plünderern übersehen worden sein.

In der Skulptur und der Keramik Mayapáns ist eine sehr deutliche Degeneration zu beobachten, die mit dem Niedergang der Architektur parallel verläuft. Wie bereits bemerkt (S. 131 f.), fehlen den Reliefs des mexikanischen Chichén Itzá die Schönheit und Spontaneität der Maya-Werke der klassischen Periode, doch das Schlimmste, was man von ihnen sagen kann, ist, daß sie langweilig sind in ihrer Wiederholung; die Skulptur der nachfolgenden Periode in Mayapán hingegen ist ausgesprochen schlecht und roh.

Auch die Keramik ist außerordentlich uninteressant. Die am Ort hergestellten Stücke sind armselig in der Ausführung, und keines von ihnen ist polychrom. Die später besprochenen leuchtenden Farben der Weihrauchbrenner nehme ich aus, denn sie wurden nach dem Brennen aufgetragen und färben leicht ab. Nur sehr wenig Ware wurde importiert. Während der Herrschaft Chichén Itzás wurden große Mengen ungehärteter Keramik vom Typ der Feinen Orange-Ware eingeführt, die von den Archäologen Typ X genannt wird (zur Unterscheidung von Typ Y aus Altar de Sacrificios, S. 116 f.). Sie wirken fröhlich und anziehend mit ihren gefälligen Formen und Ornamenten. Mit ihnen kam seltsame, Bleiglanzkeramik genannte glasierte Töpferware von der pazifischen Abdachung des westlichen Guatemala (S. 219). Andererseits wurde Bleiglanzkeramik, nachdem Mayapán zur Macht gelangt war, nicht mehr hergestellt, und nur ein sehr dünnes Rinnsal der Feinen Orange-Ware erreichte Mayapán, und diese (Typ V) war größtenteils undekoriert und langweilig in der Form. Auch die Steinwerkzeuge zeigen wenig handwerkliche Geschicklichkeit und sind den wunderbaren Feuersteinarbeiten der klassischen Periode weit unterlegen.

Der Niedergang in allen Künsten während dieser letzten Periode der Maya-Geschichte ist wirklich bedrückend. Ich sehe in ihm die Manifestation einer großen kulturellen Verwirrung, die aus dem Übergang von einer hierarchischen zu einer weltlichen und militaristischen Kultur resultierte.

In einer Beziehung war Mayapán der klassischen Periode voraus — es hatte Metalle, wenn auch in begrenzter Quantität. In der klassischen Periode gibt es keine Metalle, doch man hat große Mengen von Schmucksachen aus Gold und Kupfer aus dem Heiligen Cenote in Chichén Itzá geborgen. Das Gold kam fast ausnahmslos aus Panama und Costa Rica — ein Stück sogar aus dem noch weiter entfernten Kolumbien —, wie Dekor, Bearbeitungsmethoden und Goldgehalt zeigen, und man kann mit gutem Grund annehmen, daß vom späten 10. bis zum 12. Jahrhundert zwischen dem Isthmus von Panama und Yucatán ein reger Seehandel blühte. Ich möchte ferner annehmen, daß dieser Handel auf die Initiative der Chontal-Maya zurückging, jener großen Seefahrer Mittelamerikas, zu deren Gruppe die Itzá meiner Ansicht nach ursprünglich gehörten. Daß dieser Handel während der Herrschaft der Itzá in Chichén besonders rege war, wird bewiesen durch die Goldscheiben aus dem Cenote, die Darstellungen des Sieges der Itzá über die yucatekischen Maya tragen. Diese Goldscheiben wurden roh eingeführt — es gibt kein Metall in Yucatán —, nicht an Ort und Stelle aus eingeschmolzenen Abfällen hergestellt. Später, um 1200, als Mayapán zur Vorherrschaft gelangte, war dieser Handel mit dem Isthmus auf ein Minimum zurückgegangen. Die in fünf Jahren in Mayapán durchgeführten Arbeiten des Carnegie-Instituts haben lediglich fünf winzige Goldfragmente zutage gefördert.

Die Verwendung von Kupfer hingegen scheint zugenommen zu haben. Ein großer Teil Kupfer stammt aus dem Cenote in Chichén Itzá, doch die Umstände, unter denen es gefunden wurde, sind keine Hilfe für seine Datierung. Dieses Kupfer wurde hauptsächlich in Zentralmexiko gegossen, und aufgrund stilistischer Merkmale nimmt man an, daß es größtenteils aus der Periode von Mayapán stammt. Der einzige datierbare Kupferfund in Chichén Itzá stammt aus dem Grabschacht des Hohenpriesters und wird aufgrund von roter Töpferware der Mayapán-Periode, die in der gleichen Schicht lag, in die Zeit zwischen 1300 bis 1450 datiert.

Eine beträchtliche Anzahl von Kupferschellen, die als Anhänger an Armen und Beinen getragen wurden, Fingerringen und Pinzetten zur Entfernung von Gesichtshaaren wurden aus Bestattungen in Mayapán geborgen, doch ist Kupfer noch immer selten. Ein Grund für die relative Seltenheit von Kupfergegenständen und das fast vollständige Fehlen von Gold in Mayapán ist darin zu suchen, daß die Herrscher von Mayapán im Gegensatz zu den Maya der klassischen Periode die Gräber ihrer Anführer nicht mit reichen Opfergaben für die andere Welt ausstatteten: eine Folge der Säkularisierung.

Türkise, die als fast ebenso wertvoll galten wie Jadestücke, und ausgezeichnet gefertigte Perlen aus Bergkristall erscheinen zum erstenmal im Grab des Hohepriesters in Chichén Itzá. Die mit ihnen zusammmen gefundene Keramik zeigt, daß diese Gräber nach dem Fall von Chichén Itzá angelegt wurden, obwohl die Bauten aus der Frühzeit der toltekischen Periode stammen. Es handelt sich hier wahrscheinlich um einen im Exil gestorbenen Itzá, der zurückgebracht worden war, um in der Heimat seiner Vorfahren zu ruhen.

Bogen und Pfeil, gewiß die radikalsten der Neuerungen, wurden im Maya-Tiefland während der Herrschaft von Mayapán von mexikanischen Söldnern eingeführt, die im Sold der Herrscher dieser Stadt standen. Diese Waffe gelangte wahrscheinlich aus Asien in die Neue Welt, verbreitete sich jedoch aus irgendeinem Grunde nur langsam in südlicher Richtung. Sie kommt in den zahlreichen Darstellungen mexikanischer Krieger in Chichén Itzá nicht vor, kam jedoch, nachdem sie einmal von den Maya übernommen war, allgemein in Gebrauch, sowohl bei der Jagd als auch im Krieg, ja sie hat vielleicht zu einem Rückgang bei bestimmten Wildarten geführt, denn die Maya waren vor ihrer Einführung für ihre Versorgung mit Wildbret auf Fallen und Speere angewiesen. Bei kleinen Vögeln verwendete man Tonkugeln, die aus Blasrohren abgeschossen wurden.

Drei Merkmale unterstreichen den Niedergang der Religion und das Aufkommen des Säkularismus in Mayapán. Erstens findet man das beste Mauerwerk bei den Residenzen des Adels, nicht mehr bei den Tempeln. Schön behauene Steine des Puuc-Stils aus der Siedlung, die Mayapán vorausging, sind häufig bei Privathäusern wiederverwendet, aber rohes Mauerwerk der Mayapán-Periode wurde als gut genug betrachtet für viele der Tempel. Zweitens hatte jedes bedeutende Wohnhaus seine Familienkapelle, entweder in einem besonderen Gemach des Hauses oder in einem nahen Gebäude, und es gibt archäologische und literarische Zeugnisse dafür, daß diese Schreine in erster Linie für den Ahnenkult — mit Familiengrabstätten vor dem Altar — und für die Verehrung von Gottheiten bestimmt waren, welche die Zuneigung der Familie gewonnen hatten. Solche privaten Kulte waren Begleiterscheinungen sich vergrößernder Familien und gediehen auf Kosten der organisierten Gemeinschaftsreligion. Es gibt Anzeichen für Familienschreine in der klassischen Periode, doch nicht in diesem Ausmaß.

Drittens sind Tempel und Schreine von Mayapán übersät mit den Fragmenten von großen, bis zu 45 Zentimeter hohen Weihrauchbrennern aus sehr porösem, großkörnigem Töpfermaterial. Jedes dieser Gefäße hatte auf seiner Vorderseite die in Relief modellierte und nach dem Brennen in leuchtenden Farben bemalte, in voller Größe ausgeführte Figur eines Gottes. Die Köpfe, Arme, Beine und mit Sandalen beschuhten Füße waren in besonderen Formen gegossen. Die Einzelteile wurden vor dem Brand zusammengesetzt, und kleine Details, die das Kostüm oder die Attribute des gewünschten Gottes anzeigten — viele von diesen wurden ebenfalls in Formen hergestellt —, wurden noch angefügt. So kamen z. B. Gesichter zahnlos aus der Form, doch wenn man das Bildnis des alten Gottes herstellen wollte, war es eine einfache Sache, in jedem Mundwinkel einen Zahn, das konventionelle Attribut dieses Gottes, einzusetzen. Wenn die Gesichtsmerkmale ungewöhnlich waren, z. B. bei den Figuren des Gottes Xipe, so wurde eine Spezialform benutzt. Es handelte sich hier offensichtlich um eine Art Massenproduktion und Fließbandverfahren, so daß man sagen kann, Mayapán hat Henry Fords Beitrag zur modernen Kultur um etwa sechs Jahrhunderte vorweggenommen. Technisch war das Verfahren ein Schritt vorwärts, ästhetisch bedeutete es eine Katastrophe. Trotz ihrer leuchtenden Farben sind diese Figuren leblos, wie es bei einer in Massen produzierten Kunst unvermeidlich ist. Die Religion war tief gesunken, als die Hauptgötter der Maya in dieser nachlässigen Art behandelt werden konnten. Stachel vom Stachelrochen wurden zum Abzapfen von Blut aus dem Körper bei den Selbstopferriten benutzt. Siebenjährige intensive Arbeit in Tikal förderte 239 vollständige und fragmentarische Stacheln sowie 112 Imitationen in Knochen zutage; fünf Jahre Ausgrabungen in Mayapán in einem kleineren Maßstab erbrachten 16 Fragmente und eine mögliche Imitation in Knochen.

Das Zahlenverhältnis kann man vielleicht als zusätzliches Zeugnis für den Niedergang der Religion in der Mayapán-Periode interpretieren.

Früher oder später stürzen zentralisierte Diktaturen, und die militaristischen Superstaaten lösen sich in ihre Bestandteile auf. Macht korrumpiert und erzeugt geistige Trägheit. Die Nachkommen des Hunac Ceel, mit dem Familiennamen Cocom — der Name einer Kletterpflanze mit gelben Blüten —, hielten sich durch ihr System zentralisierter Regierung und zwangsweiser Residenz der Staatsoberhäupter in Mayapán etwa 250 Jahre an der Macht, etwa von 1200 bis 1450. Es ist anzunehmen, daß Staaten, deren Führer als ständige Geiseln festgehalten wurden, es nicht wagten zu revoltieren. Außerdem konsolidierten die Cocom ihr ›Reich‹ durch Heiratsallianzen mit den herrschenden Familien unterworfener Staaten. Kein Staat konnte allein die Cocom stürzen, da diese außer ihren eigenen Männern die Unterstützung eines beachtlichen Kontingents mexikanischer Söldner hatten. Die Mexikaner waren und sind noch immer zäher und kriegerischer als die sanften und friedlichen Maya, doch im Verlauf der Zeit waren diese Mexikaner mayanisiert worden, wie es vor ihnen mit den verweichlichten Itzá geschehen war. Sie wurden *Ah Canul* genannt, ein mayanisches Wort, das Beschützer bedeutet — ›Leibwache‹ dürfte eine angemessene Übersetzung in den Begriffen unserer Kultur sein.

Möglicherweise können die ›Kasernen‹ dieser Söldner in Mayapán identifiziert werden mit zwei Gruppen von Wohnbauten, die in einer an Zentralmexiko erinnernden Art um einen mittleren Lichthof herumgebaut sind. Diese Komplexe waren ziemlich leicht in einen Verteidigungszustand zu versetzen; sie waren durch eine Spezialstraße miteinander verbunden. Bei Brustwehren aus weniger dauerhaftem Material wäre der Zugang nur durch einen langen unterirdischen Gang möglich gewesen.

Die Revolte gegen die Cocom wurde eingeleitet durch einen gewissen Ah Xupan aus der bedeutenden Familie der Tutul Xiu, die angeblich ebenfalls aus Tula stammte. Die Tutul Xiu behaupteten auch, die Herrscher von Uxmal gewesen zu sein, doch es gibt gute archäologische Belege dafür, daß Uxmal aufgegeben war, bevor die Tutul Xiu, die offensichtlich ebenfalls mexikanischer Abstammung waren, auf dem Schauplatz erschienen. Die zerfallene Stadt lag jedoch innerhalb ihres Territoriums, und dies verlieh den Tutul Xiu vermutlich besonderes Ansehen, das zu nützen sie nicht zögerten. Ah Xupan hetzte zum Aufstand mit der Begründung, die Cocom machten viele yucatekische Maya zu Gefangenen und verkauften sie als Sklaven an ›Fremde‹, d. h. nach Mexiko oder Honduras.

Unabhängige Häuptlingschaften

Der Aufstand war erfolgreich; Mayapán wurde gebrandschatzt, und der herrschende Cocom und alle seine Söhne, mit Ausnahme eines einzigen, der mit einer Handelsexpedition nach Honduras unterwegs war, wurden niedergemacht. Mit dem Fall von Mayapán — vier oder fünf Jahre vor oder nach 1450 — endete die Zentralregierung, und das Cocom-Reich löste sich in seine Bestandteile auf, in etwa ein Dutzend Regionalstaaten, von denen jeder sein eigenes Oberhaupt hatte. Es gibt archäologische Beweise für die Plünderung von Mayapán. Außer der oben beschriebenen Residenz wurden weitere Gebäude in Brand gesetzt. Überall haben zu unserer lebhaften Enttäuschung Plünderer auf der Suche nach Opferverstecken die Altäre aufgebrochen, und überall lagen zerbrochene Räuchergefäße verstreut. Höchst dramatisch war die Entdeckung der Skelette von sieben Menschen, die offensichtlich so auf den Boden vor einem Gebäude geworfen worden waren, daß sie wechselweise mit Köpfen und Füßen in verschiedener Richtung am Boden lagen. Große Feuersteinklingen staken zwischen den Rippen von zwei der Toten, und eine weitere Klinge lehnte gegen das Becken eines dritten. Man kann nicht mit Bestimmtheit sagen, daß diese sieben im Kampf starben, doch ist es durchaus möglich.

Das Ende der Hegemonie von Mayapán beschleunigte den kulturellen Verfall, der seit dem Ende der klassischen Periode fast ununterbrochen in Gang gewesen war. Der Einfluß der Religion, der während dieser Jahrhunderte immer geringer geworden war, sank bis zu einem neuen Tiefstand. Pyramiden wurden nicht mehr gebaut; Steintempel machten strohgedeckten Hütten Platz. Bezeichnend für diesen Verfall ist vielleicht die Möglichkeit, daß das alte Ballspiel außer Mode kam. Obwohl im toltekischen Chichén Itzá mindestens sechs Höfe in Gebrauch waren, wurde in ganz Mayapán nicht ein einziger identifiziert, und es gibt auch keinen Bericht darüber, daß das Spiel in Yucatán zur Zeit der Eroberung gespielt wurde. Landa, der das Leben der Maya ausführlich beschreibt, erwähnt es überhaupt nicht.

Archäologisches Material in den Hauptstädten der verschiedenen Staaten, die die Nachfolge Mayapáns antraten, ist äußerst mager. Alte Pyramiden und Steintempel in der Umgebung mögen von einigen Städten benutzt worden sein, doch wir lesen von alljährlichen Reparaturen und Instandhaltungsarbeiten an den Tempeln, was darauf hinweist, daß sie größtenteils mit Flechtwerk und Stroh durchgeführt wurden. Der Bau von breiten, solide gedeckten Straßen zwischen den Städten scheint gegen Ende der mexikanischen Periode oder schon früher aufgehört zu haben. Ich spreche nicht von den innerstädtischen Straßen, von denen es in Mayapán eine gibt, die weniger als 360 Meter lang ist. Wie die römischen Straßen jahrhundertelang weiterbenutzt wurden, so wurden diese alten Maya-Straßen noch immer von den Pilgern begangen, die zu den großen Schreinen, wie Izamal, wallfahrteten, doch man bemühte sich wahrscheinlich nicht, sie instand zu halten.

Ständiger Krieg zwischen den Staaten, die das ›Cocom-Reich‹ erbten, vereitelte jeden Versuch, den kulturellen Verfall aufzuhalten. Es gibt Parallelen zwischen dieser Situation und dem kulturellen Verfall und den mörderischen Kriegen in England nach dem Abzug der Römer. Die Maya-Kultur hatte mehrere Jahrhunderte lang durch das Schwert gelebt, dessen Herrschaft stets von kulturellem Rückschritt begleitet ist. Jetzt ging sie an der gleichen Krankheit zugrunde.

Eine bemerkenswerte Parallele zu dieser Entwicklung zeichnet sich in der Geschichte des Hochlands von Guatemala in der gleichen Periode ab. Dort hatten gegen Ende der klassischen Periode der Militarismus, der wahrscheinlich von ebenfalls durch Tula beeinflußten Gruppen eingeführt worden war, radikale Auswirkungen auf die lokale Kultur gezeitigt. Nach einer gewissen Zeit setzte sich, wie in Yucatán, eine Gruppe durch und zwang ihren Nachbarn ihre Herrschaft auf. Es waren die nördlich des Sees Atitlán lebenden Quiché, deren Führer sich ebenfalls ihrer Abstammung von herrschenden Familien in Tula rühmten, obwohl sie, wie jene in Yucatán, in Anschauung und Sprache vollkommen zu Maya geworden waren. Auch sie zwangen den besiegten Maya den Kult des Quetzalcoatl, der gefiederten Schlange, auf.

Eine Zeitlang scheinen die Quiché die Oberherren über ihre Nachbarn, die Cakchiquel, die Zutuhil und zumindest über Teile des Mam-Territoriums gewesen zu sein. Sie und die Cakchiquel scheinen zu einer Zeit, in der die beiden Völker wahrscheinlich Alliierte waren, ihre Herrschaft südlich ihrer Hochlandheimat bis zu den

Hängen und dem Küstenstreifen des Pazifischen Ozeans ausgedehnt zu haben. Die Cakchiquel erweiterten ihr Territorium in südöstlicher Richtung durch Eroberung auf Kosten der Pipil, einer seit langem hier ansässigen mexikanischen Gruppe; die Quiché übernahmen Gebiete im Südwesten auf Kosten der Zutuhil und wahrscheinlich auch der Mam. Die Eroberungen waren von großer ökonomischer Bedeutung, denn sie umfaßten einen Teil des zur Kakaoanpflanzung am besten geeigneten Landes im ganzen Maya-Gebiet. Es war das Maya-Äquivalent der Eroberung einer Region intensiver Goldgewinnung. Später brach das im Entstehen begriffene Quiché-Reich, heimgesucht von Revolten, etwa um die gleiche Zeit zusammen, als das Mayapán der Cocom zerfiel. Es folgte eine Intensivierung der Stammeskriege, die erst mit der Ankunft des weißen Mannes endete.

Der zunehmende Militarismus gegen Ende der klassischen Periode in den Hochländern führte zu einem Umzug von offenen in leicht zu verteidigende Ansiedlungen auf Hügeln und von tiefen Bergschluchten umgebenden Landzungen. Die Spanier gewannen den Eindruck, diese Städte, die sie auf ihrem Vormarsch eroberten, seien Wohnzentren gewesen, doch sie waren allem Anschein nach Kultzentren. Zaculeu, die Hauptstadt der Mam-Maya im westlichen Guatemala, das unter der Schirmherrschaft der United Fruit Company ausgegraben und restauriert wurde, ist ein interessantes Beispiel des gut verteidigten Kultzentrums. Es bedeckt eine Fläche von nur drei Morgen, deren größter Teil von Höfen und den sie flankierenden Gebäuden eingenommen wird, und offensichtlich war hier kein Platz für ein Wohnzentrum. Die Anlage ist auf drei Seiten von tiefen Bergschluchten gesäumt, und Brustwehren und Schanzen schützten die vierte Seite, eine sich nach Norden erstreckende, etwa 120 Meter breite Landenge. Alvarados Angriff über diese Landenge wurde von den Mam zurückgeschlagen, und schließlich war es der Hunger, der die Verteidiger zur Übergabe zwang. Utatlán und Iximché, Hauptstädte der Quiché-Maya bzw. der Cakchiquel-Maya und beide zur Zeit der spanischen Eroberung auf dem Höhepunkt ihrer Blüte, hatten eine ähnliche Lage mit Bergschluchten auf drei Seiten. Iximché besaß zur Verteidigung der Landenge einen Wallgraben.

Zu dieser Kategorie gehört auch Chutixtiox im Territorium der Quiché, etwa 40 Kilometer nördlich von Utatlán. Chutixtiox ist eine große und wegen ihrer Isolierung weitaus besser erhaltene Siedlung der späten nachklassischen oder protohistorischen Periode etwa

Tafel 9/Links (a): Stele H aus Copán, 731. — Rechts (b): Stele H aus Quiriguá, 761

Tafel 10: Blutopfer. Türsturz aus Yaxchilán, um 750

Tafel 11: *Blutopfer, Türsturz aus Yaxchilán, um 750*

Tafel 12: *Türsturzoberteil 26 aus Yaxchilán, 720*

1250—1525. Es steht am Südostende einer 90 Meter hohen Klippe, die auf drei Seiten vom Río Negro umflossen wird. Terrassen erhöhen die natürliche Stärke der Stellung, und die Maya hatten zusätzlich quer durch den einzigen leichten Zugangsweg auf der Nordwestseite einen tiefen Graben ausgeworfen; dieser war in Friedenszeiten vermutlich durch eine bewegliche Holzbrücke überspannt.

Im Vordergrund liegt ein umbauter Ballspielplatz, dahinter erhebt sich eine Art Akropolis mit der Hauptpyramide, und rechts, dem Betrachter den Rücken zukehrend, steht ein Kolonnadenbau mit einem aus Stämmen und Mörtel konstruierten Dach. Der Boden des Platzes ist gepflastert; die Gebäude bestehen aus unbehauenen, in Lehm verlegten Steinen und Platten, die mit starkem Verputz überzogen sind. Viele Bauten waren mit Stroh gedeckt; betreffs der Dachkonstruktion des Haupttempels sind wir auf Vermutungen angewiesen. Chutixtiox in seiner spektakulären Gebirgslandschaft hinterließ in mir einen unzerstörbaren Eindruck von seiner schroffen Majestät, als ich in Gesellschaft des großen Maya-Forschers Ralph Roys im Jahr von Pearl Harbour seine Hänge erkletterte. An manchen Stellen war der Stuck auf den Wänden noch so frisch wie damals, als der letzte Maya die Stadt verließ, und der Bergwind bläst, wie damals, noch immer, wo er will.

Chalchitán, genau auf halbem Weg zwischen Zaculeu und Chutixtiox gelegen und heute zu dem Territorium einer Gruppe gehörig, die eine dem Mam verwandte Maya-Sprache spricht, ist eine unverteidigte, von der frühen klassischen oder vielleicht sogar von der formativen bis in die nachklassische Zeit bewohnte Talsiedlung, mit einem Ballspielhof im Vordergrund, einem kleinen Altarschrein im Hof und einem für die Hochland-Architektur sehr typischen kleinen Gebäude mit Mittelrampe und Balustraden im Hintergrund. Auf dem Ballspielplatz ragten Jaguar-Köpfe aus den Seitenwänden hervor, und zwar an den gleichen Stellen, an denen auf den Ballspielplätzen in Zentralmexiko und Yucatán die Ringe angebracht waren. Dieser Ballspielhof-Typus gehört der frühen nachklassischen Periode an. Die relative Häufigkeit der Ballspielplätze in den Hochlagen von Guatemala ist außerordentlich; A. L. Smith verzeichnet 132, was etwa zehn erstklassigen Ballsportanlagen in Brooklyn entsprechen würde.

Es gibt gute Gründe für die Annahme, daß bei einem Bau in Chalchitán, der in diesem Bildteil nicht wiedergegeben ist, Menschenschädel in eine Wand eingelassen waren.

Kürzlich sind von den guatemaltekischen Behörden Ausgrabungen in Iximché durchgeführt worden, das als Steinbruch für Baulustige in nahe gelegenen Städten der Kolonialperiode und der Jetztzeit gelitten hatte. Mittelgroße Pyramiden, verschiedene kleine religiöse Bauten, zwei Ballspielplätze und vermutliche Kolonnaden sind um mehrere lose miteinander verbundene Höfe verstreut. Auch hier kann es sich nicht um eine Stadt in unserem Sinne des Wortes gehandelt haben. Iximché erbrachte kürzlich die größte Ausbeute an Gold, die bisher im Maya-Gebiet gemacht wurde, abgesehen von jenen Goldfunden, die man durch Bagger aus dem Cenote in Chichén Itzá herausholte. Dieser Goldschatz stammte aus einem Grab, dessen Auffüllung Tonscherben enthielt, die bis mindestens ein Jahrhundert vor die spanische Eroberung vordatiert werden müssen. Bei vier stark beschädigten Skeletten, eines offensichtlich das eines Anführers, die andern drei wahrscheinlich die von Dienern, die beim Tode ihres Herrn geopfert wurden, lagen zehn kleine Jaguarmasken aus Gold, vierzig Goldperlen, ein goldener Kopfreif oder eine goldene Krone, ein Kupferring und ein kupferner Nasenschmuck, ein kleines Jadestück, ein Türkis aus einem Mosaikmuster und ein mit Ritzungen verziertes Muschelarmband. Die Cakchiquel bereiteten einem Mitglied ihres Adels zweifellos einen besseren Abschied, als es Mayapán tat, das wahrscheinlich etwa ein Jahrzehnt vor dieser Bestattung zerstört wurde. Sie waren ebenfalls eine blutdürstige Sippe: ein kürzlich entdecktes Opfergabenversteck enthielt 48 abgeschlagene Menschenköpfe.

Die Spanier unterwarfen unter dem berüchtigten Alvarado im Jahr 1525 Guatemala; die endgültige Eroberung von Yucatán fand sechzehn Jahre später statt. In beiden Regionen verrieten die Maya ihre Brüder. In Guatemala kämpften die Cakchiquel mit den Spaniern gegen ihre alten Feinde, die Quiché und die Zutuhil; in Yucatán machten die Tutul Xiu, die sich wegen ihres Verrats in Mayapán die ewige Feindschaft der Cocom zugezogen hatten, gemeinsame Sache mit den Spaniern. Das gleiche geschah in Mexiko, wo die mächtigen Tlaxcalteken sich mit Cortés im Kampf gegen die Azteken verbündeten. Es gab offensichtlich kein Gefühl der Rassensolidarität in Mittelamerika, und außerdem waren die Indianer nicht fähig, vorauszusehen, daß sie durch solche Handlungsweise das Heraufkommen des Tages ihrer eigenen Versklavung beschleunigten. Die spanische Eroberung war unvermeidlich, doch sie hätte hinausgeschoben werden können, besonders im Falle Mexikos, wenn sie nicht durch die Eingeborenen selbst unterstützt worden wäre. Vielleicht waren diese Treuebrüche schändliche Versuche, die Gunst der Sieger zu gewinnen — die Tlaxcalteken erhielten einige Privilegien als Gegenleistungen für ihre Hilfe —, doch sie gewannen weder Rang noch Stimme in der spanischen Regierung.

Petén und das nordöstliche Chiapas, der Kern des Zentralgebietes, wurden von den neuen Herrschern erst 150 Jahre später erobert, und zwar wegen der Undurchdringlichkeit ihrer Wälder und weil sie keine für Kolonial-Spanien interessanten Naturschätze besaßen. Auf Tayasal, einer kleinen Insel im Petén-See im Herzen dieses Landes, hatten sich die Überreste der aus Chichén Itzá vertriebenen Itzá niedergelassen und bewahrten dort in der Isolierung ihre Unabhängigkeit und ihre alte Lebensweise bis zu ihrer Besiegung im Jahr 1697.

Es ist interessant festzustellen, daß eine Reihe der dreizehn nordamerikanischen Kolonien bereits fest etabliert waren, bevor diese letzte Zitadelle der Maya fiel. Die von Tempeln gekrönten Pyramiden der Maya-Tradition kauerten noch immer schwerfällig auf der Tropenerde zu einer Zeit, da in einem gemäßigteren Klima im Norden anmutige Kirchtürme, inspiriert vom Geiste Wrens, in den Himmel ragten. Die Maya-Priester waren um keinen Deut weniger streng als ihre geistlichen Kollegen in Neuengland.

Außerdem besteht eine Verbindung zwischen dem Hexenverbrennen und dem Opfer von Menschen, denn beides geschah zum angeblichen Guten der Gemeinschaft auf Kosten des Individuums. Vielleicht war die Haltung der Maya sogar um einen Schatten ethischer; denn die Hexen waren die Opfer von Hysterie, während die von den Maya geopferten Menschen in geregelter Art und Weise starben, um den Vertrag des Menschen mit den Göttern einzuhalten.

Leider hat keiner, der an dieser Eroberung von Tayasal teilnahm, einen detaillierten Bericht über das Leben in diesem Maya-Fossil hinterlassen. Seltsamerweise gibt es den Bericht eines rothaarigen Mannes, der mit einer Itzá-Frau verheiratet war und kurz vor der Eroberung auf Tayasal lebte. Er hatte ein Buch bei sich — die Bibel? — und war aller Wahrscheinlichkeit nach ein Engländer aus der alten Freibeutersiedlung Belize. Wenn man daran denkt, daß das Schreiben von Büchern über das Leben von Eingeborenen lange Zeit eine beliebte britische Beschäftigung war, bedauert man, daß dieser Gast bei den Itzá nie in die Zivilisation zurückkehrte, um dem nationalen Zeitvertreib zu frönen; seine Beobachtungen wären von unschätzbarem Wert gewesen.

Das Bild der letzten sechs Jahrhunderte der Maya-Geschichte ist die Geschichte einer Reihe von Verfallsprozessen in Kunst, Architektur und Religion, in erster Linie verursacht durch Abgleiten in den Militarismus. Jane Austen hat in *Sense and Sensibility* das einzige vernünftige Urteil über derartige Entwicklungen ausgesprochen: »Ich habe mehr Vergnügen an einem gemütlichen Bauernhaus als an einem Wachtturm, ... und eine Schar ordentlicher, glücklicher Dorfbewohner gefällt mir besser als die romantischste Räuberbande der Welt.«

Die Maya besaßen, wie bereits betont, die Fähigkeit, ihre fremden Eroberer zu absorbieren und neue, ihnen aufgezwungene Ideen nach ihrem eigenen Geschmack zu verändern. Zur Zeit der spanischen Eroberung hatte der Kult des Quetzalcoatl fast aufgehört zu existieren, und bei den heutigen Maya, die noch immer die alten Maya-Regengötter verehren, gibt es keine Erinnerung an diese Gottheit oder an andere Importe aus Tula, wie den Tlalchitonatiuh oder den Tezcatlipoca. Die Militärorden der Jaguare und der Adler werden von spanischen Augenzeugen der Maya-Kultur nicht erwähnt. Aus diesem Grunde habe ich diese zweite mexikanische Periode in der Geschichte der Maya die Periode der mexikanischen Absorbierung genannt. Doch am Ende triumphierte der Krieg trotz der im allgemeinen friedfertigen Einstellung der Maya. Es muß genug mexikanisches Blut in den Adern der herrschenden Familien gewesen sein, um diesem letzten Stadium der Mayanisierung zu widerstehen; sie lernten nie, daß »der Pfad des Ruhms nur in das Grab führt«.

Warum es nicht zu einem Wiederaufleben in den Künsten kam, ist schwer zu sagen — Griechenland hatte sein byzantinisches Wiedererwachen und Italien hatte seine lange Renaissance mit Canaletto und Tiepolo — geboren im Jahr des Falles von Tayasal bzw. im Jahr zuvor — als seine letzten Früchte. Krieg ist kein Grund für dieses Ausbleiben einer Wiedergeburt, denn Entfaltung der Kunst kann zusammengehen mit intensiver militärischer Kampftätigkeit. Abgesehen vom Weben und Besticken von Stoffen im Hochland von Guatemala und von ein oder zwei unbedeutenden Kunsthandwerken, hat die Kunst den heutigen Maya nicht wieder gelächelt. Diese Scheidung von der Schönheit scheint ihren Grund nicht in der spanischen Herrschaft gehabt zu haben, denn die unabhängigen Lacandón-Maya und die halb-unabhängigen Maya von Quintana Roo zeigen noch weniger künstlerische Neigungen. Vielleicht liegt die Antwort darin, daß die Maya nach der klassischen Periode nie wieder eine Erneuerung ihres alten Glanzes anstrebten oder überhaupt zu einem enthusiastischen Glauben gelangten.

Zum Schluß möchte ich noch einmal darauf hinweisen, daß diese kurze Skizze der Maya-Geschichte in Einzelheiten nicht korrekt sein mag, denn es gibt alternative Einteilungen, insbesondere was die Daten der Hauptereignisse in der Geschichte von Chichén Itzá betrifft, und wir wissen immer noch nicht, was in anderen Städten von Yucatán während der Itzá-Herrschaft über Chichén Itzá geschah. Solange dieses Problem ungelöst ist, kann keine Rekonstruktion der Maya-Geschichte sicher sein. Doch das melancholische Bild von Niedergang und Fall ist in seinen Hauptumrissen richtig, gleichgültig welche Rekonstruktion man akzeptiert. Sobald die Maya-Kultur gezwungen war, die falschen Mittel zur Versöhnung der Götter anzuwenden, war das Ende unvermeidlich.

In diesem und in den vorangegangenen Kapiteln sind wir dem spärlich markierten Pfad der Maya-Kultur in ihren einzelnen Stadien gefolgt: die formative Periode, ihre pränatale Existenz — vielleicht von 1500 v. Chr. bis etwa 100 n. Chr.; die klassische Periode, ihr Wachstum und ihr Höhepunkt — etwa 100—925; die mexikanische Periode, ihr Versinken unter der mexikanisch-toltekischen Herrschaft und der steigenden Kriegsflut, 925—1200; die Periode der mexikanischen Absorbierung, ihre Verwandlung in kleine Universalstaaten und die schrittweise Wiederherstellung der Maya-Werte, 1200 bis 1450; und eine letzte Subphase der Balkanisierung bei den schwachen Nachfolgestaaten der zentralisierten Regierung, die mit der spanischen Eroberung endete, 1450—1540. Es ist ein steiler Aufstieg, ein langer Marsch über eine Hochebene und dann ein Abstieg, der immer steiler wird, sobald das Ende in Sicht kommt.

Ein Mensch mit einem tiefen Sinn für Kontinuität sieht sich nicht als ein zufälliges Einzelwesen, dazu verdammt, in wenigen Jahren zu verschwinden, sondern als ein Glied in einer langen Kette, beeinflußt und gefördert von jenen, die ihm vorangegangen sind, und nun seinerseits verpflichtet, diejenigen zu befruchten und zu ermutigen, die ihm folgen werden.

ROBERT GORDON MENZIES,
CHARACTER AND TRAINING

IV. Geistige und künstlerische Leistungen

Anlage und Erziehung

Im ersten Kapitel wurden die Ergebnisse einer Art Meinungsumfrage über die Charaktereigenschaften der heutigen Maya von Yucatán wiedergegeben. Hierbei stellte sich heraus, daß die Maya ungewöhnlich ehrlich, gutmütig, sauber, ordentlich und gesellig sind. Meiner Ansicht nach können die Tiefland-Maya auch als tief religiös bezeichnet werden. Sie sind stolz auf ihre Arbeit, besonders auf die Bestellung ihrer Felder, sie zeigen jedoch kein ausgeprägtes Verlangen vorwärtszukommen oder auch nur mit dem Nachbarn Schritt zu halten. Dieser Zug hat wahrscheinlich seine Wurzel in einem charakteristischen Aspekt der Lebensauffassung der Maya, den man als ›leben und leben lassen‹ bezeichnen könnte. Niemand sollte, wie sie glaubten, nach mehr als nach seinem gerechten Anteil streben, denn dies kann nur auf Kosten des Nachbarn geschehen; Rücksichtnahme auf andere ist erstes Gebot.

Dieses Gebot gilt nicht nur den Mitmenschen, sondern auch den Tieren gegenüber. Ein Jäger soll nur schießen, was er braucht; er soll das Wild nicht wahllos hinschlachten, eine Einstellung, die in Volkserzählungen und Gebeten zum Ausdruck kommt. Der Jäger bittet die Jagdgötter, ihm zu schicken, was er nötig hat, und gewöhnlich erklärt er, daß er Nahrung braucht; *otzilen*, »Ich bin arm« oder »Ich leide Not«, ist der Ausdruck, den er benutzt; da aber Geld nur eine geringe Rolle in der Wirtschaft der Maya spielt, meint er in Wirklichkeit, daß er Nahrung braucht. Dieser Haltung liegt auch die Erkenntnis zugrunde, daß im Falle eines Massenschlachtens die gesamte Gemeinschaft die Verliererin ist, weil dann das Wildbret knapp wird; wir haben es hier mit einer Art einsichtiger und freiwilliger Unterwerfung unter Jagdgesetze zu tun. Im Gegensatz hierzu zeigen die Spanisch sprechenden *chicleros* keine derartige Zurückhaltung oder Sorge für die Zukunft. Ich sah einmal einen *chiclero* einen wilden Kirschbaum umhauen, um eine Handvoll seiner Früchte zu pflücken, statt den Baum zu erklettern. Die Bestrafung des rücksichtslosen Wildtöters wird in Volkssagen geschildert, durch deren Vortrag man die Jugend über den Moralkodex der Gruppe belehrt. Die Jagdgötter haben Diener, die sich um verletzte Tiere kümmern; der Bienengott ist zur Hand, um die Flügel und Beine der Bienen zu heilen, die verletzt werden, wenn die Menschen den Bienenstock aufbrechen, um den Honig herauszuholen. Der Jäger entschuldigt sich bei dem erlegten Wild dafür, daß er ihm das Leben nimmt, und schließt, wie in seinem Gebet, mit dem Wort *otzilen:* »Ich tat es aus Not.« In Wirklichkeit jedoch ist der Maya nicht tierlieb — Tierliebe ist ein seltenes Kulturmerkmal — und läßt seinen Hund übermäßig hungern, damit er ein guter Jäger ist. Meiner Ansicht nach entspricht diese seine Haltung vielmehr der tief verwurzelten Vorstellung, daß man ein anderes Wesen, ob Mensch oder Tier, nicht übervorteilen soll.

Der Maya entschuldigt sich bei den Erdgöttern, wenn er den Wald rodet, um sein Maisfeld anzulegen, wenn er das trockene Unterholz auf der Lichtung abbrennt und die Landschaft entstellt. Ein im südlichen Britisch-Honduras aufgezeichnetes Gebet dieser Art lautet im Auszug: »O Gott, meine Mutter, mein Vater, Herr der Berge und der Täler, Geist der Wälder, sei nachsichtig gegen mich, denn ich bin im Begriff zu tun, was ich immer getan habe. Ich bringe Dir jetzt mein Opfer dar, damit Du weißt, daß ich gegen Deinen guten Willen handele, aber ich bitte Dich, erlaube es. Ich werde Dich jetzt beschmutzen (Deine Schönheit zerstören), ich werde Dich bearbeiten, damit ich leben kann.« Es spricht Sinn für Schönheit aus dieser Entschuldigung für die Entstellung der Landschaft, doch entscheidend ist, daß für die Zerstörung der Vegetation und für die ›Entstellung des Angesichts des Erdgottes‹ eine Rechtfertigung gegeben werden muß, wie es in diesem Gebet geschieht. Die Erde und alle Vegetation sind lebendige fühlende Wesen.

Dieses ständige Bemühen, gerecht zu sein, kommt deutlich zum Ausdruck in der von mir in Kapitel V geschilderten Szene aus dem Alltagsleben eines Jägers, wo der Maya-Häuptling danach strebt, nicht nur beide Seiten des Falles, den er untersucht, zu sehen, sondern auch jede der beiden Parteien den Standpunkt der andern erkennen zu lassen. Die Szene basiert auf persönlicher Beobachtung in einem Maya-Dorf im südlichen Britisch-Honduras. Der dort zu Gericht sitzende Maya war in erster Linie an einem gütlichen Vergleich interessiert und daran, daß Kläger und Beklagter den Standpunkt des andern verstanden. Sein Vorgehen erschien mir typisch für die Grundeinstellung der Maya.

Die Maya-Philosophie läßt sich am besten zusammenfassen in dem Motto »Das Maß ist das Beste«, das über dem Eingang des Tempels von Delphi eingemeißelt war. Ein Leben in Harmonie und Mäßigkeit, volles Verständnis und Toleranz gegenüber den Schwächen des Nächsten nach dem Leitsatz »leben und leben lassen« charakterisieren die heutigen Maya. Die Entwicklung einer ähnlichen Philosophie hat man als eine der großen Leistungen der athenischen Kultur bezeichnet und sie mit Recht über den materiellen Fortschritt gestellt.

Die erhalten gebliebenen Bücher des Chilam Balam enthüllen unbewußt, daß diese Beurteilung nicht nur für die heutigen Tiefland-Maya gilt, sondern auch für die Anschauungen der Maya in der Vergangenheit. Dies ist besonders klar ersichtlich aus den Beschreibungen der beiden Situationen, in denen die Maya die Auswirkung fremder Ideen und Lebensformen spürten: zum erstenmal, als sie von den militaristisch gesinnten Itzá besiegt wurden, und später, als die Bürde der spanischen Herrschaft ungeheure physische Opfer von ihnen forderte. Beide Eroberungen wurden von grausamem Blutvergießen begleitet, doch bezeichnenderweise war es nicht der vorübergehende mörderische Terror, sondern der Verlust des harmonischen Lebens, der die Maya so stark beeindruckte, daß er selbst Generationen später noch immer ein Hauptthema in den Büchern des Chilam Balam war. Eine Stelle, die das Leben vor und nach der Eroberung durch die Itzá in dem Buch des Chilam Balam von Chumayel einander gegenüberstellt, ist von Ralph Roys wie folgt übersetzt worden:

»In geziemender Weise verrichteten sie die guten Gebete; in geziemender Weise suchten sie die glückbringenden Tage, bis sie sahen, daß die günstigen Sterne ihre Herrschaft antraten. Dann hielten sie

Wache, während die Herrschaft der günstigen Sterne begann. Dann war alles gut. Dann befolgten sie die Gebote ihrer Vernunft; sie verbrachten ihr Leben im heiligen Glauben. Damals gab es keine Krankheit ... Zu jener Zeit war der Weg der Menschheit gesittet. Die Fremden (die Itzá) machten es anders, als sie hierher kamen. Sie brachten schändliche Dinge mit sich, als sie kamen. Sie verloren ihre Unschuld in der fleischlichen Sünde ... Dies war auch die Ursache unserer Krankheit. Es gab keine glücklichen Tage mehr für uns; wir hatten kein gesundes Urteil. Nach dem Ende des Verlustes unserer Einsicht und unserer Scham wird alles enthüllt werden. Es gab keinen großen Lehrer, keinen großen Redner, keinen erhabenen Priester, als sich bei ihrer Ankunft der Wechsel der Herrscher vollzog. Unzüchtig waren die Priester ...«

Die Erwähnung der fleischlichen Sünde und der Unzucht bezieht sich auf bestimmte, von den Mexikanern eingeführte erotische Praktiken, die das direkte Gegenteil der Maya-Auffassung von Reinigungsriten vor der Anrufung der Götter waren. Die Maya schrieben die in der Folge ausbrechenden Krankheiten und allgemeinen Notstände eindeutig diesen von den Eroberern übernommenen erotischen Bräuchen zu. Die Verachtung der Maya für diese ihrem Geist der Mäßigung und des Anstands so vollkommen widersprechenden Orgien der Itzá kommt an einer Stelle der gleichen bereits zitierten Quelle (S. 136) zum Ausdruck. Eine andere, noch eindringlichere Stelle lautet in der Übersetzung von Roys:

»Sie verrenken ihre Hälse, sie verziehen ihre Lippen, sie zwinkern mit den Augen, sie geifern aus dem Mund vor Männern, Frauen, Häuptlingen, Richtern, leitenden Beamten ... jedermann, groß und klein. Es gibt kein großes Lehren. Himmel und Erde sind ihnen wahrlich verlorengegangen; sie haben alle Scham verloren ... Verstehen ist verloren; Weisheit ist verloren ... Ausschweifend ist die Rede, ausschweifend der Blick des Schurken vor den Herrschern, vor den Häuptlingen.«

Der Mangel an gesundem Urteil, an Weisheit und an Gesittung werden betont; der Mangel an großen Lehrern und einsichtigen Männern wird dem unbeherrschten und schamlosen Benehmen der Itzá zur Last gelegt.

Über die aus der spanischen Eroberung resultierenden Veränderungen bemerkt der Maya-Schreiber:

»Vor der Ankunft der mächtigen Männer und Spanier gab es keinen Raub durch Gewalt, gab es keine Habgier und kein blutiges

Niederschlagen des Mitmenschen auf Kosten des armen Mannes, zum Schaden der Nahrung aller. (Und an anderer Stelle) Es war der Beginn des Tributes, der Beginn der Kirchensteuern, der Beginn des Wettbewerbs im Geldstehlen, der Beginn des Kampfes mit Gewehren, der Beginn des Kampfes durch Zertrampeln von Menschen, der Beginn des Raubes mit Gewalt, der Beginn durch falsches Zeugnis erzwungener Schulden, der Beginn des persönlichen Kampfes, ein Beginn allgemeiner Plage.«

Es hatte Tribute gegeben, bevor die Spanier kamen, doch sie waren nicht drückend gewesen, und Gewalt war nicht unbekannt, doch diese Anklagen gegen die abendländische Kultur verlieren dadurch nicht an Gewicht. Die frühen spanischen Siedler in Yucatán beuteten die Eingeborenen aus, die ihnen als Tributpflichtige und Plantagenarbeiter zugeteilt wurden. Die Franziskanermönche konnten die harten Bedingungen nur teilweise erleichtern, und die spanische Krone, die jede Ausbeutung mißbilligte, war zu weit entfernt, um der Raubgier der Siedler Einhalt zu gebieten. Doch die Anklage der Maya ist in erster Linie nicht gegen die Ausbeutung gerichtet, sondern gegen Gewalt, Habgier und Rücksichtslosigkeit.

Der Charakter der Maya wurde auch durch eine auf Gehorsam und Selbstbeherrschung gerichtete Erziehung geprägt. Der deutsche Ethnologe Karl Sapper, der mehrere Jahre unter den Kekchi-Maya lebte, berichtet über die Strenge, mit der die indianischen Kinder aufgezogen werden. Er vermerkt, daß ihrer Erziehung ein konsequentes System zugrunde liegt und daß die Disziplin nicht gelockert wird, wenn das Kind unpäßlich oder krank ist. Beeindruckt durch den unbedingten Gehorsam, den seine Eltern und die Erwachsenen seiner Umgebung einem Stammesältesten zollen, findet das Kind es leichter, sich der Gewalt seiner Eltern unterzuordnen. Und wenn es beobachtet, daß die Unterhaltung weitgehend von den älteren Menschen bestritten wird und daß Besucher entsprechend ihrem Rang und Alter begrüßt werden, lernt es, dem Beispiel der jungen Erwachsenen zu folgen und zu schweigen, die älteren zu achten und ihnen zu gehorchen. Es lernt auch, seine Gefühle unter äußerer Ruhe zu verbergen. In der Tat weinen indianische Kinder nur selten.

In alter Zeit muß die Erziehung noch viel strenger gewesen sein, besonders in den Schulen und Seminaren. Wir wissen nur wenig über das Funktionieren dieser Erziehungseinrichtungen im Maya-Gebiet, doch nach den ausführlichen Informationen über analoge Institutionen bei den Azteken zu urteilen, hatten die jungen Männer es keineswegs leicht, und den Mädchen erging es in ihren eigenen Ausbildungsstätten nicht viel besser.

Disziplin war oberstes Gesetz während des ganzen Lebens. Vor großen religiösen Festen und wichtigen Abschnitten des landwirtschaftlichen Jahres, wie dem Roden und Abbrennen des Waldes und der Aussaat, gab es Perioden des Fastens und der Enthaltsamkeit. Diese werden heute von den Maya noch immer eingehalten, und da man glaubt, daß ein Übertreten der Regeln der ganzen Gruppe Unglück bringt, wird der einzelne in seiner Gruppenloyalität gestärkt, was ihm wiederum die Kraft verleiht, seine Verpflichtungen zu erfüllen. Im allgemeinen dauert die Periode der Enthaltsamkeit 13 Tage, eine Maya-›Woche‹, doch vor großen Festlichkeiten zogen die Männer in manchen Teilen des Maya-Gebietes für drei, vier oder fünf Maya-›Monate‹ von je zwanzig Tagen in die Männerhäuser und fasteten hier, entzogen ihrem Körper Blut, um es als Opfer darzubringen, und wuschen sich nicht. Der Kekchi übt bis heute vierzig Tage Enthaltsamkeit vor der jährlichen Wallfahrt zu einer bestimmten, besonders heiligen Höhle, und in allen Teilen des Maya-Gebietes waren verschiedene Formen des Fastens üblich.

Ein weiterer Zug der Maya-Kultur, der dazu beitrug, einen Sinn für die Verpflichtung gegenüber den Nachbarn und der Gemeinschaft zu entwickeln, war die Gruppenarbeit. Bei der Rodung von Wäldern, beim Bau von Häusern und bei andern ähnlichen Unternehmungen arbeiteten und arbeiten zwölf oder mehr Maya in einer Mannschaft. A hilft B und C, ihre Maisfelder abzuernten, und sie erwidern den Dienst, indem sie ihm helfen, sein Land zu bestellen. Der kooperative Bau eines Hauses für ein junges Brautpaar wird in Kapitel V beschrieben. Wir erziehen heute durch den Sport zum Mannschaftsgeist; die Maya machten ihn zum allgemeinen Lebensprinzip. So entwickelten die Maya durch Erziehung, Übung in Selbstbeherrschung, kooperative Zusammenarbeit und frühe Gewöhnung des Geistes an Mäßigung einen betont ruhigen Charakter, der im wesentlichen introvertiert, jedoch stärker durch Disziplin als durch Individualismus geprägt war. Dieser Charakter hat natürlich die Maya-Kultur geformt, die, nachdem sie einmal begründet war, dazu beitrug, für die nachfolgenden Generationen Maßstab zu sein. Unser Wissen um die frühe Geschichte der Maya ist arm an Details, doch wir besitzen Kenntnis von Geschehnissen, in denen die Wirksamkeit dieses Geistes zum Ausdruck kommt.

Wie bereits erwähnt, wurden nach dem Sturz von Mayapán die

Ah Canul, die mexikanischen Söldner, die das Regiment des tyrannischen Cocom unterstützt hatten, nicht niedergemetzelt — ein nicht ungewöhnliches Schicksal in einer Kultur auf oder über der Entwicklungsstufe der Maya. Sie wurden nicht einmal aus dem Land vertrieben, sondern man wies ihnen in Yucatán ein Gebiet an, in dem sie sich ansiedeln konnten, und sie wurden in die Familie der Maya-Häuptlinge aufgenommen, offenbar unter Bedingungen, die Vertrauen und Freundschaft zur Grundlage hatten.

Zu Beginn des 17. Jahrhunderts besuchten zwei Mönche die damals noch unabhängigen Itzá von Tayasal. Während einer Führung durch die Stadt zertrümmerte einer von ihnen in einem plötzlichen Impuls das Hauptidol in einem Tempel und ermahnte dann die empörten Itzá, das Christentum anzunehmen. Nachdem sie in dem Gästehaus übernachtet hatten, besuchten die beiden Mönche den obersten Häuptling der Itzá und berichteten ihm von dem Zwischenfall. Dieser wußte natürlich bereits davon, unterdrückte jedoch jedes äußere Zeichen des Unwillens und erwähnte die Angelegenheit in der nachfolgenden Unterhaltung nicht ein einziges Mal. Die beiden Mönche entgingen nicht nur der Todesstrafe, die sie in den Augen der Maya für dieses Sakrileg verdient haben mußten, es wurde ihnen sogar erlaubt, auf der Insel zu bleiben und ihre tägliche Messe in der Öffentlichkeit zu lesen. Die einzige äußere Wutbezeigung bestand darin, daß man ihnen ein Geleit verweigerte, als sie schließlich weiterreisen wollten, und sie mit Steinen bewarf und beschimpfte, als sie aufbrachen. Wie viele andere Völker hätten unter diesen Umständen eine solche Mäßigung an den Tag gelegt?

Wir wir sehen werden, machte der Charakter der Maya mit seinem ausgeprägten Sinn für Mäßigung, Disziplin, Zusammenarbeit, Geduld und Rücksichtnahme auf andere überragende Leistungen auf geistigem Gebiet möglich.

Die Philosphie der Zeit

Hätten die großen Männer von Athen an einer Versammlung von Maya-Priestern und Maya-Herrschern teilnehmen können, so hätten sie Übereinstimmung mit allem, was die allgemeine Lebensauffassung betrifft, empfunden; wäre jedoch das Gespräch auf das Thema der philosophischen Aspekte der Zeit gekommen, so wären die

Athener — oder Vertreter irgendeiner anderen großen Kultur der Geschichte — ratlos gewesen. Denn kein anderes Volk der Geschichte hat ein so tiefes Interesse an der Zeit genommen wie die Maya, und keine andere Kultur hat je eine Philosophie entwickelt, die ein so ungewöhnliches Thema zum Inhalt hatte.

Die Zeit war Gegenstand vieler Geschehnisse und Metaphern in der Geschichte der Menschheit. In unserer Kultur ist das bekannteste Symbol das des Vaters Zeit mit seiner Sense. Er gemahnt uns an die Kürze unserer Tage, ohne uns jedoch eine Vorstellung von der Ewigkeit zu vermitteln. Besser ist das Bild des Dichters, der die Zeit mit einem ewig fließenden Strom vergleicht, allerdings beschränkt Isaac Watts diese Vorstellung durch die Erfahrung des Individuums, nach der dieser Strom seine Söhne hinwegträgt. Diese und andere Metaphern spiegeln die Einstellung gegenüber der Zeit in unserer eigenen Kultur wider; die Zeit wird nicht als etwas Abstraktes betrachtet, sondern vielmehr nach ihrer Wirkung auf uns als Individuen. Es ist so, als ob wir, die selbsternannten Herren der Schöpfung, überrascht und ein wenig beleidigt wären, weil wir uns den vergehenden Jahren beugen müssen.

Für die Maya war die Zeit eine Sache von lebenswichtigem Interesse. Alle Stelen und Altäre wurden errichtet, um den Ablauf der Zeit zu markieren, und am Ende einer Periode geweiht. Es ist so, als ob wir am Ende eines jeden fünften oder zehnten Jahres einen Gedenkstein aufstellten und auf ihm das Datum einmeißelten — Sonntag, 31. Dezember 1950, Samstag, 31. Dezember 1960 usw. — und zugleich das Alter des Mondes und der zu dieser Zeit herrschenden Götter. Früher glaubte man, die Hieroglyphen-Monumente der Maya — etwa tausend mit Glyphentexten sind bis jetzt gefunden worden — befaßten sich nur mit dem Verlauf der Zeit, mit Daten über den Mond und den Planeten Venus, mit kalendarischen Berechnungen und mit Angaben über die Götter und Rituale, die in diesen Zusammenhängen eine Rolle spielten, doch heute liegen Beweise dafür vor, daß auch historische Ereignisse aufgezeichnet wurden. Die drei erhalten gebliebenen Hieroglyphen-Handschriften bestehen größtenteils aus Weissagungsalmanachen, die Auskunft geben über die Aspekte der Tagesgötter, so z. B. über diejenigen, die günstig oder ungünstig sind für die Aussaat oder die Jagd. Sie enthalten auch Stellen, die astronomische Themen behandeln, doch wiederum im Zusammenhang mit den Göttern.

In den Kulturen der Alten Welt können die Tage unter dem Einfluß von Göttern oder Planeten stehen; so ist unser Sonntag der Tag der Sonne, unser Montag der Tag des Mondes, unser Freitag der Tag der Göttin Freia. Bei den Maya waren die Tage selbst göttlich und sind es noch immer in entlegenen Dörfern des Hochlands von Guatemala, wo der alte Maya-Kalender sich bis heute erhalten hat. Jeder einzelne Tag wird nicht nur von einem Gott beeinflußt, er *ist* vielmehr ein Gott oder richtiger ein Götterpaar, denn jeder Tag ist die Kombination einer Zahl und eines Namens — 1 Ik, 5 Imix, 13 Ahau usw. —, und beide Teile sind Götter. Die Maya benutzen für das Wort Tag noch immer das Personalpronomen ›er‹ und versehen es oft mit dem maskulinen Präfix *ah*, um zu betonen, daß der Tag ein lebendiger Gott ist. Die personifizierten Tage waren im Leben der Maya, sowohl für den Fürsten wie für den Bauern, weitaus bedeutender und spielten eine viel größere Rolle bei der Entstehung der Kulturformen als alle Systeme der Astrologie oder der Weissagung im alten Europa oder im Nahen Osten.

Die Maya sahen in den Zeitabschnitten Lasten, die von sich immer wieder ablösenden göttlichen Trägern durch alle Ewigkeit geschleppt wurden. Diese Träger waren die Zahlen, mit denen die verschiedenen Perioden bezeichnet wurden. Die Lasten wurden auf dem Rücken getragen und durch Stricke gesichert, die um die Stirn geschlungen waren. Auf unseren Kalender angewandt würde dies bedeuten, daß es für den 31. Dezember 1972 sechs Träger gibt: der Gott der Zahl 31 hat den Dezember auf seinem Rücken, der Gott der Zahl 1 trägt das Jahrtausend, der Gott der Zahl 9 die Jahrhunderte, der Gott der Zahl 7 die Jahrzehnte und der Gott der Zahl 2 die Jahre. Am Ende des Tages tritt eine kurze Pause ein, bevor die Prozession von neuem beginnt, doch in diesem Augenblick ersetzt der Gott der Zahl 1 mit der Last des Januar den Gott der Zahl 31 mit seiner Dezember-Last, und der Gott der Zahl 3 löst den Gott der Zahl 2 als Träger des Jahres ab (Abb. 17).

Dieses Thema erscheint in den höchst komplizierten Hieroglyphen-Inschriften, welche die verschiedenen Zahlengötter im Augenblick der Beendigung der Reise zeigen. Ein Gott hebt die Hand zu dem Tragband, um es von seiner Stirn zu streifen, während andere ihre Last vom Rücken genommen haben und sie in ihrem Schoß halten. Der Nachtgott, der ›übernimmt‹, wenn der Tag zu Ende ist, ist im Begriff, sich mit seiner Last aufzurichten. Mit der linken Hand verlagert er das Gewicht auf das Tragband, mit der rechten stützt er sich auf den Boden, um sich Halt zu geben, während er beginnt, sich zu erheben. Der Künstler veranschaulicht in den angespannten Gesichtszügen des Gottes die physische Anstrengung, die er machen muß, um sich mit seiner schweren Last vom Boden zu erheben. Es ist das typische Bild des seine Reise wiederaufnehmenden indianischen Trägers, das jedem vertraut ist, der das Hochland von Guatemala besucht hat.

Die Maya-Transkriptionen der Kolonialperiode bestätigen das durch die Hieroglyphentexte gelieferte Bild, denn sie enthalten viele Belege für diese Auffassung. Wir lesen von Trägern, die ihre Zeitlasten fallen lassen, vom Festbinden ihrer Lasten, von ihrem Aufbruch, von den Ruhestätten, d. h. vom Ende der Perioden, und von Ereignissen, die sich während der Reise dieses und jenes Jahres ereignet haben. Diese Darstellung unterscheidet sich insofern auffallend von allen Zeitbildern, die unsere Kultur hervorgebracht hat, als der Ablauf der Zeit nicht veranschaulicht wird als die Reise eines einzigen Trägers mit seiner Last, sondern viele Träger sind unterwegs, von denen jeder seinen eigenen Zeitabschnitt auf dem Rücken hat. In mystischer Sicht erhielt die Last auch die Bedeutung des erwarteten Glücks oder Unglücks des Jahres, entsprechend dem günstigen oder ungünstigen Aspekt des Trägergottes, und die Priester waren ständig mit der komplizierten Aufgabe beschäftigt, die widerstreitenden Tendenzen der verschiedenen Zeitabschnitte gegeneinander abzuwägen. Die Last des einen Jahres war Dürre, die eines anderen eine gute Ernte. Der Tag, mit dem ein neues Jahr begann, war sein Träger, und wurde der Jahresträger genannt. In Wirklichkeit konnten nur vier Tagesnamen diese Stellung einnehmen; wenn z. B. das Jahr mit dem Tag Kan begann, konnte man eine gute Ernte erwarten, da Kan lediglich ein Aspekt des Maisgottes war; war der Tag Muluc der Jahresträger, so standen ebenfalls gute Ernten in Aussicht, da Muluc der Regengott war. Die Einflüsse der Tagesgötter Ix und Cauac hingegen waren ungünstig, so daß Jahre, die mit ihnen begannen, Unglück brachten.

Übertriebener Glaube an die Vorbestimmung wirkt sich bald auf das Schicksal der ganzen Gemeinschaft aus, denn es hat keinen Sinn, für eine große Ernte zu säen, wenn man sicher ist, daß Dürre sie vernichten wird. Außerdem geraten Priester bald in den Ruf, schlechte Propheten zu sein, wenn sie es nicht verstehen, ihre Vorhersagen vieldeutig zu gestalten; sie können auch kaum öffentlichen Unterhalt beanspruchen, wenn sie nicht behaupten, die Macht zu besitzen, das Schicksal zu ändern. Sühneriten und ein System zur Absicherung gegen das Nichteintreffen von Voraussagen waren unumgänglich, und letzteres war für den Priester ein stetiger Ansporn, mit den Einflüssen der zahlreichen Götter zu jonglieren, die an der Reise durch die Zeit beteiligt waren, und die Astronomie für astrologische Zwecke zu manipulieren; je mehr Faktoren die Voraussagen beeinflussen konnten, um so komplizierter wurde das System und um so größer die Abhängigkeit der Gruppe von dem spezialisierten Wissen des Priesters. Bei den Bemühungen, für die widerstreitenden Einflüsse der Götter zahlreicher Zeitzyklen einen Schlüssel zu finden, vollbrachten die Maya ihre größten geistigen Leistungen.

Die Suche nach den Faktoren, die jeden Tag und jedes Jahr beeinflußten, entsprang vielleicht irdischen Motiven; die Vorstellung der Maya von der Ewigkeit der Zeit jedoch erhob sich über weltliche Interessen. In der Anschauung der Maya erstreckte sich der Weg, den die Zeit zurückgelegt hatte, in eine so ferne Vergangenheit, daß der menschliche Verstand ihre Tiefe nicht begreifen kann. Doch die Maya verfolgten diesen Weg unerschrocken zurück, um seinen Ausgangspunkt zu finden. Ein neuer, immer weiter rückwärts führender Ausblick eröffnete sich am Ende jeder Etappe; die zurückgelegten Jahrhunderte verbanden sich zu Jahrtausenden und diese sich zu Zehntausenden von Jahren, während diese unermüdlichen Forscher tiefer und immer tiefer in die Ewigkeit der Vergangenheit vordrangen. Für sie wich die Zeit in endloser Perspektive von Hunderten von Jahrtausenden zurück; die Rastplätze, jene Jahresetappen der Träger der Zeitlast, wuchsen an zu Millionen und aber Millionen. Im einleitenden Kapitel habe ich bereits eine Inschrift zitiert, die neunzig Millionen Jahre in die Vergangenheit vorstößt, und eine andere, die etwa vierhundert Millionen Jahre zurückreicht. Die begleitenden Glyphen berichten, daß der Ausgangspunkt dieser Berechnungen weitere Tausende von Jahrmillionen in der Vergangenheit lag. Wir dürfen in der Tat ziemlich sicher sein, daß die Maya zu dem Schluß gekommen waren, die Zeit habe keinen Anfang.

In der Vorstellung der Maya schreitet die Zeit auch vorwärts, doch überlieferte Berechnungen bringen uns nur armselige vier Jahrtausende in die Zukunft. Offensichtlich war die zukünftige Zeit von geringerer Bedeutung als die verflossene, wahrscheinlich weil die Maya mehr an der Vergangenheit interessiert waren als an der Zukunft aufgrund ihres Glaubens, daß die Geschichte sich jedesmal wiederholt, wenn die göttlichen Einflüsse im gleichen Verhältnis zueinander stehen. Offenbar glaubten die Maya, wie die Azteken, die Welt würde zu einem plötzlichen Ende kommen, wenn eine übermächtige Kombination von bösen Einflüssen den Abschluß einer Zeitperiode kennzeichnete. Wenn daher der Priester bei der Erforschung der Vergangenheit genau die gleiche Kombination böser Einflüsse ermitteln konnte, wie er sie für das Ende einer nahenden Zeitperiode voraussah, konnte er sicher sein, daß auch diesmal alles gut ablaufen würde, da die Welt in der Vergangenheit ja nicht zerstört worden war. Alle Wahrscheinlichkeit nach hatte also diese großartige Vorstellung von der Ewigkeit der Zeit ihre Wurzel in der beherrschenden Rolle des Aberglaubens und der Astrologie im Leben der Maya.

Die Vorstellung, daß die Geschichte sich bei gleichen Einflüssen wiederholen würde, hatte zwei interessante Konsequenzen: sie verführte dazu, die Zukunft mit der Vergangenheit zu verwechseln, und sie schuf einen Begriff von Zeitzyklen, der teilweise mit dem Bild der Zeit als einer endlosen Wanderung ihrer Träger in die Zukunft im Widerspruch stand.

Die Zeitperiode, die die Maya am stärksten beschäftigte, war der Katun, eine Zeitspanne von zwanzig Tun (je 360 Tage, also fast ein Jahr). Wegen der besonderen Struktur des Kalenders konnte ein Katun nur an dem Tag Ahau enden (jeder war benannt nach dem Tag, an dem er endete), und bei jeder Wiederholung verringerte sich die angefügte Zahl um zwei, so daß die Reihenfolge lautete: 13 Ahau, 11 Ahau, 9 Ahau, 7 Ahau, 5 Ahau, 3 Ahau, 1 Ahau, 12 Ahau, 10 Ahau, 8 Ahau, 6 Ahau, 4 Ahau, 2 Ahau und dann erneut 13 Ahau. So kehrte ein Katun eines bestimmten Namens alle 260 Tun wieder (annähernde Jahre; 257 unserer Jahre), und da der Beherrscher jedes Katun jedesmal die gleichen Einflüsse ausübte, wenn ein Katun wiederkehrte, erwartete man, daß sich die Geschichte in Zyklen von 260 Tun wiederholte. So hatte der Priester, wenn er nachsah, was bei früheren Auftritten eines bestimmten Katun geschehen war, ein Bild dessen, was geschehen würde, wenn dieser wiederkehrte. Es mochte Abweichungen in Einzelheiten geben, doch in großen Umrissen würden die Ereignisse dem festgelegten Schema folgen.

Die Maya-Propheten waren so pessimistisch wie Jeremias; ungünstige Voraussagen waren weitaus zahlreicher als günstige. Wir finden z. B. die folgenden: 13 Ahau, »es gibt keinen glücklichen Tag für uns«; 11 Ahau, »geizig ist der Katun, spärlich sind seine Regen ... Elend«; 7 Ahau, »fleischliche Sünde, schurkische Herrscher«; 5 Ahau, »rauh sein Gesicht, rauh sein Geist«; 10 Ahau, »Dürre ist die Last des Katun«. Für nur drei Katuns waren die Prophezeiungen günstig.

Katun 8 Ahau war ein Katun der Kämpfe und politischen Veränderungen; daher konnten bei jeder Wiederkehr des Katun 8 Ahau solche Veränderungen erwartet werden. Ein interessantes Beispiel dieses Fatalismus bietet sich im Zusammenhang mit den letzten Tagen von Tayasal, dem unabhängigen Itzá-Fürstentum, das bis zum Jahr 1697 gegen die Spanier standhielt. Andrés de Avendaño, ein Franziskaner von hervorragenden Gaben, der die Feinheiten des Maya-Kalenders beherrschte, besuchte Tayasal im Jahr 1696, und bei einer Unterredung mit den Häuptlingen der Itzá überzeugte er diese, daß nur noch vier Monate fehlten bis zu dem Zeitpunkt, da sie nach ihren alten Prophezeiungen das Christentum annehmen und sich natürlich der spanischen Krone unterwerfen würden. Avendaño, der uns berichtet, daß er gründlich vertraut war mit den alten Katun-Prophezeiungen, erklärte den Itzá, daß Katun 8 Ahau, der Katun der politischen Veränderungen, kurz vor seinem Beginn stand und daß die Zeit für die Annahme des Christentums gekommen war. Die Itzá willigten ein, sich am Ende der bis zum Beginn des neuen Katun noch fehlenden vier Monate zu unterwerfen. In Wirklichkeit war Avendaño in seiner Berechnung etwa um ein Jahr voraus; Katun 8 Ahau begann im Juli 1697, und die Niederlage der Itzá und ihre Unterwerfung unter die spanische Herrschaft erfolgten vier Monate vor dem Beginn des Katun im März 1697. Die Itzá, die als Krieger in hohem Ansehen standen, leisteten nur sehr schwachen Widerstand. Es ist möglich, daß sie schlecht kämpften, weil sie wußten, daß Widerstand gegen die Macht des anbrechenden Katun zwecklos war.

Das Charakteristische und Ungewöhnliche an diesem Phänomen besteht jedoch darin, daß in diesen Prophezeiungen Vergangenheit und Zukunft eins werden. Die spanische Herrschaft verschmilzt mit dem fremden Joch der Itzá; der von den Spaniern eingeführte christliche Glaube wird mit der Verehrung Kukulcans identifiziert, einem fremden Kult, der den Maya 600 Jahre zuvor aufgezwungen worden war, und offenbar führte der Einfluß eines obskuren Piraten, der im nordöstlichen Yucatán ein Versteck gehabt zu haben scheint, zur Identifizierung der römisch-katholischen Kirche mit den verhaßten Itzá und des Protestantismus mit der alten Maya-Religion. Gegenwärtige und zukünftige Ereignisse vermischen sich mit der vergangenen Geschichte, weil sie in Wirklichkeit eins sind, denn beide resultieren aus der gleichen göttlichen ›Last‹ des Katun. Das Kreuz des

Christentums ist der in der Kunst als ein mit Vegetation bedecktes Kreuz stilisierter Baum, auf dem der Quetzal-Vogel sitzt; die bärtigen Spanier sind die toltekischen Eindringlinge, weil deren Führer ebenfalls Bärte trugen; das Haus des Eroberers Montejo, das am Südrand der großen Plaza von Mérida steht, ist das ›Haus des Ostens‹, des Katun 11 Ahau, in dessen Verlauf die Spanier ihre Herrschaft über Yucatán festigten, und die Abmessungen der großen, von den Spaniern errichteten Kathedrale von Mérida symbolisieren die nach dem Gang ihrer Träger durch die Ewigkeit bestimmten Abmessungen der Zeit. Ich glaube nicht, daß irgendein anderes Volk in der Geschichte eine ähnliche Vorstellung der geteilten Identität von Vergangenheit, Gegenwart und Zukunft entwickelt hat.

Die sich ablösenden göttlichen Träger tragen die Zeit weiter auf ihrer endlosen Reise, doch zugleich gibt es jenen zyklischen Aspekt, der in den wiederkehrenden magischen Verpflichtungen eines jeden Gottes in der Aufeinanderfolge der Träger zum Ausdruck kommt. Wir können uns den Verlauf der Katun als eine riesige Rennbahn vorstellen, deren Umkreisung 260 Jahre erfordert, doch das Bild wäre nur teilweise richtig. Die Katun-Folge war nur einer von sehr vielen Zeitzyklen; jede Periode, die länger war als ein Tag — der Mondmonat und die synodischen Umläufe der Planeten sowie die Gruppen der Götter, die den Himmel, die Erde und die Unterwelt beherrschten —, hatte ihre eigenen Zyklen, d. h., alle waren Mitglieder von Ablösungsmannschaften, die durch die Ewigkeit wanderten. Die Maya wollten wissen, welche Götter an einem bestimmten Tag gemeinsam wanderten, weil sie mit dieser Kenntnis die vereinigten Einflüsse aller Wanderer abschätzen und durch eine komplizierte Berechnung der Schicksale und der astrologischen Faktoren die schlechten von den guten unterscheiden konnten. Von einer erfolgreichen Lösung hing das Geschick der Menschheit ab.

Ich vermute, das Problem war beiläufig eine Herausforderung an den Intellekt, eine Art von gewaltigem Anagramm, das für die Maya mit ihrem tiefen Sinn für Ordnung einen besonderen Reiz hatte. Die Einsicht in die Harmonie des Universums und seiner Herrscher war der Schlüssel zum methodischen Leben.

Das allgemeine Problem, mit dem die Maya sich konfrontiert sahen, kann in Begriffen unserer modernen Zivilisation wie folgt dargestellt werden: Im Tachometer unseres Autos haben wir einen Kilometerzähler, der auch Zehntelkilometer anzeigt. Nehmen wir nun an, in dem Wagen seien auch Zähler installiert, welche die zurückgelegte Strecke in Meilen, in römischen Stadien, in russischen Wersten, in spanischen Leguas und in anderen Entfernungsmaßen anzeigen. Nehmen wir nun weiter an, daß bei Nacht nur der Kilometerzähler beleuchtet ist und daß man als sehr abergläubischer Fahrer fürchtet, in Gefahr zu sein, wenn mehrere der Zähler gleichzeitig die Unglückszahl fünf anzeigen. Wenn andererseits der Zähler eine Gruppe von Siebenern anzeigt, dann hat man Glück. Man muß nun berechnen, wann während der Nachtfahrt die Fünfen auf den Zählern erscheinen werden, um dann mit großer Vorsicht fahren zu können, und andererseits herausfinden, wann die Siebener auftauchen werden, so daß man dann schneller fahren kann, um die während der gefährlichen Periode verlorene Zeit aufzuholen.

Das Problem, das der Maya-Priester zu lösen hatte, war etwa von dieser Art, doch bedeutend schwieriger, da einige der Faktoren, die er benutzte, sehr kompliziert waren. Sonnen- und Mondrechnungen und die synodischen Umläufe der Planeten sind nicht leicht in Relation zu bringen oder abzurunden. Das tropische Jahr ist etwa 365,2422 Tage lang, der Mondumlauf dauert etwas über 29,53 Tage, der synodische Umlauf der Venus 583,92 Tage, und das Sternenjahr ist um ein geringes kürzer als 365,2564 Tage. Solche Zyklen mußten miteinander und vor allem mit dem heiligen Weissagungsalmanach von 260 Tagen in Beziehung gebracht werden. Es gab noch weitere Maya-Zeitrechnungen, die berücksichtigt werden mußten: der Tun, ein annäherndes Jahr von 360 Tagen, das Rundjahr von 365 Tagen, der Zyklus von 9 Nächten, deren jede von einem bestimmten Gott beherrscht wurde, und ein Zyklus von sieben Tagen, die wahrscheinlich von Erdgöttern beherrscht wurden. Dies waren die Maya-Äquivalente der Zähler in unserem modernen Auto.

Die Maya kannten keine Brüche und hatten kein Dezimalsystem. Außerdem verwendeten sie keine Schaltjahre, sondern machten spezielle Berechnungen, um die Unterschiede zwischen der Zählung der Sonnenjahre und ihrer angenommenen Jahre von 365 Tagen auszugleichen. Mit diesen Zahlen umzugehen, war daher eine schwierige Aufgabe. Doch das war nicht alles. Alle Mondmonate und alle Abschnitte jedes Umlaufs des Planeten Venus hatten ihre eigenen göttlichen Schutzherren, und die Einflüsse all dieser Götter mußten in Betracht gezogen werden. Die Priester-Astronomen der Maya waren eifrig bemüht, das niedrigste gemeinsame Mehrfache von zwei oder mehr dieser Zyklen zu ermitteln oder, um es in den Denkformen der Maya auszudrücken, vorauszubestimmen, wie lange die

Reise auf dem Weg der Zeit dauern werde, bevor zwei oder mehr der göttlichen Träger zusammen den gleichen Ruheplatz erreichten.

Geistige Leistungen

Dies waren die Probleme, bei deren Lösung die Maya ihre hervorstechendsten geistigen Erfolge errangen. Es handelt sich um einen trockenen Stoff, der nicht ohne Arithmetik und einige Begriffe der einfachsten Astronomie dargestellt werden kann, doch ich bin sicher, daß der geduldige Leser die Leistungen der Maya in Anbetracht der Hindernisse, die sie mit angeborener Beharrlichkeit und Geduld zu überwinden hatten, hoch einschätzen wird.

Wir wollen, ohne allzu tief in die Materie einzudringen, sehen, wie die Maya das Problem lösten, den Umlauf der Venus mit seiner durchschnittlichen Länge von 583,92 Tagen mit dem Jahr und dem 260-Tage-Zyklus in Beziehung zu bringen. Jeder Maya-Zyklus hatte seinen Wiedereintrittpunkt im System des 260-Tage-Zyklus: der Wiedereintrittspunkt der Katun war der Tag 13 Ahau, der des Mondes der Tag 12 Lamat und der des Venuskalenders der Tag 1 Ahau. Dies war *der* Tag der Venus, der Ruhepunkt am Ende der großen zyklischen Reise, wobei der Gott mit dem Planeten aufs engste identifiziert wurde. In der Tat war 1 Ahau ein anderer Name für den Venus-Gott. Es war der Tag des heliakalischen Aufgangs nach der unteren Konjunktion, wenn die Venus als Morgenstern wiedererscheint.

Nachdem die Maya die heliakalischen Aufgänge des Planeten viele Jahre lang beobachtet hatten, schlossen sie mit ziemlicher Sicherheit, daß der synodische Umlauf der Venus durchschnittlich 584 Tage betrug. Als nächstes wünschten sie die Frage zu beantworten, wie viele synodische Umläufe des Planeten sich vollzogen, bevor die Venus von neuem als Morgenstern am Tage 1 Ahau erschien. Wir würden als höchsten gemeinsamen Faktor 4 ermitteln, dann eine der Zahlen durch ihn dividieren und die andere Zahl mit dem Resultat multiplizieren. Die Antwort lautet: 584 dividiert durch 4 ist 146, und 146 mal 260 ist 37960. Die Götter der Venus und der 260-Tage-Zyklen erreichen also den gleichen Ruheplatz auf dem Gang durch die Zeit nach 37960 Tagen, was 65 Venusumläufe und 146 Runden von 260 Tagen ausmacht. Die Maya lösten das Problem mit Hilfe eines komplizierteren Systems von Multiplikationstafeln. Sie wußten auch, daß dies auch das Äquivalent von 104 ihrer Rundjahre von 365 Tagen war, und somit erreichten drei der Wanderer den Ruheplatz zur gleichen Zeit. Doch ganz so einfach war die Sache nicht.

Da der durchschnittliche synodische Umlauf der Venus nicht 584, sondern 583,92 Tage dauert, wird sich nach 65 mit 584 Tagen angesetzten Umläufen eine Abweichung von 5,2 Tagen (0,08 mal 65) ergeben haben, und wenn der Ruheplatz erreicht ist, wird der heliakalische Aufgang der Venus theoretisch nicht auf den Tag 1 Ahau fallen. (Theoretisch, weil 584 Tage die durchschnittliche Dauer des synodischen Umlaufs des Planeten ist; in der Praxis kann der Umlauf zwischen 580 und 588 Tagen variieren.) Diese Schwankung muß es für die Maya schwierig gemacht haben zu erkennen, daß ihre Zahl 584 zu hoch war, und Jahrhunderte an Beobachtungen mögen erforderlich gewesen sein, bevor sie der notwendigen Korrektur von fünf Tagen bei 65 Umläufen des Planeten nahegekommen waren. Die Berücksichtigung dieser Tage war ein besonderes Problem, denn wenn sie fünf Tage von irgendeiner der formellen Positionen des heliakalischen Aufgangs abzogen, konnten sie 1 Ahau als neue Basis nicht erreichen; nur die Verringerung um 4 Tage oder um ein Mehrfaches hiervon würde zu 1 Ahau zurückführen.

Schließlich lösten sie ihr Problem sehr geschickt, indem sie am Ende des 61. Venus-Jahres eine Korrektur von vier Tagen vornahmen. Da das 61. Venusjahr an dem Tage 5 Kan, vier Tage nach 1 Ahau, endete, führt die Subtraktion von vier Tagen zurück zu 1 Ahau (61 mal 584 = 35624; 35624 minus 4 = 35620 = 137 mal 260). Der berichtigte Venuszyklus und der 260-Tage-Almanach werden nun ihren Ruheplatz gemeinsam nach diesem Intervall erreichen, doch das 365-Tage-Jahr ist gewissermaßen außer Tritt gekommen, denn 35620 ist nicht durch 365 teilbar. Zudem beträgt die Korrektur vier Tage, während sie fünf sein sollte.

Die Maya umgingen diese Schwierigkeit wiederum mit großem Scharfsinn. Bei jedem fünften Zyklus machten sie am Ende des 57. Umlaufs eine Korrektur von 8 Tagen, und auch dies führte zu dem Tag 1 Ahau. Das heißt, nach 301 Venusumläufen hatten sie Korrekturen von insgesamt 24 Tagen vorgenommen — 4 Korrekturen von 4 Tagen und eine von 8 Tagen. In Wirklichkeit hätte die Korrektur 24,08 Tage betragen müssen.

Eine Abweichung von 0,08 Tagen im Verlauf von 481 Jahren ist eine wirklich großartige Leistung. Man muß sich auch die Bedingungen vergegenwärtigen, unter denen die Maya-Astronomen arbei-

teten. Früher Morgennebel ist häufig im Regenwald des Maya-Tieflandes, und während der langen Regenzeiten muß man mit häufiger
Bewölkung rechnen. Ungünstiges Wetter muß die Beobachtung
heliakalischer Aufgänge immer wieder vereitelt haben.

Es gibt nur fünf untere Konjunktionen der Venus in acht Jahren,
und so konnte ein Priesterastronom in den dreißig Jahren seines
Mannesalters — die Maya sind nicht langlebig — unter günstigen
Bedingungen etwa zwanzig heliakalische Aufgänge beobachten. In
Wirklichkeit dürfte schlechtes Wetter diese Zahl auf etwa zehn reduziert haben. Darüber hinaus setzten die Maya heliakalische Aufgänge vier Tage nach der unteren Konjunktion an, und es erfordert sehr
scharfe Augen, um den Planeten auszumachen, wenn er der Sonne
noch so nahe ist. Wenn der Beobachter den Planeten nicht am
vierten Tag entdeckte, konnten seine Berechnungen um einen Tag
differieren. Er mußte auch die Abweichungen des Planeten von dem
Durchschnitt von 584 Tagen zwischen den heliakalischen Aufgängen
berechnen und diese berücksichtigen.

Unter diesen ungünstigen Umständen muß es der Arbeit vieler
Generationen von Beobachtern bedurft haben, um die letzte Genauigkeit der Maya — eine Abweichung von nur einem einzigen Tag
in etwas mehr als 6000 Jahren! — zu erreichen. Die beiden Vorbe-
dingungen für ihren Erfolg waren unendliche Geduld und enge Zusammenarbeit zwischen Astronomen verschiedener Städte und verschiedener Generationen. Charakter und Erziehung der Maya trugen
sicherlich zu diesem Erfolg bei, indem sie die wesentlichen Elemente
der Beharrlichkeit und der Teamarbeit unterstützten. Der Zweck des
Ganzen war weniger bewundernswert. Die Maya glaubten, der Morgenstern sei im Augenblick des heliakalischen Aufgangs sehr gefährlich; es war daher für sie sehr wichtig, das genaue Datum im voraus
zu wissen, damit die Priesterschaft wirksame Maßnahmen treffen
konnte, um diejenigen, die in Gefahr waren, zu retten. Die Astronomie war die Dienerin der Astrologie.

Die Resultate dieser jahrhundertelangen Beobachtungen, Schlußfolgerungen und Verbesserungen älterer Formeln sind festgehalten
auf sechs Seiten des Maya-Hieroglyphenkodex, des sogenannten
Dresdener Kodex, der in der Dresdener Bibliothek aufbewahrt wird.
Als erster identifizierte, vor über sechzig Jahren Ernst Förstemann,
ein Bibliothekar in Dresden, der das Studium der Maya-Kodizes als
Hobby betrieb, diese Seiten als Tafeln für den Planeten Venus; das
komplizierte System der Korrekturen wurde von John Teeple enträt-

selt, einem Chemiker, der Maya-Studien betrieb, um sich auf den mit seiner Berufsarbeit verbundenen Bahnreisen die Zeit zu vertreiben. Wie bei den Priester-Astronomen der Maya nahm einer die Fackel dort auf, wo der andere sie hatte fallen lassen.

Eine zweite intellektuelle Leistung der Priester-Astronomen der Maya war die Erstellung einer Tafel zur Vorhersage der Daten, an denen Sonnenfinsternisse sichtbar waren. Auch hierzu waren Geduld, Zusammenarbeit und Scharfsinn erforderlich. Die Maya wußten sicherlich nicht, daß eine Sonnenfinsternis nur dann eintreten kann, wenn Neumond innerhalb einer Periode von etwa 18 Tagen mit dem Zeitpunkt zusammenfällt, an dem die Sonne die Bahn des Mondes (Mondknoten) kreuzt, ein Ereignis, das alle 173,31 Tage stattfindet (das ekliptische Halbjahr). Sie können dies nicht gewußt haben, denn sie erkannten nie, daß die Erde sich um die Sonne dreht. Da sie jedoch Listen über die Positionen in ihrem heiligen Almanach von 260 Tagen führten, entdeckten sie schließlich, daß Sonnenfinsternisse in drei Segmente von etwas unter vierzig Tagen eines doppelten heiligen Almanachs, also einer Periode von 520 Tagen, fielen. Dies verhält sich so, weil drei ekliptische Halbjahre (dreimal 173,31 = 519,93 Tage) nur 0,07 Tage weniger sind als zwei Umläufe des heiligen Almanachs. Indem sie die Mittelpunkte jedes dieser drei Segmente ermittelten, hatten sie die Knoten entdeckt, ohne jedoch zu wissen, was der Knoten bedeutete.

Indem sie so mit dem Vielfachen von sechs Monden weiterrechneten, konnten sie feststellen, ob das erreichte Datum in das richtige Segment des doppelten Almanachs von 520 Tagen fiel. War dies der Fall, dann wußten sie, daß an diesem Tag eine Finsternis eintreten würde; wenn das erreichte Datum außerhalb des Segmentes fiel, wußten sie, daß zu diesem Zeitpunkt keine Finsternis eintreten konnte, und subtrahierten einen Mond vom Ganzen, um eine Position innerhalb des Segments zu erreichen. Auf diese Weise waren sie in der Lage, die richtige Reihenfolge von mehreren möglichen Sonnenfinsternissen in Intervallen von sechs Monden und einer nach fünf Monden festzustellen.

Die Resultate dieser Beobachtungen und der aus ihnen gezogenen Schlußfolgerungen sind in dem gleichen Dresdener Kodex wiedergegeben in Form einer Tafel mit 69 Daten, an denen Sonnenfinsternisse während einer Zeitspanne von fast 33 Jahren (11960 Tagen) stattfinden würden, nach deren Ablauf die Tafel von neuem benutzt werden konnte.

Die begrenzten astronomischen Kenntnisse der Maya und ihre völlige Unkenntnis über die Beschaffenheit der Erde und die Bahnen der Gestirne hinderten sie natürlich daran, zu erkennen, welche der Sonnenfinsternisse im Maya-Gebiet sichtbar sein würde, oder daran zu wissen, daß an jedem der von ihnen ermittelten Daten eine Sonnenfinsternis irgendwo auf der Welt sichtbar sein würde, jedoch wahrscheinlich nicht im Maya-Gebiet.

Nur etwa eine von vier oder fünf Sonnenfinsternissen ist in irgendeinem Teil des Maya-Gebietes sichtbar, so daß ein Maya-Priesterastronom im Laufe seines Arbeitslebens von etwa 30 Jahren nicht mehr als ein Dutzend Sonnenfinsternisse beobachten konnte, vielleicht nicht einmal so viele wegen der vielen wolkenreichen Tage. Mit derartig beschränkten Unterlagen hätte ein einzelner Mensch den Zusammenhang zwischen den Finsternissen und dem doppelten heiligen Almanach nicht erkennen können. Wir müssen voraussetzen, daß während mehrerer Generationen Beobachtungsergebnisse aufgezeichnet und gesammelt wurden und daß schließlich ein genialer Kopf die registrierten Sonnenfinsternisse versuchsweise nicht mit einem einzelnen, sondern mit einem doppelten heiligen Almanach koordinierte und so den Schlüssel zu Voraussagen fand. Viele Lösungen erscheinen höchst einfach, wenn sie erst einmal veröffentlicht sind, wie z. B. die der Benutzung des doppelten heiligen Almanachs, doch der unbekannte Maya-Astronom — etwa ein Zeitgenosse Karls des Großen —, der diesen Schritt tat, machte eine geniale Entdeckung. Man muß allerdings zugeben, daß diese Entdeckung nicht das Resultat einer Suche nach der Wahrheit um der Wahrheit willen war. Während der Sonnenfinsternisse stiegen fürchterliche Wesen auf die Erde herab und bedrohten die Menschheit; das Vorherwissen der Zeitpunkte möglicher Sonnenfinsternisse machte es den Priestern möglich, Gegenmaßnahmen zur Rettung der Menschheit zu treffen.

Ebenso außergewöhnlich wie die Leistungen der Maya bei der Bestimmung der Durchschnittslänge des synodischen Umlaufs der Venus und bei der Erstellung von Tafeln möglicher Daten für Sonnenfinsternisse war die Genauigkeit, mit der sie die Länge des tropischen Jahres zu messen verstanden.

Außer dem Tun von 360 Tagen und dem Katun von 20 Tun hatten die Maya ein Jahr von 365 Tagen, das neben dem heiligen 260-Tage-Almanach einherlief und in 18 ›Monate‹ von 20 Tagen und in eine Schlußperiode von 5 Tagen eingeteilt war, die gewissermaßen als außerhalb des Jahres betrachtet wurde. Diese Periode war eine Zeit höchster Gefahr, in der alle Arten von Übeln den Menschen befallen konnten, und solange sie dauerte, unterließ man alle unnötigen Arbeiten, fastete und lebte enthaltsam.

Die ineinandergreifenden Teile des Kalenders sind in Abb. 16 als gekuppelte Zahnräder dargestellt. Das kleinste Rad trägt 13 Zahlen, die Götter darstellen und die Namen der zwanzig Tage begleiten. Der Zahnkamm 13 nimmt den Zahn Ahau mit; der folgende Tag wird 1 Imix sein, der Ausgangspunkt des 260-Tage-Almanachs. Da das Zahlenrad nur 13 Zähne hat, das Rad der Tagesnamen jedoch 20, wird die Zahl des Ahau, wenn er nach einer vollen Umdrehung wiederkehrt, 7 sein, und ihm werden 8 Imix, 9 Ik usw. folgen. Das Namensrad muß 13 Umdrehungen machen, bis die Zähne 13 und Ahau wieder ineinandergreifen. Diese Runde von 260 Tagen ist der heilige Almanach. Zur Rechten befindet sich ein größeres Rad mit 365 Zähnen, welches das Jahr mit 18 Monaten von je 20 Tagen und die fünf einzelnen Tage darstellt, die es beenden. Der Tag 13 Ahau ist mit dem Tag 18 des Monats Cumku gekuppelt. Acht Tage später, nach dem Passieren der fünf ungünstigen Tage des Uayeb, wird 1 Pop, der Neujahrstag, erreicht werden, und die beiden Räder zur Linken werden sich um acht Zähne weiterbewegt haben, um 8 Lamat zu erreichen. Das Gesamtdatum wird daher lauten: 8 Lamat 1 Pop. Da 5 der einzige gemeinsame Faktor von 365 und 260 ist, muß das Jahresrad sich 52 mal drehen, bis 13 Ahau wieder auf 18 Cumku fällt. Diese Periode von 52 Jahren mit 365 Tagen wird die Kalenderrunde genannt. Es gab daher 18980 verschiedene Kombinationen von Tagesnamen, Zahlen und Monatspositionen im Maya-Kalender.

Oben links bewegt ein großer Radzahn das 20-Tage-Monatsrad jedesmal um eine Position weiter, wenn das Tagesnamenrad eine Umdrehung vollendet. Ebenso wird bei jeder Umdrehung des Monatsrades ein Tun-(360-Tage-)Rad (hier nicht abgebildet) um eine Position weiterbewegt und so weiter auf der Skala der Maya-Zeitperioden, bis nach 8000 ihrer Jahre von 360 Tagen das Pictun-Rad sich um einen Zahn weiterbewegt.

Ein Maya würde unsere Abbildung nicht billigen, denn für ihn handelt es sich nicht um eine komplizierte Maschine, sondern um eine Reihe von Göttern, die nacheinander die Herrschaft über die Welt übernehmen. Die Götter der Zahlen 4, 7, 9 und 13 sind den Menschen freundlich gesinnt, die von 2, 3, 5 und 10 dagegen feindselig. Ahau ist nicht nur der Name eines Tages, sondern er ist die

Sonne; Imix ist der Erdengott, Kan der gütige Maisgott, Cimi der gefürchtete Todesgott. Um eine gute Ernte zu erhalten, pflanze man Mais am 8 oder 9 Khan an, doch man heirate nicht einen am Tage Oc (Tag des Hundes) geborenen Mann, denn er wird zu oft von zu Hause weggehen. Die Tage sind lebendige Wesen. Behalten wir dies im Gedächtnis, während wir zur Mechanik des Systems zurückkehren.

Es wurden keine Schalttage hinzugefügt, um das Rundjahr von 365 Tagen mit dem Sonnenjahr im Schritt zu halten, sondern die Abweichung wurde sorgfältig berechnet, und meiner Ansicht nach behandeln viele Berechnungen der Maya die zur Behebung der Differenz notwendige Korrektur; andere Autoren sind freilich der Meinung, daß die fraglichen Daten historisch sind. Doch ein Datum von solarer Bedeutung kann in jener zeitbewußten Kultur sehr wohl für die Einsetzung eines Häuptlings ausgewählt worden sein. Ich nehme im Folgenden an, daß dies der Fall war. In analoger Weise befragte man in der Alten Welt die Astrologen, um ein günstiges Krönungsdatum zu ermitteln.

Nehmen wir einmal an, wir hätten in unserem Kalender keine Schalttage. Wir haben seit dem 4. Juli 1776 unserem Kalender 46 Schalttage hinzugefügt, hätten wir dies aber wie die Maya unterlassen, dann wäre für uns in diesem Jahr der 4. Juli, wenn die Sonne da aufgeht, wo sie normalerweise am 19. Mai am Horizont erscheint. Nach Jahrhunderten würde der 4. Juli mitten in den Winter fallen. Entsprechend würde im Verlauf von 19 Jahrhunderten das Weihnachtsfest an jedem Tag des Jahres gefeiert werden, wenn seine Ansetzung auf den dritten Tag nach der Wintersonnenwende beibehalten worden wäre, und wir würden es heute im frühen April begehen. Ostern, das durch das Frühlingsäquinoktium bestimmt wird, würde etwa in den Juli fallen, der amerikanische Unabhängigkeitstag zwischen Weihnachten und Ostern. Es wäre eine anarchische Situation.

In ihrem Sinn für Ordnung, in ihrer Abneigung gegen solche chaotischen Verhältnisse und in ihrem Wunsch, die genauen Sonneneinflüsse zu kennen, berechneten die Maya die durch ihren Kalender verursachte Abweichung. Die Basis ihrer Berechnung war ein bestimmtes, dem Jahr 3113 v. Chr. unseres Kalenders entsprechendes Datum, von dem aus normalerweise alle Daten berechnet wurden. Es war dies ein fiktiver Ausgangspunkt, der etwa dem *ab urbe condita* des Römischen Kalenders entsprach; er kennzeichnete vielleicht die letzte Schöpfung der Welt — die Maya glaubten, die Welt sei mehrere Male erschaffen und zerstört worden, und wir befänden uns jetzt in der fünften (?) Schöpfung. Das genaue Datum war ein Tag 4 Ahau, der auf den 8. des Monats Cumku fiel und eine Gruppe von 13, je ungefähr 4000 Jahre umfassenden Perioden beendete. Die Position 4 Ahau 8 Cumku kehrt alle 52 Jahre wieder, und es scheint, daß die Maya bei jeder Wiederkehr die entstandene Gesamtabweichung berechneten und auf Stelen festhielten (Abb. 15).

Ein Jahrestag fiel in den Januar des Jahres 733 n. Chr. Auf einem im Jahr 731 in Calakmul errichteten Monument ist die Abweichung ein Jahr vor diesem Jahrestag berechnet. Unser Gregorianischer Kalender hätte 932 Schalttage während der 3845 Jahre, die seit diesem Ausgangsdatum vergangen waren, eingefügt. Bei Abzug von 730 zur Darstellung der zwei vollständigen Jahre von 365 Tagen beläuft sich die eigentliche Berichtigung auf 202 Tage. Das Korrekturdatum der Maya deckt sich mit der Monatsposition 7 Mol, die 201 Tage vor 8 Cumku liegt. Der Gregorianische Kalender fügt 24,25 Schalttage pro Jahrhundert ein, was ein wenig zuviel ist, da das Sonnenjahr eine Korrektur von wenig unter 24,22 Tagen pro Jahrhundert erfordert, was — die vollständigen Jahre ausgeschlossen — eine Totalkorrektur von 201,2 Tagen bedeuten würde. Die Maya-Berechnung ist um ein Fünftel eines Tages niedriger, als erforderlich wäre, doch um einen Tag besser als unser Gregorianischer Kalender. Tatsächlich trifft sie, da die Maya keine Brüche verwendeten, den Nagel genau auf den Kopf.

Der nächste Jahrestag des ursprünglichen 4 Ahau 8 Cumku fiel in das Jahr 785 n. Chr. Diesesmal meißelte Quiriguá die Korrektur auf ein Monument und gab als Korrekturdatum die Monatsposition 15 Yax an, die 212 Tage nach 8 Cumku liegt. Die Sonnenkorrektur für diesen Zeitraum von 38,98 Jahren nach Abzug von zwei ganzen Jahren würde 214 Tage betragen, beim Gregorianischen Kalender 215 Tage. So bleibt der Maya-Kalender um zwei Tage hinter der Sonnenkorrektur zurück. Die meisten Maya-Berechnungen der entstandenen Abweichung auf der Höhe der klassischen Periode blieben um einen oder zwei Tage hinter dem zurück, was das Sonnenjahr erforderte, während die Korrektur im Gregorianischen System um einen Tag zu groß wäre.

In Zahlen ausgedrückt ergibt dies eine langweilige Lektüre, doch man bedenke, daß ein Irrtum von einer Minute bei der Messung der Jahreslänge bei Berechnungen, die wie die der Maya fast 3900 Jahre umfaßten, eine Abweichung von über 2 ½ Tagen ergibt. Wie erreichten die Maya eine solche Genauigkeit?

Soweit wir wissen, besaßen sie keine zuverlässigen Hilfsmittel, Teile eines Tages zu messen, doch es gibt Hinweise dafür, daß ihre Tage und Nächte aus je neun ›Stunden‹ bestanden. Ihre ›Stunden‹ jedoch scheinen grobe Unterteilungen gewesen zu sein, mit Namen wie ›die Sonne kommt heraus‹, ›die Sonne ist jetzt weit weg‹, ›ein wenig auf Mittag zu‹, ›Mittag‹) usw.; es waren sicherlich keine exakten Zeitmessungen, die in ein unserer Minute ähnliches eigenes Äquivalent hätten unterteilt werden können. Es ist daher offensichtlich, daß die Maya keine Richtlinien festlegen konnten, um den Abstand zwischen zwei Äquinoktien genau zu messen; um die Länge des Jahres abzuschätzen, konnten sie lediglich berechnen, um wieviel Tage die Sonne zurückblieb. Sorgfältige und geduldige Beobachtung während Hunderten von Jahren, Weitergabe von Daten von einer Generation an die folgende und bewegliche Geister, die bereit waren, ungenaue Berechnungen aufzugeben, waren die Voraussetzungen des Erfolgs. Es sind genau die Eigenschaften, die für die bereits besprochenen Leistungen in der Astronomie erforderlich waren.

Das Rechnen mit Hilfe der Null und des Stellenwertes ist so sehr Teil unseres kulturellen Erbes und erscheint uns heute so selbstverständlich, daß es schwer zu begreifen ist, warum ihre Erfindung so lange auf sich warten ließ. Doch weder das alte Griechenland mit seinen großen Mathematikern noch das alte Rom hatten eine Ahnung von der Null oder der Stellenrechnung. Um die Zahl 1848 in römischen Zahlen zu schreiben, braucht man elf Buchstaben — MDCCCXLVIII. Die Maya hatten jedoch bereits ein System der Bezeichnung von Stellenwerten entwickelt, während die Römer noch immer ihr umständliches Buchstabensystem benutzten. Das Maya-System gleicht dem unsrigen, unterscheidet sich von ihm jedoch in mehrfacher Hinsicht: Die Ziffern werden in vertikalen, nicht in horizontalen Linien angeordnet; die unserer Null entsprechenden Zwischenraumzeichen bedeuten Vollendung und stehen normalerweise nicht für Null oder Nichts; das System ist vigesimal — Zählung nach zwanzig — nicht dezimal.

Das am häufigsten benutzte Symbol für Vollendung ist eine Muschel, doch es gibt noch andere Formen (Abb. 17, Nr. 1—5). Das Vigesimalsystem erscheint uns zunächst etwas kompliziert, ist jedoch in Wirklichkeit fast ebenso einfach wie das Dezimalsystem, wenn man es einmal beherrscht. Die Maya benutzten Punkte für die

Zahlen 1—4 und einen Strich für die Fünf. So wird 4 als vier Punkte geschrieben, 9 als ein Strich und vier Punkte, 12 als zwei Striche und zwei Punkte (Abb. 17, Nr. 1).

Während in unserem Dezimalsystem die Anfügung der Null am Ende die Gesamtzahl mit zehn, hundert, tausend usw. multipliziert, lautet die Reihenfolge im Vigesimalsystem der Maya: 1, 20, 400, 8000, 160 000, 3 200 000, 64 000 000.

Diese höheren Zahlen wurden häufig genug benutzt, um über den Status mathematischer Begriffe hinauszuwachsen und eigene Namen zu erfordern. In der Tat sind Maya-Bezeichnungen für all diese Vielfachen und auch für die der nächsthöheren Einheit, die der Zahl 1 280 000 000 entspricht, bekannt, und man hat Glyphen für sechs von ihnen als Mittel zur Zählung von Rundjahren identifiziert (Abb. 17, Nr. 19, 20, 21, 26—29).

Die Zahl 400 hätte man ausgedrückt durch einen Punkt für vierhundert, eine Muschel an der zweiten Stelle, um anzuzeigen, daß die Zählung der Zwanziger vollendet war, und eine Muschel an der ersten Stelle, um zu kennzeichnen, daß auch die Zählung der Einheiten zu Ende war. Die Zahl 953 würde entsprechend geschrieben mit zwei Punkten (2 mal 400 gleich 800), zwei Punkten und einem Strich (7 mal 20 gleich 140), und zwei Strichen und drei Punkten (2 mal 5 gleich 10 plus 3 gleich 13). Dieses Beispiel und weitere sind in Abb. 17 wiedergegeben, doch bei kalendarischen Rechnungen wurde, wie nachstehend erklärt, ein anderes System benutzt.

Die Striche und Punkte der Maya sehen ziemlich plump aus, und zufällig kann diese spezielle Zahl 953 in römischen Zahlen — CMLIII — einfacher ausgedrückt werden. Wenn man jedoch die Abb. 17, Nr. 1 betrachtet, wird man sehen, daß 953 die Summe der beiden links stehenden Zahlen, 445 und 508 ist. Die Striche und Punkte sind in diesem System der Stellenwerte leicht zu addieren; das römische Äquivalent, CCCCXLV und DVIII, läßt sich bedeutend schwerer addieren, um CMLIII zu erhalten. Wenn man eine Null hat und ein begleitendes Stellenwertsystem, werden Aufgaben der einfachen Arithmetik unendlich leichter, und es macht wenig aus, ob es sich um ein Zehner-, Zwölfer- oder Zwanzigersystem handelt.

Dies war eine Entdeckung von fundamentaler Bedeutung. Daß es keine auf der Hand liegende Lösung war, beweist die Tatsache, daß kein Volk unserer westlichen Welt sie fand. Selbst die großen Philosophen und Mathematiker sahen nie diesen einfachen Weg, sich ihre schwierigen Berechnungen zu erleichtern. Diese Lösung war in

Europa tatsächlich unbekannt, bis unsere Vorfahren, nachdem die klassische Periode der Maya beendet war, sie von den Arabern übernahmen, die sie ihrerseits aus Indien erhalten hatten.

Obgleich sorgfältig ausgearbeitete Multiplikationstafeln und Berechnungen nach dem die Null und den Stellenwert benutzenden Zahlensystem der Maya erhalten geblieben sind, betreffen diese alle den Kalender; es liegen keine Aufzählungen der Maya von weltlichen Dingen wie Maissäcken, Heeresbeständen oder Mengen von Kakaobohnen — die Hauptwährung Mittelamerikas — vor. Die Kalenderrechnungen sind etwas komplizierter, denn sie verwenden ein mit unserer Bruchrechnung vergleichbares System, um Zeitspannen von kürzerer Dauer als ein annäherndes Jahr zu berücksichtigen. So wie wir normalerweise die Zeit in durch das Dezimalsystem ausgedrückten Jahren zählen und die Monate und Tage in gesonderten Dezimalzahlen hinzufügen, wie 12. 1. 1970, so berechneten die Maya die vergangene Zeit in annähernden Jahren von 360 Tagen, ausgedrückt im Vigesimalsystem, und fügten die Monate und die Tage in gesonderten Vigesimalzahlen hinzu, was mehr oder weniger einer Bruchrechnung gleichkommt. Die Rechnungseinheit war das Jahr von 360 Tagen, genannt ein Tun (Abb. 17, Nr. 26), eingeteilt in 18 ›Monate‹ (Abb. 17, Nr. 25) von je 20 Tagen (Abb. 17, Nr. 24).

Den größeren Teil ihrer Kultur — Religion, Gesellschaftsordnung, landwirtschaftliche Erzeugnisse und Techniken, Waffen und Haushaltsutensilien — hatten die Maya gemeinsam mit allen fortgeschrittenen Völkern Mittelamerikas, denn man darf nicht vergessen, daß große Zentren wie das zapotekische Monte Albán, das wahrscheinlich totonakische Tajin, Teotihuacán und die Städte des Küstengebietes von Veracruz zumindest teilweise Zeitgenossen der klassischen Maya-Periode waren, wenn auch der Niedergang von Teotihuacán früh und der Aufstieg von Tajín spät erfolgte. Alle inspirierten einander, so wie es die Völker Westeuropas im Mittelalter und während der Renaissance taten. Wir vermögen nicht zu sagen, wer als erster Techniken wie das Abspalten von Feuerstein oder Obsidian durch Druck, die Bearbeitung von Jade mit rohrförmigen Bohrern, den Anbau von Baumwolle oder die polychrome Bemalung der Keramik einführte. Die meisten Luxusgüter und Annehmlichkeiten scheinen in der formativen Periode aufgetaucht zu sein, andere, wie die Metallverarbeitung, die Hängematte, der Anbau von Maniok (*cassava*) und wohl auch das Batiken von Stoffen und Keramik gelangten aus Südamerika nach Mittelamerika.

Nichtsdestoweniger können wir ziemlich sicher sein, daß die oben beschriebenen rein intellektuellen Entdeckungen von den Maya gemacht wurden. Soweit wir wissen, hat kein anderes Volk in Mittelamerika Tafeln gebraucht, die denen der Maya an Genauigkeit in der Voraussage möglicher Sonnenfinsternisse und Berechnungen der synodischen Umläufe der Venus vergleichbar gewesen wären, noch hat, soviel uns bekannt ist, ein anderes Volk in Mittelamerika die Länge des tropischen Jahres mit der von den Maya erreichten Geschicklichkeit gemessen. Die anderen Völker Mittelamerikas beschäftigten sich nicht im gleichen Maße mit der Zeit, wie die Maya es taten, es fehlte ihnen daher der Anreiz, diese Gebiete zu erforschen. Die Azteken hatten in der Tat keine Methode zur Fixierung eines Datums außerhalb des 52-Jahre-Zyklus, den sie mit den Maya und anderen Völkern Mittelamerikas gemeinsam hatten.

Es ist durchaus möglich, daß die Leute von La Venta, die sogenannten Olmeken, das Symbol für Null oder Vollendung erfanden, da sie ebenfalls Striche und Punkte als Stellenwerte verwendeten. Es ist jedoch durchaus nicht sicher, daß sie die Stellenwerte vor den Tieflandmaya benutzten — es kommt kein Symbol für Null in den wenigen erhalten gebliebenen La-Venta-Texten vor. Außerdem gibt es keinen endgültigen Beweis dafür, daß die Olmeken in der formativen Periode Glyphen besaßen.

Erfindungen und Entdeckungen

Eine Reihe von bedeutenden Erfindungen und Entdeckungen kann den Völkern Mittelamerikas zugeschrieben werden, doch in keinem Fall ist mit Sicherheit zu sagen, welcher Gruppe im einzelnen die Ehre gebührt. Hierzu gehört die Gewinnung von Gummi und seine Verwendung zur Herstellung bestimmter Gegenstände, so von Gummibällen, die beim Ballspiel benutzt wurden, von Sandalen mit Gummisohlen, von mit Gummi imprägnierten Regenumhängen und von Umschlägen aus Gummi, Kopal-Wachs und Teer. Ein leuchtender türkisblauer Farbstoff, heute bekannt als Maya-Blau, wurde von den Maya häufig bei Wandmalereien verwendet. Seine Zusammensetzung ist den Forschern noch immer ein Rätsel. Da diese Farbe von den Maya während der klassischen Periode in großem Umfang gebraucht wurde, in den kontemporären Kulturen Mittelamerikas jedoch unbekannt oder sehr selten war, kann ihre Entdeckung mit einiger Sicherheit den Maya zugeschrieben werden. Die Blauholzfarbe, Indigo, Cochenille und aus einem Schalentier gewonnenes Purpur sind von Eingeborenen Mittelamerikas entdeckte Farbstoffe, doch kann von ihnen wahrscheinlich nur der erste den Maya zugeschrieben werden.

Keine andere Rasse hat eine solche Anzahl und Vielfalt von Wildpflanzen veredelt wie die amerikanischen Indianer, doch auch hier ist es wiederum schwer zu sagen, wo eine von diesen Pflanzen zum erstenmal angebaut wurde. Wie bereits erwähnt, sind die ersten Spuren von Maisanbau in Höhlen nicht weit westlich des Maya-Gebietes gefunden worden (S. 56). Drei wichtige Kulturpflanzen können vielleicht den Maya zugeschrieben werden — Kakao, der Papaya (Melonenbaum) oder *pawpaw* und der Aguacate.

Unsere Wörter Kakao und Schokolade kommen aus dem Aztekischen, doch der Kakaobaum wächst nicht auf der mexikanischen Hochebene, und die aztekischen Namen sind vielleicht von dem Maya-Wort *chacau haa*, wörtlich ›heiß geröstet (Getränk)‹ abgeleitet worden. Da der Baum wahrscheinlich aus den feuchteren Teilen des Maya-Gebietes stammt und einen Verwandten (*Theobroma bicolor*) besitzt, der in manchen Teilen des Maya-Tieflandes wild wächst, ist es zumindest wahrscheinlich, daß die Maya ihn als ersten anpflanzten. Kakaobohnen dienten in ganz Mittelamerika als Zahlungsmittel — ihre Handhabung gewöhnte die Maya vermutlich an große Zahlen. Erst seit dem letzten Jahrhundert werden sie bei Marktgeschäften nicht mehr verwendet.

Der Pawpaw, oder Papaya, wächst wild im größten Teil des Maya-Gebietes, doch die Frucht der wilden Art ist klein und kaum eßbar. Die veredelte Frucht ist wahrscheinlich ein Ergebnis des Fleißes der Maya. Das gleiche trifft für die Aguacate oder Avocado-Birne zu, die in Zentralamerika und im nördlichen Südamerika heimisch ist. Aguacate ist der aztekische Name, doch war sie im Maya-Gebiet schon sehr früh bekannt, wie mundartliche Varianten ihres Namens beweisen. Alle Völker Mittelamerikas waren eifrige Feldbauern und scharfe Naturbeobachter; somit ist es wahrscheinlich, daß die Maya von ihren Nachbarn mehr Kulturpflanzen übernahmen, als sie ihnen im Austausch gaben. Mit Sicherheit empfingen sie viele ihrer Grundnahrungsstoffe von den Völkern der formativen Periode.

Eine nicht besonders glaubwürdige Quelle berichtet über einen interessanten Fall von Erfindungsgabe bei den Xinca, einer kleinen Nicht-Maya-Gruppe im südöstlichen Guatemala. Sie hatten eine mechanische, für Kriegszwecke bestimmte Steinschleuder. Eine Querstange ruhte auf zwei gegabelten Pfosten, von ihr hing ein Seil herab, an dessen Ende ein horizontaler Balken befestigt war. Das Seil wurde durch Drehen des Balkens gespannt, der, wenn er losgelassen wurde, zu rotieren begann und auf einen Steinhaufen traf, dessen oberste Steine er mit großer Gewalt gegen den Feind schleuderte. Das Zielen kann nicht allzu genau gewesen sein. Da die Xinca ihre Kultur zum großen Teil von ihren Nachbarn, den Maya und den Pipil, übernommen hatten, könnte dieses Gerät eine Erfindung der Maya gewesen sein, doch ist dies nicht sehr wahrscheinlich, da die Maya keinen Sinn für Mechanik besaßen.

Eine eigenartige Waffe der Hochland-Maya war die Hornissenbombe. Hornissennester wurden auf den Feind geschleudert, wir wissen aber nichts über die Methoden, mit denen man die Hornissen friedlich in ihren Nestern hielt, bevor sie als Munition gegen den Feind verwendet wurden; die Gefahr vorzeitiger Explosion muß beträchtlich gewesen sein.

Im Straßenbau waren die Maya den Inka nicht ebenbürtig, doch scheinen sie ihren anderen mittelamerikanischen Nachbarn voraus gewesen zu sein. Die schönste heute bekannte Maya-Straße verbindet die Stadt Cobá in Quintana Roo mit einer kleinen Stätte namens Yaxuna, wenige Kilometer südlich von Chichén Itzá. Die Straße ist 100 km lang und durchschnittlich 9,6 m breit. Größtenteils liegt sie etwas über 60 cm hoch, doch bei der Überquerung von sumpfigen Niederungen erreicht sie sogar eine Höhe von über 2,40 m. Mauern aus grob zugerichteten Steinen bilden die Flanken; das Bett besteht aus großen Felsblöcken, über denen kleinere Steine in Mörtel verlegt sind; die jetzt in völliger Auflösung befindliche Decke war aus Mörtel oder Stuck. Eine Art Plattform, 12 m lang und 5 mm hoch, bedeckt die Straße, bevor sie die Außenbezirke von Cobá erreicht, und es ist wahrscheinlich, daß hier Prozessionen haltmachten, um ihre Opfer darzubringen, bevor sie die Stadt betraten. Andere, entlang der Straße verstreute Erdwälle und Plattformen sind Anzeichen für frühere Siedlungen, von denen aber keine sehr groß gewesen zu sein scheint.

Cobá ist der Ausgangspunkt für eine Reihe von Straßen, deren nächstgrößte nach Kucican, einer etwa 8 km südsüdwestlich gelegenen, ziemlich großen Ruine, führt. Kurz nach ihrem Anfang durchquert die hier 9 m breite und etwa 90 cm hohe Straße einen Arm des Macanxoc-Sees. Durch einen Umweg von etwa 400 m hätte man den See umgehen können. Doch vermutlich ist der See jetzt größer als in alter Zeit, und dieser Arm existierte früher noch nicht. Die Straße dringt vom Nordufer ziemlich weit in den See vor, auch ein kurzes Stück vom südlichen Ufer her; Schilfstreifen kennzeichnen ihren Verlauf bis zu der Stelle, wo beide Enden im Wasser verschwinden. Während der ersten drei Kilometer führen verschiedene Seitenstraßen zu kleinen Ruinengruppen, eine dieser Seitenstraßen überschneidet auch einen andern Arm des Sees. Die Straße führt durch eine kleine Ruinengruppe, zwei Tore mit rechteckigen Pfeilern kennzeichnen Eingang und Ausgang. An einer andern Stelle befindet sich eine spitzwinklige Straßenkreuzung. Kurz vor Kucican ist die Straße mehrere Meter hoch, und an einer Stelle durchstößt ein gewölbter Durchgang das Straßenbett in Form einer Unterführung, durch die man von der einen Seite der Straße auf die andere gelangen konnte, denn die hohen senkrechten Mauern konnten nicht erklettert werden.

Der Bau dieser Straßen erforderte einen gewaltigen Arbeitsaufwand und bedeutende technische Kenntnisse. In sumpfigen Gebieten mußten die Baumeister sicher sein, daß ihre Fundamente tief und fest waren — man konnte diese sumpfigen Gebiete nicht umgehen; das Fehlen jeglicher Anzeichen für ein Sichsenken beweist, daß sie das Problem lösten. Auch die Straßenführung muß die Baumeister vor Probleme gestellt haben. Die Straße von Cobá nach Yaxuna verläuft in folgenden Richtungen: Vom Anfang bis zu Kilometer 6,4 279°; von Kilometer 6,4 bis Kilometer 16 269°; von Kilometer 16 bis Kilometer 24 260°; von Kilometer 24 bis Kilometer 32 270°; von Kilometer 32 bis Kilometer 64 260° und von Kilometer 64 bis Kilometer 100 (Yaxuna) 264°. Da drei der Richtungsänderungen mit archäologischen Ruinen zusammenfallen, können wir ziemlich sicher sein, daß die Straße gebaut wurde, um diese verschiedenen Städte miteinander zu verbinden. Es gibt jedoch zwei Abschnitte von 32 bzw. 36 Kilometer Länge ohne jede Richtungsänderung. In der Nacht konnte ein Baumeister, wenn an den beiden Endpunkten Feuer brannten, sehr wohl von der Mitte aus die gesamte Strecke übersehen, doch wegen des dichten Waldes ringsum kann die Aufgabe nicht leicht gewesen sein. Bei der Lösung dieses Problems bewiesen die Maya großen Scharfsinn.

Diese Maya-Straßen wurden während der klassischen Periode

gebaut. Man hat auch kürzere Straßen, die Außenbezirke von Uaxactún und anderer Maya-Städte des Petén miteinander verbinden, gefunden, und Luftaufnahmen des Petén, die vor einigen Jahren anläßlich der Suche nach Öl gemacht wurden, scheinen anzuzeigen, daß im Norden dieses unbewohnten Landes eine große Straße verlief, vergleichbar derjenigen von Cobá nach Yaxuna. Auch in andern Teilen Mittelamerikas gab es Straßen jeder Bauart, doch keine reichte an die besten Maya-Straßen heran. Die Maya hatten jedoch keine Räderfuhrwerke und keine Lasttiere, um diese herrlichen breiten Straßen auszunutzen.

In der Baukunst waren die Maya ihren Nachbarn in Mittelamerika weit voraus und bewiesen größere technische Geschicklichkeit als die alten Peruaner. Die Bauten der Inka bestehen aus schön zugerichtetem Mauerwerk, ihre Errichtung erforderte Sinn für ein gefälliges Äußeres, aber kein technisches Können.

Die religiösen Bauten der Zeitgenossen der Maya in Mittelamerika bestanden in der klassischen Periode größtenteils aus vergänglichem Material, später wurden sie aus Steinen errichtet und mit Dächern versehen, die mit Stroh gedeckt waren oder aus einer auf Flachbalken und Stangen ruhenden Schicht aus kleinen, in Mörtel verlegten Steinen bestanden. Die steilen Strohdächer waren weitaus häufiger als die Flachdächer. Die Maya verwendeten beide Typen, doch der gebräuchlichste Typ für Zeremonialbauten war das Kraggewölbe, bei dem die nach innen vorkragenden Steinlagen einander immer näher rücken, bis der Zwischenraum durch Schlußsteine überbrückt werden kann (Tafel 6; Abb. 3, 7, 8).

Bei den frühen Maya-Bauten wurden Mauern und Gewölbe aus großen Steinen konstruiert — das sogenannte Blockmauerwerk —, die gewöhnlich im Mauerkern verzapft und unter reichlicher Verwendung von Steinsplittern in Mörtel verlegt wurden. Der Mauerkern bestand weitgehend aus Steinen und einer nur geringen Menge von Mörtel. In einer späteren Zeit — Ende der klassischen Periode — hatte sich dieser Mauerwerktyp gewandelt, und man war zur Verwendung von massivem Beton übergegangen, der mit dünnen, sorgfältig zugerichteten Blendsteinen verkleidet wurde. Die Gewölbesteine sind oft mit einem Zapfen versehen, dem sogenannten stiefelförmigen Gewölbestein, um sie gegen den Zug der Schwerkraft in ihrer Lage zu halten, die Blendsteine der Mauern jedoch haben diese Zapfen nicht und stellen gewissermaßen ein echtes Furnier dar. Der Beton ist eine Mischung von Kalk, *sascab* — ein bröckeliger Mergel mit einem hohen Gehalt an Kalziumkarbonat —, der an Stelle des im Maya-Flachland sehr seltenen Sandes verwendet wird, und zerkleinertem Kalkstein. Die Zementbauweise ermöglichte weitaus solidere Bauten, als sie mit dem alten Mauerwerktyp errichtet werden konnten.

Beim Bau der beiden einander zustrebenden Mauern eines Kraggewölbes mußten die Maya sich mit den Problemen von Spannung und Druck und der Zerreißfestigkeit des Betons befassen. Frisch aufgetragener Mörtel konnte unter dem Gewicht der überhängenden Gewölbedecke zusammengedrückt und an der Außenfläche der Wölbung hinausgequetscht werden und so den Einsturz des Gewölbes verursachen. Andererseits verteilte der Beton das Gewicht gleichmäßiger über die ganze Dicke des Gewölbes.

Der Maya-Architekt scheint sich der Bedeutung des mechanischen Prinzips der Stabilität voll bewußt gewesen zu sein, jedoch Schwierigkeiten gehabt zu haben mit der Konsistenz seines Betons, bevor dieser hart geworden war. Er löste dieses Problem auf zweifache Weise; er zog seine Mauern bis zu einer bestimmten Höhe hoch und ließ sie sich dann setzen, bevor er weiterbaute — es gibt zahlreiche archäologische Beweise für diese Verfahren; außerdem zog er in Abständen hölzerne Querbalken ein, um die beiden Gewölbeschenkel zusätzlich auseinander zu halten, bis sie mit Schlußsteinen überbrückt werden konnten (Abb. 8).

Eine detaillierte Beschreibung der Maya-Architektur wäre in diesem Buch fehl am Platz, und ich muß eine vollständige Unkenntnis über die Theorien des Drucks eingestehen. Auf einen Punkt jedoch möchte ich hinweisen: Sowohl die Azteken und die andern Völker Mittelamerikas als auch die Inka bauten nach dem einfachen Verfahren, einen Stein direkt auf den andern zu legen; der Druck war nur vertikal, und sie brauchten keine besonderen Kenntnisse, um solche Bauten zu errichten. Die Maya nahmen, als sie sich entschlossen, das Kragsteingewölbe zu verwenden, eine Herausforderung an, der sie nur mit Intelligenz und durch Experimente begegnen konnten.

Earl H. Morris, der mehrere Jahre lang die Ausgrabung und Rekonstruktion in Chichén Itzá leitete, schreibt: »Mit dem Beginn des Gewölbes war man in den meisten Fällen zu einem ausgesprochen schwierigen Verfahren gezwungen, das zu seiner erfolgreichen Durchführung ein klares Verständnis der Prinzipien des Gleichgewichts und eine peinliche Einhaltung des Planes erforderte.« Und über die Gewölbekonstruktion beim Krieger-Tempel schreibt er: »Wenn man sich eine Gewölberippe aus Mauerwerk von einer Länge von 41,40 m vorstellt, wie sie bei den Nord- und den Westkolonnaden vorkommt, in Gleichgewicht gehalten auf einer Reihe von schlanken, runden Säulen, die nicht einmal monolithischen Charakter hatten, kann man diese Bauweise nur als eins der kühnsten je unternommenen architektonischen Experimente betrachten. Sicherlich müssen Baumeister und Maurer Seufzer der Erleichterung von sich gegeben haben, wenn endlich Schlußsteine gelegt wurden, um Rippe mit Rippe zu verbinden.«

Warum, so fragt man sich, verwendeten die Maya das Kragsteingewölbe, statt ihre Tempel mit Stroh zu decken oder mit flachen Dächern aus Balken und Stangen, die um so vieles leichter zu bauen waren und viel größere Räume ermöglichten? In mehreren englischen Kathedralen lag eine in etwa ähnliche Situation vor: Die Holzdächer der normannischen Periode wurden durch das Rippenmauerwerk des gotischen Bogens ersetzt, trotz aller sich ergebenden Schwierigkeiten des Seitendrucks. Die Antwort muß lauten, daß keine Anstrengung zu groß sein kann, wenn es sich darum handelt, zum Ruhme Gottes oder der Götter zu bauen; die Schöpfungen des Menschen werden geheiligt durch Überwindung von Schwierigkeiten. Außerdem ist es, wie bereits bemerkt, wahrscheinlich, daß die Maya für ihre Zeremonien kleine, dunkle Räume vorzogen; große, helle Räume hätten die Atmosphäre des Geheimnisvollen beeinträchtigt. Sie hätten das Kragsteingewölbe beibehalten und dennoch größere und hellere Räume konstruieren können, wenn sie die Gewölbe durch Säulen anstatt durch massive Mauern gestützt hätten, doch dieser Baustil wurde erst angewandt, als die Tolteken mit ihrer weniger mystischen Einstellung zur Religion nach Chichén Itzá kamen.

Es ist bemerkenswert, daß, von unserem Standpunkt gesehen, die intellektuellen Erfolge der Maya keinen praktischen Nutzen hatten; sie dienten der Befriedigung geistiger Bedürfnisse. Der Maya-Astronom strebte nach Wissen, doch nicht als Selbstzweck, sondern als Mittel zur Kontrolle des Schicksals, als eine Art Astrologie. Er glaubte an eine Ordnung im Himmel, der die Götter gehorchten; sobald er diese Ordnung erkannt und genau ermittelt hätte, welche Götter zu einer gegebenen Zeit regierten, könnte er die Zukunft voraussagen und sie sogar beeinflussen, sobald er wußte, welchen Gott er jeweils besänftigen mußte.

Die großen Straßen wurden nicht für praktische Zwecke gebaut, denn die Maya hatten weder Lasttiere noch Räderfuhrwerke; sie waren sicherlich als geistiges Element gedacht, als Rahmen für große religiöse Umzüge. Das Kraggewölbe wurde nicht aus Zweckmäßigkeitsgründen verwendet, sondern höchstwahrscheinlich als Ausdruck des Opferwillens. Sogar der blaue Farbstoff der Maya diente in erster Linie der Herstellung von Wandmalereien zu Ehren der Götter. Auf dem Gebiet des Alltagslebens kenne ich keine Entdeckung praktischer Natur, die man den Maya zuschreiben könnte.

Die Hieroglyphenschrift

Mittelamerika ist der einzige Teil der Neuen Welt, in dem das System einer Frühschrift entwickelt wurde. Die Azteken und andere Völker Mexikos hatten Bücher, doch in ihnen wird die Information weitgehend in der Form der Bilderschrift vermittelt, und die Glyphen, die in ihnen verstreut oder in Stein gemeißelt sind, sind mit wenigen Ausnahmen Bildzeichen. Die Tageszeichen — wie Schlange und Haus — werden durch Bilder dieser Gegenstände wiedergegeben, und sogar die Rebusschrift scheint vor der Ankunft der Spanier ziemlich selten gewesen zu sein. Die Rebusschrift ist ein System, bei dem man einen Satz wie *I can see aunt Peg* (ich kann sehen Tante Peg) schreibt, indem man ein Auge (*eye*), eine Büchse (*can*), Wellen (*see*), eine Ameise (*aunt*) und einen Pflock (*peg*) zeichnet. Man gibt also den Laut wieder, nicht die Bedeutung. Aztekische Glyphen bestehen fast immer aus Kalenderzeichen und den Glyphen für Personen und Städte, und da Individuen und Städte in der Regel nach Tieren oder Gegenständen benannt wurden, war ihre bildliche Darstellung einfach.

Die Hieroglyphen der Maya wurden auf Steinstelen, Altären, Markiersteinen und Ringen der Ballspielplätze, Stufen, Paneelen, Gebäudemauern, Sturzen aus Stein oder Holz und Holzdecken eingemeißelt oder seltener eingeritzt. Sie wurden in Stuck modelliert, auf persönliche Schmuckgegenstände, wie Jade und Muscheln, eingeritzt und auf Keramik, auf Wände und in Büchern gemalt. Sie sind weitaus zahlreicher und komplizierter als die der Azteken.

Die frühesten Glyphen entsprechen möglicherweise der Hochland-

Maya-Sprache. Der Tag Jaguar z. B. wird im Yucatekischen Ix oder Hix genannt, ein bedeutungsloses Wort, in Kekchi jedoch, einer Hochland-Maya-Sprache, ist Hix noch immer der Name für Jaguar. Die Lautwerte vieler Glyphen entsprechen wahrscheinlich dem Tiefland-Maya der Zeit um 200 n. Chr., das von den noch jetzt nah verwandten Chol, Chontal, Chorti und Yucatekisch abstammt und diesen noch immer stark ähnelt. Weitere, auf die Kodizes beschränkte Lautzeichen sind späteren Ursprungs und entsprechen dem Yucatekischen der Zeit kurz vor der spanischen Eroberung. Ein Beispiel für diese Gruppe ist die Glyphe für große Dürre, *kintunyaabil*, deren Teile der yucatekischen Sprache entsprechen (Abb. 17, Nr. 30, links).

Ich glaube, die Maya hatten weder eine alphabetische noch eine Silbenschrift, abgesehen davon, daß die meisten Maya-Wörter einsilbig sind. Ziemlich häufig wird eine einfache Lautschrift benutzt, die man insofern als eine fortgeschrittene Form der Rebusschrift bezeichnen kann, als das Bild so stark stilisiert wird, daß der ursprüngliche Gegenstand nicht mehr zu erkennen ist. So ist z. B. der seltsame Gegenstand in Abb. 17, Nr. 10, das Symbol für Baum, *te* in Maya. Wir finden es kombiniert mit dem Symbol für Rot als der rote Baum des Ostens im Dresdener Kodex. Der Laut *te* wurde, jedoch ohne jeden Zusammenhang mit der Vorstellung des Baumes, auch beim Zählen der Monate an die Zahl angehängt. In den Hieroglyphentexten wird das gleiche Symbol verwendet. Abb. 17, Nr. 13 zeigt den dritten (oxte) Tag des Monats Zotz (Fledermaus) — oxte Zotz. Ein anderer bedeutender Gott wurde Bolon Yocte genannt, und dieser Name bedeutet möglicherweise so etwas wie ›neun Schritte dort‹. Seine Glyphen zeigen die Zahl neun, die Glyphe für *oc*, ›Hund‹, und das *te*-Zeichen (Abb. 17, Nr. 11, 12), doch weder Hund noch Holz haben etwas mit diesem Namen zu tun.

In ähnlicher Weise bedeutet *u* in mehreren Maya-Sprachen ›Mond‹, doch auch die besitzanzeigende Präposition ›von‹. Die Mond-Glyphe bezieht sich vielleicht auf den Mond, wird jedoch auch als besitzanzeigendes Fürwort benutzt und kann sogar für die Zahl Zwanzig stehen (Abb. 17, Nr. 6). Ein Beispiel für die altmodische Rebusschrift liefert das Maya-Zeichen für ›Zählen‹. Im Yucatekischen bedeutet das Wort *xoc* ›Zählen‹, doch es war auch der Name eines mythischen Fisches, der im Himmel wohnte und verehrt wurde. Da die Maya Schwierigkeiten hatten, eine abstrakte Idee wie ›Zählen‹ in Glyphenform wiederzugeben, benutzten sie die Rebus-

schrift und verwendeten den Kopf des *xoc*-Fisches als Glyphe für *xoc*
›Zählen‹ (Abb. 17, Nr. 15, 17).

Ideographische Glyphen wurden von den Maya ziemlich häufig
benutzt. So war z. B. der Kopf des *xoc*-Fisches nicht leicht zu skulp-
tieren und konnte mit dem Kopf eines anderen Fisches oder Tieres
verwechselt werden — es gibt viele Tiere in der Mythologie der
Maya, die kein Zoologe zu identifizieren vermag. Die Maya ersetzten daher das Bild des Fisches durch ein Begriffszeichen, das Symbol
für Wasser, offensichtlich mit der Vorstellung, daß Wasser als das
Element, in dem der Fisch lebt, an den *xoc*-Fisch erinnert. Das
Symbol für Wasser war eine Jadeperle, weil sowohl Wasser als auch
Jade kostbar und grün waren (Abb. 17, Nr. 14, 16). So ist Jade gleich
Wasser gleich *xoc*-Fisch gleich *xoc*, Zählen. Das System ist äußerst
kompliziert.

Ein gutes Beispiel für ein Ideogramm ist die häufige Kombination
der Samen-Glyphe (Abb. 17, Nr. 35) mit der Erd-Glyphe, um das
Zeichen für *milpa*, Maisfeld, zu bilden (Abb. 18 h). Wie sehr auch
der Name für *milpa* sich in den verschiedenen Maya-Sprachen unterscheiden mag, die Verbindung der beiden Zeichen Samen und
Erde ist immer als Maisfeld erkennbar. In dem Bild, das die Glyphen
(Abb. 18 h) begleitet, schreitet der Regengott mit dem Pflanzstock in
der Hand auf der Maisfeld-Glyphe. Metaphorgramme sind ein anderes Element der Schrift und Bilder der Maya. Die im Maya-Tiefland
häufige Vampir-Fledermaus liefert eine Glyphe, die mit der für Opfer
kombiniert ist, offensichtlich, um ein Menschenopfer oder ein mit
Blut verbundenes Opfer anzuzeigen, eine natürliche Metapher angesichts des blutsaugenden Vampirs. Auch hier erscheint die Fledermaus mit dem Kopf nach unten. Eine seltene Glyphe ist der nach
hinten gewendete Kopf einer Fledermaus. Dieses nur mit der Katun-
Glyphe und seiner Zahl benutzte Zeichen bedeutete, daß ein bestimmter Katun zur Ruhe gekommen war, daß seine Reise auf der
unendlichen Wanderung der Zeit (S. 175) zu Ende war — eine treffende und einleuchtende Metapher für die abstrakte Idee der Ruhe.
Eine Maya-Metapher für Trockenheit war *cim cehil*, ›die Hirsche
sterben‹. Wir finden ein Bild eines sterbenden Hirsches in einer der
Szenen und die Glyphe für Trockenheit (Abb. 17, Nr. 30) in dem
Text, den das Bild illustriert. ›Die Hirsche sterben‹ ist eine Metapher
für große Dürre, weil das Wild in Zeiten großer Trockenheit verdurstet, da Yucatán keine Flüsse und Teiche hat. ›Mais in der Knospe‹
war eine hübsche Maya-Metapher für einen jungen Menschen im

heiratsfähigen Alter. Glyphen von knospendem Mais im Zusammenhang mit Texten, die Ehedinge behandeln, scheinen Metaphorgramme für diese Jugend zu sein.

Eine Kenntnis der Denkweise der Maya ist oft notwendig, um Maya-Glyphen zu verstehen; ein Weissagungsalmanach, der die Seiten 31—35 des Dresdener Kodex umfaßt, enthält vier ähnliche Szenen, die den Regengott Chac auf einer zusammengerollten, einen Wasserbehälter umschließenden Schlange sitzend zeigen. Aufgrund anderer Quellen können wir ziemlich sicher sein, daß es sich hier um die Wasserbehälter handelt, aus denen die Regengötter Wasser in Form von Regen auf die Erde sprengen. Die Glyphe für diese Wasserbehälter ist eine Spirale mit der angefügten Zahl Neun. Die Spirale ist in ganz Mittelamerika ein allgemein gebräuchliches Symbol für Wasser. Spezielles Ritualwasser wird *zuhuyha* genannt; *zuhuy* bedeutet unverseucht, jungfräulich, frisch, und *ha* bedeutet Wasser. *Bolon* jedoch, die Bezeichnung für die Zahl Neun, wird von den Maya bis zum heutigen Tag im Sinne von nicht verunreinigt, frisch usw. benutzt, ist also ein Synonym für *zuhuy*. Die Glyphe 9 Spirale bedeutet daher frisches, reines Wasser.

Die Kette der Maya-Bilder, die zu der Gleichsetzung von Neun mit frisch, unverseucht führt, ist die folgende: Der Gott der Zahl Neun ist der Chicchan-Schlangengott, dessen Symbol — gewöhnlich auf der Stirn getragen — das Zeichen *Yax* ist. *Yax* bedeutet Grün, wird im Yucatekischen aber auch im Sinne von neu, frisch, zuerst, erstes Mal, erstgeboren benutzt. Durch die letztgenannten Bedeutungen wird *Yax* gleichbedeutend mit *zuhuy*. *Zuhuy akab* ist der Beginn der Nacht, das Dunkelwerden, denn *akab* ist die Nacht, doch *yaxokinal*, ›wieder ging die Sonne unter‹, ist praktisch ein Synonym. Eine Parallele in unserer Zivilisation wäre eine Zeichnung von einem Soldaten, der in einem Boot steht, oder von einer Hand, die in einer Wunde steckt — ein mittelalterliches Attribut des zweifelnden Thomas — anstelle des geschriebenen Wortes Delaware oder Missouri. Weil derartige Gedankenassoziationen hinter manchen Glyphen liegen, habe ich wenig Hoffnung, daß bei ihrer Entzifferung Computer helfen können, eine Idee, die später erörtert werden soll.

Bemerkenswert ist weiterhin, daß viele, besonders kalendarische Glyphen zwei ganz verschiedene Formen haben, die unterschiedslos benutzt werden können. Die eine ist eine Kopfform, die andere ist eine symbolische oder ideographische Form, gewöhnlich ein Attribut oder ein Element, oft stark stilisiert, das den Leser an die Glyphe erinnert. Es ist, als ob man statt ›St. Peter‹ zu schreiben, ein Bild von zwei gekreuzten Schlüsseln zeichnen würde. So konnte z. B. der Tag Cimi, ›Tod‹, als der Kopf des Todesgottes skulptiert oder gemalt werden oder als ein dem Prozentzeichen ähnelndes Symbol, das ein oft auf den Körper oder auf die Kleider gemaltes Attribut des Todesgottes war (Abb. 17, Nr. 22, 23). Für den Eingeweihten bedeutete dieses Symbol den Todesgott, genauso wie die gekreuzten Schlüssel für den Christen St. Peter bedeuten.

Die meisten Glyphen sind zusammengesetzt und bestehen aus einem Hauptelement und verschiedenen Affixen. Ein Präfix steht links oder über dem Hauptelement, ein Suffix rechts oder unter dem Hauptelement. Die Wahl der Stellung für ein Präfix oder ein Suffix hing gewöhnlich von künstlerischen Überlegungen ab, die im allgemeinen darauf hinausliefen, wie man den verfügbaren Raum am besten ausfüllte; doch mit wenigen Ausnahmen konnte ein Präfix nicht als Suffix, oder umgekehrt, erscheinen, ohne die Bedeutung der Gesamtglyphe zu verändern. Die Glyphe für ›Zählen‹ liefert ein gutes Beispiel für eine Zusammensetzung. Das Hauptelement ist, wie bereits bemerkt, der Kopf des *xoc*-Fisches oder das Zeichen für Wasser, sein Gegenstück; die Affixe sind Adverbien und eine Präposition und verändern die Bedeutung. Das kleine fackelartige Element, das bei allen Beispielen als Postfix vorkommt (Abb. 17, Nr. 14—17), stellt die Ortspräposition *ti* ›nach‹, ›in‹ oder ›von‹ dar; das Präfix zur Linken oder darüber ist das Symbol für ›vorwärts‹; das dritte Affix, das nie vorkommt, wenn das Präfix ›vorwärts‹ benutzt wird, ist ein Suffix, das ›rückwärts‹ bedeutet. So ändern die Affixe ihren Sinn. In dem einen Fall (Nr. 14, 15) bedeutete das Ganze ›vorwärts zählen bis‹, in dem andern Fall (Nr. 16, 17) ›rückwärts zählen bis (oder von)‹. Eine solche Veränderlichkeit — es gab acht einfache Kombinationen dieser Elemente — macht die Deutung der Glyphen keineswegs leichter, doch es läuft alles auf ›Addieren‹ oder ›Subtrahieren‹ hinaus.

Zu den identifizierten Affixen gehören Adjektive, Adverbien, Präpositionen und Konjunktionen, doch die Maya-Schrift ist so fließend, daß ein Affix mit einem Hauptelement die Stelle wechseln oder in das Hauptelement ›eingefügt‹ werden kann, d. h., das Affix kann weggelassen und sein hervorstechendes Merkmal innerhalb der Hauptglyphe als Detail hinzugefügt werden (Abb. 17, Nr. 9). Ebenso können zwei Glyphen zu einer einzigen verschmolzen werden, indem man die wesentlichen Elemente beider in einer neuen Glyphe kombiniert.

Die Maya schrieben einfache Sätze, doch ich bezweifle, daß sie Affixe hatten, um Fürwörter und Zeitformen auszudrücken. Tatsächlich sind die Verben in der Maya-Sprache eher schwach entwickelt; sie können als Verbalsubstantive bezeichnet werden. So finden wir in den Wahrsagealmanachen Sätze, die etwa wie folgt übersetzt werden können: »Sein Beeinflussen des Maises, der Todesgott. Häufte Tod auf«, oder wie wir sagen würden, »Der Todesgott regiert jetzt den wachsenden Mais. Viel Tod wird das Ergebnis sein.« Drei Wahrsagestellen aus dem Dresdener Kodex mit Übersetzungen sind in Abb. 18 g—i wiedergegeben.

Die meisten Glyphen sind noch unentziffert, und da ein Alphabet fehlt, ist der Fortschritt nur sehr gering. Es gibt keinen Schlüssel oder kein Maya-Äquivalent für den Stein von Rosette, aufgrund dessen dreisprachiger Inschrift Champollion die ägyptischen Hieroglyphen entzifferte — außer den mageren Auskünften, die Bischof Landa uns über die Glyphen des Kalenders hinterlassen hat. Die Entzifferung neuer Glyphen vereinfacht die Bewältigung des Restes nicht wie bei einem Kreuzworträtsel oder einer Schrift, die ein Alphabet benutzt.

Die Maya-Glyphen-Forschung befindet sich z. Z. in einem unsicheren und enttäuschenden Stadium. In letzter Zeit haben mehrere Gelehrte behauptet, sie hätten den Schlüssel zur Entzifferung gefunden, doch sie stimmen weder in der Methode noch in den Resultaten überein; für ein einfaches Glyphenelement gibt es ebenso viele Entzifferungen wie Entzifferer. Man behauptet, die Maya-Schrift trage teilweise einen Silben- und Alphabetcharakter, eine Ansicht, die ich nicht zu teilen vermag. Im fernsten Sibirien hat man jetzt zwar einen Computer eingesetzt, um diese Behauptung zu beweisen, doch ein Computer ist wie eine Wurstmaschine — was an einem Ende herauskommt, hängt davon ab, was an dem andern hineingefüttert wurde. Hier ist ein Resultat der von starker Publizität begleiteten Arbeit des Computers: Szenen auf Seite zwanzig des Madrider Maya-Kodex zeigen sitzende oder kniende Gottheiten, jede von ihnen in einer Art von hölzernem Käfig, dessen Querbalken oder Dach sie mit erhobenen Händen stützen. Nach dem Computer sagt uns der Begleittext der Glyphen, es handle sich um die Herstellung von Ziegeln. Abgesehen von der Tatsache, daß die Bilder nichts enthalten, das auch nur im entferntesten an Ziegelherstellung erinnert, wurden nur in der Region des Grijalva-Usumacinta-Deltas, der Heimat der Chontal-

Maya, Ziegel verwendet — es gibt keine Steinbauten in diesem Gebiet. Die sibirische Forschergruppe vertritt die Ansicht, die Sprache der erhalten gebliebenen Maya-Bücher sei das yucatekische Maya, und es liegen in der Tat überzeugende Beweise dafür vor, daß der Madrider Kodex nicht aus dem Delta-Gebiet stammt. Das Wort *hi* des yucatekischen Maya, von dem die Russen erklären, es entspreche einer der Glyphen, bedeutete nicht Ton, wie sie behaupten, sondern den mit dem Ton vermischten Sand; das Wort *kak*, das sie für die Übersetzung eines anderen Glyphenelements halten, bedeutet ›Feuer‹ und nicht ›brennen‹, wie sie uns sagen.

Etwas kann nicht in Ordnung sein, wenn der Computer mit dem Deutungsergebnis ›Quarzsandfeuer‹ aufwartet, das, wie man uns sagt, ›Ziegelbrennen‹ bedeutet, und dies wird angeboten als Interpretation von Szenen, die in keinerlei Zusammenhang stehen mit der Ziegelherstellung, in einem Buch, verfaßt von einem Zweig der Maya, der nie Ziegel herstellte! ›Entzifferungen‹ dieser Art können nur illustrieren, wie notwendig es ist, etwas über die Ethnologie und Linguistik der Maya zu wissen, bevor man sich mit der Glyphenforschung befaßt. Jemand informierte die Welt mit exemplarischer Bescheidenheit, er habe die Glyphen nach nur zweimonatigem Studium entziffert, während seine Vorgänger, fügte er hinzu, in mehr als einem halben Jahrhundert wenig oder nichts erreicht hätten. Ein anderer löste die Probleme mit der gleichen Geringschätzung für die Bemühungen anderer, scheute sich dabei aber nicht, ihre Entzifferungen zu benutzen, ohne sie zu zitieren — er entzifferte die Glyphen vom marxistisch-leninistischen Standpunkt aus.

Wir stehen wieder da, wo wir uns am Anfang, vor fast einem Jahrhundert befanden, als eine Flut von Entzifferungen, eine phantastischer als die andere, das Thema in Verruf brachte und praktisch zur Aufgabe der Glyphenforschung für mehrere Jahrzehnte führte. Ganz anders und höchst erfolgreich ist dagegen die Arbeit an Texten der klassischen Periode, die weltliche Aktivitäten behandeln.

Die meisten Maya-Glyphen sind aus mehreren Elementen zusammengesetzt, einem Hauptzeichen und variablen Affixen. Ein gemeinsames Glyphenzeichen erweist sich als ein Hauptelement in Verbindung mit fast 80 verschiedenen Anordnungen von Affixen oder Infixen. Einige dieser Affixe können Varianten eines andern sein, wodurch die Gesamtzahl unterschiedlicher Bedeutungen beträchtlich verringert wird. Außerdem können Affixe nicht nur zu Hauptzeichen werden oder umgekehrt, sie können auch personifizierte oder symbolische Formen annehmen. Und da die Maya genaue Wiederholungen verabscheuten, führte darüber hinaus der Bildhauer — und in geringerem Maße auch der Schreiber — oft jede nur zulässige Variante ein, wenn es notwendig war, die gleiche Glyphe in einem Text mehrere Male wiederzugeben. In einem kürzlich zusammengestellten Katalog habe ich 492 Hauptzeichen und 370 Affixe aufgeführt. Spätere Forschungen werden erweisen, daß einige von ihnen lediglich Varianten sind, und so die Gesamtsumme auf vielleicht 750 reduzieren.

Bei einigen Inschriften, die in der Hauptsache aus Daten und Berechnungen bestehen, können die meisten Glyphen gelesen werden; bei andern, die geschichtliche oder rituelle Themen zu behandeln scheinen, ist der Prozentsatz der entzifferten Glyphen dagegen ziemlich niedrig; bei einigen wenigen Texten kann nicht eine einzige Glyphe übersetzt werden.

In vielen Fällen wissen wir, was das Hauptelement einer Glyphe bedeutet, können jedoch die Affixe nicht entziffern; in andern Fällen ist es umgekehrt. Das Problem wird zusätzlich kompliziert durch die verschiedenen Bedeutungen, die ein Element haben kann; so kann die Glyphe für *tun* (Abb. 17, Nr. 26) das annähernde Jahr von 360 Tagen, aber auch ›Ende‹ bedeuten; sie kann ferner als Verstärker dienen wie in der Glyphe für strenge Dürre, *kintunyaabil-kin*, ›Sonne‹, *tun*, ›stark‹, *yaabil*, ›für das (ganze) Jahr‹ (Abb. 17, Nr. 30); sie bedeutet Stein oder Felsvorsprung.

Soweit wir wissen, behandeln die Glyphentexte der klassischen Periode zum Teil den Ablauf der Zeit und astronomische Fragen, die mit diesen Themen assoziierten Götter und wahrscheinlich die entsprechenden Zeremonien. Vor kurzem hat nun Tatiana Proskouriakoff festgestellt, daß manche Inschriften auch von Herrschern handeln und Daten angeben, die wahrscheinlich ihre Geburt, ihre Thronbesteigung und die entsprechenden Jahrestage markieren. Namensglyphen von Herrschern, sogar von Frauen, sind wiedergegeben, und es bestehen gute Aussichten, ganze Dynastien rekonstruieren zu können. Heinrich Berlin hat Glyphen identifiziert, die wahrscheinlich Stadtstaaten bezeichnen.

In den historischen Fragmenten, die in den Büchern des Chilam Balam genannten Transkriptionen der Kolonialzeit erhalten geblieben sind, wird den Taten von Einzelpersonen kaum Bedeutung beigemessen, es sei denn, ihr individuelles Verhalten hätte die Geschichte beeinflußt.

Die Hieroglyphenschrift der Maya wurde in erster Linie vervollkommnet, um den Ablauf der Zeit aufzuzeichnen, die Namen und Einflüsse der in jedem ihrer Abschnitte regierenden Götter sowie das angesammelte Wissen der Priester-Astronomen, das mit diesen Themen in Zusammenhang stand. Ihre Verwendung für andere Zwecke war eine sekundäre Entwicklung. Auch hier wurde das Denken der Maya von einer Zielsetzung geleitet, die wir als unpraktisch betrachten würden.

Die Hieroglyphenschrift wurde auch benutzt bei Büchern, die aus einem einzigen, bis zu 20 cm hohen, aber mehrere Meter langen Papierstreifen bestanden, der wie ein Wandschirm gefaltet wurde, wobei etwa 15 cm breite Blätter entstanden, die auf beiden Seiten beschrieben wurden. Wegen dieses Faltsystems muß zunächst der Text der gesamten Vorderseite gelesen werden, bevor man zur Rückseite übergeht. Der Inhalt ist in kapitelartige Abschnitte eingeteilt, die eine variierende Anzahl von Seiten umfassen. Den Rohstoff für das Papier lieferte eine Bastfaser, die von einer Spielart des wilden Feigenbaums gewonnen wurde. Diese Faser wurde geklopft, wie man Baststoffe herstellt, und, wenn eine stoffartige Beschaffenheit erreicht war, mit einer dünnen Kalkschicht überzogen, welche die Schreiboberfläche lieferte.

Nur drei dieser Bücher sind erhalten geblieben, und sie tragen die Namen der Städte, in denen sie jetzt aufbewahrt werden. Der Dresdener Kodex, ein schönes Beispiel für die Zeichenkunst der Maya, ist die wahrscheinlich um 1200 n. Chr. hergestellte Neuausgabe eines während der klassischen Periode angefertigten Originals. Es behandelt Astronomie — Sonnenfinsternis und Venustafeln — und Wahrsagerei. Der Madrider Kodex, weit gröber in der Ausführung, stammt mit ziemlicher Sicherheit aus dem 15. Jahrhundert. Er enthält Weissagungen und Zeremonien, verbunden mit verschiedenen Tätigkeiten und Ritualen von allgemeiner Bedeutung, wie sie anläßlich des Jahreswechsels üblich waren. Der Pariser Kodex, ebenfalls spät und nicht sehr gut in seiner Ausführung, illustriert auf der einen Seite Zeremonien und wahrscheinlich Prophezeiungen im Zusammenhang mit dem Abschluß einer Folge von Katun und Tun. Weissagungen füllen die Rückseite. Frühe spanische Autoren sprechen von Kodizes, die sich mit der Geschichte beschäftigen. Keine von diesen Handschriften ist uns erhalten geblieben, doch möglicherweise haben die Prophezeiungen aus der Katunfolge im Pariser Kodex insofern ebenfalls historischen Charakter, als die Prophezeiungen der Maya Projektionen der Vergangenheit in die Zukunft sind.

Die Zählung der Katun und ihre historischen und prophetischen Funktionen überlebten das Eindringen mexikanischer Ideen in das Maya-Gebiet und waren noch immer sehr lebendig in Tayasal, dem Bollwerk der Itzá, als es im Jahr 1697 von den Spaniern erobert wurde. Landa verbreitet sich ausführlich darüber: »Sie hatten eine bestimmte Methode, die Zeit und ihre Angelegenheiten in Perioden ... von zwanzig Jahren ... zu zählen, die sie Katun nannten ... Mit ihnen registrieren sie auf wunderbare Weise ihre Zeitalter ... Dies war das Wissen, in das sie das größte Vertrauen setzten ... Sie verehrten diese Katun ... und ließen sich von ihrem Aberglauben und ihren Täuschungen beherrschen.«

Vieles von dieser Überlieferung hat sich, wie bereits vermerkt, in den Büchern des Chilam Balam der Kolonialzeit erhalten, und das obenerwähnte prophetische Material im Pariser Kodex ist sicherlich postmexikanisch. Eine Folge von Göttern — viele von ihnen stark mexikanisiert —, die über Tun herrschen, und ein Fragment anscheinend einer Zählung von Katun und Halbkatun waren auf die Wände eines mit Erde zugeschütteten Bauwerks in Santa Rita im nördlichen Britisch-Honduras gemalt; die Gemälde stammen aus der Zeit zwischen 1250 und 1500.

Diese Malereien zeigen, wie Archäologie und die zur Kolonialzeit geschriebenen Quellen einander ergänzen. In einer Szene (Abb. 19) schüttelt ein Kaufmannsgott der Maya, erkennbar an seiner Pinocchio-Nase, an dem geflochtenen Tragriemen um den Kopf und seiner (im Original) blauen und roten Bemalung, eine Rassel und schlägt eine aufrecht stehende Trommel, wie es auf einer Wandmalerei von Bonampak zu sehen ist (nicht abgebildet). Unter ihm erscheint die Glyphe 7 Ahau, wahrscheinlich, um anzuzeigen, daß diese Szene sich auf einen Katun 7 Ahau bezieht. Nun sind in den Büchern des Chilam Balam die Trommel und Rassel des Katun ein stehender Ausdruck, und in einer Prophezeiung für den Katun 7 Ahau finden wir die Formulierung »zu dieser Zeit (ertönen) die Trommel unten, die Rassel oben«.

Weiterhin wird in einer Reihe von Katun-Prophezeiungen Ek Chuah, der Hauptgott der Kaufleute, als Schutzherr des Katun 7 Ahau bezeichnet. Man kann kaum ein besseres Beispiel dafür finden, wie ein Forschungsergebnis das andere bestätigt.

Zwischen der frühesten erhaltenen Aufzeichnung einer Katun-

Zählung — es gab sicher frühere, die nicht überlebten — und der letzten feststellbaren in Tayasal verflossen 1340 Jahre — eine beträchtliche Zeitspanne für die Periode des ›Aberglaubens und der Täuschungen‹.

Es ist höchstwahrscheinlich, daß die Katun-Prophezeiungen, wie sie sich in den Büchern des Chilam Balam erhalten haben, im Gedächtnis bewahrte Lieder oder Gedichte waren, die, wie wir wissen, öffentlich vorgetragen wurden. Die Schlüssel zu ihnen lieferten die kurzen Glyphentexte, wie sie auf den Seiten der Katun-Prophezeiungen im Pariser und im Dresdener Kodex vorliegen (S. 71). Diese Texte wurden wahrscheinlich zu langen Vorträgen ausgeweitet, doch sie dienten sozusagen als Soufflierbücher, sollten die Verse entstellt werden.

Die Einzelheiten des Maya-Kalenders mit seiner Einbeziehung gleichzeitiger Zyklen in die große sogenannte ›lange Zählung‹, die den Ablauf der Zeit aufzeichnete, sind zu kompliziert, um hier zusammengefaßt zu werden. Für eine ausführlichere Erörterung dieses Themas sei der Leser verwiesen auf *An introduction to the Study of the Maya hieroglyphs* von Sylvanus G. Morley und auf dessen neuere Veröffentlichung *Maya Hieroglyphic Writing: Introduction*.

Doch bei der Wiedergabe der ›Initial-Reihe‹, wie die ›lange Zählung‹ genannt wird (Abb. 15, 17, Nr. 19), wurden die Maya-Bildhauer der Ehrenstellung, die man der Zeit einräumte, gerecht. Der Namensaufruf der Perioden hat einen erhabenen Tonfall, der in sich selbst ein Gebet und ein würdiges Opfer an die himmlischen Mächte ist. Weil er lebendige Religiosität verkörperte, wurde er in dem gleichen Glauben, der gleichen Demut und der gleichen liebevollen Geduld eingemeißelt, die jene Hände führten, welche die herrlichen Meßgewänder der Christenheit des Mittelalters bestickten. Er ist die Ouvertüre in der Symphonie der Zeit, ein Kleinod in der Schatzkammer der Geschichte.

Die Literatur

Einige Maya-Lieder sind erhalten geblieben, doch ein besseres Verständnis der Maya-Literatur bieten die Bücher des Chilam Balam, die viele mündliche Überlieferungen und Lieder aus der alten Zeit enthalten. Diese sind oft antiphonal in dem Sinne, daß die zweite Zeile oder der zweite Satz die erste beantwortet, erweitert oder variiert, ein Schema, das uns aufgrund seines häufigen Vorkommens im Alten Testament vertraut ist. Typische Beispiele sind: »Der Fächer des Himmels wird herabsteigen; der Kranz des Himmels, der Strauß des Himmels wird herabsteigen. Die Trommel des Herrn 11 Ahau wird ertönen; seine Rassel wird ertönen.« »Sie werden ihre Ernte unter den Bäumen finden; sie werden ihre Ernte zwischen Felsen finden, jene, die ihre Ernte im Katun des Herrn 11 Ahau verloren haben.« »Die Hügel werden brennen, die Schlucht dazwischen wird brennen. Das Feuer wird aufflammen an dem großen *sucte*-Baum. Es wird brennen am Meer, am Gestade. Der Kürbissamen wird brennen, der Kürbis wird brennen, der *macal* (eine eßbare Knolle) wird brennen.« Und »Sie bewegten sich zwischen den vier Lichtern; zwischen den vier Schichten der Sterne. Die Welt war nicht erleuchtet. Es war kein Tag: es war keine Nacht, es war kein Mond. Dann sahen sie, daß die Dämmerung kam; dann kam die Dämmerung«.

Man vergleiche hiermit »Sie sollen miteinander brüllen wie die Löwen und schreien wie die jungen Löwen« (Jeremia 51, 38); oder »Er wird herabfahren wie der Regen auf die Aue, wie die Tropfen, die das Land feuchten« (Psalm 72, 6).

Dieser antiphonale Charakter der Maya-Poesie ist sicherlich auch den Hieroglyphentexten eigen. Glyphen, die überladen zu sein scheinen, drücken wahrscheinlich diesen responsiven Charakter aus. Auch die Gebete der heutigen Maya besitzen hohe literarische Qualitäten und nehmen oft die gleiche Form eines Wechselgesangs an.

Manchmal spielten die Maya mit dem Wortklang. Man achte z. B. auf den Kontrast zwischen *c'alab* und *c'ilab* in dem folgenden Vers: *bal cin c'alab ca bin c'ilab uinic ti be*; oder auf den zwischen *zilic* und *tz'ilic* in diesem: *hex u zilic u pice: u tz'ilic u pach*.

Der Bericht über die Erschaffung des *uinal*, der Zwanzig-Tage-Periode, ist ein gutes Beispiel der Maya-Literatur und ebenso für die Personifizierung der Zeitabschnitte und ihrer Wanderung durch die Ewigkeit. Die Schöpfung beginnt mit dem Tag 12 Oc und wird vierzig Tage später vollendet, am Tage 13 Oc. *Oc* bedeutet ›Schritt‹, eine treffende Bezeichnung für die Reise der Zeit. Nach dem Glauben der Maya lag die Welt lange Zeit vor der Schaffung der Sonne in Dunkelheit. Die Tage kamen also vor dem Tageslicht. Die nachfolgende Wiedergabe des Originaltextes in dem Buch des Chilam Balam von Chumayel stützt sich auf die englische Übersetzung von Ralph Roys:

»Dies ist ein Lied darüber, wie der *uinal* vor der Morgendämmerung der Welt entstand. Dann begann er, sich aus eigener Kraft zu bewegen. Dann sprach seine Großmutter mütterlicherseits, dann sprach seine Tante mütterlicherseits, dann sprach seine Großmutter väterlicherseits, dann sprach seine Schwägerin: ›Was sollen wir sagen, wenn wir einen Menschen auf der Straße sehen?‹ Dies waren ihre Worte, während sie weiterwanderten, als es noch keinen Menschen gab. Dann kamen sie im Osten an und begannen zu sprechen. ›Wer ist hier vorbeigekommen? Hier sind Fußspuren. Miß sie mit deinem Fuß.‹ So sprach die Herrin der Welt. Dann maß er die Schritte unseres Herrn, des Großvaters. Dies war der Grund, warum es das Zählen der Welt nach Schritten genannt wurde, 12 Oc. Dies war die Zählung, nachdem sie am Tage 13 Oc geschaffen worden war, nachdem seine Füße sich geschlossen hatten, nachdem sie dort im Osten aufgebrochen waren. Dann sprach er seinen Namen, als der Tag keinen Namen hatte, nachdem er mit seiner Großmutter mütterlicherseits, seiner Tante mütterlicherseits, seiner Großmutter väterlicherseits und seiner Schwägerin gewandert war. Der *uinal* war erschaffen, der Tag, wie er genannt wurde, war erschaffen, Himmel und Erde wurden erschaffen, die Treppe des Wassers, die Erde, Felsen und Bäume; die Dinge des Meeres und die Dinge des Landes wurden erschaffen ... Der *uinal* wurde erschaffen, es herrschte die Dämmerung der Welt; Himmel, Erde, Bäume und Felsen wurden geordnet; alle Dinge wurden erschaffen von unserm Herrn, dem Gottvater. So war er da in seiner Göttlichkeit, in den Wolken, allein und aus eigener Kraft, als er die ganze Welt schuf, als er sich in seiner Göttlichkeit im Himmel bewegte. So herrschte er in seiner großen Macht. Jeder Tag ist geordnet gemäß der Zählung, beginnend im Osten, wie es eingerichtet ist.«

Der Bericht besitzt Schönheit und Einfachheit, und seine Bildersprache steht im Einklang mit der Maya-Philosophie.

Künstlerische Leistungen

Während der klassischen Periode gab es mindestens vier große Kulturen — Teotihuacán, Monte Albán (die zapotekische Kultur), Tajín und Remojadas —, die ganz oder teilweise zeitlich mit der großen Blüte der Maya-Kultur zusammenfielen und von denen jede ihren eigenen Kunststil besaß. Diese fünf Völker standen zumindest auf dem Gebiet des Alltagslebens, alle fast auf dem gleichen kulturellen Niveau; sie bauten die gleichen Hauptnahrungsmittel an und hatten, soweit die klimatischen Unterschiede es erlaubten, das gleiche Agrarsystem; sie verehrten Stammesgötter, die einander so ähnlich waren wie die Gottheiten des griechischen und des römischen Pantheons, und sie teilten die gleichen Vorstellungen von der Welt und ihrer Schöpfung. Alle hatten jedoch in Skulptur und Malerei ihren eigenen Stil, der sich so sehr von den andern unterschied, daß er sofort erkennbar ist.

Trotz eines beachtlichen Handelsverkehrs zwischen diesen Zentren Mittelamerikas war der Einfluß einer Region auf den bildhauerischen Stil einer anderen während der Blütezeit der klassischen Periode nur sehr gering. Einige Darstellungen des mexikanischen Regengottes Tlaloc im Teotihuacán-Stil erscheinen auf Skulpturen der frühen klassischen Periode in Tieflandzentren, besonders in Copán und Tikal. Am deutlichsten sichtbar ist der künstlerische Einfluß von Teotihuacán in der Keramik, besonders in den gedrungenen, zylindrischen Deckelgefäßen mit drei Füßen. Diese Gefäße wurden nach dem Brennen mit einer dünnen, gipsartigen Stuckschicht überzogen, auf die man in Pastelltönen sitzende Figuren malte. Einige von ihnen wurden importiert, andere waren lokale Kopien. Sie wurden in Gräbern in Kaminaljuyú und neuerdings auch in Tikal gefunden und stammen aus der ersten Phase der frühklassischen Periode. Sie entsprechen fast genau den in Teotihuacán gemachten Funden. Erst gegen Ende der klassischen Periode, kurz vor der Aufgabe der großen Städte, traten in der Maya-Kunst häufig exotische Elemente auf und erlangten erhebliche Bedeutung in Yucatán. Dennoch hatten all diese Kunststile Mittelamerikas ihre Wurzel in der formativen Periode; die Unterschiede spiegeln zum Teil den Stammescharakter und die Umwelt wider.

Die religiöse Skulptur der Maya ist eine der Glanzleistungen des vorkolumbischen Amerika, doch der Neuling auf diesem Gebiet mag vielleicht Schwierigkeiten haben, sie zu würdigen, weil ihre Stilgesetze vollkommen verschieden sind von denen der westlichen Kunst. So fand auch die japanische Kunst wenig Beifall, als sie zum erstenmal vor westliche Augen gelangte. Für den Maya-Künstler waren die genaue Wiedergabe der Attribute der einzelnen Götter und die Anpassung an den traditionellen Darstellungsstil von erstrangiger Bedeutung. Die Notwendigkeit der Einführung so vieler symbolischer Momente führte zu überstarker Herausarbeitung bestimmter

Aspekte und als Folge zu einer Verzerrung der Proportionen und zur Unmöglichkeit, das Motiv gegen den unverzierten Hintergrund deutlich abzusetzen. So kann bei Maya-Skulpturen der Kopf mit seinem kunstvollen Kopfschmuck über ein Drittel der Gesamthöhe der Figur einnehmen, weil dies in erster Linie die Elemente waren, um die volle Identität der dargestellten Gottheit und deren ›Aspekt‹ zu vermitteln (Tafeln 7, 9). Zunächst empfindet unser westliches Auge dieses Mißverhältnis als Unbeholfenheit oder als Mangel an ästhetischem Gefühl, doch sobald wir uns an die Maya-Konventionen gewöhnt haben, erscheint es uns als natürlich.

Die Hauptperson auf einer Maya-Stele ist ein typisches Produkt der Konvention. Sie kann eine von drei Stellungen einnehmen: Vorderansicht mit nach außen gedrehten Füßen, so daß sie, Hacke gegen Hacke, eine nahezu gerade Linie bilden; der Kopf im Profil und der Körper in Vorderansicht, oder die ganze Figur im Profil (Tafeln 7—15). Diese steifen und linkischen Haltungen dürfen nicht als Symptome der Unreife betrachtet werden. Sie waren zweifellos eine Forderung der Tradition und stellen ein starres Festhalten an einem Stil religiöser Porträtkunst dar, der entstanden war, bevor die Bildhauer der Maya die Kunst der Verkürzung erlernt hatten. Dies ist keineswegs überraschend, denn die religiöse Kunst hat in allen Zeitaltern die Neigung gezeigt, an altgewohnten Richtlinien festzuhalten. Daß die Maya durchaus in der Lage waren, die Verkürzung anzuwenden und ihrem Thema starke Vitalität zu verleihen, sieht man an den Nebenfiguren auf Monumenten oder in der mehr weltlichen Kunst der Wandmalereien (Abb. 10, 19, 22). Der Künstler mußte den Fürsten, der einen Gott verkörperte, mit Zurückhaltung und in der traditionellen statischen Manier behandeln; bei der Gestaltung der Nebenfiguren war er nicht durch religiöse Konventionen eingeengt und konnte so sein ganzes Können auf sie verwenden. Er läßt sie um verschlungene Schlangen klettern oder wie erschreckte Faune hinter einer Maispflanze hervorschauen (Abb. 25 a). In der Kunst des Mittelalters finden wir die gleiche Situation: Der Heilige erscheint in konventioneller Haltung in seiner Nische, Dämonen und Vertreter des europäischen Bestiariums toben auf verborgenen Miserikordien.

Die Maya entwickeln manchmal Humor in ihrer Kunst. Man beachte den Blick der Überraschung auf dem Antlitz des langnasigen Gottes von Abb. 27. Er scheint zu seinem *alter ego* zu sagen: »Da hast du mir was Schönes angeschafft!« In Copán bewacht je ein riesiger Jaguar die beiden Seiten einer Treppe. Der Jaguar stand immer, wohl zumeist unverdientermaßen, im Ruf der Wildheit, und viele apokryphe Geschichten erzählen von seinen Angriffen auf einsame Wanderer. Der Künstler muß sich entschlossen haben, das gefürchtete Tier zu verharmlosen. Er meißelte die beiden Jaguare mit der einen Tatze auf der Hüfte, mit der andern auf die Stufe zeigend — wie eine verklärte Mickymaus in doppelter Ausführung als Pförtner im Disney-Land —, und jeder trägt ein kleines Lendentuch, ähnlich einer Kammerzofenschürze, und am Schwanzende lächerliche Quasten. »Wer hat Angst vor dem bösen Wolf?« ist hier ganz eindeutig das Thema.

Die Maya-Bildhauer erreichten in ihren Kompositionen meistens ein wirkliches Gleichgewicht, obwohl gelegentlich die Symmetrie ein wenig übertrieben war, wie bei den Tafeln in Palenque, wo ein Zentralmotiv von Figuren fast gleicher Größe flankiert ist und diese wiederum zwischen Glyphenblöcken gleicher Länge und Breite stehen. Im allgemeinen jedoch wurden Glyphenblöcke benutzt, um disharmonische Gruppierungen auszugleichen. Wo eine kleinere Figur einer größeren gegenübersteht, stellt ein entsprechender Glyphenblock über der ersteren das Gleichgewicht wieder her. Zahlreiche Skulpturen weisen ein zusätzliches diagonales Element in Form des zweiköpfigen Drachens, des sogenannten Zeremonialstabes, auf, den viele Figuren schräg vor der Brust tragen. Hierdurch entsteht eine zweite Achse, die oft im Kopfschmuck mit seinen geschwungenen Federn und vielfältigen Masken in der oberen rechten Ecke und einem knienden Gefangenen in der linken unteren Ecke ihr Gegenstück hat (vgl. Tafel 10). Unterschiede in der Größe zeigen nicht die Perspektive an, sondern den Rang und manchmal, wie z. B. bei Darstellungen von Heranwachsenden, die wirkliche Größe. Die Person auf der rechten Seite in Abb. 20 z. B. ist wahrscheinlich ein Jugendlicher.

Tiefe wurde manchmal durch die Kombination von Hoch- und Flachrelief erreicht, so daß die Hauptfigur sich von einem Hintergrund von Flachrelief oder versenktem Relief abhebt, und eine dreidimensionale Wirkung wurde bei Flachrelief-Skulpturen erzielt, indem man Einzelheiten des Motivs über den Rahmen hinaustreten ließ. Den Maya gelangen gefällige Effekte durch die Behandlung der Federn des Kopfschmucks, besonders der von ihnen so hochgeschätzten langen Quetzalfedern, deren schwungvollen Bogen sie durch ein oder zwei gesträubte Büschel unterbrachen, als seien sie durch einen Windstoß gekräuselt (Tafel 7, 10; Abb. 4 d, 13 b).

Die plastische Porträtkunst der Maya mit ihrem statischen Charakter und ihrem angeborenen Konservativismus vermittelt den Eindruck einer ruhigen Selbstsicherheit; sie spiegelt klar das Temperament einer Gruppe wider, die eine Lebensphilosophie gewählt hat, in der Mäßigung, Ordnung und Würde beherrschend waren. Sie kontrastiert stark mit der unruhigen Kunst der mexikanischen Periode, wie sie in den Itzá-Skulpturen in Chichén Itzá besonders auffällig zum Ausdruck kommt. Endlose Reihen von Kriegern in linkischer Aufstellung, gruppiert wie die Figuren auf einem altmodischen Teller, wenden sich einem Altar, einer Sonnenscheibe oder einer gefiederten Schlange zu. Es liegt eine unglaubliche Steifheit in ihrer Haltung, und ihre Tracht und Bewaffnung sind von deprimierender Monotonie. Desgleichen gefiederte Schlangen, Sonnengötter, die von Sonnenscheiben herabstarren, hungrig auf ihre aus Menschenherzen und Menschenblut bestehende Nahrung, gefiederte Drachen und Himmelsträger wiederholen sich bis zum Verdruß (Abb. 12 a, c, 13).

Die Schöpfer der christlichen Kunst des Mittelalters arbeiteten zur höheren Ehre Gottes und zur Unterweisung der Gläubigen in den Grundlagen des Glaubens und des Lebens der Heiligen; bunte Fenster, Skulpturen und Gemälde waren Katechismus und Bibel der Ungebildeten. Skulptur und Malerei der Maya jedoch waren nicht zur Unterweisung der Laien bestimmt, da sie weitgehend dazu dienten, die Tempel und andere religiöse Gebäude zu schmücken, zu denen die Öffentlichkeit keinen Zutritt hatte. Der größte Teil der symbolischen Zeichen auf den Tempelfassaden konnte von jemand, der im Hof stand, nicht gesehen werden, und angesichts des Raummangels, wenn nicht aus anderen Gründen, können wir sicher sein, daß es den Bauern nicht erlaubt war, zu den Tempeln hinaufzusteigen. Außerdem waren viele der bildhauerischen Darstellungen, wie die des Venus-Gottes, esoterischer Natur und besaßen zweifellos wenig Bedeutung für den Bauern, dessen Interesse und Neigung den Göttern des Bodens galt. Wir können daher ziemlich sicher sein, daß solche Manifestationen der Kunst dazu bestimmt waren, die Götter und die Hierarchie zu ergötzen.

Im Gegensatz zu plastischen Darstellungen weisen die Wandmalereien der Maya der klassischen Periode eine bemerkenswerte Beseeltheit auf. Der Künstler, unbehindert durch die Konventionen des Stelenkults, zeigt seine Meisterschaft in der Lösung von Problemen der Komposition und in der Beherrschung schwieriger Techniken, wie z. B. der Verkürzung. Der Maßstab ist nicht von Bedeutung; ein Mensch kann größer sein als eine Hütte, und in einem Fall sind Meeresmuscheln halb so groß wie Bäume. Der Problem der Perspektive wurde gelöst durch eine Fortsetzung der Szene nach oben, um die Entfernung anzuzeigen. Die Figuren geben ihre steifen Haltungen auf; Bewegung und Lärm des Lebens werden mit erstaunlicher Anmut und Lebendigkeit wiedergegeben. Der Krieger, der auf den Wandmalereien von Bonampak im Begriff ist, mit seiner Lanze zuzustoßen, macht den Eindruck eines Mannes, dem man nicht begegnen möchte, ohne selbst eine bessere Waffe zu tragen. Der Gefangene, den der Häuptling bei den Haaren packt — das Symbol für Gefangennahme in ganz Mittelamerika —, zeigt deutlich, daß er keinen Kampfwillen mehr besitzt (Abb. 9). Der tote Mann auf dem angrenzenden Wandbild liegt ausgestreckt auf den Stufen der hohen Plattform in einer so natürlichen Haltung, daß sie vom Pinsel Michelangelos stammen könnte (Abb. 10). Der vom Schrecken ergriffene Gefangene fleht seinen Bezwinger an in einer Szene, die Stolz und Verzweiflung stark realistisch kontrastiert. Nirgendwo in der Neuen Welt gibt es etwas, das mit diesen um 800 in einem kleinen Tempel in Bonampak, einer relativ unbedeutenden Stadt in den Wäldern von Chiapas, gemalten Wandbildern vergleichbar wäre. Warum die Wände dieses Tempels in einer Stadt, die wahrscheinlich eine Kolonie von Yaxchilán war, von Farbe und Leben leuchteten, während die Mauern der meisten Maya-Tempel in weitaus bedeutenderen Städten mit unbemaltem Verputz bedeckt waren, ist ein Geheimnis, das wir wahrscheinlich nie lösen werden.

Wandmalereien sind im Maya-Gebiet selten. Es gibt einige interessante Szenen in Uaxactún, an einem späten Gebäude in Santa Rita, Britisch-Honduras, und in Tulúm — dort hat ein Wandgemälde einen schwarzen Hintergrund, was den Eindruck negativer Malerei vermittelt. Weitere Gemälde sind in Palenque und in zwei oder drei Stätten in Yucatán verstreut. Zu den letzteren gehören Wandmalereien der mexikanischen Periode in Chichén Itzá, die in ihren Themen interessant sind, jedoch bei weitem nicht die Lebendigkeit der Wandmalereien von Bonampak oder Uaxactún oder der erhalten gebliebenen Szenen aus dem Alltagsleben in Palenque besitzen. An Farbstoffen sind bis jetzt identifiziert: Rot und Rosa, gewonnen aus rotem Eisenoxyd; Gelb, gewonnen aus Eisenoxydhydrat, fast das gleiche wie Ocker; Schwarz, gewonnen aus Holzkohle; Blau, Herstellung unbekannt; Grün, eine Mischung von Gelb und Blau.

Es liegt nahe, zusammen mit den Wandmalereien die mit realistischen Darstellungen bemalte Keramik zu betrachten. Auch hier zeichnen sich die Szenen durch Beseeltheit aus. Man betrachte z. B. die ausschreitende Gestalt mit einem Speer in der Hand auf einer Vase aus der Alta Verapaz, oder den Diener auf einem anderen Gefäß aus der gleichen Region: Die erste ist von prallem Leben erfüllt, der zweite beobachtet mit gespannter Aufmerksamkeit die Szene vor sich. Man beachte die fast abstrahierende Gestaltung des springenden Jaguars oder den satirischen Zug in der Darstellung des Häuptlings in seiner Sänfte, wo der Künstler durch seine Behandlung der den Fächer hochhaltenden Arme auf die Wichtigtuerei des Mannes hinweist.

In der Herstellung von Figurengefäßen, die weitgehend zum Verbrennen von Weihrauch benutzt werden, leisteten die Maya-Künstler ebenfalls Hervorragendes. Man betrachte den buckligen Zwerg aus einem frühklassischen Grab in Kaminaljuyú (Tafel 18 c). Hier wird eine ungewöhnliche Lebendigkeit erreicht durch die Behandlung der Augen und der Linien um den Mund. Es ist schwierig, sich vorzustellen, daß diese Karikatur vor nahezu 1400 Jahren geschaffen wurde. Die beiden Figuren auf einem Gefäß aus dem Regionalmuseum von Chiapas stellen eine Kombination von Modellierung und Verzierung dar. Arme, Beine und Ornamente sind in starkem Kontrast zu der raffinierten Behandlung der Gesichter stilisiert (Tafel 18 b).

Tonfiguren, von denen viele hohl und als Pfeifen gearbeitet sind, bezeugen ebenfalls die hohe plastische Kunstform der Maya (Tafel 19). Manche Figuren sind traditionelle Porträts, andere jedoch lebendige Darstellungen des Alltagslebens — beim Mann die Erregung der Jagd, bei der Frau die langweiligen Aufgaben des Maismahlens und der Wartung der Kinder. Diese Figuren wurden in Keramikformen hergestellt und gehören der späten klassischen Periode an; einfache, mit der Hand gefertigte Figürchen waren in den ersten Phasen der formativen Periode gebräuchlich.

Veränderungen der Form, des Dekors und der Färbung in der Keramik gehören zu den wichtigsten Hilfsmitteln des Archäologen bei der Rekonstruktion der Geschichte, doch für den Laien stellen sie eine langweilige Lektüre dar. Im allgemeinen gilt die folgende Ordnung: in der formativen Periode ausgezeichnet gefertigte monochrome Ware, zweifarbige und gelegentlich polychrome Verzierungen im Hochland von Guatemala; in der frühen klassischen Periode polychrome Ware in Petén; späte klassische Periode Darstellungen aus dem Leben der Maya (Tafel 18) und auch geometrische Motive; in der sehr späten klassischen Periode plastisch gestaltete Keramik, die oft in zweiteiligen Formen hergestellt wurde (Abb. 22 a); in der mexikanischen Periode starker Abstieg in der Keramik, die größtenteils monochrom war; in der Periode der mexikanischen Absorption weiterer Verfall der Keramik. Allgemein gesprochen produzierten Yucatán und das Hochland von Guatemala, ausgenommen die nördlich an das Zentralgebiet angrenzenden Teile, zu allen Zeiten nur wenig polychrome Keramik.

Der Handel mit Keramik zwischen den verschiedenen Teilen des Maya-Gebiets und auch mit außerhalb dieses Gebietes liegenden Regionen war sehr rege, bestand aber sogar schon in der formativen Periode. Bestattungen in Kaminaljuyú aus der frühklassischen Periode enthielten viele importierte Stücke aus Zentralmexiko (Tafel 18 a), aber auch einige wenige aus dem Petén.

In der spätklassischen Zeit taucht eine bemerkenswerte Keramik auf, genannt Bleiglanzkeramik, die einzige glasierte Ware in Mittelamerika. In jener Zeit wurde sie nur in einfachen Formen hergestellt und über das südliche Guatemala und die angrenzenden Teile von Chiapas gehandelt. Es besteht kein Zweifel, daß sie nur an einem einzigen Ort hergestellt wurde, höchstwahrscheinlich nahe der heutigen Grenze von Guatemala und dem Soconusco genannten Teil des südlichen Chiapas. Aus der Tatsache, daß einige spätere Keramikformen nicht Maya-Götter, sondern mexikanische Gottheiten darstellen, können wir ziemlich sicher schließen, daß die Hersteller nicht dem Maya-Sprachraum angehörten. Zu Beginn der mexikanischen Periode um 1000 wurden neue Formen der Bleiglanzkeramik, oft Figuren von Göttern und ebenso von Tieren, sehr beliebt und fanden ihren Weg in nördlicher Richtung bis nach Tepic im nordwestlichen Mexiko und in südlicher Richtung bis nach Nicaragua. Viele Keramiken erreichten Yucatán, andere wanderten bis nach Tula und Zentral-Veracruz, doch der größere Teil verblieb in den nähergelegenen Gebieten, im Hochland von Guatemala und im westlichen El Salvador. Die Bleiglanzkeramik verschwand um 1200 aus dem Handel; kein Stück konnte mit den aztekischen Fundstätten in Zusammenhang gebracht werden; Keramik ist in den aztekischen Listen der von Soconusco entrichteten Tribute nicht einmal erwähnt. Bleiglanzware ist, abgesehen von ihrer technischen Qualität — sie wurde bei viel höheren Temperaturen gebrannt als die mit Kalkspat gehär-

tete Ware des Petén, die bei Temperaturen von über 600° verfiel —,
für den Archäologen ein ›Leitfossil‹, denn sie datiert Keramik lokaler
Typen, Kunsterzeugnisse oder Bauten, mit denen sie eindeutig verbunden ist, irgendwo in das 11. oder 12. Jahrhundert und beweist die
Gleichzeitigkeit lokaler Horizonte in entfernt liegenden Städten.

Ein weiteres archäologisches Leitfossil ist eine Dünnes Orange genannte Keramik, die in Teotihuacán, Kaminaljuyú, Monte Albán
und an anderen Stätten gefunden worden ist und in der frühklassischen Periode in der Gegend von Ixcaquixtla im südlichen Puebla,
Zentralmexiko, hergestellt wurde. Auch sie fehlt vollkommen in
späteren Funden (Tafel 18 a). Sie darf nicht verwechselt werden mit
der Feinen Orange-Ware vom untersten Ende des Golfs von Mexiko,
die in wechselnder Form und Verzierung seit der frühklassischen Zeit
weithin gehandelt wurde (s. S. 116 f., 153 f.).

Zu den manchmal oder immer aus Ton gefertigten Gegenständen
gehörten Idole, Räuchergefäße, Kohlenpfannen, Abflußrohre, seltene Kästchen für Opfergaben, Trommeln, Flöten, Pfeifen, Ohren-
pflöcke, Perlen, vielleicht Netzbeschwerer, Stempel, Formen, Becken
und natürlich Gefäße alle Art.

Kürbisse werden von den Maya noch immer in großem Umfang
verwendet. Halbkreisförmige Flaschenkürbisse, halbierte Baumkür-
bisse, aus denen das Mark entfernt wurde, dienen als Trinkgefäße.
Große, mit einem Tuch bedeckte Kürbisse halten frischgebackene
Tortillas heiß, bis sie serviert werden. In Yucatán werden eigenartige
Kürbisse, deren Form einer 8 ähnelt, mit Hilfe eines um den Bauch
der Frucht geschlungenen und über die Schulter des Mannes gelegten
Seils als eine Art Feldflasche getragen.

Im Hochland von Guatemala bemalt man Flaschenkürbisse, verziert sie mit Motiven, die in Brandmalerei ausgeführt oder mit Ruß
eingerieben und poliert werden, alles Techniken, die wahrscheinlich
präkolumbisch sind. Bemalte Kürbisse wurden im Yucatán des
16. Jahrhunderts verwendet, und vermutlich waren manche Stücke
nach einem den Maya bekannten Verfahren lackiert, doch keines
von ihnen ist erhalten geblieben.

Die schönsten bekannten Beispiele von Holzschnitzereien sind die
herrlichen Sturz- und Deckenbalken aus Sapodilla-Holz von Tikal
und Tzibanche. Die Feinheit, mit der die Hieroglyphen und religiösen Szenen gearbeitet sind, ist wirklich erstaunlich. Einige wenige
Fragmente von Holzschnitzereien, wie z. B. von Speerwerfern, die
aus dem Heiligen Cenote in Chichén Itzá geborgen wurden, lassen

uns nur ahnen, welch ein Kunstschatz uns durch die Wirkung von Zeit und Klima verlorengegangen ist.

Abgesehen von einigen traurigen Resten, hauptsächlich aus dem Opfercenote in Chichén Itzá, wo der Schlamm sie erhalten hat, sind keine Baumwollstoffe der Maya auf uns gelangt. Dies ist höchst bedauerlich, da Stelen und Gemälde Personen zeigen, die Stoffe mit schönen Mustern tragen (Tafeln 10—11). Auch nicht der kleinste Rest eines Federmantels ist erhalten geblieben, und das prächtige Gefieder des Kopfschmucks kennen wir nur von Reliefs und Malereien. Es ist ein Jammer, daß es im Maya-Gebiet kein mit der Küste von Peru vergleichbares trockenes Gebiet gibt, das uns solche Schätze gerettet haben würde. Der Archäologe, der auf ein bedeutendes Maya-Grab stößt, hat zwar seine Freude an den Jadestücken, den Muschelarbeiten und der bemalten oder plastisch verzierten Keramik, ist jedoch andererseits traurig bei dem Gedanken, daß diese nur einen kleinen Teil der Besitztümer des Bestatteten darstellen. Die Gewebe und die kunstvollen Kopfbedeckungen, die Federarbeiten, die geschnitzten Kästchen und lackierten Kürbisse, die Lederarbeiten und die schönen Korbarbeiten, die Schilde und die Schemel und all die anderen Haushaltsgegenstände und persönlichen Schätze existieren nicht mehr. Ein reicher Kunstschatz hat sich in Staub verwandelt. Doch wir dürfen uns nicht beklagen; in ihrer Skulptur und Wandmalerei haben die Maya uns eine größere Erbschaft an Schönheit hinterlassen, als die meisten Völker im Bereich der Künste und Kunstfertigkeiten überhaupt zustande bringen.

Die Muster auf den *huipil*-Blusen der heutigen Maya-Frauen des Hochlandes sehen aus wie Stickerei, sind jedoch im allgemeinen Brokatarbeit, d. h., sie sind beim Weben des Stoffes in die Kette hineingearbeitet worden. Diese Technik ist vermutlich alt, ebenso wie die des Knoten-Färbens, ein Verfahren, bei dem der Faden oder der fertige Stoff in bestimmten Abständen fest verknotet wird, so daß beim Eintauchen in die Farbe die verknoteten Teile ungefärbt bleiben. Das Teppichwirken war bei den Maya vermutlich ebenso gebräuchlich wie im alten Peru. Mit Sicherheit war die Stepptechnik bekannt, und in der frühen Kolonialzeit wurde im Hochland von Guatemala ein Musselin hergestellt, der noch heute von den Kekchi-Maya gewebt wird. Frühe spanische Quellen berichten, daß Federn in die von Mitgliedern des Adels getragenen Gewänder eingewebt wurden; dies wird durch viele Maya-Skulpturen bestätigt.

Das Weben war für die Maya-Frau ein heiliges Unternehmen

ebenso wie für ihren Mann die Bestellung seines Landes. Auch heute noch verrichten Frauen des Hochlands von Guatemala ein Gebet, bevor sie beginnen, einen neuen Stoff zu weben. Es war kein Zufall, daß der Mondgöttin, der besonderen Schutzherrin der Frauen, die Erfindung des Webens zugeschrieben wurde. Die Weberei hatte auch einen sozialen Aspekt, denn die yucatekischen Frauen kamen zu dieser Arbeit in einem besonders hierfür errichteten Gebäude zusammen.

Die Sisal-Faser — das moderne Henequen — und das verwandte *ixtli*, die Faser eines der Aloe-Gewächse, wurden in großem Umfang für die Herstellung von Seilen, Netzen und Tragtaschen sowie von Trachtstücken verwendet. Die Bauern trugen wahrscheinlich kaum andere Stoffe, denn es gibt Hinweise dafür, daß das Tragen von Baumwollkleidung ein Vorrecht der herrschenden Klasse war. Rindenstoffe, manchmal mit Mustern bemalt, wurden ebenfalls verwendet. Die innere Rinde bestimmter Bäume, besonders der wilden Feige, wurde ins Wasser getaucht und dann geklopft, bis sie weich und biegsam war. Entstandene Löcher wurden geflickt, indem man Flecken über sie legte und den Stoff von neuem klopfte. Rindenstoff wird noch immer von den Lacandón angefertigt. Häufig werden steinerne Klopfer gefunden, von denen man annimmt, daß sie bei der Herstellung von Rindenstoff benutzt wurden.

Geschicklichkeit und Kunstfertigkeit der Maya zeigen sich besonders in der Bearbeitung von Jade. Dieses von allen Menschen Mittelamerikas so hoch geschätzte spröde Material stellte für den Maya-Kunsthandwerker eine Herausforderung dar, die er ohne Zögern annahm. Einige der im Flachrelief ausgeführten Jade-Arbeiten gehören zu den schönsten Erzeugnissen der Steinschneidekunst in der ganzen Welt (Tafel 20). Die Menschen der La-Venta-Kultur verfertigten ebenfalls schöne Jadeobjekte, doch ihre besten Erzeugnisse sind vollplastisch und gewöhnlich ohne Einzelheiten der Tracht und des Kopfschmucks, während die schönsten Jadestücke der Maya in Flachrelief und mit minutiöser Behandlung des Beiwerks gearbeitet sind.

Die Herstellung eines Jade-Anhängers muß unendliche Geduld und Mühe erfordert haben. Sägen mit einem dünnen hölzernen Werkzeug und mit Quarzsand sowie Bohren mit massiven und röhrenförmigen Bohrern, vielleicht aus Hartholz, scheinen die beiden vorbereitenden Arbeitsgänge gewesen zu sein. Runde Bohrspuren an der Hinterseite eines Jadekopfes aus Britisch-Honduras zeigen, wie

die Fläche ausgehöhlt wurde: Man bohrte kegelförmige Stücke her-
aus und entfernte dann die dazwischenstehende Masse (Abb. 26 a).
Das abschließende Schnitzen und Polieren muß noch schwieriger
gewesen sein. Der größte Teil der Jade stammte aus Minen des
Hochlandes, doch Dekormotive oder Glyphen zeigen, daß viele
Stücke im Tiefland bearbeitet wurden.

Die Maya, die gern des Guten zuviel taten, bedeckten Jadestücke
oft mit einem aus Zinnober gewonnenen roten Pulver. Die schönsten
Jadestücke sind in der Alta Verapaz, in Chiapas und in Petén gefunden worden. In Yucatán dagegen sind Jade-Funde ziemlich selten,
abgesehen von den aus zeremoniellen Gründen zerbrochenen Objek-
ten, die aus dem Opfercenote in Chichén Itzá geborgen wurden. Die
meisten von diesen waren jedoch importiert.

Scheiben mit Mosaikmustern, die sorgfältig durch kontrastierend
gefärbte Türkis- und Jadefragmente herausgehoben waren, wurden
in Opferstätten der mexikanischen Periode in Chichén Itzá gefunden; hier barg man aus einem Grab der Mayapán-Periode auch eine
Halskette aus Türkisperlen. Ein anderes Grab in Zaculeu im westlichen Hochland von Guatemala, das sich durch Funde von Bleiglanzkeramik der mexikanischen Periode zuweisen läßt, enthielt viele
winzige Stücke Türkis, die vermutlich einmal ein Mosaik gebildet
haben. Diese datierbaren Funde, zusammen mit dem Fehlen von
Türkis in Stätten der klassischen Periode, zeugen dafür, daß dieser
Stein erst in der mexikanischen Periode in Gebrauch kam; aztekische Tributlisten lassen erkennen, daß er im nordwestlichen Oaxaca
und in Zentral-Veracruz gewonnen wurde. Jade-Mosaikarbeiten
waren häufig in der klassischen Periode, besonders bei Masken. Die
Maskenaugen bestanden im allgemeinen aus Muschelschale mit
Pupillen aus Obsidian.

Gefäße aus *tecali* (mexikanischer Onyx) aus dem Puebla-Vera-
cruz-Gebiet und Marmorvasen mit schönen Verzierungen von der
Ostgrenze des Maya-Gebietes in Honduras wurden importiert.

Die schönsten Feuersteinspitzen der Maya kommen jenen der
alten Ägypter fast gleich (Tafel 21 c). Beide Völker erzielten diese
außerordentlich dünnen, blattförmigen Klingen mit ihrer schön
geriffelten Oberfläche durch sanften Druck, nicht durch Schläge. In
hölzerne Hefte eingelassen, ergaben diese Klingen ausgezeichnete
Dolche oder Speerspitzen; die interessantesten Beispiele für Feuer-
steinbearbeitung sind jedoch die sogenannten exzentrischen Feuersteine (Tafel 21 a, b, d), die häufig in Opferverstecken unter Stelen

oder Tempeln — oft in Gruppen von neun — gefunden wurden. Sie können eine nichtnaturalistische Form haben, etwa die eines Halbmondes oder eines Ringes, seltener sind sie dem Leben nachgebildet. Unter den letzteren findet man die Darstellungen von flinken Hunden, von Skorpionen in feiner, doch leicht impressionistischer Ausführung und von ganzen Menschenfiguren. Im idealisierten Stil der Maya-Schönheit in die Ränder von Feuersteinen geschnitzte Götterprofile zeugen für die meisterliche Beherrschung des Materials durch den Kunsthandwerker. Diese Objekte können keinem nützlichen Zweck gedient haben; ihr zeremonieller Gebrauch ist unbekannt.

Es gibt reiche Feuersteinvorkommen in Kalksteinschichten des Tieflandes, im Hochland jedoch sind sie selten. Zum Ausgleich liefert das Hochland Obsidian in großer Fülle, der im Tiefland wiederum nicht gefunden wird. Dünne Obsidianklingen, etwa von der Größe und Form einer Taschenmesserklinge, wurden von ovalen Kernstücken durch Druck auf die Spitze mit einem Stock oder einer Geweihsprosse abgespalten. Diese Klingen waren gebrauchsfertig, nachdem sie von dem Kern abgesplittert waren, und bedurften keiner weiteren Bearbeitung, denn beide Kanten waren äußerst scharf.

Vulkanisches Glas, und ein solches ist Obsidian, ist so zerbrechlich, daß diese Klingen schnell stumpf wurden, wenn aus den Kanten ein Stückchen herausbrach. Im Hochland wurden abgenutzte Klingen rasch weggeworfen, denn sie konnten leicht ersetzt werden; im Tiefland mußten sie mit mehr Sorgfalt behandelt werden, da sie von Händlern über weite Entfernungen herangeschafft worden waren. Es gibt riesige Lager in La Jolla, etwa 18 km von der Hauptstadt Guatemala, und in Ixtepeque, Jutiapa, in der Richtung von El Salvador. Obsidianscheiben, etwa 7,5 cm im Durchmesser, waren in den Verputz der Stufenterrassen von Pyramiden in Kaminaljuyú eingelegt, eine auffallende, bis jetzt in keiner anderen Maya-Stätte gefundene Verzierung.

Große Obsidianstücke wurden wie Feuersteine durch Abspalten unter Druck zu blattförmigen Spitzen geformt. Obsidian wurde auch in ›exzentrische‹ Formen gebracht. In Obsidian eingeritzte Bildnisse von Göttern und geometrische Motive wurden in Tikal und Uaxactún gefunden, bis jetzt jedoch noch an keiner anderen Maya-Stätte. Das schönste bisher im Maya-Gebiet entdeckte Obsidianstück hat die Form einer etwa 30 cm langen Axt mit Stiel (Tafel 21 e). Der Stiel war teilweise mit bemaltem Stuck überzogen.

Tafel 13/Oben (a): *Altarrückseite aus Piedras Negras, 786.* — Unten (b): *Frontansicht von Türsturz 39 aus Yaxchilán, 780*

Tafel 14: *Tänzer, Stele 9 aus Oxkintok, Yucatán, Regionalstil, um 725*

Tafel 15: Klassisches Maya-Profil. Ruz-Relief aus Palenque, um 725

Tafel 16/Oben rechts (a): Stuckkopf aus Palenque, um 700. — Links
(b): Fassadenschmuck aus Uxmal, um 900. — Unten rechts (c): Fassadenschmuck aus Chichén Itzá. Mexikanische Periode, um 1150

Als Waffe dürfte diese Axt vollkommen unbrauchbar gewesen sein, da sie bei dem ersten heftigen Schlag zerbrochen wäre; da sie aber in einem Opfergabenversteck lag, können wir ziemlich sicher sein, daß sie nur zum zeremoniellen Gebrauch bestimmt war.

Ein grünlich gefärbter Obsidian erfreute sich besonderer Hochschätzung, weil die von seinem Kern abgespaltenen Klingen in der Länge weniger stark gekrümmt waren. Er kommt sehr häufig im Tal von Mexiko vor, dort dürfte der Ursprung der in allen Teilen des Maya-Gebietes seit der frühklassischen Zeit in steigender Zahl gefundenen Stücke sein. Seine große Seltenheit in Mayapán, mit nur drei Fragmenten von über 1700 erhaltenen Funden, ist bezeichnend.

Pentagonale und hexagonale Stücke Eisenkies wurden auf einer meist runden Unterlage aus Sandstein oder Schiefer sorgfältig zusammengefügt, um Spiegel zu bilden. Diese Spiegel wurden wahrscheinlich als Schmuckstücke getragen, da sie mit Löchern zum Aufhängen versehen sind, und es ist bekannt, daß von den Huaxteken und andern Völkern Mexikos Spiegel in der Gürtellinie getragen wurden.

Eisenkiesstücke wurden auch zu Perlen verarbeitet und anstelle von Jade oder Obsidian als Schmuckplomben für menschliche Zähne verwendet.

Wie bereits betont, kamen Metalle erst um das Ende der klassischen Periode in Gebrauch und auch dann nur in beschränktem Umfang. Selbst zur Zeit der spanischen Eroberung, also viele Jahrhunderte später, waren Metallobjekte noch immer bemerkenswert selten im Tiefland, denn sie mußten alle importiert werden. Abgesehen von den Funden in dem Cenote in Chichén Itzá hat man kaum Metallgegenstände von Bedeutung zutage gefördert. Wieviel die Tiefland-Maya von Metallurgie verstanden, ist ungewiß. Sicherlich wußten sie, wie man Metall in Treibtechnik bearbeitete. Dünne, getriebene Goldscheiben mit Szenen von Siegen der Itzá (S. 131 f.; Abb. 13 b) müssen lokale Produkte gewesen sein, und aus dem Cenote in Chichén Itzá wurden zwei oder drei Kupferscheiben geborgen, die anscheinend alle einmal mit Gold überzogen waren. Diese Stücke wurden sehr wahrscheinlich an der Ostküste von Yucatán gearbeitet, denn die Motive ähneln denen der Wandmalereien in Santa Rita im nördlichen Britisch-Honduras, einem Teil der alten Maya-Provinz Chetumal. Eine kleine Kupfermaske eines Händlergottes im Tieflandstil ist der beste Beweis dafür, daß die Tiefland-Maya den Metallguß kannten.

Die bereits erwähnten Kupferschellen sind die bei weitem häufigsten Metallobjekte. Sie scheinen zum größten Teil aus Mexiko importiert worden zu sein. Sie wurden gegossen, und aus spanischen Quellen wissen wir, daß die Mexikaner Formen aus mit Lehm vermischter Holzkohle verwendeten, die leicht bearbeitet werden konnten. Statt Klöppel enthielten sie gewöhnlich Kieselsteine, die etwas zu groß waren, um durch die engen Öffnungen am Boden des Glöckchens herauszufallen. Gewöhnlich sind die Schellen birnenförmig, 2 1/2 bis 5 cm lang, oder knospenförmig; viele sind mit einfachen Mustern verziert, und alle haben kleine Ösen an der Spitze. Mehrere dieser Schellen wurden mit den Ösen an Fußspangen und Armbändern befestigt und klingelten, wenn der Träger ging oder tanzte. 800 von ihnen, vielleicht von einem Händler aus Sicherheitsgründen versteckt, wurden in einer Höhle in Honduras gefunden.

Kupfermeißel wurden zur Zeit der spanischen Eroberung nur in geringem Umfang benutzt und fanden eine zusätzliche Verwendung als eine Art Währung. Einige von ihnen, zerbrochen und weggeworfen, wurden auf freiem Feld gefunden und bestätigen spanische Berichte, nach denen sie zum Fällen von Bäumen beim Roden der Wälder für Pflanzungen dienten. Kupferpinzetten, wahrscheinlich zum Auszupfen der Haare im Gesicht und am Körper bestimmt und offenbar zweischalige Muscheln nachahmend, erscheinen gelegentlich. Ein kupferner Fischhaken wurde in Honduras gefunden, auch goldene Fischhaken sollen verwendet worden sein. Nur eine einzige kupferne Pfeilspitze ist im Tiefland gefunden worden. Sie lag auf dem Fußboden eines sehr späten Gebäudes in Chichén Itzá. Als interessante Entdeckung im westlichen Britisch-Honduras können einige Muschelperlen gelten, deren Bohrlöcher mit Kupfer gefüttert waren.

Metallfunde sind auch im Hochland von Guatemala selten. Die bemerkenswertesten sind zwei Goldscheiben mit getriebenen Köpfen des mexikanischen Regengottes Tlaloc und der Kopf eines Vogels, aus Zaculeu, in Kupfer gegossen und rot, blau und grün bemalt, ein höchst ungewöhnliches Verfahren. Es wird berichtet, Alvarado, der brutale Eroberer von Guatemala, habe goldene Ohrpflöcke aus den Ohren dreier Edelleute der Quiché herausgeschnitten!

Goldene Jaguarmasken und Perlen aus einem Grab in der alten Hauptstadt der Cakchiquel sind bereits erwähnt worden (S. 162).

Im allgemeinen zeigten die Maya kein großes Interesse an der Verzierung von Muschelschalen. Es gibt nur wenige Stücke, die geschickt mit Hieroglyphen, einfachen Szenen oder geometrischen Motiven graviert sind, unter ihnen ein schönes Werk aus den frühesten Anfängen der klassischen Periode und ein herrlich bearbeitetes Perlmutterstück, das im fernen Tula gefunden wurde, jedoch eindeutig eine Maya-Arbeit ist. Die Muschelschalen wurden geschnitzt und durchbohrt, um als Ohrpflöcke, Perlen, Anhänger sowie zur Verzierung der Tracht und für Einlegearbeiten zu dienen. Perlen kommen ziemlich selten und nur in geringer Zahl in Verstecken und Gräbern vor. Die stachelige Spondylusmuschel des Pazifik stand hoch im Kurs, und Scheiben, die so aus ihr herausgeschnitten waren, daß man die rosa Farbe sah, dienten als Währung. Paare dieser Muscheln, die als Juwelenkästchen dienten und Jade enthielten, findet man manchmal in Opfergabenverstecken unter Stelen oder Tempelböden. Seemuschelschalen mit abgetrennten Spitzen wurden als Trompeten verwendet. *Oliva*-Muscheln mit abgeschnittenen Spiralspitzen und gebohrten oder gesägten Aufhängelöchern werden häufig in Gräbern gefunden. Sie wurden an Kleidungsstücken befestigt, so daß sie gegeneinanderschlugen und ein rasselndes Geräusch verursachten. So sieht man sie auf vielen Stelen dargestellt.

Knochen wurden als Werkzeuge, als Pfriemen und Nadeln benutzt; sie konnten geschnitzt oder graviert sein. Ein in Copán gefundenes Hirschschienbein zeigt eine eingeritzte Zeremonialszene mit zwei Personen, von denen die eine bärtig ist und auf einer Glyphe des Planeten Venus steht. Darunter sind sechs Glyphen eingraviert. Diese Gravierung verrät höchste Kunstfertigkeit.

Der bedeutendste Fund bearbeiteter Knochen kam aus der erst vor kurzem entdeckten Bestattung unter der großen Pyramide I in Tikal. Dieses reich ausgestattete Gewölbegrab enthielt außer 20 Tongefäßen, einem herrlichen Brustgehänge aus 114 Jadeperlen und anderen Schätzen einen Haufen von rund 90 bearbeiteten Knochen, von denen 37 mit eingeritzten Szenen oder Hieroglyphentexten bzw. beiden versehen sind. Fast alle diese Knochen sind so stark bearbeitet worden, daß eine Identifizierung oft unmöglich ist. Einige sind eindeutig Tierknochen, doch einer scheint von einem Menschen zu stammen. Am bemerkenswertesten sind Szenen, in denen Götter und anthropomorphe Tiere in Kanus paddeln oder im Wasser stehend Fische halten, eine Gestalt mit einem auf den Rücken gebundenen Korb, der einen Fisch enthält (Abb. 27). Eine andere Szene zeigt einen Einbaum mit einem im Heck paddelnden Gott und einem zweiten im Bug; zwischen ihnen sitzen fünf Tiergottheiten auf dem

Boden. Diese Darstellung ist sehr lebensecht, denn die Passagiere sitzen gewöhnlich auf dem Boden des Einbaums, wenn sie ihn im Gleichgewicht halten wollen.

Der verzierte Menschenschädel aus einer Bestattung der früh-klassischen Periode in Kaminaljuyú (Abb. 26 b) ist einzigartig. Er war vermutlich eine Trophäe des toten Herrn des Grabes. Eine Kostbarkeit des Peabody-Museums der Harvard-Universität ist der mit Ritzdekor versehene Schädel eines Nabelschweins, der sitzende menschen- und tierköpfige Gottheiten sowie einen kurzen Hieroglyphentext und drei sehr naturalistisch gestaltete Nabelschweine zeigt. Dieses Stück wurde in Copán gefunden.

Stachelrochen-Stacheln kommen häufig in Bestattungen vor; sie wurden benutzt, um bei Selbstopferriten dem Körper Blut zu entziehen. Ihr Vorkommen kann ein Zeichen dafür sein, daß es sich um die Grabstätte eines Priesters oder einer Priesterin handelt. In dem Grab einer Frau in Altar de Sacrificios lagen zehn Rochenstacheln, von denen vier mit kunstvoll eingeritzten Hieroglyphen bedeckt waren. Der Brauch, winzige Glyphen auf diesen Rochenstacheln, die nur etwa 1 cm breit sind, einzugravieren, scheint ziemlich verbreitet gewesen zu sein. Daß Rochenstacheln als ziemlich wertvoll galten — der Fang des Fisches konnte sehr gefährlich sein, und dazu kamen die Kosten des Transports von der Küste —, zeigt der in Tikal gemachte Fund von über einhundert Imitationen aus Knochen und zwei unverkennbaren Imitationen aus Holz.

Die Bearbeitung von Schildpatt muß eine sehr alte Kunst gewesen sein, doch ist uns kaum etwas davon erhalten geblieben. Ein zwei Jahrhunderte alter Bericht aus der Kolonialzeit berichtet von Schildpattarbeiten der Maya von Yucatán. Die Rückenschilde der Tiere wurden für mehrere Zwecke verwendet: In den Salzbergwerken der Insel Mujeres vor der nordöstlichen Küste von Yucatán wurden sie als Salzbottiche benutzt; überall dienten sie als Musikinstrumente und sind als solche, mit einer Geweihsprosse geschlagen, in dem Orchester von Bonampak dargestellt; gelegentlich wurden sie als Deckel in Opfergabenverstecken gebraucht.

Für Kunst und Handwerk kamen mit dem Ende der klassischen Periode schlechte Zeiten, denn nach dem Sturz der Hierarchie war der Künstler ohne Auftraggeber. Ich stelle mir die Hohepriester und Herrscher der klassischen Periode gern als neuzeitliche Schutzherren der Künste vor, doch in der mexikanischen Periode kann es keinen Lorenzo den Prächtigen gegeben haben. Der gleiche Niedergang zeigt sich im intellektuellen Leben der mexikanischen Periode, denn die Errungenschaften in Astronomie und Arithmetik gehören ausschließlich der klassischen Ära an. Aus Maya-Berichten in den Büchern des Chilam Balam gewinnt man den Eindruck, daß diejenigen, die an der alten Lebensweise der Maya festhielten, während der Herrschaft der fremden Itzá und ihrer Nachfolger in den Untergrund gehen mußten.

Der Niedergang war während der Periode der Herrschaft Mayapáns und in dem Jahrhundert vor der spanischen Eroberung am stärksten ausgeprägt. Grabungen in Mayapán haben nur bearbeitete Steine zutage gefördert, die in Entwurf und Ausführung sehr grob sind. Die Keramik, eine grobe, rote Ware, ist fast ausnahmslos monochrom. Die polychromen Gefäße der klassischen Periode mit ihren gemalten Szenen fanden keine Nachfolger in dem Kriegerstaat. Die Architektur war prunkhaft in der Anlage, doch arm in der Ausführung.

Währung und Handel

Nach dieser ausführlichen Betrachtung der künstlerischen und religiösen Aspekte des Lebens der Maya wollen wir kurz das ökonomische Verhalten dieses Volkes betrachten.

In ganz Mittelamerika war die Kakaobohne das wichtigste Tauschmittel; als Tauscheinheiten zweiten Ranges galten Perlen der Spondylusmuschel und Jade. Kakaobohnen stellten eine ideale Währung dar. Eine Inflation wurde automatisch verhindert, da bei einer Entwertung des Kakao infolge von Überproduktion mehr Bohnen aus dem Verkehr gezogen wurden, um Schokolade zu produzieren, nach der in ganz Mittelamerika ein unersättlicher Appetit bestand. Hier wirkte sich das Gesetz aus, nach dem die Nachfrage um so größer wurde, je billiger das begehrte Produkt war. Zum andern machten schädliche Insekten und Fäulnis ein Horten unmöglich; die Bohnen schrumpften zusammen und verloren an Wert. Außerdem waren nur bestimmte Gebiete für den Anbau geeignet. Der Baum gedeiht nur in reichen Böden, bei starken Regenfällen und sehr hohen Temperaturen. Infolgedessen waren die Plantagen weitgehend auf den Küstenstreifen von Veracruz und den Isthmus von Tehuantepec, die pazifische Küste von Guatemala und El Salvador sowie auf die Karibische Küste und die Mündungsgebiete in Honduras, Britisch-Honduras, Guatemala und Tabasco beschränkt. Das

Hochland von Guatemala und das gesamte Innere von Mexiko mußten ihren Bedarf durch Handel oder Tribut decken, und Yucatán mußte etwa 90 % seines Konsums einführen.

Der Kakaobaum bringt an seinem Stamm Früchte hervor, von denen jede eine schwankende Zahl von Samen, gewöhnlich Bohnen genannt, enthält, die den Rohstoff für Schokolade darstellen. Kakao ist aller Wahrscheinlichkeit nach ein Maya-Wort, das über die Azteken auf uns gelangt ist; dies legt den Schluß nahe, daß die Maya als erste den Baum anpflanzten. Tatsächlich findet man in allen Wäldern des Maya-Tieflands eine wilde Abart, von der wahrscheinlich der veredelte Baum abstammt.

Der Preis hing von der Entfernung zu der Pflanzung ab. Eine Last — wie der Scheffel eine Inhaltsangabe und kein Gewichtsmaß — enthielt 24 000 Bohnen = 3 × 8000; 8000 ist die vierte Einheit im Vigesimalsystem: 1, 20, 400 und 8000 (Abb. 17, Nr. 1). Kurz nach der spanischen Eroberung betrug der Wert einer Last auf dem Isthmus etwa 9,50 Dollar, in der Hauptstadt Mexiko jedoch fast das Doppelte. Dies ergibt für etwa 650 Bohnen einen Wert von 25 Cent, aber der Kaufwert des Silberpesos war damals sehr hoch. Maya-Indianer, die im Jahr 1553 Proviant nach Mérida brachten, erhielten nur zwanzig Bohnen für eine lange Reise, in Mexiko jedoch bestand die Bezahlung für eine lange Reise aus 100 Bohnen pro Tag. Wie uns ein spanischer Chronist berichtet, kostete in Nicaragua ein Kaninchen 10 Bohnen und eine Prostituierte 8—10 Bohnen, so daß der einfache aztekische Arbeiter in der Hauptstadt Mexiko für seinen Tagesverdienst Wein, Weib und Gesang haben konnte; der arme Maya in Mérida jedoch mußte sich in allen drei Punkten bescheiden. Kakao blieb bei den Maya des Hochlands von Guatemala eine Währung bis etwa zum Beginn unseres Jahrhunderts. In vielen Teilen des Maya-Gebiets wurde der Preis für eine Braut herkömmlich in Kakao entrichtet, und dieser Brauch hat sich in gemilderter Form bis zum heutigen Tag erhalten.

Wegen seines hohen Wertes wurde das Kakaogeld häufig gefälscht. Man löste die Haut der Bohne sorgfältig, entfernte das Fleisch, ersetzte es durch Wachs oder Erde oder schob Stücke der Avocadorinde darunter, um ihr ein prallgefülltes Aussehen zu verleihen. Solche Fälschungen werden aus Nicaragua und dem Tal von Mexiko berichtet; trotz meiner Schwäche für die Maya muß ich zugeben, daß auch sie wahrscheinlich die gleichen Methoden praktizierten.

Handel mit Kakao und anderen Waren führte zur Entstehung einer reichen Kaufmannsklasse. Ein großer Teil des Handelsverkehrs im Maya-Gebiet wurde in Kanus durchgeführt und lag in den Händen der Chontal-Maya, die als Bewohner des Labyrinths von Flüssen und Sümpfen an den Mündungen der Flüsse Usumacinta und Grijalva ausgezeichnete Kanufahrer waren. So wurde ihr Territorium von den Azteken auch *Acallan*, ›Land der Kanus‹, genannt. Ihre Einbaumkanus, die vierzig oder mehr Personen aufnehmen konnten — eine Kapazität, die bis zum heutigen Tag von den Kanus der Zutuhil-Maya auf dem Atitlán-See im Hochland von Guatemala erreicht wird —, unterhielten einen Verkehr, der die gesamte Halbinsel erfaßte.

Auf dem Landweg aus dem Hochland von Mexiko herangeschaffte Güter wurden in Tabasco auf die Kanus verladen und rund um die Halbinsel zur Nordküste von Guatemala und Honduras befördert, wo die Chontal-Maya Handelsstationen unterhielten, die in vieler Hinsicht den heutigen Handelsplätzen, wie etwa dem früheren Shanghai, glichen.

Auf seiner vierten Reise begegnete Kolumbus in der Nähe der Bay-Insel im Golf von Honduras einem solchen Kanu, das gewiß zur Flotte der Chontal-Maya gehörte. Nach den Berichten soll es die Länge einer Galeere und eine Breite von 2,5 m sowie mittschiffs ein Verdeck aus Matten gehabt haben, unter dem Frauen und Kinder und die Ware sowohl vor Regen als auch vor dem Meerwasser geschützt waren. Vermutlich waren vierzig oder mehr Seelen an Bord, denn Frauen und Kinder müssen zu den etwa 25 Mann Besatzung hinzugerechnet werden. Die Ladung umfaßte Baumwollumhänge, *huipils* — Blusen — und Lendentücher, alle mit mehrfarbigen Mustern, *macanas* — hölzerne Schwerter, deren beide Schneiden mit eingeleimten Stücken von Feuerstein oder Obsidian besetzt waren —, kleine Äxte und Schellen aus Kupfer, Pfannen und Öfen, um Kupfer zu schmelzen, Rasierklingen und Messer aus Kupfer sowie Beile aus einem scharfen, hellgelben Stein mit hölzernen Stielen und große Mengen von Kakao.

Man kann mit einiger Sicherheit annehmen, daß dieses Kanu sich auf dem Weg von Tabasco nach der Nordküste von Honduras und Guatemala befand. Die Kupfergegenstände dürften vom mexikanischen Festland stammen, die Textilien, eine Spezialität und ein Exportartikel Yucatáns, waren vermutlich unterwegs eingehandelt worden und sollten auf der Handelsstation Nito in Honduras gegen weiteren Kakao eingetauscht werden. Den Kakao hatte man wahrscheinlich entlang der Küste von Britisch-Honduras an Bord genommen und wollte ihn auf der Rückfahrt in Yucatán absetzen. Dieses Kanu war offensichtlich ein Vorläufer des Trampdampfers unserer Jahrhundertwende.

Salz aus den Lagern entlang der Nord- und Nordwestküste der Halbinsel Yucatán wurde ebenfalls in großem Umkreis nach allen Richtungen verschifft. Im späten 16. Jahrhundert gelangte Salz auf dem Seeweg über eine Entfernung von etwa tausend Kilometern von Campeche nach Amoyoc, südlich von Tampico. Vermutlich handelte es sich hier um eine vorkolumbische Kanuroute, denn Amoyoc war in der Kolonialzeit nur von geringer Bedeutung. Kakao ging natürlich von Tabasco und der pazifischen Küste von Soconusco und Guatemala nach Mexiko, und handliche Güter wie Quetzalfedern, Kolibrihäute und Amber gelangten aus dem Maya-Gebiet nach Mexiko. Im späten 16. Jahrhundert kamen noch immer indianische Händler von Cholula an die pazifische Küste von Guatemala, um Kakao einzukaufen. Gold kam aus Panama, und erst vor kurzem wurde in Costa Rica eine Schieferscheibe mit Maya-Glyphen ausgegraben, die offensichtlich nicht weit von Tikal eingraviert worden waren. Mittelamerika war von einem Netz von Handelsstraßen für alle Produkte, von *metaten* bis zu lebenden Leguanen, überzogen.

Die heutigen Märkte des Hochlands von Guatemala sind reizvoll, bunt und romantisch, jedoch nur blasse Schatten der Märkte der präkolumbischen Zeit, als sie die aus allen Winkeln Mittelamerikas zusammengetragenen Schätze feilboten.

Uns bleibt hienieden kurze Frist, wie euch,
Ein kurzer Frühling bloß;
Nach raschem Wachstum ist Verfall
Unser wie euer Los.
Wir schwinden,
Gleich euren Stunden fort, und rinnen
Dahin,
Wie Sommerregen verrinnt;
Oder wie Perlen aus Morgentau
Die keiner je wiederfindt.

ROBERT HERRICK, AN DIE OSTERBLUMEN

V. Skizzen aus dem Leben der Maya

In diesem Kapitel habe ich eine Reihe von Miniaturen aus dem Leben der Maya in erdichteter Form zusammengestellt, um der toten Vergangenheit Leben und Farbe zu verleihen. Ich legte eine dieser Skizzen einem bekannten Völkerkundler vor, der zutiefst über diese Mischung von Dichtung und Wissenschaft schockiert war; seine Reaktion zeigte, wie bestürzt er bei der Vorstellung war, Wissenschaft in nicht greifbare Dinge wie Denkprozesse, die sich der tabellarischen oder graphischen Darstellung entziehen, einzukleiden. Wenn ich seine Meinung teilte und die Archäologie für eine strenge Wissenschaft hielte, müßte ich mich ein wenig unbehaglich fühlen; da ich jedoch die Archäologie als eine Rückwärtsprojizierung der Geschichte betrachte, habe ich keinen Grund, solche Rekonstruktionen nicht anzuwenden. Thomas Carlyle hätte große Mühe gehabt, die Gedanken zu begründen, die er den Hauptakteuren in seinem Buch *Die Französische Revolution* zuschrieb, doch diese Gedanken verliehen seinem Zeitpanorama Leben. Andere Historiker haben die Roman-Methode in verschiedenem Grade angewandt, und angesichts solcher Präzedenzfälle sehe ich keine Notwendigkeit, mein Vorgehen zu rechtfertigen.

Die Personen in diesen Skizzen sind frei erfunden; ihre Handlungen basieren weitgehend auf Informationen, die wir über das Leben der Maya besitzen. Einige Geschehnisse sind aztekischen oder anderen mexikanischen Quellen entnommen, da aber die religiösen

Vorstellungen der Völker Zentralmexikos denen der Maya sehr nah verwandt gewesen zu sein scheinen, darf man annehmen, daß bestimmte ihrer Riten auch bei den Maya verbreitet waren, obwohl leider keine entsprechenden Aufzeichnungen erhalten geblieben sind. Um zu veranschaulichen, was ich meine, sei vorausgeschickt, daß die Episode in *Der Novize*, in der Ah Balam und sein junger Freund die Vorder- und die Hinterbeine eines Himmelsdrachens sind, meine Erfindung ist. Die Gründe hierfür sind die folgenden: 1. Himmelsdrachen sind wichtige Maya-Gottheiten und treten in der religiösen Kunst der Maya überall auf. 2. Bei den Azteken verkleideten sich Männer als Himmelsdrachen, um an bestimmten Zeremonien teilzunehmen. 3. Die Maya trugen Masken, um Götter darzustellen. 4. Es kann im Hinblick auf Punkt 1—3 angenommen werden, daß auch die Maya Himmelsdrachen bei ihren Zeremonien darstellten. Ferner werden in dieser Geschichte Opfergaben in einer bestimmten Phase der Zeremonie unter die Stele gelegt. Die Darbringung der Opfergaben ist Tatsache, der Zeitpunkt im Verlauf der Zeremonie dagegen Erfindung.

Bei der Schilderung von Denkprozessen habe ich versucht, mich so eng wie möglich an die Mentalität der Maya zu halten, wie sie sich in Quellen des 16. und des 17. Jahrhunderts offenbart und wie ich sie beobachten konnte, während ich unter den Maya von Britisch-Honduras lebte — ein großer Teil von *Ein Tagesablauf* basiert auf solchen Beobachtungen. Ich nehme an, daß man unmöglich vermeiden kann, seine eigene Persönlichkeit in erfundene Gestalten zu projizieren, aber der vorgewarnte Leser kann seine eigenen Vorbehalte machen. Da die Handlungsrahmen in Zeit und Raum variieren, mußte die Kontinuität der Figuren geopfert werden.

Schließlich sei bemerkt, daß vorgreifende Hinweise auf bestimmte Zeremonien oder Bräuche auf späteren Seiten ausführlich ergänzt werden.

Der Novize

Jung-Balam schmerzte es überall. Seine Zunge war geschwollen, seine Ohrläppchen, seine Arme und andere Teile seines Körpers waren wund von dem ständigen Blutentzug. Er war auch hungrig und zerschlagen infolge mangelnden Schlafes. Achtzig Tage lang, von 13 Xul an und während der ganzen Monate Yaxkin, Mol, Ch'en und den halben Monat Yax hatte er gefastet, im Tempel Dienst getan, nachts Wache gehalten und Opfer von seinem eigenen Blut dargebracht. In weiteren drei oder vier Stunden würde all dies zu Ende sein, denn entweder würde er dann samt allen andern Menschen auf der Welt vernichtet sein, oder er würde sich zu einem Festmahl niedersetzen, dessen Vorstellung ihm immer wieder das Wasser im Mund zusammenlaufen ließ, während seine Gedanken doch auf ernstere Dinge gerichtet sein sollten. Doch es war schwer, sich nicht auf Truthahn und mit süßen Kartoffeln geschmortes Wildbret zu freuen, wenn man so lange nichts anderes als sehr spärliche Tortillas gegessen und nur dünnen Maisschleim getrunken hatte.

Es war jetzt etwa drei Stunden vor dem Sonnenuntergang des Tages 4 Ahau 13 Yax. Der fünfzehnte Katun (20-Jahre-Periode) des Zyklus 10 (9.15.0.0.0, 4 Ahau 13 Yax) würde bei Sonnenuntergang enden. Dies waren drei Viertel des Weges durch den Zyklus 10 — wir sprechen hier von Zyklus 9, doch für die Maya war es Zyklus 10 —, und der Tag war der glückbringende 4 Ahau. Dies war für sich allein ein gutes Vorzeichen, doch Yax war der Monat des Planeten Venus, und dieser unheilvolle Gott würde bei Sonnenuntergang, hoch im Abendhimmel glänzend, sichtbar sein. Nach weiteren vier Monaten würde er in den Sonnenstrahlen verschwinden, bevor er als Morgenstern wiedererschien. Jedermann wußte, daß die Welt am Ende eines Katuns zerstört werden würde; die entscheidende Frage bestand darin, ob dieser Katun der vorbestimmte war, denn günstige und ungünstige Faktoren schienen sich die Waage zu halten. Besondere Sorgfalt in der Durchführung jeder Einzelheit des Rituals konnte den Tag retten.

Die erste der großen Zeremonien würde gleich beginnen. Heute, wie an jedem Tag 4 Ahau, fand die Zeremonie des Schreitens durch Feuer statt, und außerdem wurden dem Venus-Gott Menschen geopfert, denn er war der Schutzherr dieses Monats, in dem der Katun endete. Balam würde diese Zeremonie aus nächster Nähe erleben, denn er sollte später die Vorderbeine und den Kopf des Himmelsungeheuers des Ostens darstellen.

Von dem Gebäude aus, in dem sie während dieser Periode des Fastens und der Vorbereitung wohnten, hatten er und seine Mitnovizen gesehen, wie der große Holzstapel im Hof vor dem Tempel der Regengötter in Brand gesetzt wurde, und die Hitze des Feuers war fürchterlich gewesen. Gerade waren die Tempeldiener damit fertig geworden, die glühende Asche mit langen grünen Ästen zu verteilen, um eine feurige Fläche zu bilden. Im Innern des Tempels hatten die vier Priester, die über das Feuer schreiten sollten, ihre Gebete und ihr Opfer von Kopalweihrauch und *balche* — einem Met-Getränk — beendet. Einer nach dem andern kamen sie jetzt heraus, bückten sich, damit ihre hohen Masken und ihr hoher Kopfschmuck nicht gegen den Sturz der Türe stießen. Langsam stiegen sie die steile Treppe hinab.

An der Spitze der kleinen Prozession schritt der Hohepriester, in Rot gekleidet wie der rote Regengott des Ostens, doch sein Kopfschmuck, der die langnasige Maske des Regengottes Chac umwallte und dicht mit Quetzalfedern besetzt war, war grün, um das Grün des jungen Maises und die neuen Blätter der Bäume zu versinnbildlichen, das frische Grün, das der Regen bringen würde. Hinter ihm folgten nacheinander die Chac des Nordens, des Westens und des Südens, alle mit dem gleichen Kopfschmuck, doch in Weiß, Schwarz und Gelb gekleidet. Jeder trug in seiner rechten Hand eine Axt mit Steinschneide an einem Holzschaft, dessen Ende nach oben gekrümmt war, um einen Schlangenkopf zu bilden. Jeder hatte in der linken Hand einen zickzackförmigen Stock, der den Blitz symbolisierte, und an einem über eine Schulter gelegten Strick hing eine mit Wasser gefüllte Kürbisflasche, aus der die Regengötter den Regen sprengten.

Am Rande der Fläche glühender Asche machte die kleine Gruppe halt, und die Sandalen wurden ausgezogen. Der Hohepriester nahm aus den Händen eines Tempeldieners eine Schale brennenden Kopals und eine Kürbisflasche *balche* im Empfang und opferte beides, sich nach Osten wendend, dem roten Chac. Dann hob er einen aus den Klappern von Klapperschlangen gebildeten Weihwedel und begann ohne Zögern, über den Teppich aus glühenden Kohlen zu schreiten, den Weihwedel in das Gefäß mit *balche* tauchend und die Asche besprengend, während er weiterging. Als er die andere Seite erreicht hatte, blieb er einen Augenblick stehen und begann dann den Rückweg. Heil und scheinbar ohne durch das Feuer Schaden gelitten zu haben, opferte er noch einmal Kopal und *balche* gegen Osten und trank dann den in der Kürbisflasche verbliebenen *balche*.

Nacheinander machten die Darsteller des weißen, des schwarzen und des gelben Chac den gleichen Gang. Balam beobachtete den weißen Chac mit besonderer Aufmerksamkeit. Dieser Priester war unbeliebt bei den jungen Männern, die für die heiligen Orden ausgebildet wurden, und Balam ertappte sich bei dem Wunsch, der Priester möge ausgleiten und sich verbrennen. Er schob den Gedanken beiseite, denn es war nicht schicklich, sich bei einer so feierlichen Gelegenheit solchen Gedanken hinzugeben, und ein solches Mißgeschick würde das Mißlingen der Zeremonie bedeuten und zur Folge haben, daß die unbefriedigten Götter dem Volk den Regen verweigerten.

Balam konnte nicht warten, um das Ende der Zeremonie zu sehen, denn er mußte sich fertig machen für seine Rolle in dem Ritual, das den Abschluß des Katuns kennzeichnete. In der Hütte waren die vier großen Holzrahmen, mit Rindenstoff bedeckt und mit Federn besetzt, bereitgestellt worden, um die Himmelsungeheuer darzustellen. Balam trat zu dem roten Ungeheuer, das er und sein Freund Tutz tragen sollten. Er steckte seine Füße in die Vorderbeine des Ungeheuers und schob seinen Kopf durch die Kehle zwischen die offenen Kinnbacken, wobei er sorgfältig darauf achtete, sich nicht an den riesigen Fangzähnen zu verletzen. Tutz stieg in den hinteren Teil des Ungeheuers. Auf den Schultern der jungen Männer ruhende Stangen hielten den langen Leib des Tieres zwischen ihnen steif.

Der Zeremonienmeister inspizierte die Ausrüstung der beiden Jünglinge und setzte beiden, nachdem er alles in Ordnung befunden hatte, Masken auf. Die Maske Balams hatte Schlitze für die Augen, so daß er sehen konnte, wohin er ging; Tutz war nicht in der gleichen glücklichen Lage. Seine Maske wurde ihm mit dem Gesicht nach hinten aufgesetzt, denn es mußte so aussehen, als ob er aus dem hinteren Kopf des Ungeheuers herausschaute, während Tutz nach vorne blickte; so wären Augenlöcher für ihn nutzlos gewesen, sie hätten ihm nur einen Ausblick auf den Hinterkopf seines Freundes gewährt.

Auf ein Zeichen des Zeremonienmeisters stellten sich die vier Paare junger Leute in einer Reihe hintereinander auf, Balam und Tutz mit ihrem roten Ungeheuer des Ostens an der Spitze. Ihre Bewegungen waren mehrere Male geprobt worden, und Balam wußte genau, was er zu tun hatte, wenn das Zeichen zum Beginn gegeben wurde.

Die vier Ungeheuer kamen eins nach dem andern aus der Hütte heraus, überquerten den Hof in einer mitten durch die hockenden Zuschauer freigehaltenen Gasse und gingen langsam die große Treppe der Pyramide des Venustempels hinauf. Nach jeweils wenigen Schritten gaben die Träger kurze, bellende Laute von sich, um den Ruf des Alligators nachzuahmen. Auf der Plattform vor dem Tempel auf der Spitze angekommen, schwenkten Balam und Tutz nach Osten, und die anderen Ungeheuer stellten sich an der nördlichen, der westlichen bzw. der südlichen Seite der freien Fläche auf. Als sie sich nach der Mitte wandten, hatte Balam einen prächtigen Ausblick auf die Vorgänge; Tutz war natürlich nicht imstande, etwas zu sehen, und begann bald das Gewicht des Rahmens auf seinen Schultern und die schwere Maske auf seinem Kopf als lästig zu empfinden.

Der Hohepriester und seine drei Gehilfen hatten ihre Regengötterkostüme abgelegt und waren in den Venustempel eingetreten, wo sie jetzt darum beteten, daß die Welt von der Zerstörung verschont bliebe. Diener führten fünf junge Männer, die auf dem Steinblock vor dem Tempel geopfert werden sollten, die Treppe herauf. Die Opfer schienen sich mit ihrem Schicksal abgefunden zu haben; man hatte ihnen große Mengen von *balche* zu trinken gegeben, um sie zu reinigen und ihnen, nebenbei, Mut zu machen. Zudem glaubten sie fest daran, daß sie mit den Göttern, denen sie die Botschaft des Volkes bringen sollten, vereinigt würden.

Balam betrachtete sie neugierig. Drei von ihnen hatten nicht die Gesichtszüge der Maya und waren vermutlich olmekische oder Zoque-Sklaven, die vor einiger Zeit von Händlern aus dem Golf von Mexiko gekauft worden waren. Das vierte Opfer kannte Balam; es war ein junger Mann, der als Sklave im Haushalt seines Vaters aufgewachsen war, ein ziemlich einfältiger Bursche, dem man so manchen üblen Streich gespielt hatte. Es war nicht nötig gewesen, ihn davon zu überzeugen, daß sein Opfer ihm zum eigenen Ruhm gereichen werde; sein einfältiger Glaube hatte keiner Stärkung bedurft, und er schien die ihm winkende Ehre mit scheuem Eifer zu begrüßen. Das Ereignis hatte ihm eine Würde verliehen, die ihm früher nie zuteil geworden war. Entsetzen sprach dagegen aus den Augen des fünften Opfers, eines Bildhauers, der mit seinem Leben für einen Fehler bezahlen sollte, den er bei der Kopie der Vorlagen für die Glyphen der zu weihenden Stele gemacht hatte.

Als die Priester nach Beendigung ihrer Gebete aus dem Tempel herauskamen, führten Diener einen der Fremden vor und legten ihn auf den Opferstein. Zwei Jungpriester, Chac genannt, packten seine Füße, zwei weitere seine Hände (Abb. 13 b). Assistierende Priester hielten rauchende Kopalräuchergefäße und versprengten *balche*, als der Hohepriester, das lange Feuersteinmesser in der Hand — ›die Hand Gottes‹ nannten es die Maya —, auf das Opfer zuschritt, denn bei einer Zeremonie von so großer Bedeutung konnte nur er allein das Opfer vollziehen. Balam fühlte sich von einer Welle der Erregung erfaßt, in der sich Feierlichkeit, Mitleid und Sadismus seltsam mischten. Der Olmeke, dessen Arme und Beine von seinem rücklings auf dem Opferstein liegenden Körper herabhingen, befand sich zwischen Balam und der Sonne, die jetzt tief am Nachmittagshimmel stand. Sein Schatten lag wie ein schauriger Bogen auf dem Stuckfußboden vor Balams Füßen.

Der Hohepriester, über das Opfer gebeugt, stieß ihm das Messer unterhalb der linken Rippen in den Brustkorb. Im Augenblick des Aufpralls zuckte der Körper ein letztesmal krampfhaft auf. Der Hohepriester riß das Herz heraus und hob es, sich der untergehenden Sonne zuwendend, hoch über seinen Kopf. Sein Gewand war tiefrot gefärbt, und auch sein Gesicht war mit Blut bespritzt. Dann hob er das Herz gegen Westen, die Richtung des Venus-Gottes, der bald sichtbar werden mußte, wenn die Welt gerettet werden sollte. Ein gewaltiger Schrei stieg von der unten im Hof kauernden Menge auf, als der Priester zum Rand der Plattform trat, um der versammelten Gemeinde das Herz zu zeigen.

Der Leichnam wurde beiseite getragen, während das zweite Opfer herangeführt und auf die gleiche Weise mit ihm verfahren wurde, und dann das dritte. Der ehemalige Sklave von Balams Vater war das vierte Opfer. Balam empfand eine gewisse Scham, daß dieser einfältige, arglose Bursche sterben sollte. Es wurde als eine Ehre betrachtet, ein Opfer beizusteuern, doch es wäre leichter zu ertragen gewesen, wenn der Mann Widerstand geleistet oder Stolz gezeigt hätte; dieser ergebene Eifer war bestürzend. Balam wandte den Blick ab und beobachtete statt dessen zwei Fliegen, die summend die klaffende Wunde im Leib des einen toten Mannes umkreisten. Er schaute nicht wieder nach vorne, bis der Schrei der Menge ihm sagte, daß alles vorüber war.

Der fünfte Mann, der Angst gezeigt hatte, wehrte sich, als er herangeführt wurde, und mußte zu dem Block geschleift werden. Selbst als man ihn auf den Stein geworfen hatte und in der erforderlichen Lage festhielt, versuchte er noch weiter, sich zu befreien. Balam runzelte die Stirn unter seiner Maske. Ein derartiges Benehmen war unschicklich, und durch solchen Schimpf mißachtete der Mann das Wohlergehen der ganzen Gemeinschaft, denn dieses Schauspiel mußte beleidigend sein für den Venus-Gott. Der Mann hatte bereits das Schicksal aller aufs Spiel gesetzt, indem er in seiner Fahrlässigkeit einen Fehler auf die Stele meißelte. Jetzt störte er von neuem den

Rhythmus des Rituals. Sein Widerstand war jedoch bald gebrochen, und sein Körper wurde neben die bereits Geopferten gelegt. Die ganze Zeremonie hatte nur wenige Minuten gedauert.

Balam und Tutz setzten sich in Bewegung, um ihren Platz in der Prozession einzunehmen. An der Spitze schritten der Hohepriester und seine drei Gehilfen. Dann folgten fünf weitere Priester mit Masken des Venus-Gottes; jeder von ihnen trug eine Schale, in der eins der Herzen der geopferten Männer lag. Die vier Himmelsungeheuer schlossen sich an, und ihnen folgten andere Priester mit rauchenden Kopalräuchergefäßen. Jungpriester und Diener mit Opfergaben für die Weihe der neuen Stele bildeten den Schluß.

Die Prozession stieg die Treppe der Pyramide hinunter, durchquerte den Hof des Venustempels und den Ballspielplatz und gelangte so in den großen Zeremonienhof. Vor der neuerrichteten Stele, die am Ostrand des Hofes stand, machte sie halt. Wegen seiner Breite lag der Hof noch immer im Schein der untergehenden Sonne. Die blauen, roten, gelben und grünen Farbtöne des frischen Stucks glühten in dem weichen Licht. Am Fuß des Monuments gähnte ein großes Loch, das bis zum unteren Ende des Blocks hinunterreichte, bereit, die Opfergaben aufzunehmen; dicke, gegen den Zapfen gestemmte Querbalken hielten den massigen, skulptierten Stein im Gleichgewicht.

Balam und Tutz mußten mehrere Stufen der Pyramide, an deren Basis die Stele aufgestellt war, ersteigen, um ihren Platz östlich der Zeremonie einzunehmen und noch immer sichtbar zu sein. So hatte Balam, über die Stele hinwegschauend, wiederum einen guten Überblick über die Vorgänge. Er war erleichtert, daß Tutz und er den schwierigen Gang die steilen Treppen hinunter und hinauf ohne Mißgeschick hinter sich gebracht hatten. Es hatte vieler Proben bedurft, um ihre Bewegungen zu koordinieren. Sobald alle die ihnen angewiesenen Plätze eingenommen hatten, versammelten sich die Priester, die Jungpriester, die Diener und alle Zuschauer in dem großen Hof und hockten nieder. Aus Beuteln zogen sie scharfe Obsidianspitzen und Bündel von Stöcken, die alle auf die gleiche Länge zugeschnitten waren. Die in den Ecken des großen Hofes aufgestellten Trommeln dröhnten dumpf in einem langsamen Rhythmus. Allmählich steigerte sich das Tempo, bis die Schläge sich mit großer Schnelligkeit im gleichen Takt folgten. Balams Puls beschleunigte sich mit dem hämmernden Takt; er hätte gern geschrien und getanzt. Es war fast unerträglich, regungslos stehen bleiben zu müssen. Jetzt ertönten die Trompeten, Rasseln und Muschelhörner, und Geweihsprossen schlugen auf Schildkrötenpanzer.

Der Hohepriester hob die Hand, um der Versammlung ein Zeichen zu geben, senkte sie dann und bohrte eine Obsidianspitze schnell hintereinander in seine Zunge, in seine Ohrläppchen und in die fleischigen Teile seiner Arme und Beine. Jeder Mann, denn es waren keine Frauen anwesend, tat das gleiche, bis auf die acht Novizen im Innern der Himmelsungeheuer. Dann wurden die Stöcke in die Wunden getaucht.

Der Hohepriester und seine Diener traten nacheinander an den Rand der Grube vor der Stele und warfen die mit Blut beschmierten Stöcke und Rindenstoffstücke, auf die das Blut getropft war, hinein; das gewöhnliche Volk legte seine blutigen Stöcke vor sich auf den Boden. Die Musik war langsamer geworden und verstummte nun. Der untere Teil der Stele lag jetzt im Schatten.

Nacheinander näherten sich die fünf Darsteller des Venusgottes, in den Händen die Schalen mit den Herzen. Der Hohepriester nahm von jedem das Herz in Empfang. Er wischte mit dem ersten über das Antlitz des Gottes, das auf der Vorderseite der Stele eingemeißelt war, und warf es dann in die Mitte der Grube vor der Stele. Die Kanten der Stele wurden nacheinander mit den vier anderen Herzen eingerieben, die sofort in das Loch geworfen wurden, jedes in eine Ecke. Während der Hohepriester diesen Akt vollzog, kauerten die Assistenten und Jungpriester hinter einer Reihe von Feuerschalen, aus denen Rauchschwaden aufstiegen und, vom Abendwind getragen, die Stele umhüllten. Weitere Diener, die Bündel von Quetzalfedern, verzierte Jadesteine, kunstvoll bearbeitete Feuersteine, *balche*, Speise und Kakaobohnen trugen, traten heran. Der Hohepriester hob jede Opfergabe, zunächst nach Westen und dann zur Stele hingewandt, in die Höhe und warf sie schließlich in die Grube.

Als alle Opfergaben in der Grube lagen, schaufelten Diener Erde in die Mulde, und sobald diese festgestampft worden war, deckten Maurer sie eilig mit Steinen ab.

Inzwischen hatte die Sonne ihre Bahn am Himmel vollendet, und während sie hinter dem Horizont versank, sah Balam das matte Licht des Venusgottes stetig heller werden; die Zerstörung der Welt war um weitere zwanzig Jahre verschoben worden. Der Tag 5 Imix hatte begonnen. Er hob eine Hand und versetzte der auf seiner rechten Schulter ruhenden Stange einen leichten Stoß, das mit Tutz verabredete Zeichen, daß die Venus sichtbar war.

Auf einen Wink des Hohepriesters wurden die Trommeln in schnellem, triumphierendem Takt geschlagen. Die Flöten fielen ein. Priester entzündeten ein Feuer, und in dieses warfen die Männer ihre blutbefleckten Stöcke und Kopal-Opfergaben. Junge Männer des Seminars entzündeten Pechfackeln an der Flamme und liefen mit ihnen zu den Pyramiden im Kultzentrum. Bald war der Hof hell erleuchtet von den vor jedem Tempel und jeder Stele brennenden Feuern. Andere Feuer beleuchteten den Ballspielplatz und den Marktplatz; in den Außenbezirken begannen in den Häusern der Vornehmen Lichter zu funkeln.

Die Versammlung begann sich aufzulösen. Die vier Himmelsungeheuer begaben sich zurück in den Lagerraum für die Masken. Als die schweren Masken und Schlangenleiber abgelegt waren, erinnerte Balams leerer Magen ihn an den Festschmaus, der jetzt folgen sollte. Alle waren in fröhlicher Stimmung. Die achtzig Tage der Spannung waren vorüber, die Zeremonien, an denen sie teilgenommen hatten, waren von Erfolg gekrönt gewesen, und der Tag 5 Imix hatte ohne widriges Ereignis begonnen. Balam hatte den Sklaven seines Vaters, dessen Herz jetzt am Fuß der Stele begraben war, vollkommen vergessen.

Tutz, der kaum siebzehn war, begann eine kleine Rauferei, indem er den Zipfel des Lendentuchs seines Partners packte und es um sein Bein wickelte, um ihn zu Fall zu bringen. Der Hüter des Zeremoniengutes schalt in halb scherzhaft, worauf Tutz ihm erwiderte, er sei grausam und habe ›ein Gesicht wie ein Baumstamm‹, wie das Maya-Sprichwort lautet. Alle lachten, denn der Zeremonienmeister war allen als einer der freundlichsten Menschen bekannt.

Als die beiden Freunde das Gebäude verließen, war es vollkommen dunkel, und viele der Feuer waren niedergebrannt. Sie gingen bis an den Rand des Kultzentrums und betraten das Wohnviertel des Adels. Frösche quakten ihre monotonen Chöre; die Silhouetten fallender Cohunepalmblätter zeichneten sich vor einem, von einem zehn Tage alten Mond versilberten Himmel ab. Als sie an einem Haus vorüberkamen, stieg den Jungen der Duft von in Chilisauce schmorendem Truthahn in die Nase. Sie beschleunigten ihre Schritte.

Für Ix Zubin begann der Tag kurz vor vier Uhr morgens. Nachdem sie schnell ihre morgendliche Waschung vorgenommen hatte, kauerte sie sich nieder, um in die Asche des Feuers vom gestrigen Abend zu blasen, damit seine Flammen den Raum erhellten. Dann trug sie einen schweren Krug vor die Tür und goß seinen Inhalt — Mais, Kalk und Wasser — in ein Sieb, das aus einem mit Löchern versehenen Kürbis bestand. Während das mit Kalk gesättigte Wasser im Boden versickerte, wusch sie den Mais mehrere Male. Die durch mehrstündiges Liegen in Kalkwasser weich gewordenen Hülsen lösten sich leicht, und bald konnte der Mais auf der Metate gemahlen werden.

Sie war nicht als einzige bei der Arbeit. Im ganzen Weiler schimmerte das Licht von Feuern zwischen den Stangen der Hüttenwände hindurch, und das unbeschreibbare, anheimelnde Krick-Krick des Reibsteins auf der Metate bezeugte, daß sie nicht früher aufgestanden war als ihre Nachbarinnen. Mit rhythmischen Bewegungen schob sie den Reibstein über dem Mais vor und zurück; langsam wuchs der Teighaufen. Sie setzte den Topf mit schwarzen Bohnen, die vom letzten Abend übriggeblieben waren, auf das Feuer, legte mehr Holz auf, um genügend glühende Asche zu erhalten. Dann hockte sie sich vor einem glatten Holzbock nieder, nahm etwas von dem feuchten Teig und begann, ihn auf einem großen Blatt mit den Fingern flach auszubreiten.

Das Geräusch des Klopfens und das leise Knistern, als sie das Blatt umdrehte, waren für Cuc, ihren Mann, das Zeichen aufzustehen. Die Morgendämmerung war noch nicht angebrochen, doch als er in den Eingang der Hütte trat, sah er die Venus am östlichen Horizont funkeln, und sie erinnerte ihn daran, daß er sich vorgenommen hatte, an diesem Tag auf die Jagd zu gehen. Er kehrte in die Hütte zurück und nahm sein tönernes Räuchergefäß und etwas Kopalweihrauch, der sorgfältig in Maisblätter eingewickelt war. Dann beugte er sich über das Feuer, nahm einige der glühenden Holzstücke, die seine Frau soeben unter die Tonpfanne geschoben hatte, und legte sie in das Räuchergefäß. Dann trat er vor die Hütte, setzte das Räuchergefäß auf den Boden und hockte hinter ihm nieder, das Gesicht nach Osten gewandt. Er betete zur Sonne, zum Morgenstern und zu Ah Ceh, dem Jagdgott, daß sein Jagen erfolgreich sein möge, entschuldigte sein Verlangen, Leben zu zerstören, indem er seine Bedürftigkeit und seine Armut erklärte, und versprach, nicht mehr zu töten, als er brauchte. Während er betete, ließ er Stücke des wachsartigen Kopal auf die glühende Asche fallen und sagte zu den Göttern, dies sei sein Geschenk für sie — ein bescheidenes Geschenk, doch er sei, wie sie wüßten, nicht reich.

Als er in die Hütte zurückkam, sah er die erste der Tortillas, der runden, sehr dünnen Kuchen aus Maisteig, die seine Frau auf dem Blatt durch Klopfen in ihre Form gebracht hatte, auf der heißen Pfanne. Geschickt schob Ix Zubin die fertigen Tortillas in eine tiefe Kalebasse und legte ein Tuch über die Öffnung, um sie warm zu halten. Cuc setzte sich auf einen niedrigen, aus einem Holzstamm geschnitzten Hocker und schöpfte mit einer heißen, zum Löffel gerollten Tortilla einige Bohnen aus dem Topf. Nachdem er etwas Chili darauf gestreut hatte, begann er sein Frühstück, während seine Frau fortfuhr, mit geschickten Fingern die Tortillas zu formen und sie auf die Tonpfanne und dann in die Kalebasse wandern zu lassen.

Bis jetzt war kein Wort gewechselt worden. Die Sitte gebot, daß der Mann als erster sprach, doch Ix Zubin konnte sich nicht mehr länger beherrschen. Mit abgewandtem Kopf, als spräche sie zu dem Feuer, sagte sie: »Ich habe von einer Schlange geträumt heute nacht.« Ein Lächeln erhellte Cucs Gesicht, denn wie jedermann wußte, bedeutete der Traum von einer Schlange, daß ein Kind unterwegs war, und sie waren schon einige Zeit verheiratet, ohne daß ein freudiges Ereignis eingetreten war. Und Kinder brauchte man, denn in ein oder zwei Jahren würde Cuc nicht länger mit seinem Schwiegervater zusammenarbeiten, sondern seine eigenen Felder haben, und Kinder waren nötig, um bei der Maisernte und beim Sammeln von Feuerholz zu helfen und ihre Mutter im Haus zu unterstützen. Außerdem brachte Kinderlosigkeit Schande über eine Frau und konnte zur Scheidung führen. Cuc wußte, daß einige boshafte Frauen bereits über diese Angelegenheit Bemerkungen gemacht hatten, als Ix Zubin am Fluß mit ihnen beim Füllen ihrer Krüge ins Gespräch gekommen war.

Nachdem er sein Frühstück beendet hatte, nahm Cuc Bogen, Pfeile, Köcher, Tragband und Netztasche und ging hinüber zur Hütte seines Schwiegervaters. Ein graues Band am östlichen Himmel, das den Morgenstern noch nicht erreicht hatte, kündigte die Dämmerung an. Die günstige Zeit für die Jagd näherte sich ihrem Ende, denn in der Stunde vor der Morgendämmerung hatte man mehr Aussicht, auf Wild zu stoßen. Andererseits war heute der Tag Manik, der Tag des Jagdgottes.

Als Cuc und sein Schwiegervater den Weiler verließen, machten sie am Ostrand, wo sich neben dem Pfad ein kleiner Altar und ein großer Steinhaufen befanden, Rast. Ähnliche Schreine lagen auch am nördlichen, südlichen und westlichen Ausgang der kleinen Siedlung. Sie waren den Göttern der vier Richtungen der Erde und des Himmels geweiht. Beide Jäger legten einen Stein auf den Haufen und beteten kurz, aber eindringlich zu dem roten Regengott des Ostens, er möge ihnen den jetzt so dringend notwendigen Regen schicken.

Die Aussicht, in unmittelbarer Nähe des Dorfes auf Wild zu stoßen, war sehr gering, doch unweit ihrer *milpa* (Maisfeld) erstreckte sich ein kleiner Streifen Savannenland, ein Stück armen, sandigen Bodens, wo nur Gras, Fichten und dürftiges Strauchwerk wuchsen. Cuc hatte vor einiger Zeit die Grasfläche abgebrannt, damit die Rehe durch das nachwachsende zarte Grün angezogen würden. Sie umgingen diese Stelle, um die Gefahr zu vermeiden, daß der Wind ihre Witterung einem Wild zutragen könnte, das sich vielleicht jetzt dort aufhielt. Und tatsächlich grasten zwei Rehe in der Mitte der Grasfläche. Behutsam schlichen die Männer so nahe wie möglich heran, nutzten die Deckung, die ihnen die Fichtengruppen und das niedrige Buschwerk des *nance* boten. Als sie in Schußweite waren, spannte der ältere Mann den Bogen, zielte. Der Pfeil schwirrte davon und traf das Tier in unmittelbarer Nähe des Herzens. Das verwundete Reh flüchtete ein kurzes Stück und brach dann zusammen. Cuc hatte nicht auf das zweite Reh geschossen, denn er wußte, wie alle Maya, daß, wenn man mehr schoß, als man brauchte, die Jagdgötter böse waren und das nächstemal kein Wild schicken würden.

Cuc entnahm seiner Netztasche den Feuerbohrer und begann einen Stab in einem Loch im weicheren Holz des anderen Stabes zu drehen. Wenige Minuten später stieg eine Rauchfahne von dem trockenen Zunderholz auf, und heftiges Blasen erzeugte bald eine Flamme. Sein Schwiegervater hatte inzwischen zunächst das tote Reh gepfählt und dann etwas trockenes Holz gesammelt. Bald brannte ein kleines Feuer, und als sich glühende Holzkohle gebildet hatte, legte der ältere Mann sie auf einen Stein und verteilte auf ihr einige Stücke Kopal. Als der schwarze Rauch mit seinem süßen und zugleich beißenden Geruch aufstieg, begann er zu dem Reh und durch es zu dem Gott der Jagd zu sprechen und betete um Verzeihung für das Töten des Tieres und erklärte, da die Ernte in diesem Jahr nicht gut gewesen sei, leide seine Familie Not.

Als diese kleine Zeremonie beendet war, wurde das Tier gereinigt und abgebalgt. Das war keine schwierige Arbeit. Mit einer Obsidianklinge schlitzte Cuc das Fell zwischen den Läufen und vom Maul bis zum Spiegel auf. Der größte Teil der Decke ließ sich mit der Hand lösen, der Kopf jedoch bereitete etwas größere Mühe, und mehr als eine Obsidianklinge wurde dabei verbraucht. Das Fleisch wurde zerteilt, und die Stücke wurden an den Ästen eines nahen Baumes aufgehängt, so daß sie außerhalb der Reichweite von Tieren waren.

Diese Arbeiten hatten einige Zeit in Anspruch genommen, und es war Mittag, als die beiden Männer ihre *milpa* erreichten. Sie gingen zu der provisorischen Hütte in der Mitte der Lichtung, in der die Geräte aufbewahrt wurden und später die Maiskolben gelagert werden sollten. Sie ließen ihre Bogen, Pfeile, Köcher und Netztaschen in der Hütte zurück und begannen, zwischen den kleinen Erdhügeln, aus denen die Maispflanzen herausragten, das Unkraut zu jäten. Die Männer waren zufrieden mit dem Stand, den die Pflanzen trotz des fehlenden Regens erreicht hatten. ›Unsere Gnade‹, der heilige Mais, trieb gesunde Blätter, deren Grün sich leuchtend abhob vor dem Hintergrund der Asche, der geschwärzten Baumstümpfe und der verkohlten Stämme des abgebrannten Waldstücks.

Kurz nach ein Uhr kam Ix Zubin mit einem Beutel gerösteten Maisteigs, der, mit Wasser gemischt, gleichzeitig ihren Durst und ihren Hunger stillte. Sie hatten vorgehabt, Feuerholz mit nach Hause zu nehmen, doch nun, da sie das Reh tragen mußten, war nur Ix Zubin frei für diese Arbeit. Nachdem sie eine genügende Menge Holz gesammelt hatte, band sie es mit Rindenstreifen zusammen und machte sich auf den Heimweg, den Kopf weit vorgebeugt, um die schwere Last auf ihrem Rücken, die durch ein um ihre Stirn gelegtes Tragband gesichert war, zu halten. Die Männer arbeiteten bis zum späten Nachmittag und kehrten dann zu der Savanne zurück, um das Reh mitzunehmen.

Im Dorf angekommen, nahm Cuc sein Horn, ein Seemuschelgehäuse mit abgesägter Spitze, setzte es seitlich an den Mund und weckte das Echo der Hügel durch eine Folge langer, tiefer Töne. Wer diesen Ruf einer erfolgreichen Jagd hörte, eilte zu der Hütte, wo jede Familie ein Stück Fleisch erhielt. Eine Keule wurde dem Dorfpriester oder Medizinmann geschickt, einem wichtigen Mann im Dorf, doch im Vergleich mit den Priestern des Kultzentrums nicht von hohem Rang. Für Cucs Familie blieb ein größerer Anteil an dem Fleisch als gewöhnlich, da eine Reihe von Familien zur Arbeit beim Pyramidenbau geschickt worden waren und in einem Lager in der Nähe des zehn Kilometer entfernten großen Kultzentrums wohnten.

Cuc badete in dem Fluß, wechselte sein Lendentuch und war um fünf Uhr bereit für sein Abendessen. Ix Zubin hatte Rehfleisch-Tamales, einen ganz besonderen Leckerbissen, zubereitet und, um das Mahl zu krönen, mit gemahlenem Mais gemischte und mit Chilipfeffer gewürzte Schokolade. Auch diese war eine Seltenheit, denn der größte Teil des Kakaos, den sie ernteten, ging an die Priester und Adligen, die ihn zweimal am Tag tranken und den Überschuß nach Yucatán verkauften, wo man ihn vorteilhaft gegen bestickte Mäntel tauschte. Cuc aß allein, während Ix Zubin ihn bediente, wie es sich für jede Ehefrau schickte.

Als er sein Abendessen beendet hatte, erhob sich Cuc von dem niedrigen Hocker, auf dem er gesessen hatte, und begab sich auf einen kleinen Bummel durch den Weiler. Seine Frau, die nun ihr Mahl einnahm, blieb in der Hütte zurück. Gewöhnlich machte Cuc an der Hütte seines Freundes Cantul halt, um sich einige Minuten mit ihm zu unterhalten, doch an diesem Abend vermied er es, an Cantuls Hütte vorbeizukommen. Cantuls zweiter Sohn, ein aufgeweckter Junge von acht Jahren und allgemein beliebt im Weiler, war vor drei Tagen in das Kultzentrum gebracht worden. Morgen sollte er zusammen mit mehreren anderen Kindern den Chac, den Regengöttern, geopfert werden. Cantul versuchte, seinen Kummer zu verbergen, und es war besser, nicht zu ihm zu gehen, um die Dinge nicht noch schlimmer zu machen. Der Gedanke an den fröhlichen Knaben, der am nächsten Tag geopfert werden sollte, stimmte Cuc traurig. Er stellte sich den Jungen vor, mit entsetzten Augen aus der Sänfte, in der man ihn tragen würde, herausstarrend, beladen mit Jadeschmuck, der seine gesunde braune Haut fast vollkommen verbarg, auf dem Kopf die schwere Maske des Regengottes. Vor wenigen Tagen noch hatte Cuc ihm geholfen, einen kleinen Bogen zu schnitzen. Doch einer mußte das Opfer sein; der Mais brauchte Regen, und die Chac brauchten Blut. Der Mensch mußte seine Abmachungen einhalten; die Götter waren großmütig, doch auch sie brauchten Kraft für ihre Arbeit, und sie würden, selbst wenn sie es könnten, ihre Geschenke nicht undankbaren Menschen schicken. Seit zwei Jahren war der Weiler nicht mehr aufgefordert worden, ein Opfer zu stellen, und das letztemal hatte es sie nichts gekostet, da sie jenen Fremden aus Chetumal schicken konnten.

Mit diesen Gedanken im Sinn, näherte sich Cuc der Gemeindehütte, in der die Dorfältesten einen Rechtsfall untersuchten. Da Cuc einer der jungen Männer des Dorfes war und infolgedessen kein Amt in der Gemeinde innehatte, hielt er sich unauffällig im Hintergrund der Hütte. Es ging um eine geringfügige Angelegenheit. Ein Mann erhob Klage, weil seines Nachbarn Hund etwas von seinem Fleisch gestohlen hatte. Ah Buul, der Oberälteste, versuchte, sich nacheinander an die Stelle des Klägers und des Beklagten zu versetzen, sprach zu beiden mit der gleichen ruhigen, wohlwollenden Stimme, lauschte teilnahmsvoll ihren Worten.

Nachdem der Kläger seinen Fall vorgetragen hatte, sagte Ah Buul: »Ja, so ist das, Fleisch ist schwer zu bekommen. Man jagt lange danach. Wie du sagst, hast du eine große Familie, und die Kinder freuten sich schon auf das Fleisch, und nun hat der Hund es gefressen. Das ist nicht in Ordnung, ein Mann darf nicht auf diese Weise beraubt werden. Du hast recht daran getan zu klagen.«

Dann trug der Beklagte seinen Fall vor, und wiederum drückte der Oberälteste ihm seine Teilnahme aus: »Ja. Das ist so. Ein Mann hat seine Arbeit zu tun und kann nicht die ganze Zeit auf seinen Hund aufpassen. Der Hund war gut genährt, wie du sagst. Er hatte drei Tortillas am Morgen bekommen, und wer würde denken, daß er noch Fleisch stehlen würde nach einer so guten Mahlzeit? Es ist viel Wahres an dem, was du über die Pflicht eines Menschen sagst, der Fleisch hat, es außerhalb der Reichweite aller Räuber zu halten, und dein Nachbar hat einen Fehler begangen, es nicht zu tun. Doch vielleicht wäre es klüger gewesen, den Hund anzubinden, bevor du deine Hütte verließest, oder ihn mitzunehmen, da deine Frau, wie du sagst, mit Töpfern beschäftigt war. Ihr habt beide bis zu einem gewissen Grad recht, wart aber beide etwas sorglos, und so halte ich es für gerecht und hoffe, daß ihr mit mir übereinstimmt, daß unser Nachbar, der der Besitzer des Hundes ist, die Hälfte des gestohlenen Fleisches ersetzt, wenn er das nächstemal beim Jagen erfolgreich ist. Er ist ein guter Jäger, einer der besten im Dorf, und sein Hund wird stark sein, nachdem er das viele Fleisch gefressen hat. Haltet ihr beide diesen Vergleich für gerecht?«

Cuc wartete nicht, um zu hören, ob das Urteil von dem Kläger und dem Beklagten angenommen wurde. Er wußte, daß es so sein würde. Ruhiger Kompromiß und der Geist des ›leben und leben lassen‹ waren zu tief in seinem eigenen und im Charakter seiner Nachbarn verwurzelt, um ihn im Zweifel zu lassen über das Ergebnis. Jedermann und alle Bäume und Feldfrüchte und die Tiere hatten ihre

Rechte. Man durfte diese Rechte nicht verletzen oder versuchen, mehr zu nehmen als seinen Anteil. Solche Angelegenheiten mußten sowohl vom eigenen Standpunkt als auch von dem des andern betrachtet werden.

Als Cuc zu seiner Hütte zurückkam, war Ix Zubin dabei, den Mais für den nächsten Tag in dem Krug Kalkwasser einzuweichen. In einer Ecke der Hütte standen die Last-Tonkrüge, die auf dem großen Markt, der am Morgen nach dem Opfer abgehalten würde, verkauft werden sollten. Es war Zeit, schlafen zu gehen. Sie mußten früh aufstehen, lange vor der Dämmerung, denn es war der Tag, an dem die Zeremonie für die Chac abgehalten wurde, und alle Leute aus dem Weiler würden sich zu dem Kultzentrum begeben, um dort auf dem großen Hof dem Opfer beizuwohnen und nachher den Markt zu besuchen. Er fragte sich, ob diese Händler aus dem Hochland wohl da sein würden. Er hoffte es, da er noch einige Obsidianklingen brauchte, doch er fürchtete, er würde nicht in Stimmung sein, um sie mit seinem Kakao günstig einzuhandeln, nachdem er gesehen hatte, wie der junge Cantul geopfert wurde.

Cuc seufzte. Er hoffte, daß ihr Kind, wenn Ix Zubins Traum wahr wurde, nie für das Opfer ausgewählt wurde, sollte es jedoch geschehen, dann hoffte er, daß er den Schlag ebenso ruhig hinnehmen würde, wie Cantul es getan hatte. Es war unschicklich, Kummer zu zeigen, wenn die Bedürfnisse der Götter einen persönlich berührten.

Die Frösche quakten. Vielleicht war Regen unterwegs. Er mußte daran denken, einige Binsen zu besorgen, damit Ix Zubin die Bettmatte flicken konnte.

Der Architekt von Chichén Itzá

Ah Haleb, Meisterarchitekt in Chichén Itzá, hatte einen arbeitsreichen Tag vor sich. Wie viele erfolgreiche Männer vor ihm und nach ihm wußte er genau, daß jemand, der wollte, daß etwas richtig erledigt wurde, sich selbst an Ort und Stelle davon überzeugen mußte, daß seine Anweisungen befolgt wurden. In seinem Fall bedeutete dies, zur gleichen Zeit an einem halben Dutzend Orten zu sein.

Als er seine Hütte verließ, stand die Sonne nur eine Handbreit über dem östlichen Horizont. Anstatt dem Pfad zu folgen, der direkt zu dem großen Kultzentrum hinführte, schlug er einen anderen Weg ein, der ihn an den Nordrand der Stadt brachte. Er schritt kräftig aus und erreichte nach zehn Minuten die Waldlichtung, auf der viele Männer bei der Arbeit waren. Hier standen die Kalköfen.

Auf der gegenüberliegenden Seite der Lichtung hatte man mit der Errichtung eines neuen Ofens begonnen. In der Mitte war ein etwa drei Meter hoher Pfahl aufgestellt worden; um ihn herum hatte man auf dem Boden große Scheite aus Hartholz in regelmäßigen Abständen wie die Speichen eines großen Rades mit einem Durchmesser von etwa sechs Metern ausgelegt. Ah Haleb inspizierte die bisher getane Arbeit, um sich zu vergewissern, ob die Zwischenräume zwischen den strahlenförmigen Scheiten mit kleineren Holzstücken richtig ausgelegt und die Spalten mit dünnen Zweigen und Spänen aus frisch geschnittenem Hartholz abgedichtet waren. In der Nähe trugen Männer im Gänsemarsch Holz herbei, um andere Öfen auf die erforderliche Höhe von etwa zwei Metern zu bringen, indem sie immer weitere Schichten der Speichen auflegten und deren Zwischenräume dicht ausfüllten.

Der Vorarbeiter schlug Ah Haleb vor, die fertigen Öfen anzuzünden, da es windstill war und aussah, als ob es so bleiben würde. Mehrere dieser Öfen konnten sofort angezündet werden. Auf die fertigen Trommeln war eine Schicht von Kalksteinklumpen gelegt worden, jeder nicht größer als ein Tennisball. Diese Schicht war am Außenrand etwa 60 cm dick, stieg jedoch zur Mitte hin zu einer Höhe von etwa einem Meter an. Das Ganze sah aus wie ein riesiger Geburtstagskuchen mit einem großzügigen kegelförmigen Aufsatz aus Zuckerguß, aus dem der Mittelpfosten wie eine einsame Kerze herausragte.

Ah Haleb, der wußte, daß der Vorarbeiter ein besserer Wetterprophet war als er selbst, billigte seinen Vorschlag. Männer eilten herbei, zogen die Mittelpfosten aus den Öfen und warfen glühende Holzkohlen in die entstandenen Löcher. Nach wenigen Minuten begannen dichte Rauchwolken aufzusteigen, während das Feuer, angefacht durch die Luft, die durch die Spalten in den Schichten angesaugt wurde, sich allmählich von dem Loch in der Mitte nach außen durchfraß. Später würden züngelnde Flammen aus dem Rauch hervorschießen, die Holztrommel würde nach innen zusammenstürzen und ihr Dach aus Kalksteinklumpen mitreißen in das glühende Inferno. Erst am nächsten Morgen würde das Feuer ausbrennen.

Der Architekt inspizierte Öfen, die eine oder zwei Wochen zuvor angezündet worden waren. Der Kalk, gelöscht durch Tau und Regen, war zu einer pulverigen Masse aufgequollen, die ein Mehrfaches seines Volumens ausmachte. Befriedigt von dem Ergebnis, begab er sich zu dem großen Platz von Chichén Itzá. Er ging zwischen der großen Pyramide des Kukulcan und dem Heiligen Cenote hindurch und gelangte zum Tempel der Krieger mit seiner großen Kolonnade, deren Bau seine Aufmerksamkeit während des letzten Jahres in Anspruch genommen hatte (Tafel 4 b).

Die mit der Errichtung der Pyramide und des sie krönenden Tempels verbundene Bauarbeit war vollendet. Bis auf die noch aufzutragende Stuckschicht der Außenwände war der Bau fertig. Im Innern des Tempels waren Bildhauer und Maler am Werk. Beide Künstlergruppen arbeiteten unabhängig voneinander. Innerhalb der von Ah Haleb nach den Anweisungen des Hohepriesters festgelegten weiten Grenzen hatten sie beträchtlichen Spielraum. Dem Baumeister bereitete es große Genugtuung zu beobachten, wie sich sein Werk langsam verschönerte, doch mußte er dies Vergnügen noch hinausschieben, bis er mehr Zeit hatte; die Arbeit an der Kolonnade erforderte seine angespannte Aufmerksamkeit.

Hier waren die Arbeiten für die Errichtung des Kraggewölbes in vollem Gange. Die vier Reihen Säulen mit ihren viereckigen, noch nicht skulptierten Trommeln und die massiven Endmauern der Kolonnade waren mehrere Monate zuvor fertig geworden (vgl. Tafel 6 a). Die großen, etwa 3 Meter langen und 30 Zentimeter dicken viereckigen Balken aus Sapodillaholz waren montiert worden, um die Zwischenräume zwischen den Säulen zu überspannen, und bildeten jetzt in der ganzen Länge der Kolonnade vier parallele Reihen, ähnlich der Doppelspur einer Hochbahn des 20. Jahrhunderts. Um einem Gegendruck während der Errichtung der Gewölbe entgegenzuwirken, der ein Knicken und Zusammenbrechen verursachen könnte, hatte Ah Haleb an jeder Seite der beiden Säulenreihen eine Linie von Stämmen der Länge nach auf dem Boden aneinanderlegen lassen. Gegen diese waren in kurzen Abständen Querstreben eingezogen worden, die nach oben diagonal zu den Querbalken zwischen den parallel stehenden Säulenreihen verliefen. Wenn man die lange Achse der Kolonnade hinunterschaute, bildeten diese Strebenpaare eine Reihe von riesigen, hintereinander stehenden X. Sobald diese Gewölbe aus Stein und Mörtel vollendet und zu einer monolithischen Masse gehärtet waren, würde man die Streben entfernen, und die Bildhauer konnten mit der Verzierung der Säulen beginnen.

Die Gewölbe über den Balken waren bereits bis zu einer Höhe von etwa einem Meter hochgezogen worden. Dies war die heikelste aller Arbeiten. In den letzten Monaten war Ah Haleb mehr als einmal wie aus einem Albtraum aufgewacht, in dem die Säulen unter einem schlecht ausgewogenen Gewicht eingeknickt waren, so daß die ganze Kolonnade zusammengestürzt war. Hätte er gewußt, was Spielkarten sind, dann hätte er sich wohl mit einem Mann verglichen, der ein Kartenhaus baut, jedoch mit der tröstlichen Gewißheit, daß sein Bauwerk, einmal vollendet, jeden Tag mit dem Hartwerden des Mörtels an Festigkeit gewinnen würde.

Die Errichtung des Gewölbes war eine langsame Arbeit, die nur seinen geschicktesten Maurern anvertraut werden konnte. Von dem Mauerwerk der Gewölbe wurde jeweils nur eine Lage verlegt, und zwar in genügend langen Zeitabständen, um den Mörtel hart werden zu lassen. An diesem Tag sollte eine neue Lage hinzugefügt werden, und die Maurer waren dabei, die für den Gewölbebau bestimmten Steine herbeizuschaffen. Diese Steine hatten etwa die Form von hohen Schaftstiefeln, wobei die Beinpartie sich zu einer Spitze verjüngte, und die Sohle, welche die Oberfläche des Gewölbes bilden sollte, war sorgfältig zugerichtet. Jeder Gewölbestein wurde in einem Bett von feinstem Mörtel verlegt und in die erforderliche Schrägstellung gebracht, so daß seine untere Vorderkante sich an die obere Vorderkante des Steines unter ihm anschloß. Sobald ein Stein verlegt war, wurde der andere Schenkel des V, der die Unterfläche des Parallelgewölbes bilden sollte, verlegt, und man füllte den Raum zwischen den Enden der beiden Steine mit einer Masse von kleinen Felssplittern und Mörtel aus, so daß die Enden der neu verlegten Steine sich gleichmäßig aneinanderfügten.

Befriedigt über den planmäßigen Fortschritt der Arbeit verließ Ah Haleb, sich unter der Reihe der X-förmigen Streben und unter den Leitern, auf denen die Maurergehilfen ihre Mörtelkübel nach oben trugen, duckend, die Kolonnade. Sein nächstes Ziel war der Ort, an dem der Mörtel gemischt wurde. Zwei große Haufen kennzeichneten die Stelle, ein Haufen Kalk und ein Haufen *sascab*, ein weißer Mergel, der anstelle des heute verwendeten Sandes mit dem Kalk vermischt wurde. Im allgemeinen konnte man sich auf die Mischer verlassen, doch Ah Haleb mußte darauf achten, daß sie nicht nachlässig wurden. Eine zu schwache Mischung in einem Teil des Gewölbes konnte zum Einsturz des ganzen Bauwerks führen. Für diese Arbeit wurde eine Mischung von einem Teil Kalk und anderthalb Teilen *sascab* verwendet; das war die doppelte Stärke der Mischung, die bei der Füllung von Pyramiden oder an anderen Stellen mit geringerem Druck gebraucht wurde. Der Baumeister blieb stehen und beobachtete einen der Mischer, der die Masse mit einer Holzstange umrührte, prüfte die Masse, indem er sie zwischen den Fingern zerrieb, und entfernte sich, nachdem er dem Mischer eingeschärft hatte, die Proportion ja nicht zu schwächen.

Er ging von neuem unter der Kolonnade hindurch und stieg dann die Treppe zur Pyramide hinauf. Wie er es an jedem Tag der vergangenen vier Monate getan hatte, betrachtete er die Relieffriese der Krieger aus den Militärorden der Jaguare und der Adler, die sich an der Stirnseite jeder Pyramidenstufe entlangzogen (Abb. 13 c). Wie jedesmal fiel sein Blick auch jetzt auf einen skulptierten Stein, der auf dem Kopf stand und den Gesamteindruck des Frieses verdarb. Er war krank gewesen, als dieser Fehler gemacht wurde. Sobald er wieder zur Arbeit zurückgekehrt war und diesen Stein, der sich wie ein schlimmer Finger an einer gesunden Hand ausnahm, entdeckte, hatte er verlangt, daß er in seine richtige Lage gebracht würde, der Hohepriester jedoch, der ihn damals begleitete, hatte befohlen, ihn so zu lassen, wie er war, und erklärt, Vollkommenheit stünde allein den Göttern an, und in jedem Falle würde die Rückwand der Kolonnaden den Stein verdecken. Das stimmte, doch Ah Haleb empfand diese Liederlichkeit beinahe als persönliche Beleidigung. Der Maurer, der gepfuscht hatte, war zu einem Bußopfer seines eigenen Blutes verurteilt und zum Rang eines Helfers degradiert worden: nach Ah Halebs Meinung eine milde Strafe.

Nachdem er den Tempel betreten hatte, blieb der Architekt eine Weile stehen, um seine Augen an die düstere Beleuchtung zu gewöhnen. Die für die Wandmalereien verantwortlichen Künstler waren nicht bei der Arbeit, denn das Licht war schlecht; sie würden am Nachmittag arbeiten, wenn die westliche Sonne durch den dreifachen Eingang des Tempels hereinschien. Die Bemalung der großen Wand hatte beachtliche Fortschritte gemacht; die kühnen, in einem lohfarbenen Rot aufgetragenen vorläufigen Umrisse waren vor mehreren Tagen vollendet worden und hatten Ah Haleb eine gute Vorstellung von dem späteren Aussehen der Szenen vermittelt. Inzwischen waren einige der zweiten, in Schwarz ausgeführten Umrisse vorgezeichnet und mit den erforderlichen Farben ausgefüllt worden. An einer Stelle nahm eine Szene, die einen Angriff über ein Gewässer hin darstellte, Form an, und das Hellblau des Wassers und die Grüntöne einiger Bäume waren bereits aufgetragen worden; an einer anderen Stelle hingegen entstand eine große gefiederte Schlange, die jedoch seltsam nackt aussah ohne ihr noch ungemaltes Gefieder.

In der Nähe des Eingangs, wo das Licht am besten war, arbeiteten Bildhauer an mehreren Säulen. Hier war der in Flachrelief herauszumeißelnde Entwurf mit Holzkohle auf dem geglätteten Stein vorgezeichnet. Das Wegschlagen des Hintergrundes mit groben Hammersteinen ging zügig voran, und an einigen Stellen hatte das Einmeißeln der Hauptelemente bereits begonnen. Hierzu verwendete man scharfe Steinsplitter, die durch abwechselnde Schläge auf beiden Seiten der vorgezeichneten Linie V-förmige Rillen erzeugten. Die geritzten Schichten zwischen den einzelnen Säulentrommeln waren mit Stuck überzogen, über den die mit Holzkohle gezogenen Umrißlinien hinwegliefen, um die Flächen anzuzeigen, wo die Rillen in den Stuck eingeritzt werden sollten.

Eine der Holzkohle-Umrißlinien stellte einen Krieger im Gewand des mexikanischen Gottes Tezcatlipoca dar, ein Anblick, der dem Architekten nicht gefiel, denn er war noch immer ein Maya-Rebell trotz der Tatsache, daß die mexikanisierten Itzá seit langem die Herren der Stadt waren. Er konnte jedoch nichts dagegen tun. Am anderen Ende des Tempels wurden einige der Atlanten, welche die Platte des Altars tragen sollten, aufgestellt, und Ah Haleb bemerkte, daß nicht alle von gleicher Höhe waren. Er überlegte, was hier zu tun wäre, und entschied dann, daß es am besten sei, die größten in den Boden einzulassen. Ihre Füße würden nicht sichtbar sein, aber ihre Scheitel bildeten dann wenigstens eine gerade Linie und eine waagerechte Unterlage für die flache Altarplatte. Es war äußerst dunkel an diesem Ende des Tempels, ausgenommen in der Zeit kurz vor Sonnenuntergang, und nur wenige Menschen würden je von dieser unwürdigen Behandlung der Götterfiguren erfahren. Man kann Ah Haleb kaum einen Vorwurf daraus machen, nicht vorausgesehen zu haben, daß etwa 800 Jahre später Archäologen des Carnegie-Instituts von Washington seinen kleinen Trick entdecken würden.

Der Architekt verließ den Tempel und ging hinüber zu einem nicht weit vom Rande des großen Platzes gelegenen Steinbruch. Hier waren einige Bildhauer damit beschäftigt, die Werkstücke herzurichten, die zusammengesetzt werden sollten, um den Schmuck des Dachfrieses an der Kolonnadenfront zu bilden. In der letzten Zeit war ein Teil dieser Arbeit ziemlich nachlässig ausgeführt worden; man hatte die Zwischenräume nicht genau gemessen, was zur Folge gehabt hatte, daß die eingemeißelten Linien auf aneinanderstoßenden Steinen sich zuweilen nicht trafen. Ah Haleb war fest entschlossen, dafür zu sorgen, daß dies nicht wieder vorkommen sollte. Es war üblich, die Verzierungen auf den Säulen erst anzubringen, nachdem diese aufgestellt waren; doch Steine für Friese und den Mosaikschmuck der Fassaden wurden bereits im Steinbruch zugerichtet. Ah Haleb sah keinen logischen Grund für diesen Brauch.

Reihen von zugerichteten Steinen wurden nach Größe geordnet. Auf einer Seite lag eine Reihe von Blendsteinen für die unverzierten Flächen der Fassade. Dahinter wurden genügend stiefelförmige Steine bereitgehalten, das Gewölbe der Kolonnade zu vollenden, ebenso die erforderliche Anzahl von speziellen Schlußsteinen. Der Architekt wünschte, diese Schlußsteine wären bereits sicher verlegt. In den kommenden Wochen würde es um seinen Seelenfrieden schlecht bestellt sein, denn mit jeder neu hinzugefügten Lage der Gewölbesteine wuchs die Gefahr des Seitendrucks.

Von dem Steinbruch begab er sich zum anderen Ende der Stadt, wo vor kurzem die Arbeit an einer kleinen Pyramide begonnen hatte. Der Bauplatz war roh eingeebnet worden, und man hatte die Grundfläche der Pyramide bereits abgesteckt. Innerhalb dieser Fläche war auf dem Boden ein zweites Rechteck markiert worden, das der Grundfläche des Pyramidenkerns entsprach. Erst wenn dieser Kern vollendet war, wurde die Außenhaut der Pyramide aufgelegt. Kolonnen von Arbeitern trugen Steine zur Baustelle.

Maurer und ihre Gehilfen waren eifrig dabei, den Kern aufzuschichten. Diese Arbeit wurde nicht in einem Zug durchgeführt. Statt dessen hatte man die Fläche in Rechtecke von etwa 1,80 mal 1,20 Meter aufgeteilt, und über jedem dieser Rechtecke wurde ein Teil des Kerns bis zu einer Höhe von etwa 1,80 Meter hochgezogen, bevor man mit der nächsten Einheit begann. Die rechteckigen Blöcke an den vier Ecken waren bereits weit fortgeschritten. Die Maurer hatten die roh behauenen Steine Schicht um Schicht in Mörtel verlegt, um die vier Wände eines jeden Blockes hochzuziehen. Nachdem die vorgesehene Höhe erreicht war, hatten sie den Raum innerhalb der Rechtecke mit Felsbrocken und schwachem Mörtel ausgefüllt. Diese Arbeit erforderte eine strenge Überwachung, denn die Arbeiter füllten, oft um mit ihrer Arbeit schnell fertig zu werden, das Innere der Blöcke mit großen Felsbrocken, die sie so verlegten, daß möglichst viel Raum zwischen ihnen übrigblieb. Dabei verwendeten sie dann ein Minimum an Mörtel, wobei sie die Spalten mit Steinen abdeckten, so daß der Mörtel sie nicht ausfüllen konnte. Solche liederliche Arbeit konnte, wenn wie unentdeckt blieb, dazu führen, daß sich der Kern gefährlich senkte, nachdem die Pyramide vollendet und der Tempel auf ihr errichtet worden war. Dann würde es zu spät sein, den Schaden noch zu beheben. Der Architekt hatte einen seiner strengsten Aufseher mit der Überwachung dieser Arbeit betraut und war daher zuversichtlich, daß diesesmal nicht gepfuscht würde.

Jetzt mußten noch die Kalköfen für diesen Bau und die *sascab*-Gruben inspiziert werden. Danach konnte Ah Haleb sich nach Hause begeben, um an den Zeichnungen für den Tempel zu arbeiten, der diese neue Pyramide krönen sollte. Er hatte versprochen, sie in wenigen Tagen dem Hohepriester zur Begutachtung vorzulegen.

Auf seinem Heimweg verweilte der Architekt kurz vor einem kleinen Altar, um den Schöpfergöttern sein tägliches Kopalopfer darzubringen. Die Menschen schenkten diesen Göttern, die fern im dreizehnten Himmel wohnten, im allgemeinen wenig Beachtung, doch Ah Haleb fühlte, daß er in gewissem Sinne unter ihrem Schutz stand, denn war er auf seine Weise nicht auch ein Schöpfer?

Hochzeit à la mode

Der junge Ah Pitz Nic war gelangweilt und unruhig, und als er seine Mitinsassen des Männerhauses betrachtete, erkannte er, warum. Einer nach dem andern hatten seine gleichaltrigen Freunde das Männerhaus verlassen, um sich zu verheiraten, und nun waren die Mitglieder des Männerklubs meistens Burschen zwischen sechzehn und neunzehn Jahren, auf deren Jugendlichkeit er mit jenen Gefühlen reifer Überlegenheit hinabblickte, die man nach zwanzig Geburtstagen erreicht. Wenn alles gutging, brauchte er nicht mehr lange im Männerhaus zu bleiben, denn die Bedingungen für seine Heirat waren ausgehandelt worden, und ›ausgehandelt‹ war das richtige Wort in mehr als einem Sinn.

Nic hatte Ix Bacal zum erstenmal bemerkt, als er und seine Freunde aus dem Männerhaus eines Tages zum Baden zum Cenote hinuntergingen. Als sie um eine Biegung des durch den Wald verlaufenden Pfades kamen, waren sie ihr und ihren Gefährtinnen überraschend begegnet, und Nic hatte sie deutlich gesehen, bevor die Mädchen ihm nach Maya-Art den Rücken zuwenden konnten, denn mit einem großen Tonkrug voll Wasser auf dem Kopf kann man den Kopf nicht schnell drehen. Es war erstaunlich, wie oft Nic in der darauffolgenden Woche genau zu der Zeit an dieser Krümmung vorbeikam, wenn die Wasserträgerinnen vom Cenote zurückkehrten.

Nicht lange danach schoß Nic ein Reh, und auf dem Heimweg machte er einen Umweg, um an der Hütte vorbeizukommen, in der das Mädchen wohnte. Einige seiner Freunde neckten ihn wegen dieses Umweges. In der Erzählung von der Werbung der Sonne um den Mond hatte der junge Sonnengott eine Rehhaut mit Asche ausgestopft und sie Tag für Tag an der Hütte der Mondgöttin vorbeigetragen, um ihr mit seiner Fähigkeit, die Speisekammer stets gefüllt zu halten, zu imponieren, bis er eines Tages vor ihrem Haus ausglitt; die Rehhaut war geplatzt und hatte ihre Aschenfüllung weit verstreut, zur nicht geringen Blamage des Sonnengottes. Nun wollten Nics Freunde wissen, ob sein Reh echt war oder ausgestopft, und beim nächsten Aufbruch zur Jagd überreichte ihm einer von ihnen eine ausgestopfte Stinktierhaut.

Nic hatte die Angelegenheit mit seinem Vater besprochen, während seine Mutter so tat, als sei sie mit ihrer Webarbeit beschäftigt, jedoch sorgfältig darauf achtete, daß ihr kein einziges Wort der Unterhaltung entging. Nics Vater tat es leid, die Hilfe seines Sohnes bei der Bestellung seines Maisfeldes und beim Sammeln von Feuerholz zu verlieren, da jedoch der Mann seiner ältesten Tochter vor kurzem gekommen war, um für ihn zu arbeiten, würde die Heirat des jungen Nic keinen wirklichen Verlust an Arbeitskraft bedeuten. Der alte Nic versprach, durch einen Heiratsvermittler bei den Eltern Bacal das Terrain sondieren zu lassen.

Er hatte sein Wort gehalten und den Heiratsvermittler eingeschaltet, und es war vereinbart worden, daß er und seine Frau Nic in der nächsten Zeit zu der Hütte der Bacals begleiten würden, um ein Heiratsangebot zu machen. Die Eltern der Ix Bacal waren inoffiziell von dem geplanten Besuch verständigt worden, der an dem Tag 1 Caban stattfinden würde, dem Tag der Mondgöttin, unter deren Obhut Angelegenheiten wie Heirat und Elternschaft standen. Nic und Ix Bacal hatten zwar noch kein Wort miteinander gewechselt, doch der Junge war sicher, daß es von ihrer Seite keine Schwierigkeiten geben würde, denn als er wenige Tage, nachdem man der Familie Bacal den bevorstehenden Besuch angekündigt hatte, an deren Hütte vorbeiging, hatte er beobachtet, wie sie ein Muster von Maiskolben und Blumen auf das Tuch ihres Webstuhls stickte. Da *nic* kleine Blume bedeutete und *bacal* Maiskolben heißt, war Nic sicher, daß dies ein Zeichen der Ermutigung für ihn sein sollte. Leider war ihre Meinung bei der Wahl ihres zukünftigen Gatten nur von geringer Bedeutung; dies war eine Sache der älteren Generation, die in Beratung mit dem Priester entschieden wurde.

Der Besuch des Heiratsvermittlers und der Eltern von Nic in der Hütte der Bacal war zufriedenstellend verlaufen. Wie immer bei solchen Gelegenheiten, war im Verlauf der ersten Stunde der Unterhaltung über einen Heiratsantrag kein Wort gefallen. Eingehend jedoch wurde gesprochen über den Zustand der Maisfelder, über die Gefahr von Rostpilzschäden an den Kolben infolge des feuchten Wetters, über die besten Methoden, Heuschreckeninvasionen abzuwehren, und über das Mißlingen der Opfer des vorangegangenen Jahres für die Beendigung der Trockenheit, die natürlich zu erwarten gewesen war in einem Jahr, das mit dem unheilvollen Tag Cauac begann.

Der später in Kürbisflaschen dargereichte, mit Mais gemischte und mit Chilipfeffer gewürzte Kakao gab der Unterhaltung eine neue Wendung, denn in Yucatán wurde nur wenig Kakao angebaut, und das teure Getränk wurde nur selten serviert in Familien vom Range der Bacal, die nicht zur Aristokratie gehörten. Es war ein Zeichen, daß die Werbung der Familie der Bacal nicht ungelegen kam; es konnte aber auch bedeuten, daß sie sich als ein wenig überlegen betrachtete und daß der Brautpreis ein hoher sein würde. Für diese Art von Argumenten hatte der Heiratsvermittler die Antwort bereit.

Als schließlich alle anderen Themen gründlich erörtert waren, brachte der Heiratsvermittler den Vorschlag zur Sprache, die beiden Familien durch die Heirat des jungen Nic mit der Tochter der Bacals zu vereinigen. Der gute Charakter und die Geschicklichkeit des jungen Mannes als Bauer und Jäger wurden ausführlich besprochen und angepriesen, als ob es gälte, einen Edelstein zu verkaufen.

Ah Bacal — *Ah* ist das männliche Präfix, wie *Ix* das weibliche ist — drückte seine vollkommene Überraschung über den Vorschlag zur Verheiratung seiner Tochter aus, obwohl er natürlich, wie er erklärte, wußte, daß sie bei ihrer Geschicklichkeit im Weben, die fast unvorstellbar war, und ihren erstaunlichen Fähigkeiten im Kochen notwendigerweise jeden jungen Mann in der Nachbarschaft anziehen mußte. Darüber hinaus, so fuhr er fort, konnte man an ihrer

Figur erkennen, daß sie viele Kinder gebären würde, und was die Schönheit betraf, so könnte sie den Vergleich selbst mit der jungen Mondgöttin aushalten. In der Familie, schloß er, wurde sie zärtlich Ix Kukum, ›Dame Quetzalfeder‹, genannt, weil sie so kostbar war.

Der Heiratsvermittler erwiderte mit einem ausführlicheren Katalog von Nics Tugenden und kam dann nach einer allgemeinen Erörterung der Vorzüge der beiden jungen Leute zur Sache. Der junge Nic stünde so hoch über dem Durchschnitt, daß seine Eltern der Meinung waren, es sei nicht erforderlich, das übliche Geschenk zu machen, um jedoch der Sitte zu entsprechen, würden sie sich verpflichten, daß der Junge drei Jahre lang nach der Hochzeit seinem Schwiegervater dienen, ihm bei allen landwirtschaftlichen Arbeiten helfen, mit ihm jagen, seine Bienen besorgen und ihn bei der Versorgung des Haushalts mit Feuerholz unterstützen würde. Zusätzlich würde er einen Preis entrichten in Form von einer Viertellast Kakaobohnen, acht roten, aus der wertvollen Spondylusmuschel gefertigten Perlen, dreizehn in Maisblätter eingeschlagenen Kopal-Päckchen und zwei Lasten ungesponnener Baumwolle.

Ah Bacal erklärte diesen Preis für lächerlich. Seine Tochter wurde hereingerufen und gefragt, ob sie willens war, Nic zu heiraten, vorausgesetzt, es würde eine Einigung über den Preis erzielt; und auf diese Frage antwortete sie, sichtlich bemüht, ihr Interesse nicht zu zeigen, zustimmend. Ah Bacal schlug nun einen Dienst von fünf Jahren und eine Verdoppelung der zu entrichtenden Mengen an Kakao und Baumwolle vor. Dieser Vorschlag wurde prompt, aber höflich von dem Heiratsvermittler abgelehnt, der erklärte, Ah Bacal habe keine Söhne, die ihm bei seiner Arbeit helfen könnten, und sei nicht mehr so stark, wie er gewesen war, und sollte sich deshalb glücklich schätzen, einen so fleißigen Schwiegersohn zu bekommen. Dies war denn auch die Trumpfkarte des Heiratsvermittlers, denn der junge Nic hatte einen guten Namen als fleißiger Arbeiter; er hatte diesen Trumpf klugerweise zurückbehalten, um Ah Bacals Gegenvorschlag zu überbieten. Das Feilschen ging eine geraume Weile weiter, doch schließlich einigte man sich, daß ein Dienst von vier Jahren und die zuerst vorgeschlagenen Zahlungen die Basis für ein Übereinkommen sein sollten. Bei einem späteren Besuch wurden verzierte Kürbisflaschen und Tongefäße getauscht, um den Handel zu besiegeln, der mit einem von den Besuchern mitgebrachten Mahl gefeiert wurde. Später ging Nics Vater hinüber zu der Männerhütte, um seinem Sohn die Neuigkeit mitzuteilen und ihm ein bunt besticktes Lendentuch, ein Geschenk seiner zukünftigen Braut, zu übergeben.

Selbst dann war die Angelegenheit noch nicht ganz geregelt, denn der Ortspriester mußte konsultiert werden. Am nächsten Tag befragte der Heiratsvermittler gegen die Gebühr von einer Last Mais den Priester, der erklärte, es bestünde kein ernsthafter Konflikt zwischen den Göttern, an deren Tagen die jungen Leute geboren waren. In der Tat sei die Verbindung äußerst günstig, da Nics Geburtstag 3 Kan war, Kan war der Tag des Maisgottes und 3 die Zahl des Regen- und Blitzgottes, der das Wachstum fördert. Welche Vorzeichen könnten besser sein für die Heirat mit einem Mädchen, dessen Namen Maiskolben war? Ihr Geburtstag, 7 Etz'nab, wurde vom Jaguargott und dem Opfergott beherrscht, die beide als neutral betrachtet werden konnten, was diese Heirat betraf. Schließlich schlug der Priester mehrere für die Trauung günstige Tage vor.

Es verging einige Zeit, bis ruhige Tage kamen, an denen die Eltern sicher sein konnten, eine Gruppe von Verwandten und Freunden zusammenzubekommen, um eine neue Hütte hinter der der Bacals für das Paar zu bauen, doch der eigentliche Bau der Hütte dauerte nur zwei Tage. Am frühen Morgen des ersten Tages zogen alle Männer hinaus in den Wald, einige, um die vier Eckpfosten und das Holz für die auf ihnen ruhenden Balken zu holen, außerdem das Holz für den Firstbalken und die A-förmigen Rahmen, die ihn stützen; andere besorgten die Äste für das Sparrenwerk. Die vier gegabelten Eckpfähle wurden als erste eingerammt, und in ihre Gabeln legte man die Längsbalken. Inzwischen waren zwei der Helfer aus dem Wald zurückgekommen mit aufgerollten, abgeschälten Lianenenden und Streifen von Baumrinde. Mit diesen wurden die Balken an die Eckpfosten gebunden, die A-Rahmen an die Balken und der Firstbalken an die A-Rahmen (Abb. 24 d). Als diese Arbeit und auch das Zusammenbinden der Dachsparren unter den fähigen Händen der vier geübtesten Männer flott voranschritt, gingen die übrigen in den Wald zurück, um weitere Lianenenden und Lasten von fächerartigen Blättern der *guano*-Palme zu holen.

Am späten Abend wurde die Arbeit unterbrochen; das Gerüst des Hauses war fertig, und große Haufen von Palmblättern mit kurz beschnittenen Stielen lagen bereit für die Männer, die am nächsten Morgen mit dem Dachdecken beginnen sollten. Mit der Errichtung der Wände hatte man noch nicht angefangen, denn in einem Maya-Haus wird im Gegensatz zu den unsrigen das Dach nicht durch die

Wände gestützt, sondern durch die vier Eckpfosten und die beiden Längsbalken (Abb. 24 a).

Inzwischen hatte in der Hütte der Bacals rege Geschäftigkeit geherrscht. Große Mengen von Wildbret- und Truthahn-Tamalen waren gemacht worden, Töpfe voll Bohnen kochten, süße Kartoffeln brieten langsam in einer zugedeckten Erdgrube, und dicke Tortillas aus Mais und gemahlenen Kürbiskernen wurden in großen bedeckten Kürbisgefäßen warmgehalten. Nach Beendigung der Arbeit kehrten die Männer und Burschen in ihre Hütten zurück, um sich zu waschen und ihre Lendentücher zu wechseln, dann kamen sie in der Hütte der Bacals zu dem üblichen Schmaus zusammen.

Am nächsten Morgen begann man mit dem Decken des Daches, weitere Pfähle wurden eingerammt und mit Lianen zusammengebunden, um Wände und den Eingang zu bilden. Dies war eine einfache, durch Probleme wie Fenster nicht komplizierte Aufgabe, wie auch die Dachdecker sich keine Gedanken wegen eines Kamins zu machen brauchten. Am frühen Nachmittag war die Hütte vollendet, lange bevor der Festschmaus für die Arbeiter bereit war. Es war eine billige Methode, zu einem Heim zu kommen; alle zu seiner Errichtung notwendigen Teile stammten aus den umliegenden Wäldern, und die Arbeitskräfte hatten nur zwei Mahlzeiten gekostet sowie die Verpflichtung, in gleicher Weise einzuspringen, wenn einer der Helfer seinerseits eine Hütte bauen wollte, eine begrüßenswerte Art der Zusammenarbeit zum gegenseitigen Nutzen. Die Arbeit war nicht schwer gewesen, und man hatte seinen Spaß dabei gehabt. Nic und einer seiner Freunde, der wie alle Maya andern gern einen Streich spielte, hatten an einer Stelle des Daches, an der Uc mit dem Decken beschäftigt war, die Verschnürung gelöst, während dieser fette Bursche sich kurz entfernt hatte, um einen Schluck *posol* zu trinken. Als Uc zu seiner Arbeit zurückkehrte und auf die gelockerten Dachsparren trat, gaben diese unter seinem Gewicht nach, er verlor das Gleichgewicht, fiel durch das Gerüst und hing zwischen Dach und Boden. Alle mußten zu sehr lachen, um ihm helfen zu können, während er, um Hilfe rufend, wie ein zum Ausnehmen aufgehängter Tapir, von der Decke baumelte. Dann hatten ihm zwei der Männer eine Stange gereicht, doch er hatte sie verfehlt und war mit seinen überschüssigen Pfunden auf den Köpfen seiner vorgeblichen Retter gelandet. Es war ein gelungener Streich gewesen, den Uc so schnell nicht vergessen würde.

Am nächsten Abend wurde die Hütte von dem Ortspriester geweiht. In den vier Ecken wurde Kopal verbrannt, und *balche*, Truthahnfleisch und Torillas wurden als Opfergaben dargebracht. Nic hatte mit Hilfe seines Schwiegervaters aus Stangen und Stäben, die mit Lianenstreifen zu einem Rost zusammengebunden wurden, ein Bett gebaut und aus den gleichen Materialien verschiedene Gegenstände für den Haushalt, wie Regale und Wandbretter, gefertigt. Die Feuerstelle — drei Steine, die ein Dreieck bildeten — war die leichteste Arbeit gewesen, jedoch der Tisch für Ix Bacals Metate mußte mit mehr Sorgfalt aus solidem Holz hergestellt werden, denn das Vorwärts- und Rückwärtsbewegen des Reibsteins auf der Metate würde einen nicht solide gebauten Tisch sehr bald zusammenbrechen lassen. Der gesamte Hausrat, bestehend aus Vorratskrügen und Kochgefäßen aus Ton, Flaschenkürbissen, Kuchenpfannen aus Ton, Körben, einer Rindendecke und einer Schilfmatte für das Bett und einem aus Rinde gefertigten Eimer, war besorgt worden; alles war bereit für den Einzug des jungen Paares.

Am Abend vor der Trauungszeremonie war Nic im Männerhaus Zielscheibe so mancher Spöttelei. Mehrere Kekchi-Händler aus der Alta Verapaz im fernen Hochland von Guatemala waren an diesem Tag mit einer Ladung Obsidian angekommen, den sie gegen die berühmten Stoffe von Yucatán eintauschen wollten, und man hatte sie im Männerhaus untergebracht. Sie beteiligten sich an der Unterhaltung, während sie um das Feuer saßen und eine Klinge nach der andern durch Druck von dem Kern abspalteten, um sie für den Markt des nächsten Tages bereit zu haben — es sah so einfach aus, doch die yucatekischen Maya konnten es ebensowenig, wie die Kekchi ihrerseits nicht imstande waren, einen Feuersteinkern zu spalten. Einer von ihnen neckte den jungen Nic, indem er ihm sagte, er solle in das Hochland von Guatemala gehen, um sich eine Frau zu suchen. »In meinem Land«, erklärte er, »muß das Mädchen vor der Hochzeit in das Haus des Mannes gehen und eine Vorstellung im Maismahlen und Tortillabacken geben. Das solltet ihr hier auch machen. Und da ist noch eine andere Sache: Wenn es sich herausstellt, daß die Braut vor der Trauung allzu freigebig war mit ihrer Gunst, kannst du sie nach Hause zurückschicken und die Rückzahlung des Preises verlangen. Unten am Atitlán-See zeigt ein Bursche, daß er an einem Mädchen interessiert ist, indem er den Tonkrug zerbricht, den sie auf dem Kopf balanciert, wenn sie zum See hinuntergeht, um ihn zu füllen. Wenn er ihr gefällt, sagt sie nichts; wenn sie protestiert, so bedeutet dies, daß sie nicht interessiert ist, und der

Bursche muß ihr einen neuen Krug kaufen. Das ist ein lustiger Brauch, und die Töpfer sind alle sehr von ihm angetan.«

Diese letzte Bemerkung wurde von den jungen Burschen im Männerhaus nicht allzu ernst genommen, denn Reisende aus fernen Ländern haben die Gewohnheit, übertriebene Geschichten zu erzählen, doch der Händler versicherte ihnen, es wäre wirklich so. »Der Bursche wartet auf dem Pfad, und ihr solltet das aufgeregte Geschnatter hören, wenn der Krug zerbrochen wird, obwohl es nur mit einem sehr sanften Schlag geschieht. Ihr Burschen«, fuhr er fort, »die ihr euch über den hohen Preis für eine Braut beschwert, solltet nach Campeche gehen, dort kostet eine Braut nur einen Bogen und zwei Pfeile, und ihr könnt sie während des ersten Jahres nach der Trauung jederzeit verlassen.«

Am nächsten Morgen überreichte Nics Mutter Ix Bacal den Hochzeitsrock und die Brokatbluse, die sie für die Braut gewebt hatte, und legte für ihren Sohn ein neues Lendentuch bereit, dessen Enden mit Papageienfedern verziert waren, sowie einen Schultermantel, den sie für ihn angefertigt hatte. Nics Vater hatte für ihn ein Paar Sandalen und ein Halsband aus Käferflügeln gearbeitet, und sein Onkel brachte ihm als Überraschungsstück ein wunderschönes Paar Ohrgehänge aus Hartholz mit einem geschnitzten, rot und gelb eingefärbten Blumenmuster.

Die Zeremonie selbst wurde an diesem Abend im Hause der Bacals nach einem Festmahl und dem zeremoniellen Trinken von *balche* abgehalten. Der Vater der Braut und der Vater des Bräutigams hielten Reden, und der Onkel der Braut schloß sich an mit einem Toast, der etwas beeinträchtigt war durch die sich steigernde Wirkung des *balche*, dem er allzu eifrig zugesprochen hatte. Nach Beendigung der Zeremonie begab sich die Gesellschaft zu dem neuerbauten Haus, in dem der Priester wiederum Kopal verbrannte. Die Brautleute, die immer noch nicht miteinander gesprochen hatten, setzten sich zeremoniell auf eine Matte, wo sie von dem Priester gesegnet wurden, nachdem man an verschiedene Götter Gebete um ihr Wohlergehen gerichtet hatte.

Eine Stunde vor Sonnenaufgang war Ix Bacal am nächsten Morgen schon damit beschäftigt, Tortillas zu backen. Nic stand auf und aß sein Frühstück, während seine Frau ihn bediente. Wenige Minuten später folgte er seinem Schwiegervater auf dem Pfad, der zu dessen Maisfeld führte, um den ersten Arbeitstag seines vierjährigen Kontraktes zu beginnen; Flitterwochen gibt es nicht im Leben der Maya.

In einer strohgedeckten Hütte im nördlichen Hochland des heutigen Guatemala lag ein alter Mann im Sterben. Draußen, auf den fernen Feldern, gingen Männer mit einem Gefühl der Dringlichkeit ihrer täglichen Arbeit nach, denn die Sonne war fast zwei ›Monate‹, das sind vierzig Tage, hinter der Frühlings-Tag-und-Nachtgleiche, und bald würden lebenspendende Regenfälle die trockene Jahreszeit beenden und das Reifen der Maissaat beschleunigen. Außerhalb der Hütte, doch ganz in ihrer Nähe, arbeiteten Frauen ebenfalls mit einem Gefühl der Dringlichkeit, doch sie liefen nicht mit dem Leben, sondern mit dem Tod um die Wette. Sie webten die letzten prächtigen Mäntel für die Bestattung des alten Mannes, und sie webten zum letztenmal, denn auch sie würden sterben.

In der Hütte beobachtete ein Mann mittleren Alters seinen Vater, den Oberhäuptling, und fragte sich, wann der Tod wohl kommen würde. Die Zauberer hatten ihre Weissagungen gemacht, indem sie Haufen von *pito*-Bohnen oder Mais auf den Boden schütteten und sie in Häufchen von vier abzählten, dann hatten sie Zeremonien auf den benachbarten Berggipfeln folgen lassen. Ein zu Besuch weilender Zauberer aus dem Gebiet der Mam im westlichen Hochland hatte ebenfalls geweissagt, nach der seltsamen Methode der Mam, indem er seine Beine rieb und wartete, bis seine Muskeln zuckten. Sein linkes Bein hatte gezuckt, ein Zeichen für schlechte Nachrichten. Alle diese Weissagungen liefen auf ein Todesurteil innerhalb weniger Tage hinaus; der einzige Unterschied war der genaue Tag. Der alte Häuptling hatte die Ergebnisse gehört und sich mit seinem Tod abgefunden, mit jener Hinnahme des Unvermeidlichen, die uns so fremd ist, doch im Orient und bei den Indianern so selbstverständlich. Der Lieblingswahrsager des alten Häuptlings hatte erklärt, an diesem Tag 10 Camel würde das Ende kommen. Es war der Tag des Todesgottes, eine Tatsache, die sich vielleicht auf das Ergebnis der Weissagung, sicher jedoch auf den Lebenswillen des alten Häuptlings ausgewirkt hatte. Er hatte entschieden, daß er an diesem Tag sterben würde, und wenn ein alter Indianer, sei er nun Maya oder Azteke oder Irokese, sich entschließt, zu einer bestimmten Zeit zu sterben, dann tut er es gewöhnlich.

Der alte Häuptling lebte noch die ganze Nacht, doch als die kühle Morgendämmerung kam, tat er seinen letzten Atemzug. Sein wartender Sohn legte eine Jadeperle in den Mund des toten Mannes, damit sie den scheidenden Geist aufnehme, und rieb dann mit ihr sanft das Antlitz seines Vaters. Man hatte das Ereignis erwartet, und alles war vorbereitet: Die bestickten Mäntel, die die Schultern des toten Mannes bedecken sollten, waren gewebt, die Männer, welche die Häuptlinge benachbarter Gruppen herbeirufen sollten, standen bereit und warteten auf den Befehl, mit ihren Botschaften aufzubrechen, die Haushaltsgegenstände, die in das Schachtgrab gestellt werden sollten, hatte man zusammengetragen, die Nahrung für die letzte Reise des alten Häuptlings in die Unterwelt war bereit, und das Grab selbst war gegraben. Die Sklaven wurden scharf bewacht, damit keiner von ihnen versuchte wegzulaufen.

Während des ganzen nächsten Tages kamen in Abständen die benachbarten Häuptlinge an, jeder in seiner von Sklaven getragenen Sänfte und begleitet von einer Eskorte von Unterführern; ihre Unterbringung und Verpflegung waren Probleme, welche die organisatorischen Fähigkeiten des neuen Oberhäuptlings auf die Probe stellten.

Die Bestattung fand am dritten Tage statt. Eine Prozession von örtlichen Häuptlingen und Unterführern sowie die Häuptlinge, die von nah und fern zu dieser Bestattung gekommen waren, erstiegen zusammen mit zahlreichen Dienern, die Geschenke und Haushaltsgegenstände trugen, im Gefolge des toten Häuptlings den Hügel, auf dem das Schachtgrab lag. Ein verlorener Haufen erschreckter Sklaven hatte ebenfalls seine letzte Reise angetreten, denn sie sollten sterben, damit ihre Seelen in der zukünftigen Welt der Seele ihres Herrn dienen konnten.

Der Leichnam des toten Häuptlings war mit Geschmeide bedeckt — mit Jade, Muschelhalsbändern und einigen Schmuckstücken aus Gold und einer Gold-Kupfer-Legierung; vier oder fünf Jahrhunderte früher wären diese noch unbekannt gewesen, denn Metalle kamen erst am Ende der klassischen Periode bei den Maya in Gebrauch. Auf seiner Brust trug er einen großen Spiegel aus Eisenkies, dessen vieleckige Täfelchen auf dem Rücken einer bemalten Schieferplatte in Mosaikform zusammengefügt waren. In seinen Ohrläppchen steckten Ohrpflöcke aus apfelgrüner Jade; Beinzierate, an denen kleine Kupferschellen hingen, so daß sie bei jedem Schritt, den er im Leben gemacht hatte, geklingelt hatten, waren unter jedem Knie festgebunden, und an den Füßen hatte er Sandalen mit hohen Lederhacken. Ein baumwollenes Lendentuch mit einem kunstvoll gestickten Muster war um seine Hüften gewickelt, seine mit Federn geschmückten Enden hingen vorn und hinten herunter. Um seine Schultern waren viele Mäntel aus Baumwolle mit komplizierten Brokatmustern gelegt worden, außerdem weitere prächtige Umhänge aus Federn — der *trousseau*, den seine Sklavinnen in vielen Monaten für dieses neue Leben in der zukünftigen Welt angefertigt hatten.

So geschmückt und auf den Fersen hockend, war der tote Häuptling in eine große Holzkiste gesetzt worden, die man kaum als Sarg bezeichnen könnte, da sie fast würfelförmig war. Die Kiste stand auf einer Sänfte, die von vier Sklaven auf den Schultern getragen wurde.

Auf dem Gipfel des Berges machte die Prozession halt, und die Kiste wurde in die bereits vorbereitete große, tiefe Grube hinabgelassen. Diener traten nacheinander heran, um die übrigen Besitztümer des toten Mannes niederzulegen: weitere Jadestücke, Spiegel aus Eisenkies, Gefäße aus Ton, mexikanischen Onyx, Holz und Kürbisschalen, Federzierate aus den Federn des Quetzal, des Makao, des Papageis und aus dem Gefieder des Pfauentruthahns, Messer und Spitzen aus Obsidian, Speere mit Feuersteinspitzen, Schilde, Gerichte aus Mais, Mehl, Bohnen und Chilisauce, Becher voll *posol* und gewürztem Kakao, Schlafmatten und Baumwollmäntel sowie die von den benachbarten Häuptlingen mitgebrachten Geschenke. Dann wurde der Lieblingshund des toten Häuptlings getötet und seine Leiche in die Grube gelegt, damit sein Schatten den Schatten seines Herrn auf der langen Reise in die andere Welt führen sollte (Abb. 23 a).

Dann waren die Sklaven an der Reihe, die zum Haushalt des Verstorbenen gehört hatten, und jene, die von den anderen Häuptlingen mitgebracht worden waren. Einer nach dem andern wurde getötet und in die Grube gelegt, und neben sie legte man ihre Werkzeuge. Maismahlsteine, Webstühle, Spindeln und Spinnwirteln, Besen, Töpferton und Härtemittel wurden zu den Sklavinnen gelegt; Steinäxte, Pflanzstöcke, Blasrohre, Speere, Messer zum Glätten von Häuten und Wildfallen zu den Männern. Die Grube war nun fast voll; Erde wurde hineingeschaufelt, um die Abstände zwischen den Körpern und den Gegenständen auszufüllen, und festgestampft. Binnen kurzem würde ein Altar aus Mauerwerk über der Grube errichtet werden; auf ihm wurde dann Weihrauch für die Götter verbrannt und Speise hinterlegt, damit die abgeschiedenen Geister sich von der in ihr enthaltenen Kraft ernähren konnten. Wie oft und wann und wo überall sind solche Bestattungsriten vollzogen worden, damit die Schatten verstorbener Könige und Häuptlinge in der anderen Welt ebenso leben konnten, wie sie in dieser Welt gelebt hatten?

An diesem Abend gab der neue Oberhäuptling ein Bankett für die Trauergäste seines Vaters. Nachdem in höflichen Reden die Tugenden des toten Mannes gepriesen worden waren, wurde das Gespräch allgemeiner, doch Tod und Bestattung beherrschten es weiter. Ein Häuptling von der nach Chiapas zu gelegenen Seite der Cuchumatanes-Berge erklärte, wie ähnlich die Bestattungsriten in seiner Heimat wären, abgesehen davon, daß der Leichnam in einen riesigen Tonkrug gesetzt würde. Ein älterer Mann, der das Maya-Gebiet von einem Ende bis zum anderen bereist hatte, beschrieb einen besonderen Bestattungsbrauch der im fernen Yucatán über Mayapán herrschenden Cocom-Familie.

»Sie schneiden den Kopf des toten Häuptlings ab«, sagte er, »kochen ihn, damit das Fleisch abfällt, und sägen dann den hinteren Teil ab. Auf der vorderen Hälfte modellieren sie die Gesichtszüge des Verstorbenen mit einer Art Pech, und dann verwahren sie diese ewigen Bildnisse ihrer toten Ahnen in ihren Hausschreinen und geben ihnen bei all ihren Festen Nahrung. In einigen anderen Teilen von Yucatán gibt es noch einen anderen seltsamen Brauch. Der Sohn bestellt eine hölzerne Statue seines Vaters mit einem Loch im Hinterkopf. Er verbrennt einen Teil der Leiche und füllt das Loch mit der Asche, und dann bedeckt er die Öffnung dieses Loches mit dem entsprechenden Stück Haut vom Hinterkopf des Toten und begräbt den Rest des Körpers. Die Familien bewahren diese Holzstatuen wie die Statuen ihrer Götter und verehren sie. Es ist gewiß ein seltsamer Brauch.«

Der Sprecher sah nicht den skeptischen Ausdruck auf den Gesichtern einiger seiner Zuhörer, die im Schatten außerhalb des Scheins der Pechfackeln saßen. Daß man die Züge eines Verstorbenen auf seinen Schädel modellierte, erschien ihnen nicht ungewöhnlich, denn sie wußten, daß ein ähnlicher Brauch auch in ihrem Land geherrscht hatte, doch der Bericht von der Versiegelung des Loches in der Holzstatue mit einem Stück Haut vom Hinterkopf des Toten klang allzu unglaubwürdig. Ihre Skepsis war aber unberechtigt, denn etwa ein Jahrhundert später berichtete Bischof Landa von beiden Bräuchen, und eine Holzstatue mit einem Loch im Hinterkopf, die aus dem Opferteich in Chichén Itzá geborgen wurde, befindet sich heute im Peabody-Museum der Harvard-Universität.

Normalerweise hätten die zu Besuch weilenden Häuptlinge am

nächsten Tag die Heimreise angetreten, doch der neue Oberhäuptling hatte sie eingeladen, zu bleiben und an der *hetz'mek*-Zeremonie für seine Tochter teilzunehmen, die an diesem Tag drei (Zwanzig-Tage-) Monate alt wurde. Das *hetz'mek* wird veranstaltet, wenn ein Mädchen drei ›Monate‹ alt wird, denn drei ist die heilige Zahl der Frau — die Feuerstelle, an der eine Frau einen großen Teil ihres Lebens verbringt, besteht aus drei ein Dreieck bildenden Steinen; es findet statt, wenn ein Junge vier ›Monate‹ alt wird, denn vier ist die heilige Zahl des Mannes entsprechend den vier Seiten des Maisfeldes, auf dem der Mann sein ganzes Leben lang arbeitet.

Das Mädchen wurde von ihrer Mutter auf dem Arm in den Raum gebracht und der Frau eines der Häuptlinge übergeben. Auf eine Matte in der Mitte des Raumes wurden neun Gegenstände gelegt, die eine Frau bei ihrer täglichen Arbeit benutzt. Dazu gehörten eine Spindel und ein Knäuel Baumwolle, ein Miniaturwebstuhl mit Lade, eine Knochennadel, ein winziger Wasserkrug, ein Kochtopf, ein Mahlstein, ein Reibstein zum Maismahlen in Miniatur und ein Sieb. Die Frau nahm die Spindel und das Baumwollknäuel, legte sie in die Hände des Kindes und sagte: »Nimm dies, damit du lernst, Baumwolle zu spinnen«, und gleichzeitig führte sie die Hände des Kindes in einer groben Nachahmung des Drehens der Spindel. Nachdem sie das Kind einmal auf ihrer Hüfte um die Matte herumgetragen hatte, nahm sie den Miniaturwebstuhl und half dem Kind, die Bewegungen des Webens zu vollführen; so ging es weiter, bis sie neunmal die Runde um die Matte gemacht hatte und das Kind im Gebrauch aller Geräte unterrichtet worden war. Dann wurde die Zeremonie wiederholt, jetzt mit dem Gatten der ›Patin‹ als Lehrer. Nach Beendigung der Zeremonie waren alle sicher, daß das Mädchen später ein Gewinn für die Gemeinschaft sein würde, obwohl es als Tochter eines Oberhäuptlings niemals aufgefordert werden würde, Mais zu mahlen oder Fußböden zu fegen.

Am nächsten Tag brachen die Besucher in einem Tropenregen zur Heimreise auf. Ein Häuptling und ein Dutzend Sklaven hatten aufgehört, der Gruppe anzugehören; ein neues Mitglied war in sie aufgenommen worden. Außer für die Familie des verstorbenen Oberhäuptlings war das Zwischenspiel vorüber; der Himmel hatte sich geöffnet, die kostbare Jade, der lebensspendende Regen war gekommen, und mit ihm hatte die Natur sich wieder belebt; der Tod bedrohte die Gemeinschaft nicht länger.

*Den Schlag von Herzen zu spüren,
die nun tot sind.*

THOMAS E. BROWN

VI. Die Religion der Maya

Kosmologie

Unsere Quellen für die Religion der Maya sind einmal die spanischen Berichte des 16. Jahrhunderts, größtenteils von Mönchen aufgezeichnet, ferner religiöse Hinweise in den Maya-Büchern des Chilam Balam und die Überreste des Heidentums, die von Ethnologen bei den heutigen Maya festgestellt wurden — nach Elimination aller von Europa übernommenen Elemente und den aus dieser Mischung hervorgegangenen neuen Ideen —, und schließlich religiöse Darstellungen auf Hieroglyphenmonumenten und Wandmalereien.

Das Material ist nicht allzu verheißungsvoll. Zunächst stammen alle Quellen mit Ausnahme der letzten aus der Zeit nach dem großen Einbruch mexikanischer Ideen in das Maya-Gebiet um 1000 n. Chr., und es ist schwer zu sagen, wie viele der religiösen Vorstellungen und Bräuche, von denen sie berichten, wirklich den Maya zugeschrieben werden können. Obwohl die meisten der aus Zentralmexiko eingeführten religiösen Ideen anscheinend nur von der neuen, aus dieser Invasion hervorgegangenen herrschenden Klasse befolgt wurden, könnten einige Ideen, vielleicht in veränderter Form, auch von der Masse der Maya übernommen worden sein. Außerdem ist es angesichts der großen Ähnlichkeit in den fundamentalen religiösen Vorstellungen aller mittelamerikanischen Völker fast unmöglich, die mexikanischen Strömungen von denen der Maya zu unterscheiden.

Wenn wir die religiöse Skulptur der klassischen Periode im Licht dessen interpretieren, was wir über die Form der Religion zur Zeit der spanischen Eroberung, besonders in Yucatán, wissen, müssen wir zu der etwas bedenklichen Annahme gelangen, daß die Maya-Religion statisch war und daß im Copán etwa des 8. Jahrhunderts die gleichen Götter verehrt und die gleichen Rituale befolgt wurden wie im Yucatán des 16. Jahrhunderts. Dies mag für den allgemeinen kosmologischen Aufbau zutreffen; doch es gab Unterschiede sowohl lokaler als wahrscheinlich auch zeitlicher Natur. So wurden z. B. im Hochland von Guatemala Berge personifiziert und mit Gottheiten der Erde identifiziert. Dieser Kult von Berggöttern war von großer Bedeutung in diesem zerklüfteten Land, faßte jedoch nie Fuß in der flachen Landschaft des nördlichen Yucatán.

Die kosmologischen Vorstellungen der Maya waren sehr kompliziert. Die Maya scheinen geglaubt zu haben, daß der Himmel in dreizehn Abteilungen gegliedert war, in denen jeweils bestimmte Götter wohnten. Diese Abteilungen mag man sich als dreizehn übereinandergelagerte horizontale Schichten oder als Stufen vorgestellt haben, von denen sechs im Osten nach oben führten und sechs im Westen nach unten, während die siebte die Spitze bildete, so daß die Abteilungen eins und dreizehn, zwei und elf usw. auf dem gleichen Niveau lagen. Der Himmel wurde von vier Göttern, den Bacab (Abb. 13 a), getragen, die auf den vier Seiten der Welt standen. Äußerst bedeutsam in der Maya-Religion ist die Assoziation von Farben und Richtungen. Rot ist die Farbe des Ostens, Weiß die des Nordens, Schwarz die des Westens und Gelb die des Südens. Es gab vielleicht auch eine fünfte Farbe, nämlich Grün, für die Mitte. Fast alle Elemente in der Maya-Religion und viele Teile des Maya-Kalenders sind mit einer Himmelsrichtung und ihrer entsprechenden Farbe verknüpft. So stand der rote Bacab im Osten, der weiße Bacab im Norden, der schwarze Bacab im Westen und der gelbe Bacab im Süden.

Auf jeder der vier Weltrichtungen — oder vielleicht auf jeder Seite eines Himmels — stand ein heiliger Ceiba, ein wilder Baumwollbaum, bekannt als der Imix-Ceiba, und auch diese Bäume waren mit den Weltfarben verbunden. Sie scheinen die Bäume des Überflusses gewesen zu sein, die der Menschheit die erste Nahrung spendeten; ihre Gegenstücke in der aztekischen Mythologie halfen, die Himmel zu stützen. In einem Ritual der vier Weltrichtungen in dem Buch des Chilam Balam von Chumayel lesen wir: »Der rote Feuerstein ist der Stein des roten Muzencab — des Himmelsträgers, der auch als Bienengott galt. Der rote Ceiba des Drachenungeheuers ist sein Baum, der im Osten steht. Der rote Kugelbaum ist ihr Baum. Der rote Rebstock . . . Rötlich sind ihre gelben Truthähne. Rotgeröstetes Getreide ist ihr Mais.«

Der Wechsel der Weltrichtungen folgt dieser Aufzählung, und jede ist assoziiert mit den Gottheiten, der Flora und der Fauna der entsprechenden Farbe. Auf jedem Baum sitzt ein Vogel der erforderlichen Farbe. Man kann annehmen, daß in der Mitte ein fünfter grüner Baum stand. Stark stilisierte Darstellungen der Weltrichtungsbäume mit Vögeln in ihrem Gezweig erscheinen auf Reliefs in Palenque und Piedras Negras. Über den noch immer als heilig betrachteten Ceiba-Baum haben sich viele Legenden und abergläubische Vorstellungen erhalten, obwohl die alten kosmologischen Ideen unter dem Einfluß des Christentums weitgehend verschwunden sind. Es ist fast sicher, daß die Maya ebenso wie die Mexikaner glaubten, die Welt ruhe auf dem Rücken eines riesigen, auf einem großen Teich schwimmenden Alligators oder Krokodils. Ich neige zu der Annahme, daß es vier dieser Erdungeheuer gab, von denen jedes einer bestimmten Weltrichtung zugeordnet war und seine eigenen Unterscheidungsmerkmale besaß.

Es besteht kein Grund zu zweifeln, daß die Maya, ebenso wie die Azteken, glaubten, es gäbe neun Unterwelten, eine unter der andern liegend oder, wie die Himmel, in Stufen angeordnet, wobei die fünfte die unterste war. Jedenfalls sind die neun Herren der Nacht, die einen bösen Aspekt haben, im Kalender der Maya ebenso wichtig wie in dem der Azteken. In der Vorstellung der Azteken regierten diese Herren die neun Unterwelten; Mictlantecutli, einer der neun Herren und Hauptgott der Unterwelt, und seine Gattin regierten die fünfte. Die Zahlen dreizehn, neun, sieben und vier besitzen große Bedeutung in Ritual und Wahrsagerei der Maya- und der Azteken-Kultur.

Die Azteken glaubten, die Welt sei fünfmal geschaffen und viermal zerstört worden, das gegenwärtige Zeitalter sei also das fünfte. Jedes Zeitalter hatte ein gewaltsames Ende gefunden, das jeweils durch wilde Jaguare, einen Wirbelsturm, Vulkanausbrüche und eine Überschwemmung herbeigeführt wurde. Die bei den Maya lebendig gebliebenen Traditionen über die Anzahl der Erschaffungen und Zerstörungen der Welt widersprechen sich teilweise. Zwei Quellen vertreten die Meinung, daß wir uns jetzt im vierten Zeitalter befänden. Nichtsdestoweniger stimmte wahrscheinlich die Anschauung der Maya mit der aztekischen darin überein, daß sie dem gegenwärtigen Zeitalter die Zahl fünf zuordnete.

Wir besitzen keine Angaben über die Vorstellungen der Maya von der Dauer dieser Zeitalter. Da die Maya-Priester aber Hunderte von Jahrmillionen in die Vergangenheit zurückrechneten, ist es wahrscheinlich, daß sie die Zeit, und daher vielleicht auch die Welt, als etwas ohne Anfang begriffen. Diese intellektuelle Auffassung einiger weniger Priester-Astronomen existierte vielleicht gleichzeitig neben einem volkstümlichen Glauben an verschiedene Schöpfungen und Zerstörungen der Welt.

Die Götter

Die meisten Maya-Götter waren in Gruppen zu je vier zusammengefaßt, von denen ein jeder mit seiner eigenen Weltrichtung und Farbe assoziiert war. Die Götter der einzelnen Gruppen konnten entweder als Individuen oder kollektiv als eine Gottheit betrachtet werden, etwa so wie in der christlichen Lehre von der Dreieinigkeit.

Götter konnten sowohl gute als auch böse Aspekte besitzen. Die Chac sandten den Regen, sie sandten aber auch Hagel und lange Feuchtigkeitsperioden, die Brand an den Maiskolben verursachten. Der Chac konnte daher als wohltätige Gottheit oder als todbringende Macht dargestellt werden. Im letzteren Fall gab man ihm einen Totenschädel anstelle des Kopfes und stattete ihn mit weiteren Insignien des Todes aus. Götter konnten ihren Ort wechseln und entsprechend ihre Assoziationen verändern. Der Sonnengott war natürlich ein Himmelsgott; doch bei Sonnenuntergang stieg er in die Unterwelt hinab, um einer der ›Herren der Nacht‹ zu werden, bei der Morgendämmerung erhob er sich mit den Insignien des Todes wieder in den Himmel. Um ihn während seiner Reise durch die Unterwelt darzustellen, war es nötig, ihm die entsprechenden Attribute beizugeben, wie die des Jaguars, die Farbe der Unterwelt, nämlich Schwarz, oder Maisblätter, die sowohl die Oberfläche der Welt als auch die Unterwelt bedeuteten. In ähnlicher Weise konnten Himmelsdrachen Erdungeheuer werden. Diese variierenden Aspekte der Gottheiten machen die Erklärung der Maya-Religion äußerst schwierig. Viele, wahrscheinlich die meisten Maya-Götter vermischen die Züge von Tieren oder Pflanzen mit einem menschlichen Aspekt. Die Maya mögen ihre Götter nach ihrem eigenen geistigen Bildnis gemacht haben, doch kaum nach ihrem leiblichen Bildnis.

Himmelsgötter. Sonne und Mond waren die bedeutendsten Himmelgottheiten (Abb. 25 e—g). Um sie rankte sich ein wahrer Kranz von

Tafel 17: Mann mit Jaguarmaske. El Salvador, um 800

Tafel 18/Oben (a): Grabgefäß aus Kaminaljuyú, um 550. — Unten links
(b): Jaguargott der Unterwelt, Hun Chabin, Comitán, Chiapas, wahrscheinlich um 800. — Unten rechts (c): Grabgefäß aus Kaminaljuyú,
um 550

Tafel 19/Links (a): Sitzende Frau. Palenque, um 750. — Oben rechts (b): Sitzender Mann. Simojovel, Chiapas, um 750. — Unten rechts (c): Frau mit Kind und Hund. Xupa, Chiapas, um 750

Tafel 20/Oben (a): Jadestück aus Nebaj, Guatemala, um 750. — Unten
(b): Jadestück aus Teotihuacán. Maya-Arbeit um 800

Mythen. Sonne und Mond waren, bevor sie an den Himmel versetzt wurden, die ersten Bewohner der Welt. Sonne war Schutzherr der Musik und Poesie und ein berühmter Jäger, Mond dagegen die Göttin der Webkunst und der Niederkunft. Sonne und Mond waren die ersten, die als Mann und Frau zusammenlebten, doch Mond, bei den Maya eine Frau, war ihrem Gatten untreu und erwarb sich den traurigen Ruhm der Liederlichkeit, und ihr Name wurde gleichbedeutend mit sexueller Ausschweifung. Da Blüten des *plumiera*-Baumes, des roten Jasmins, das Symbol des Geschlechtsverkehrs waren, wurden sie sowohl mit der Sonne als auch mit dem Mond assoziiert. Der Affe besaß die gleiche symbolische Bedeutung. Beide Traditionen spiegelten sich in der Hieroglyphenschrift wider. Aufgrund paralleler Vorstellungen in Zentralmexiko war Mond auch die Göttin des Maises und der Erde, ja wahrscheinlich aller ihrer Feldfrüchte. Sonne und Mond wurden schließlich an den Himmel versetzt. Mondlicht ist weniger hell als das der Sonne, weil ihr ein Auge von der Sonne herausgerissen wurde. Nach einem weitverbreiteten, in Mittelamerika noch heute lebendigen, doch von den Priester-Astronomen der Maya offensichtlich nicht geteilten Glauben haben Sonnenfinsternisse ihre Ursache in Kämpfen zwischen Sonne und Mond. Ehrentitel wie ›Herr‹ und ›Herrin‹, ›unser Vater‹ und ›unsere Mutter‹ oder ›unser Großvater‹ und ›unsere Großmutter‹ wurden der Sonne und dem Mond fast im ganzen Maya-Gebiet verliehen.

Itzamna — *Itzam* bedeutet auf Yucatekisch ›Eidechse‹ — war eine prominente Göttlichkeit in dem hierarchischen Pantheon, scheint jedoch nur wenige Verehrer im gemeinen Volk gehabt zu haben. Wie bei andern Maya-Göttern gab es in Wirklichkeit vier Itzamna, für jede Weltrichtung und für jede Farbe einen. Es bestehen kaum Zweifel, daß die Itzamna die vier Himmelsungeheuer sind — oft dargestellt als zweiköpfige Alligatoren oder Eidechsen, manchmal auch als Schlangen mit einem oder zwei Köpfen —, die eine so wichtige Rolle in der Maya-Kunst aller Perioden spielten. Im unteren Drittel der Seite, die im Dresdener Kodex eine Neujahrszeremonie ausführlich beschreibt, opfert ein Priester, der Itzamna darstellt, der zum Neuen Jahr aufgestellten heiligen Stele einen enthaupteten Truthahn. Die Chorti-Maya am östlichen Rand des Zentralgebietes stellen sich Chicchan genannte Himmelsungeheuer als halb menschliche, halb tierische Wesen vor, die mit den Weltrichtungen und den Farben verknüpft werden. Es gibt auch irdische Manifestationen der Chicchan. Diese Himmelsungeheuer sind Gottheiten des Regens und, in erweitertem Sinne, der Feldfrüchte und der Nahrung. Wahrscheinlich sind sie lokale Varianten der Chac.

Zu den Bewohnern der Himmel gehörten auch die Gottheiten, die man in den Planeten sah, und die Chac. Unter den Planetengöttern spielte der Venusgott eine sehr wichtige Rolle in den Hieroglyphentexten der Maya; die Chac waren, wie die Itzamna, Regengötter und besaßen Schlangenattribute (Abb. 22 b, d, e). Es ist möglich, daß sie lediglich eine andere Manifestation der Itzamna darstellen, doch mit größerer Wahrscheinlichkeit sind sie vielleicht Elemente der einfacheren und älteren Religion, die sich, besonders bei den Bauern, in Rivalität mit den mehr okkulten, von der Hierarchie begünstigten Gottheiten, wie den Itzamna, erhielten. Jedenfalls spielt die Verehrung der Chac eine beherrschende Rolle bei den heutigen yucatekischen Maya, die sogar den Namen Itzamna vergessen haben.

Es gab, wie wir gesehen haben, vier Chac, und sie saßen ebenfalls an den vier Seiten der Welt. Nach dem allgemeinen Volksglauben schicken sie den Regen, indem sie aus Kalebassen, die sie mit sich führen, Wasser versprengen. Falls sie diese Kalebassen in einem Guß entleerten, würde die Welt überflutet werden. Wegen dieser Kürbisflaschen werden sie manchmal die ›Sprenger‹ genannt. Sie verursachen den Blitz. Sie tragen auch Steinäxte mit sich, die sie auf die Erde schleudern; das sind die Blitzschläge. Polierte Steinäxte, hauptsächlich aus der mexikanischen Periode und einer späteren Zeit, werden in vielen Teilen des Maya-Gebietes gefunden, und man nennt sie Chac-Äxte. Die Gedankenverbindung von Steinäxten mit Blitzschlägen ist in der ganzen Welt verbreitet.

Manchmal stellt man sich die Chac auch als Riesen vor, und die *uo* genannten kleinen Frösche, deren Quaken den Regen ankündigt, sind ihre Diener und Musikanten. Eine ergötzliche Erzählung schildert die Erlebnisse eines mutwilligen Burschen, der als Diener in die Residenz der Chac im Himmel entführt wurde. Als er beauftragt wurde, die Wohnung der Chac zu fegen, fegte er die Frösche trotz ihres empörten Protestes hinaus, und als er dann die Wasserflasche eines der Chac stahl, überflutete er fast die Welt, indem er zuviel Wasser aus ihr versprengte.

Kukulcan, wie Quetzalcoatl in Yucatán genannt wurde, war der Schutzgott der mexikanischen Eindringlinge und als solcher nur eine Randerscheinung im Pantheon der Maya. Obwohl er in der Kunst der mexikanischen Periode eine erstrangige Rolle spielte, scheint er von der großen Masse der Maya als Fremdling betrachtet worden zu sein. Sein kurzlebiger Charakter erweist sich in der Tatsache, daß sein Name bei den heutigen Maya vollkommen unbekannt ist.

Erdgötter. Von den Göttern des Bodens sind diejenigen, denen die Sorge für die Feldfrucht anvertraut ist, die wichtigsten. Eine Gottheit der Pflanzenwelt im allgemeinen und des Maises im besonderen, eine jugendliche Gestalt, die Merkmale der jungen Maispflanze trägt, ist häufig in der Maya-Kunst dargestellt (Tafel 8; Abb. 22 f, 25 a, d). Ihr Kopf gilt als Symbol für die Zahl Acht. In den gebirgigen Teilen des Maya-Gebietes werden die Götter des Bodens mit wichtigen Bergen, Quellen, Zusammenflüssen von Strömen und anderen markanten Naturerscheinungen verbunden. Es spricht einiges dafür, daß eine Gruppe von sieben Gottheiten der Oberfläche der Erde zugeteilt war, wie es dreizehn Himmelsgötter und neun Götter der Unterwelt gab.

Verschiedene Feldfrüchte, wie z. B. die Bohnen, hatten ihren eigenen Gott, doch der Maisgott, der stets als Jüngling und oft mit aus seinem Kopf herauswachsendem Mais dargestellt wird, war ein Gott der gesamten Vegetation.

Der Jaguar-Gott (Abb. 20), der dem mexikanischen Tepeyollotl, dem Gott des Erdinnern, entspricht, ist eine wichtige Maya-Gottheit der Erdoberfläche oder auch des Erdinneren, denn die beiden Regionen überschneiden sich. Mam, eine Vogelscheuchenfigur, wurde während der fünf namenlosen Unglückstage am Jahresende verehrt. Nach Ablauf dieser fünf Tage wurde er mit Verachtung behandelt, entkleidet, auf den Boden geworfen oder bis zum nächsten Jahresende eingesperrt. Die Erdgötter haben eine Anzahl von Attributen gemeinsam, von denen die Wasserlilie, Muscheln und andere Wassersymbole, das Imix-Zeichen und Todessymbole die wichtigsten sind.

Götter der Unterwelt. Die Azteken glaubten, daß es drei Aufenthaltsorte der Toten gäbe. Krieger, die in der Schlacht oder auf dem Opferstein, und Frauen, die im Kindbett gestorben waren, kamen in ein himmlisches Paradies. Die ersteren geleiteten die Sonne vom östlichen Horizont zum Zenit, die letzteren vom Zenit zum westlichen Horizont. Personen, die an bestimmten Krankheiten, wie Wassersucht oder Epilepsie, gestorben waren, und jene, die ertrunken oder vom Blitz, der von dem Regengott geschleuderten Axt, erschlagen worden waren, kamen nach Tlalocan, dem Wohnsitz der Tlaloc genannten mexikanischen Regengötter. Dieses war ein Paradies, in dem alle eßbaren Pflanzen in großer Fülle gediehen und das nach einer Quelle die unterste Himmelsabteilung bildete. Der dritte Aufenthaltsort der Toten war Mictlan, offenbar die tiefste Abteilung der Unterwelt, in welche jene kamen, die sich für keines der beiden andern Reiche der Toten qualifiziert hatten. Der Gott und die Göttin des Todes waren die Herrscher dieses Bereiches.

Wieweit sich diese Glaubensvorstellungen mit denen der Maya decken, ist ungewiß. Es liegt kein Hinweis auf einen himmlischen Aufenthaltsort der Krieger vor, vielleicht nur ein Ergebnis des mexikanischen Kriegerkults, doch es gab bestimmt ein Maya-Äquivalent für Tlalocan und, zumindest in der späteren Zeit, einen unterirdischen Aufenthaltsort der Toten, der vielleicht von Cisin beherrscht wurde, dessen Name an den Gestank des Leichenhauses erinnert, und der wahrscheinlich der in den Maya-Kodizes so häufig dargestellte Todesgott ist (Abb. 17, Nr. 22).

Die Glyphen der neun Herren der Nächte und der Unterwelten sind indentifiziert worden, doch ihre Namen sind unbekannt, obwohl der erste in der Reihe, die Nachtsonne oder der Sonnengott, während seines nächtlichen Durchgangs vom Westen bis zum Aufgangspunkt im Osten leicht erkennbar ist (Abb. 17, Nr. 19, Glyphe 8).

Vergöttlichung der Zeitperioden und der Zahlen. Die zwanzig Tage, die den Maya-›Monat‹ bildeten, wurden als Götter betrachtet, an die man Gebete richtete. Die Tage waren in gewissem Sinne Verkörperungen von Göttern, wie z. B. der Sonne und des Mondes, der Maisgottheit, des Todesgottes und des Jaguar-Gottes, die den verschiedenen Kategorien · entnommen und in dieser Tagesreihe vereinigt wurden. Die Zahlen, welche die Tage begleiteten, waren ebenfalls Götter und entsprechen vielleicht den dreizehn Himmelsgöttern, obwohl auch sie in der gleichen Reihe aufeinanderfolgen wie dreizehn der Tagesgötter. Die Tatsache, daß in dieser Dreizehnerreihe Götter der Unterwelt oder der Erdoberfläche vorkommen, spricht nicht unbedingt gegen ihre Identifizierung als die ursprünglichen dreizehn Götter des Himmels, denn Maya-Gottheiten wechseln leicht von einem Bereich in den andern hinüber. Ebenso scheinen alle Zeitperioden als Götter betrachtet worden zu sein, und Maya-Gottheiten formieren sich in immer neuen verwirrenden Gruppierungen, wodurch sie dem Priester-Astrologen ermöglichten, seine Prophezeiungen abzusichern, den modernen Forscher jedoch in arge Verlegenheit bringen.

Verschiedene Götter. Außer den dem Himmel, der Erde und der Unterwelt zugeordneten Gottheiten gab es verschiedene Götter, die nicht so leicht oder höchstens zeitweilig in diese Kategorien eingeordnet werden können. Zur Zeit der Eroberung hatten die Maya einige Götter, die Schutzpatrone der Berufe waren, wie z. B. der Händler, der Imker und der Tätowierer. Wahrscheinlich waren mehrere dieser Gottheiten lediglich Manifestationen spezieller Aspekte von Göttern, deren Hauptfunktionen einen mehr allgemeinen Charakter besaßen. Einige vergöttlichte Heroen, über die aus dem Yucatán des 16. Jahrhunderts berichtet wird, spiegeln vermutlich mexikanische Einflüsse wider, jedoch wurden Gottheiten tierischen Ursprungs, wie die Fledermaus, der Hund und die Moan-Vögel — die über den himmlischen Drachen stehenden und der Menschheit ebenfalls Regen spendenden Eulen —, während der klassischen Periode verehrt, wie auch der Gott der Feuerstein- oder Obsidianklinge. Andererseits besitzen wir keine Informationen über einen Feuergott der Maya, obwohl diese Gottheit bei den Mexikanern große Bedeutung besaß. Die Maya erkannten ein höchstes Wesen, den Schöpfergott, an, scheinen ihm jedoch, wie die Mexikaner, nur geringe Verehrung entgegengebracht zu haben, vermutlich weil er als zu weit entfernt von menschlichen Angelegenheiten betrachtet wurde.

Beobachtungen bei den heutigen Tzotzil-Maya von Chiapas zeigen, daß in ihren Gemeinschaften die Verehrung der Ahnen, der vermutlichen Begründer der Geschlechter, eine große Rolle spielt. Es gibt auch Zeugnisse für ähnliche Kulte in Yucatán zur Zeit der spanischen Eroberung, und die Namen von zwei oder drei dieser vergöttlichten Ahnen sind aufgezeichnet worden. In diesem Zusammenhang ist bemerkenswert, daß die Privatkapellen, die in Häusern von angesehenen Persönlichkeiten in der späten Stätte von Mayapán gefunden wurden, in erster Linie dem Ahnenkult gedient zu haben scheinen. Dieser Geschlechterkult stammt vielleicht aus einer Zeit, in der die Klan-Organisation bei den Maya viel stärker war als zur Zeit der spanischen Eroberung. Er verdankt seine Entstehung vielleicht mexikanischen Einflüssen, denn der bekannteste Geschlechtergott, Zacalpuc, war ein Eindringling mexikanischer Herkunft.

Der Kult des von den Azteken Xipe Totec genannten unfreundlichen Gottes, der eine an den Handgelenken und Fußknöcheln abgeschnittene Menschenhaut trägt, aus der seine eigenen Hände und Füße herausragen, sowie eine Maske aus Menschenhaut über seinem Gesicht, wurde in ganz Mittelamerika, einschließlich des Maya-Gebietes, festgestellt. Es handelt sich um einen Vegetationsgott, und seine mit dem Abziehen der Haut verbundenen Riten teilt er weitgehend mit einer mayanischen Göttin des Bodens. Die ursprüngliche Heimat dieses Gottes ist unbekannt; die Azteken schrieben seinen Kult den Tlapaneken, einer kleinen Gruppe an der pazifischen Küste des Staates Guerrero, zu.

Höhlen wurden im Maya-Gebiet als Beinhäuser und für religiöse Riten benutzt, besonders zu Ehren des Gottes des Erdinnern und der Regengötter. Für ihre Zeremonien verwendeten die Maya ›jungfräuliches‹ — reines Wasser. Wasser, das von den Decken der Höhlen herabtropfte, galt als das ideal ›jungfräuliche‹ Wasser, und je unzugänglicher die Höhle, um so sicherer war seine Reinheit garantiert. Infolgedessen enthalten die verborgensten und feuchtesten dieser ›Räume‹ oft große Mengen von ganzen oder zerbrochenen Ton- und Steingefäßen, die häufig mit dem Kalk tropfender Stalaktiten überzogen sind.

In der Nähe von Chichén Itzá ist kürzlich ein Balankanché genanntes Labyrinth unterirdischer Höhlen entdeckt worden, das dem Kult der mexikanischen Regengötter, der Tlaloc, und des Xipe Totec gewidmet war. Die dichten Reihen von Räuchergefäßen, von Miniatur-*metates* und Reibsteinen sowie Tonpfannen — Miniaturdarstellungen von Geräten und Menschen (Kinder) waren Elemente des Tlaloc-Kults in Zentral-Mexiko — standen oft noch in der gleichen Ordnung um die Stalaktiten, in der sie vor etwa neun Jahrhunderten von den mexikanisierten Eroberern Chichén Itzás benutzt worden waren, die wahrscheinlich ein frühes Zentrum der Chac-Verehrung für den Kult ihrer mexikanischen Götter-Vettern, der Tlaloc, gebraucht hatten. Bei den Maya in der Umgebung gab es eine Überlieferung, die von der Verwendung dieser Höhlen in alter Zeit berichtete, und ihr Name für sie, Balankanché, bedeutet ›verborgener Sitz‹ — ein Fall von Volkserinnerung, die fast ein Jahrtausend in die Vergangenheit zurückreicht!

Die Hauptmerkmale der Maya-Religion sind meiner Ansicht nach die folgenden: 1. Reptilienursprung der Gottheiten des Regens und der Erde; Schlangen- und Krokodil-Merkmale, miteinander verschmolzen und phantastisch ausgestattet, oft auch mit menschlichen Zügen vermischt, unterschieden diese Götter voneinander (Tafel 13 b;

Abb. 13 b, c). Gottheiten von rein menschlicher Form kommen in der Maya-Kunst nur selten vor. 2. Quadruplizität verschiedener Götter unter gleichzeitiger Assoziierung mit den Weltrichtungen und Farben, dabei ein mystisches Verschmelzen der vier Gottheiten in eine einzige, ein Prozeß, der in etwa mit dem christlichen Mysterium der Trinität vergleichbar ist. 3. Dualität der Aspekte, denn Gottheiten konnten wohlwollend und übelwollend sein und anscheinend in manchen Fällen des Geschlecht wechseln. Diese Dualität erstreckt sich auch auf das Alter, denn bei mehreren Gottheiten teilen sich ein jugendlicher und ein betagter Gott in die Funktionen. Böswilligkeit wird in der Kunst ausgedrückt durch Hinzufügung von Todesinsignien. 4. Willkürliches Einordnen von Göttern in große Kategorien, so daß ein Gott zwei diametral entgegengesetzten Bereichen angehören und z. B. sowohl Mitglied einer Himmelsgruppe als auch einer Unterweltgruppe werden konnte. 5. Hohe Bedeutung der mit Zeitabschnitten assoziierten Göttergruppen. 6. Unvereinbarkeiten und Doppelfunktionen, indem ursprünglich hierarchische Begriffe auf die einfachere Struktur der von den frühen Maya verehrten Naturgötter übertragen wurden.

Es ist interessant, daß die Maya, die früher dem Einfluß fremder Kulte, so des Kukulcan-Kultes, erfolgreich widerstanden, das Christentum annahmen, freilich nicht als Ersatz für ihre alten Götter. Vielmehr verschmolzen sie beide Religionen nach ihrem Geschmack miteinander. Maya-Götter und christliche Heilige wurden in einem friedlichen Pantheon mit dem christlichen Gott als Oberhaupt vereinigt. In Yucatán wurden die Chac auf die Pferde der Spanier gesetzt und nach den Erzengeln umbenannt, während die Mondgöttin in der Jungfrau Maria aufging; in den Dörfern des Hochlands von Guatemala teilen sich Heilige der katholischen Kirche, Berge und Tagesnamen der Maya in die Gebete, die von Schamanen an Kreuzen, die nach den vier Weltrichtungen aufgestellt sind, verrichtet werden. Die Kreuze selbst sind die Empfänger dieser Gebete.

In einigen Landesteilen besteht eine Trennung zwischen den Funktionen der Heiligen und der Heidengötter; die ersteren beherrschen die Städte und deren Tätigkeiten, letztere schützen Wälder und Felder sowie diejenigen, die darin arbeiten. Nichtsdestoweniger könnten nur sehr wenige Maya die christlichen von den heidnischen Elementen in ihrer Religion unterscheiden. Ja, sie wären alle empört, wenn man sagen würde, sie seien zum Teil Heiden.

Wenn ich auf das zurückblicke, was ich soeben geschrieben habe, kommt es mir vor wie ein langweiliger, lebloser Katalog von der Art jener Karteikarten, die, ohne menschliche Anteilnahme ausgefüllt, von Sozialfürsorgern nach dem Alphabet und unter einer laufenden Nummer etikettiert und registriert werden. Eine solche Behandlung mag genügen für die Himmelsgötter, jedoch nicht für den Maisgott.

Der Mais war weit mehr als die wirtschaftliche Grundlage der Maya-Kultur; er war der Brennpunkt des Glaubens, und ihm errichtete der Maya, der den Boden bearbeitete, einen Altar in seinem eigenen Herzen. Ohne Mais hätten den Maya Muße und Mittel gefehlt, ihre Pyramiden und Tempel zu bauen; es ist unwahrscheinlich, daß die Bauern ohne ihre mystische Liebe zum Mais sich willig in die immer neuen und riesigen, von der Hierarchie geleiteten Bauprogramme hätten einspannen lassen. Der Maya-Arbeiter wußte, daß er baute, um die Götter des Himmels und des Bodens zu versöhnen, auf deren Fürsorge und Schutz sein Maisfeld angewiesen war.

Liebe zum Boden findet man bei den Bauern der ganzen Welt, doch ich bezweifle, daß es eine tiefer verwurzelte mystische Einstellung gegenüber den Früchten der Erde gibt als in Mittelamerika. Für den Maya ist der Mais in besonderer Weise heilig. Selbst heute noch, nach vier Jahrhunderten christlicher Einwirkung, spricht man von ihm mit Verehrung und nennt ihn rituell ›Euer Gnaden‹. Er ist das höchste Geschenk der Götter an den Menschen, mit Ehrfurcht und Demut zu behandeln. Der Maya fastete, übte Enthaltsamkeit und brachte den Göttern des Bodens seine Opfer dar, bevor er sein Land rodete oder bestellte. Jede Phase im Ablauf der Feldarbeit war ein religiöser Akt.

Vor mehr als zweihundert Jahren faßte ein spanischer Mönch die Einstellung der Hochland-Maya gegenüber dem Mais in den folgenden Worten zusammen: »Alles, was sie taten und sagten, war so sehr von dem Gedanken an den Mais erfüllt, daß sie ihn fast als einen Gott betrachteten. Die Leidenschaft, mit der sie ihre Maisfelder lieben, ist so groß, daß sie ihretwegen Kinder, Frau und alle anderen Vergnügen vergessen, als ob die Maisfelder ihr letzter Lebenszweck und die Quelle ihres Glücks wären.« Diese Beurteilung ist höchst zutreffend, doch der Schreiber irrt in einem Punkt: Die Indianer betrachteten den Mais in der Tat als einen Gott, hüteten sich jedoch sorgfältig, es die Mönche wissen zu lassen.

Eine ähnliche Haltung verrät die Bemerkung eines Mam-Maya aus dem westlichen Guatemala über die Sitte der Weißen, ihre Toten in Nischen zu bestatten. Die Indianer, erklärte er, hielten es für besser, die Erde mit ihren toten Leibern zu nähren als Gegenleistung für die Erzeugnisse, die sie ihnen liefert, während sie lebendig sind — »Die Erde gibt uns Nahrung; wir sollen sie nähren.«

In unserer städtischen Zivilisation ist die Produktivität des Landes etwas Fernes, das wir als selbstverständlich hinnehmen. Warenhäuser und Büchsenöffner sind uns vertrauter als der Erdboden, und wenn unsere Gedanken einen Schritt weiter zurückgehen, dann sehen wir einen Mann auf einem Traktor oder hinter einem Pferdegespann, etwas Malerisches, das jedoch keinerlei Zusammenhang hat mit unseren Bemühungen, unser tägliches Brot zu verdienen.

Der Maya, der gegen das Klima, tropische Krankheiten und eine zu üppige Vegetation zu kämpfen hat, sieht die Dinge in einem vollkommen anderen Licht. Sein Lebensunterhalt hängt im wörtlichsten Sinne vom Schweiß seiner Stirn ab, nicht von den dampfenden Flanken eines Pferdegespanns. Selbst heutigentags, da aus der Alten Welt eingeführte Bodenerzeugnisse seinen Speisezettel bereichern, bestehen achtzig Prozent seiner Nahrung aus Mais. Er verzehrt ihn das ganze Jahr hindurch bei jeder Mahlzeit, und so bedeutet das Fehlen dieses einen Nahrungsmittels eine Katastrophe für ihn. Der Mais scheint zusammen mit ihm in einem endlosen Verteidigungskampf gegen alle nur möglichen Feinde zu stehen, in stetem Bemühen zu überleben, damit der Mann und seine Familie gleichfalls leben können.

Die Vorstellung von einer Feldfrucht als einem lebenden Wesen, einem an unserer Seite kämpfenden Bundesgenossen, ist unserem Denken äußerst fremd, doch war und ist sie fundamental für die Denkweise der Maya. Kein Wunder, daß die Maya den Mais personifizierten und ihn mit einer ehrfurchtsvollen Liebe betrachteten, die wir niemals für etwas Unbelebtes empfinden könnten. Mais ist das Geschenk, das die Götter dem Menschen erst nach beträchtlicher Anstrengung gewähren konnten. Wie dies geschah, berichtet eine Maya-Legende:

Einst war der Mais unter einem großen Felsengebirge eingelagert. Er wurde zuerst von den Wanderameisen entdeckt, die einen Tunnel zu seinem Versteck unter dem Felsen gruben und begannen, die

Körner auf ihrem Rücken wegzutragen. Der Fuchs, der immer gerne wissen möchte, was seine Nachbarn tun, sah die Ameisen diese seltsamen Körner wegtragen und versuchte einige von ihnen. Bald erfuhren die anderen Tiere und der Mensch von dieser neuen Nahrung, doch nur die Ameisen konnten an die Stelle vordringen, wo sie verborgen war.

Die Menschen baten die Regengötter, ihnen zu helfen, an den Schatz heranzukommen. Nacheinander versuchten drei der Regengötter vergeblich, den Felsen mit ihren Donnerkeilen zu spalten. Dann ließ sich der Hauptregengott, der älteste von allen, nachdem er sich viele Male geweigert hatte, dazu überreden, seine Kunst zu versuchen. Er beauftragte den Specht, die Oberfläche des Felsens abzuklopfen, um die schwächste Stelle zu finden. Als die schwächste Stelle entdeckt worden war, befahl der Regengott dem Specht, er möge unter einem überhängenden Felsvorsprung Deckung nehmen, während er versuchte, den Felsen zu spalten. Mit seiner ganzen Kraft schleuderte er seinen mächtigsten Donnerkeil gegen den schwachen Punkt, und der Felsen barst auseinander. Genau in dem Augenblick, da der Donnerkeil aufschlug, streckte der Specht, den Befehl des Regengottes mißachtend, seinen Kopf heraus. Ein fliegendes Felsstück flog ihm an den Schädel, so daß er heftig blutete, und seither hat der Specht einen roten Kopf. Die Hitze war so stark, daß ein Teil des Maises, der vollkommen weiß gewesen war, verkohlte. Einige Kolben waren leicht angebrannt, viele hatte der Rauch verfärbt, doch einige waren überhaupt nicht beschädigt. So entstanden vier Arten von Mais — der schwarze, der rote, der gelbe und der weiße.

Diese Erzählung ist in dem Buch des Chilam Balam von Chumayel in allegorischer Sprache wiederholt: »Drei, sieben, achttausend war die Schöpfung der Welt, als derjenige, der im Innern des Steines verborgen war, verborgen in der Nacht, geboren wurde«, und »es geschah die Geburt des ersten Edelsteins der Gnade, der ersten unendlichen Gnade ... Noch hatte er seinen göttlichen Rang nicht erhalten. Dann blieb er allein in der Gnade. Dann wurde sie zu Staub. Da entstanden seine langen Haarlocken ... seine Göttlichkeit wurde erreicht, als er hervortrat.«

Der Edelstein der Gnade ist die Jade, die in der mexikanischen Symbolsprache der Maiskolben vor seiner Reife ist. Die Stelle besagt, daß der grüne Mais, wie die kostbare Jade, im Innern des Felsen verborgen ist. Dann wird der Felsen zerschmettert, und der Mais wird geboren und wird göttlich. Der Maisgott hat immer langes Haar, vielleicht abgeleitet von dem Seidenbüschel der Maishülle. So erklärt sich der Hinweis auf die langen Locken. Die ganze Stelle ist ziemlich lang und enthält viele Allegorien und Mystizismen — in einem Abschnitt haben christliche Ideen zur Identifizierung Jesu, als Brot des Lebens, mit dem Maisgott geführt. Manche Teile entziehen sich unserem Verständnis, die gesamte Darstellung jedoch veranschaulicht treffend die ehrfurchtsvolle Haltung im Hinblick auf diese wichtige Nahrungsquelle. Diese Einstellung der Maya gegenüber dem Boden und den Früchten, die sie anbauen, enthüllt mehr über ihre Mentalität und ihre Bräuche als irgendein anderer Aspekt ihrer Kultur, denn die Maya-Kultur ist in ihrer Grundlage eine Feldbaukultur mit einem komplizierten religiösen Überbau als sekundärem Phänomen.

Vor jeder Arbeit bringt der Maya den Göttern, die sein Feld schützen, sein Opfer dar. Zeremonien, wie sie bei den Mopan-Maya des südlichen Britisch-Honduras zur Zeit der Aussaat üblich sind, mögen den religiösen Hintergrund veranschaulichen.

Am Abend vor der Aussaat versammeln sich die Helfer in der Hütte des Feldeigentümers. An dem einen Ende der Hütte werden die Säcke mit dem Saatgut vor ein Kreuz auf einen Tisch gelegt und brennende Kerzen vor und auf beide Seiten einer Kürbisflasche mit Kakao und gemahlenem Mais gestellt. Das Saatgut wird mit Kopal geräuchert, und danach wird auch die ganze Hütte innen und außen beräuchert. Die Männer legen sich in ihre eigenen mitgebrachten Hängematten und verbringen die Nacht bei Musik und Gesprächen, die durch ein um Mitternacht gereichtes Mahl unterbrochen werden. Manchmal betet die Gruppe in der Kirche um eine gute Ernte. Durch diese Nachtwache soll sichergestellt werden, daß die Ernte nicht durch die Unkeuschheit eines Mitglieds der Gruppe gefährdet wird. Die Mam, Chorti, Kekchi und andere Maya-Gruppen üben zur Zeit der Aussaat bis zu dreizehn Tagen Enthaltsamkeit.

Wenn ich in der Erinnerung dreißig Jahre zurückschaue, sehe ich die Männer noch vor mir, die meisten von ihnen tief im Schatten, da die tropfenden Kerzen nur ein schwaches Licht verbreiten. Zwei oder drei von ihnen sitzen in ihren Hängematten, ein vierter liegt in seiner Hängematte und läßt ein Bein über den Rand baumeln. Jeder ist in eine dünne Decke gehüllt, denn die Aprilnacht ist kalt und die frostige Luft dringt mühelos durch die Spalten des Pfahlwerks, aus dem die Hüttenwände bestehen. Die in der weichen, singenden

Maya-Sprache geführte Unterhaltung klingt auf und verebbt wie an- und abschwellender Wind. Draußen wandern die Sternbilder der Tropen gemächlich durch den Himmel; sie erscheinen so nahe, daß man glaubt, sie mit erhobener Hand auf ihrer Bahn schneller vorwärtsschieben zu können. Es kann kaum Neugierde sein, was sie aufhält, denn sie haben solche Nachtwachen während vieler Jahrhunderte gesehen. Bei Tagesanbruch begibt sich der Eigentümer an der Spitze seiner Helfer auf sein Feld. Hier, in der Mitte des Feldes, verbrennt er Kopal und sät sieben Hände voll Mais in der Form eines nach den vier Weltrichtungen ausgerichteten Kreuzes und spricht das folgende Gebet:

»O Gott, mein Großvater, meine Großmutter, Gott der Hügel, Gott der Täler, heiliger Gott. Ich bringe Dir mein Opfer dar mit meiner ganzen Seele. Habe Geduld mit mir bei dem, was ich tue, mein wahrer Gott und (gebenedeite) Jungfrau. Es ist nötig, daß Du mir alles gut und schön machst, was ich hier säen werde, wo ich meine Arbeit habe, mein Maisfeld. Bewache es für mich, beschütze es für mich, laß ihm nichts widerfahren von der Zeit an, da ich es säe, bis zu der Zeit, da ich es ernte.«

Riten der gleichen Art gehen dem Roden des Landes und dem Abbrennen des trocken gewordenen Busches voraus. Typisch für den religiösen Charakter des Feldbaujahres sind die Zeremonien, mit denen man sich noch immer in Dörfern von Yucatán an die Chac wendet, wenn Regen gebraucht wird. Kein Mann im Dorf versäumt es, an ihnen teilzunehmen. Die erste Aufgabe besteht darin, das Wasser zu holen, das bei der Vorbereitung der Speiseopfer benötigt wird. Es muß reines Wasser aus einem Heiligen Cenote sein, zu dem Frauen keinen Zutritt haben. Nachdem man dieses Wasser geholt hat, darf niemand nach Hause zurückkehren, denn wenn einer der Männer während der Zeremonie mit einer Frau Verkehr hätte, würde der Regen nicht kommen. Daher nehmen die Männer ihre Hängematten mit und schlafen in dem für die Zeremonie vorgesehenen gerodeten Waldstück, das gewöhnlich am Rand des Dorfes liegt.

Nach zwei Tagen vorbereitender Zeremonien opfert der Schamane in der Morgendämmerung des dritten Tages den Chac und den Beschützern der Maisfelder dreizehn große Kürbisse und zwei flache Kürbisse voll *balche*. Nach einem von vier Helfern vorgetragenen Gesang wird der *balche* unter die Versammelten verteilt, und jeder muß ein wenig davon nehmen, denn *balche* reinigt vom Übel. Dann werden Vögel herangebracht. Vier Chac genannte Gehilfen halten nacheinander jeden Vogel an den Flügeln und Beinen, während der Schamane neunmal *balche* in ihre Kehle schüttet und sie den Regengöttern weiht. Danach werden die Vögel getötet.

Dreizehnmal wird *balche* auf den Altar gesprengt, und nach jedemmal werden auch die Mitglieder der Gemeinschaft besprengt. Gegen Mittag ist das Essen bereit, und die Hauptzeremonie kann beginnen.

An jeden Pfosten des Altars wird je ein Knabe mit seinem rechten Bein angebunden. Diese vier Knaben stellen Frösche dar, die Diener und Musikanten der Regengötter. Während die Zeremonie ihren Fortgang nimmt, beginnen sie zu quaken wie Frösche, die das Näherkommen eines Gewitters ankündigen. Ein älterer Mann, der den obersten Chac darstellt, wird feierlich zu einer wenige Meter von dem Altar entfernten Lichtung getragen. In der einen Hand hält er eine Kalebasse und in der andern ein Holzmesser, denn Kalebassen werden, wie bereits oben erklärt, von den Chac getragen, und aus ihnen versprengtes Wasser verursacht Regen. Das Holzmesser stellt das Gerät dar, mit dem sie den Blitz erzeugen.

Von Zeit zu Zeit macht dieser Darsteller des obersten Chac donnerähnliche Geräusche und schwingt sein Holzmesser. Manchmal treten statt eines einzelnen Darstellers des obersten Chac vier Männer, jeder an einer Ecke des Altars, als die vier Chac der Weltrichtungen auf. Jedesmal wenn der Schamane ein Gebet spricht oder *balche* opfert, tanzen sie neunmal um den Altar.

Nun wird der Altar hoch mit Speise und Trank beladen. Dreizehn große Kürbisse und zwei Schalen *balche*, neun Eimer Fleischbrühe von den Opfervögeln, vier Haufen von je neun Stapeln Tortillas aus Mais und Kürbissamen und neun Stapel verschiedener anderer Tortillaarten werden auf ihn gelegt. Nachdem diese Gaben den Göttern dargebracht worden sind — eine zeitraubende Zeremonie —, ziehen sich alle zurück, damit die Götter sich ohne Störung an ihnen laben können. Wenn man glaubt, daß die Götter ihre Mahlzeit beendet haben, kehrt der Schamane zum Altar zurück und schüttet *balche* auf das Haupt des Darstellers des obersten Chac. Speisen und Getränke, denen nun der geistige Gehalt entzogen ist, werden unter die Männer verteilt, und bis auf eine oder zwei kleinere Zeremonien ist die Bitte um Regen beendet.

Großer Wert wird dabei auf den Nachahmungszauber gelegt, das Quaken der Frösche, die donnerähnlichen Geräusche, die Darstellung des Regengottes mit den Symbolen des Regens und des Blitzes sind im wesentlichen magischer Natur. Von Bedeutung ist auch die Verwendung der heiligen Zahlen sieben, neun und dreizehn. Der Gedanke der Reinigung begleitet die gesamte Zeremonie: Es darf nur reines Wasser verwendet werden, die geopferten Vögel sind theoretisch unbefleckt, Enthaltsamkeit ist wesentlich, und *balche* ist ein Mittel der Reinigung. In der alten Zeit dürfte diese Zeremonie nicht ein Dorfritus, sondern ein Ritus für einen ganzen Bezirk gewesen sein, und anstelle von Truthähnen wurden möglicherweise Kinder geopfert.

Doch dürfen diese Riten nicht wie so viele andere ethnologische Gegebenheiten betrachtet werden; sie sind vielmehr Ausdruck der spezifischen Einstellung der Maya gegenüber dem lebenden Mais und den Göttern, die ihnen Speise und Trank schenken. Vieles von der alten Pracht und Feierlichkeit existiert nicht mehr, doch wir können sicher sein, daß die in den Höfen von Tikal oder Palenque zu irgendeiner Zeremonie versammelten Maya-Bauern mit Genugtuung die Darstellungen des Maisgottes, der Chac und der Erdgötter auf den Reliefs der Fassaden und der Dachaufsätze erkannten und bereitwillig fortfuhren, zu ihren Ehren zu bauen und den Priestern zu dienen, die den Göttern dienten. Sie hatten ihre Herzen dem Boden geschenkt und könnten Kiplings Zeilen vorweggenommen haben, die da lauten: »Und Erinnerung, Gewohnheit und Liebe lassen uns und unsere Felder leben.«

Schöpfungsmythen

Der ausführlichste Schöpfungsmythos ist in dem *Popol Vuh* genannten Quiché-Maya-Buch der Legenden und Geschichten enthalten, doch berichtet er nur von drei Schöpfungen, während doch wahrscheinlich ist, daß die Maya glaubten, die Welt sei vier- oder fünfmal geschaffen worden. Nach dem *Popol Vuh* gab es im Anfang nur Wasser. Die Schöpfergötter riefen: »Erde«, und das Land erschien. Sie bedeckten es mit Bäumen, kennzeichneten die Läufe für die Flüsse und füllten die Erde mit Tieren, jeder Art ihre Heimat zuweisend. Da die Tiere nicht sprechen und daher ihre Schöpfer weder loben noch anflehen konnten, beschlossen die Götter, aus Lehm eine höhere Spezies zu schaffen. Diese Wesen konnten sprechen, besaßen jedoch keine Intelligenz und keine Stärke und lösten sich, da sie aus Lehm waren, in Wasser auf. Die unbefriedigten Götter vernichteten sie.

Dann schufen die Götter Wesen aus Holz. Diese sprachen, aßen und vermehrten sich, doch sie hatten Gesichter ohne Ausdruck und waren, da sie aus Holz bestanden, trockene, blutlose Geschöpfe mit gelbem Fleisch. Ihre Intelligenz war beschränkt, und sie zeigten keine Dankbarkeit gegenüber ihren Schöpfern. Die entmutigten Götter schickten Regen, um sie zu vernichten. Dieser Regen, der wie schwarzes Harz war, verdunkelte das Angesicht der Erde. Dann wandten sich die Tiere gegen diese Pinocchios. Jaguare und Adler verschlangen sie; Stöcke und Steine erhoben sich und erschlugen sie. Ihre Hunde und selbst ihre Wasserkrüge, Kochtöpfe, Mahlsteine und Pfannen schlossen sich dem Aufstand an, jagten sie auf die Dächer, auf Bäume und in Höhlen. Ihre Hunde sagten: »Warum habt ihr uns nichts zu fressen gegeben? Ihr habt uns kaum angeschaut, sondern uns gejagt und hinausgeworfen. Ihr hattet stets einen Stock bereit, uns zu schlagen, während ihr aßt.« Ihre Pfannen und Kochtöpfe sagten: »Ihr habt uns Schmerz und Pein verursacht. Unsere Münder und unsere Gesichter waren schwarz von Ruß; wir wurden immer auf das Feuer gestellt, und ihr verbranntet uns, als fühlten wir keinen Schmerz. Nun sollt ihr ihn fühlen, wir werden euch verbrennen.«

Von den wenigen Puppen, die damals entkamen, stammen die Affen ab. In der letzten Schöpfung wurde das Fleisch der Ahnen der Quiché aus einem Brei von gelbem und weißem Mais gemacht, der aus seinem Versteck unter dem Berge hervorgeholt worden war. Diese ersten Menschen, vier an der Zahl, waren zu begabt. Sie konnten den größten Teil der Erde sehen. Die Götter, die nicht wünschten, daß die Menschen fast ihresgleichen seien, trübten ihre Augen durch einen leichten Nebel, so wie man einen Spiegel beschlägt, indem man gegen ihn atmet, und ihre Sicht wurde begrenzt. Es wurden Frauen geschaffen für diese vier Männer. Dann kam die Dämmerung; der Morgenstern ging auf; die Sonne ging auf. Diese Menschen verehrten ihre Schöpfer. Sie waren die Ahnen der Quiché, der Cakchiquel und anderer Maya-Völker des Hochlandes.

Der Aufstand der Hausgeräte erscheint auch in der peruanischen Mythologie. In allen mittelamerikanischen Schöpfungsmythen ist der Kulminationspunkt nicht die Erschaffung des Menschen, sondern die Morgendämmerung. Es muß daran erinnert werden, daß die Maya das Menschengeschlecht nicht so stark vom übrigen geschaffenen Leben trennten, wie wir es tun, sondern die Maya besaßen damals, und besitzen noch heute, einen tieferen Sinn für die relative Bedeutungslosigkeit des Menschen in der Schöpfung.

Ein deutlich hervortretendes Element in dem bisherigen kurzen Abriß ist die Forderung der Götter nach Verehrung und Opfer. In den Augen der Maya waren die Götter keine wohlwollenden Verteiler wahlloser Almosen; sie verschenkten ihre Gunst nicht, sondern tauschten sie gegen Opfer an Weihrauch, Nahrung und Blut ein. Diese Auffassung verrät auf seiten der Maya den Wunsch, niemandem gegenüber allzu sehr verpflichtet zu sein, und läßt auch einen Mangel an Demut erkennen. Im Kekchi-Gebet bittet der Reisende den Erdengott um Wildbret, nachdem er ihn freundlich an das bereits empfangene Opfer erinnert hat.

Menschenopfer wurden von den Maya sicherlich in allen Perioden ihrer Geschichte dargebracht, doch nie im gleichen Ausmaß wie von den Azteken, die im Blut ihrer Opfer schwelgten. Es ist wahrscheinlich, daß der Brauch am stärksten in der mexikanischen und in den nachfolgenden Perioden entwickelt war, als der Militarismus auf einem System basierte, das die Stärkung der Götter durch Menschenblut vorschrieb.

Ich habe in Kapitel V eine Opferszene beschrieben. Ich werde nun den dramatischsten Bericht, den wir von einer solchen Zeremonie besitzen, wiedergeben. Er stammt aus einer Zeugenaussage, die im Jahr 1562 in Yucatán gemacht wurde, als Anklagen gegen getaufte Indianer wegen Rückfalles in das Heidentum untersucht wurden. Er wurde vor einigen Jahren von France Scholes im Indien-Archiv von Sevilla mit einer Menge ähnlicher Dokumente wiederentdeckt. Die Untersuchung fand nur 21 Jahre nach der endgültigen Eroberung von Yucatán statt, als die Macht des Christentums über die Eingeborenen noch schwach war. Die Zahl der Franziskanermönche war vollkommen unzureichend, um die Massen von Konvertiten in den Grundlehren des Christentums zu unterrichten oder die Eingeborenen, insbesondere die ältere Generation der früher herrschenden Klasse, von ihren heidnischen Bräuchen und Glaubensvorstellungen abzubringen.

Der Zeuge war Juan Couoh, ein von den Mönchen in Yaxcaba bestellter Schullehrer, ein junger Maya, der wahrscheinlich von den Franziskanern erzogen worden war. Er scheint hin- und hergerissen worden zu sein zwischen seiner Loyalität zu der alten herrschenden Klasse und seiner Treue zu der neuen Religion, in der er erzogen worden war. Gemäß dem Maya-Geist des Kompromisses stand er mit je einem Fuß in einem der beiden Lager, denn er gestand, daß er, obwohl er Katechet war, sechzig Götzenbilder, die seinem Vater gehört hatten, in einer Höhle versteckt und ihnen Opfer dargebracht hatte. Er gab auch zu, einer Zeremonie in einer nahe gelegenen Kirche beigewohnt zu haben, bei der ein Hirsch und einige Schildkröten geopfert worden waren. Dann fuhr er fort mit folgendem Bericht:

»Ich war an einem Dienstagabend in meinem Haus, als um Mitternacht Diego Pech, der Kazike von Yaxcaba, nach mir schickte, um einen Brief für ihn zu lesen. Auf meinem Weg zu ihm kam ich an der Kirche vorbei, wo ich Pedro Euan, den Vorsteher von Yaxcaba, sah, der in alter Zeit das Amt hatte, Männer und Knaben den Idolen zu opfern. Er hatte einen Jüngling aus Tekax in der Provinz Mani bei sich, dessen Hände hinter seinem Rücken zusammengebunden waren. Dieser Junge, Francisco Cauich, war an einem Feiertag nach Yaxcaba gegangen, um Verwandte zu besuchen, die dort wohnten. Er saß neben dem Podium des Altars in der Kirche, und seine Hände waren, wie ich gesagt habe, hinter seinem Rücken gefesselt. Eine große Kerze brannte. Ich fragte sie, was sie da täten, und Pedro Euan antwortete: ›Warum willst du das wissen? Geh und lies den Brief im Haus des Kaziken, und dann komme hierher zurück, und du wirst sehen, was wir tun.‹

Ich setzte meinen Weg zu dem Haus des Kaziken fort, wo ich folgende Personen versammelt vorfand: Diego Pech, den Kaziken, Juan Ku, auch ein Kazike, Juan Tzek, Vorsteher, Francisco Pot, Gaspar Chim und Juan Cambal, alle drei frühere heidnische Priester, Lorenzo Ku, Schulvorsteher, und Diego Ku, seinen Vater. Diese erkannte ich; ich erinnere mich nicht, ob noch andere anwesend waren.

Als ich ankam, machte Diego Pech mir Vorwürfe. Er sagte, ich sei ihm sehr verpflichtet, weil er mich in der Vergangenheit unterstützt hätte, doch ich vergelte ihm dies, indem ich die Stadt gemeinsam mit den Mönchen in Verwirrung brächte, denen ich doch nicht wirklich glaubte, wenn sie sagten, ich wäre für sie wie ein Sohn. Er sagte dann, sie würden einen Knaben opfern, und ich müßte damit einverstanden sein und der Zeremonie beiwohnen.

Ich erwiderte, das sei eine sehr ernste Angelegenheit, und es sei nicht richtig, dies zu tun. Die Christen täten solches nicht. Diego Pech antwortete mir, ich müßte tun, wie er befohlen habe, und er schickte nach Pedro Euan, der den Knaben in der Kirche bewachte. Als Pedro Euan kam, beschimpfte er mich, daß ich nicht tun wollte, was man mir befohlen hatte. Ich erwiderte, daß ich mich weigern würde. Sie könnten tun, was sie wollten, doch ich würde nicht daran teilnehmen. Dann packte Pedro Euan mich bei den Haaren — das Symbol für das Ergreifen eines Gefangenen, der geopfert werden sollte — und sagte: ›Wenn du dich uns widersetzt und nicht bereit bist teilzunehmen, werden wir mit dir tun, was wir jetzt mit diesem Knaben tun.‹ Ich war so entsetzt, daß ich nachgab und allem zustimmte, was sie sagten.

Dann erhoben sich alle und ergriffen zehn Idole, die sie vom Maisfeld des Diego Pech geholt hatten, und die anderen für das Opfer notwendigen Dinge und brachten sie zur Kirche. Als sie eintraten, beteten sie nicht und verbeugten sich nicht vor dem Altar, sondern gingen weiter und stellten die zehn Idole in eine Reihe auf die Blätter des *copo*-Baumes, einer bei Maya-Zeremonien verwendeten Feige. Davor legten sie eine große Matte und auf diese ein großes Feuersteinmesser, dessen Griff mit einem weißen Tuch umwickelt war. Dann nahmen Gaspar Chim und Pedro Pech, frühere heidnische Priester, zwei große Kerzen, und alle setzten sich auf kleine Hocker, und sie befahlen, daß der Indianer an den Altar gebracht würde, und sie setzten ihn in ihre Mitte. Seine Hände waren gefesselt, seine Augen waren mit einem Tuch bedeckt, und er trug kein Hemd, nur kurze Hosen. Gaspar Chim sagte, ich würde den Mönchen hierüber berichten, und unter der Drohung, daß ich selbst geopfert würde, versprach ich, nicht zu sagen, was ich sah. Dann sagte Diego Pech zu dem Jüngling, den sie opfern wollten und der weinte: ›Sei guten Mutes, habe keine Angst, wir werden dir nicht weh tun, wir schicken dich nicht in die Hölle, sondern in die Herrlichkeit des Himmels, wie unsere Ahnen es zu tun pflegten.‹

›Tut, was ihr wollt‹, erwiderte der Knabe. ›Gott, der im Himmel ist, wird mir beistehen.‹

Dann sagte Gaspar Chim: ›Bindet ihn los und tut, was getan werden muß, bevor es dämmert und Menschen in die Nähe kommen.‹

Sie banden den Jungen los und warfen ihn auf die Matte. Die Priester überließen ihre Kerzen anderen, und vier von ihnen packten den Jungen, legten ihn auf den Rücken und hielten ihn an Händen und Füßen fest. Pedro Euan nahm das Feuersteinmesser, öffnete die Brust des Jungen auf der Herzseite, packte das Herz und schnitt die Arterien mit seinem Messer durch. Er reichte das abgetrennte Herz dem Priester Gaspar Chim, der zwei gekreuzte Schnitte an seiner Spitze machte und es dann hochhob. Dann nahm er einen Gegenstand — ich weiß nicht, was es war — und legte ihn in den Mund des größten der Idole, das des Itzamna. Dann nahmen sie den Leichnam des Jungen und sein Herz und sein Blut, das sie in einer großen Kürbisflasche gesammelt hatten, sowie die Idole, und alle gingen sie mit diesen zu dem Haus des Kaziken. Ich weiß nicht, was sie dort taten. Als sie herauskamen, warnten sie mich wiederum, den Mönchen etwas von dem zu sagen, was ich gesehen hatte. ›Selbst wenn sie uns lebendig verbrennen, dürfen wir kein Wort sagen‹, fügten sie hinzu.

Ich ging in mein Haus, denn das, was sie getan hatten, erschien mir sehr schlimm.«

Bei der Übersetzung dieser Stelle habe ich Couohs Zeugnis von der indirekten in die direkte Rede übertragen und einige wenige Sätze gekürzt. Ob der Schullehrer ein so unfreiwilliger Zeuge der Zeremonie gewesen war, wie er es darstellte, das wird man nie wissen. Wenn die lokalen Führer befürchteten, daß er sie verraten könnte, warum haben sie ihn dann um Mitternacht aus seinem Haus herbeigeholt? Vielleicht dachten sie, sie könnten ihn hierdurch so tief in die Vorgänge verwickeln, daß er es nicht wagen würde zu sprechen. Jedenfalls haben wir hier den spannenden Bericht über ein bestürzendes Drama, dessen Grauen vermehrt wird durch das Wissen, daß es sich in einem Gebäude abspielte, welches der Verehrung dessen geweiht war, der gesagt hatte: »Wer einem dieser Kleinen etwas zuleide tut . . .«

Dieser Glaube, daß die Gottheiten, die den Regen schickten, die Opferung von Kindern forderten, war weit verbreitet, denn solche Opfer waren nicht nur in Mexiko üblich, sondern auch in verschiedenen Teilen Südamerikas. Durch Zeugenaussagen in einem anderen Fall bei den Untersuchungen von Rückfällen in das Heidentum kam an den Tag, daß die Leichname von drei geopferten Kindern in eine tiefe Höhle geworfen worden waren, deren Ausgang dann mit einem großen Stein verschlossen wurde. Eine ähnliche Beseitigung der Leichen von Kindern, die den Regengöttern geopfert worden waren, war auch in Zentralmexiko üblich. Die Skeletteile, die aus dem Heiligen Cenote in Chichén Itzá geborgen wurden, bestehen jedoch aus Überresten sowohl von Männern und Frauen als auch von Kindern. Vielleicht war ein Erwachsener nötig, um die Botschaft der Götter zurückzubringen? Als Opfer bestimmte Kinder waren gewöhnlich Waisen, entfernte Verwandte, die von dem Oberhaupt eines Haushalts adoptiert worden waren, oder junge Menschen, die aus einer anderen Stadt entführt oder eingehandelt worden waren. Wir erfahren, daß bei einem Handel der Preis fünf bis zehn rote Perlen der Spondylusmuschel betrug; bei einem anderen Kauf wurde das kleine Opfer für ein Klafter großer Perlen erstanden. Kinder wurden häufig als Opfer ausgewählt aufgrund der Vorstellung, daß Opfer *zuhuy* sein sollten, wie die Maya sagen, was unbefleckt, jungfräulich bedeutet, sowohl in bezug auf lebende Wesen als auch z. B. auf jungfräuliches Land oder Wald. *Zuhuy*-Wasser kam aus Felsenvertiefungen oder wurde von Pflanzen gesammelt; es war nicht verunreinigt worden durch Berührung mit dem Boden. Andererseits verlangten die Sonne und einige andere Götter, mit erwachsenen Opfern ernährt zu werden; kleine Kinder würden kaum die erforderliche Stärke geliefert haben.

Opferung durch Herausschneiden des Herzens (Abb. 12 d, 13 b) war die übliche Methode, doch bei manchen Zeremonien wurde die zu opfernde Person an einen Pfahl oder einen hölzernen Rahmen (Abb. 2) gebunden und mit Pfeilen von den versammelten Männern, die sie umtanzten, erschossen. Zu Beginn der Zeremonie tanzte das Opfer selbst, doch später wurde es, während die übrigen weitertanzten, an den Pfahl gebunden, und man brachte ein weißes Zeichen über seinem Herzen an, das als Ziel diente. Eine solche aktive Teilnahme an den vorbereitenden Zeremonien von seiten dessen, der sterben sollte, war im mexikanischen Ritual üblich, und diese Form des Pfeilopfers stammt mit ziemlicher Sicherheit aus Mexiko, wo sie besonders mit der Verehrung der Toci, der Muttergöttin der Fruchtbarkeit, verbunden war.

Bei bestimmten Gelegenheiten wurde der Leichnam des Opfers die Stufen der Pyramide hinuntergerollt, wo man ihm die Haut abzog. Dann streifte sich der Priester die Haut über, um in ihr zu tanzen. Dieser Brauch, den Leichnam zu schinden und die Haut dann überzuziehen, war ziemlich weit in Mexiko verbreitet, wo er zu Ehren des Gottes Xipe Totec bei Zeremonien geübt wurde, die von dem Kriegerorden der Jaguare gefördert wurden, sowie auch bei Festen bestimmter Erd- und Feldbaugöttinnen, einschließlich der obenerwähnten Toci.

Manchmal wurde das Opfer von einer Höhe auf einen Steinhaufen hinuntergeschleudert und ihm dann das Herz herausgeschnitten. Dies war ebenfalls eine mit dem Toci-Kult verbundene Opferform, doch in Yucatán wurde sie bei Zeremonien zu Ehren des Itzamna angewandt.

Der Brauch, das Opfer an einen Pfahl zu binden und ihm dann das Herz herauszuschneiden, wird aus Yucatán, aus dem Petén und aus dem Usumacinta-Tal berichtet. Dies war das Schicksal zweier Märtyrer des christlichen Glaubens, der Dominikanermönche Cristóbal de Prada und Jacinto de Vargas, die im März 1696 in die Hände der Itzá von Tayasal fielen. Man band sie beide mit Händen und Füßen an ein X-förmiges Gestell aus gekreuzten Stangen und schnitt ihnen das Herz heraus. Der Kopf eines Franziskanermönches, ebenfalls ein Opfer der Itzá, wurde auf einen Pfahl gesteckt. Zeugenaussagen bei einem nach der Eroberung durchgeführten Prozeß wegen Rückfalls in das Heidentum enthüllten ein besonders grausames Ritual, bei dem ein junges Mädchen an einen Pfahl gebunden und dann mit einem dornigen Stock zu Tode geschlagen wurde. Der Stock war aus Ceiba-Holz, einem Holz, das den Maya besonders heilig war, da, wie wir gesehen haben, die Bäume an den vier Ecken der Welt Ceiba-Bäume waren.

Erwachsene Opfer wurden in hölzerne Käfige gesperrt. Wie berichtet wird, war es bei den Lacandón üblich, die Gefangenen nur während der Nacht in diesen Käfigen unterzubringen, auf deren Dach Wachen schliefen, um eine Flucht zu verhindern. Bei Tage durften die Opfer sich nach Belieben in der Stadt bewegen, wurden jedoch von Dienern begleitet, die darüber wachten, daß sie nicht entflohen.

Die Körper der Geopferten wurden unter die hochgestellten Teilnehmer der Zeremonie verteilt; die Hände, die Füße und der Kopf waren für die Priester und ihre Helfer bestimmt. Nach mexikanischen Glaubensvorstellungen repräsentierte das Opfer den Gott, zu dessen Ehren es starb. Daher erwarb man, indem man sein Fleisch aß, bestimmte Eigenschaften der betreffenden Gottheit.

Die starke Ähnlichkeit zwischen diesen weniger gebräuchlichen Formen des Menschenopfers, wie sie von spanischen Beobachtern des 16. Jahrhunderts berichtet werden, und in Zentralmexiko geübten Praktiken läßt darauf schließen, daß die meisten von ihnen im Maya-Gebiet aufgrund mexikanischer Einflüsse übernommen wurden. Man denkt sofort an die toltekischen Invasionen, doch ist es auch möglich, daß einige von ihnen, die besonders in Kaminaljuyú in der frühklassischen Periode zu beobachten sind, mit den ersten Einflüssen aus Teotihuacán kamen. So gibt es in der Tat Darstellungen der mexikanischen Regengötter, der Tlaloc, auf Maya-Stelen des Zentralgebiets, und eine kleine Szene des Pfeilopfers — es wird ein

Speer benutzt, denn zu dieser Zeit war der Bogen noch unbekannt —
ist auf die Wand eines Gemachs in Tikal eingeritzt (Abb. 2).

Menschenopfer sind furchtbar, doch man muß sie als logisch betrachten, wenn man die Voraussetzung akzeptiert, daß die Götter
Menschenblut brauchen, um die Kraft zu erlangen, ihre Aufgaben zu
erfüllen. Dementsprechend ist es die Pflicht eines frommen Volkes,
ihnen dieses Blut zu liefern. Es ist aber auch erwiesen und kann als
mildernder Umstand betrachtet werden, daß man dem Opfer, zumindest in einigen Fällen, vor der Zeremonie eine Droge verabreich-
te. Dies kann geschehen sein, um ihm Leiden zu ersparen, doch es ist
ebenfalls möglich, daß man sich gegen einen unschicklichen Widerstand sichern wollte. Zumindest kann zur Verteidigung der Maya
gesagt werden, daß alle — einschließlich derjenigen, die geopfert
werden sollten — glaubten, daß die Opfer zum Besten aller starben.
Es ist zweifelhaft, ob eine solche einmütige Zustimmung auch hinter
der Hinrichtung der Hexen von Salem stand, die Opfer einer Mas-
senhysterie und nicht zufällige Dulder für das Gemeinwohl waren.

Außer Menschen opferte man den Göttern Tiere, landwirtschaftliche Erzeugnisse, gekochtes Fleisch in Soßen, Kopalräucherwerk,
Gummi, Blumen und Kostbarkeiten wie Jade, Muschelperlen und
wertvolle Federn. Die Vielfalt der Opfer kann man an dem folgenden Bericht des Bischofs Landa ermessen: »Sie beschmierten die
Gesichter ihrer Dämonen stets mit dem Blut von allem, was lebte,
namentlich von Vögeln des Himmels, Tieren der Erde oder Fischen des
Meeres. Auch andere Dinge, die sie hatten, benutzten sie, um zu
opfern. Manchen Tieren schnitten sie die Herzen heraus und opferten sie; andere opferten sie ganz. Manche waren lebendig, manche
tot; manche roh, manche gekocht. Sie brachten auch große Opfer
dar an Brot und Wein, an Maisgerichten und *balche* und von jeder
Art Speise und Trank, die sie verwendeten.«

In vielen Teilen des Maya-Gebietes, besonders im westlichen
Hochland Guatemalas, werden den heidnischen Gottheiten noch
immer Truthähne, verschiedene Gerichte aus Mais, Bohnen und
Kürbissamen sowie auch Blumen geopfert. Wie wir gesehen haben,
werden in Yucatán den Chac noch heute Opfer dargebracht, und in
den abgelegenen Dörfern der Halbinsel beginnt kein Maya sein Land
zu roden, zu pflanzen oder zu säen, ohne vorher den Göttern des
Bodens zu opfern, gewöhnlich Kopal und *posole* — der schwarze
Rauch des Kopal stellt die Regenwolken dar; *posole* ist ein beliebtes
Maisgericht. Das Opfern des eigenen Blutes war sehr verbreitet. In

der Regel wurde eine mit Dornen besetzte Schnur durch die Zunge gezogen, in der Maya-Skulptur und auf den Wandmalereien von Bonampak wird diese Methode dargestellt. Man ließ das Blut auf Streifen von Rindenpapier tropfen, die dann den Göttern geopfert wurden (Taf. 10—11). Landa berichtet, daß die Stachel des Stachelrochens von den Priestern zum Blutentzug benutzt wurden; man findet sie, wie bereits bemerkt, häufig in Gräbern. Er berichtet auch, daß Halme von Schilfgras durch die Löcher in Zunge und Ohren gezogen wurden. Ein anderer Autor erwähnt, daß in der Alta Verapaz sechzig, achtzig oder hundert Tage — das sind drei, vier oder fünf ›Monate‹ — vor einem großen Fest zweimal am Tage Armen, Nase, Zunge, Ohren und allen Gliedern des Körpers Blut entzogen wurde. Die üblichen Blutquellen waren Zunge, Ohren, Ellbogen und der Penis. Der Blutentzug zu Opferzwecken war auch in ganz Mexiko üblich.

Die Priesterschaft

In Yucatán wurde das Oberhaupt der Hierarchie Ah Kin Mai oder Ahau Kan Mai genannt. Möglicherweise war die Priesterschaft in jedem der Bezirke von Yucatán unter ihrem lokalen Ah Kin Mai unabhängig organisiert. Der Oberpriester hatte bestimmte administrative Aufgaben, wie die Prüfung der Priester und ihre Zuweisung an die Gebiete, in denen sie gebraucht wurden. Er unterrichtete auch in der Hieroglyphenschrift, den Genealogien, den Zeremonien zur Krankenheilung, der Kalenderrechnung, der Astronomie, Weissagung und den ritualen Gebräuchen. Außer der Unterweisung der Theologiestudenten in diesen Fächern oblag ihm die Beratung der zivilen Herrscher über die Aussichten aller Unternehmungen, wie Krieg oder Heirat. Dies bedeutete natürlich Ermittlung der astrologischen Aspekte und Weissagung durch Abwägung der guten und der schlechten Werte der in Frage kommenden Tage. Es ist wahrscheinlich, daß die Hohepriester in zivilen Angelegenheiten ein gewichtiges Wort mitredeten; denn sie waren Mitglieder des Rates, der den Nachfolger eines Fürsten wählte. Sie amtierten nur bei den wichtigsten, die ganze Gemeinde betreffenden Opfern.

Nach Landa folgte dem Ah Kin Mai dessen Sohn im Amt, während die Priesterschaft sich in der Regel aus den Söhnen von Priestern und den jüngeren Söhnen des Adels, die eine Neigung für diesen Beruf zeigten, rekrutierte. Wenn dies zutrifft, zeigt es an, daß die Priesterschaft selbst in Zeiten weltlicher Herrschaft mächtig genug war, um zu verhindern, daß ihr Hauptamt an die Familie des zivilen Herrschers überging. Auf jeden Fall können wir annehmen, daß die beiden Familien an der Spitze der zivilen und der religiösen Organisation durch Heirat und Abstammung eng miteinander verwandt waren. Daß ein Hohepriester sein Amt auf seinen Sohn vererbte, findet Bestätigung in Informationen aus der Verapaz, wo der Hohepriester unter den Mitgliedern eines bestimmten Geschlechts, einer Art Levitenstamm der Maya, ausgewählt wurde. An Rang und Bedeutung stand er direkt hinter dem Oberhaupt und war Mitglied seines Rates. Bei den Tzotzil-Maya von Chiapas rekrutierte sich die Priesterschaft, wie in Yucatán, aus den Söhnen des Adels; bei den Cakchiquel gab es zwei Hohepriester, scheinbar von gleichem Rang, die von dem Oberhaupt und seinem Rat gewählt wurden. Einer war mit der Durchführung der Opfer und dem liturgischen Teil der Religion betraut, der andere verwaltete die religiösen und astrologischen Bücher und war verantwortlich für die Weissagungen. In Wirklichkeit übte das zivile Oberhaupt, der *halach uinic*, auch bestimmte priesterliche Funktionen aus, denn sein Titel wird in einem frühen mayanisch-spanischen Wörterbuch entweder mit ›Gouverneur‹ oder ›Bischof‹ übersetzt.

Die einfachen Priester wurden in Yucatán *Ah Kin*, ›der von der Sonne‹, genannt. Sie führten die Gemeindeopfer durch und weissagten nach Befragung ihrer Hieroglyphenbücher. Die *chilan* waren Propheten und Wahrsager. Sie prophezeiten nach Befragung der Weissagungsalmanache und empfingen auch göttliche Inspiration durch Visionen. Der *chilan* zog sich in sein Haus zurück, wo er in einem Trancezustand seine Nachricht von einem Gott empfing, der sich auf den Firstbalken des Hauses setzte. Die Priester versammelten sich, um die Prophezeiung oder die Botschaft mit zur Erde gebeugten Gesichtern zu hören. Es ist wahrscheinlich, daß die Visionen der *chilan* durch Narkotika verursacht wurden, z. B. durch Tabak, der mit Kalk vermischt war. Stärkere Drogen, wie Peyote oder *Datura*, sind hier vielleicht ebenso wie anderwärts im alten Amerika verwendet worden, doch keine von beiden ist im Maya-Gebiet heimisch. Halluzinogene Pilze waren von großer Bedeutung im Hochland. Bevor die *chilan* ihre Bücher befragten, besprengten sie die hölzernen Deckel mit *zuhuy*-Wasser, das man tief aus den Wäldern, wo keine Frau hingekommen war, holte.

Vermutlich war der *chilan* ein Priester, der sich aufgrund seiner visionären Begabung in diesem Zweig spezialisiert hatte, denn niemand ohne Ausbildung als Priester hätte ausreichende Kenntnisse der Kalenderweissagungen besitzen können. Die Funktionen der einfachen Priester und der *chilan* überschnitten sich beträchtlich.

Einem Opfer das Herz herauszuschneiden war die Aufgabe einer Gruppe von Priestern, die *nacon* genannt wurden. Sie überreichten das Herz dem Ah Kin, der die übrigen Zeremonien durchführte. Vier ältere Männer, bekannt als *chac* — ebenso hießen die Regengötter —, dienten den Priestern als weltliche Gehilfen. Zu ihren Pflichten gehörte es, Arme und Beine des Opfers festzuhalten, wenn dieses getötet wurde; sie entzündeten durch Quirlen eines Stockes auch das neue Feuer bei zeremoniellen Anlässen.

Eine wichtige Aufgabe aller Mitglieder der Priesterschaft war die Weissagung. In ihrer fortgeschrittensten Form bestand sie aus der Befragung des 260-Tage-Almanachs sowie anderer Zeitperioden und aus der Berechnung der Wirkung der verschiedenen Einflüsse; doch es gab auch andere und einfachere Formen der Weissagung, die bis zum heutigen Tag als Teil der Ausbildung von Dorfschamanen oder Kalenderpriestern überlebt haben. Sie werden in der Hauptsache zur Ermittlung bestimmter Dinge verwendet, so der Ursachen einer Krankheit oder der Namen derjenigen, die diese Krankheit durch schwarze Magie verursachten, ferner dem Auffinden verlorener Gegenstände, der Beantwortung der Fragen, ob eine kranke Person wieder gesund wird oder ob ein Mädchen eine gute Ehefrau sein wird. Gewöhnlich werden Samenkörner der *pita*, Bohnen, Maiskörner oder seltener Kieselsteine aus dem Beutel des Schamanen geschüttet und in Paaren oder in Vierergruppen abgezählt. Die Antwort hängt von der Anzahl ab, die übrigbleibt. In der Quiché-Stadt Chichicastenango soll, wenn ein oder zwei übrigbleiben, ein verlorener Gegenstand wiedergefunden werden; bleiben drei übrig, wird er nie wiedergefunden. Manchmal muß die Weissagung viermal das gleiche Resultat erbringen, um als zuverlässig zu gelten. Ein früher Autor beschreibt, wie eine Weissagung mit Mais durchgeführt wurde, um die Richtung zu entdecken, in der ein Mädchen geflohen war.

Das Zucken der Schenkelmuskeln ist eine andere Form der Weissagung. Die Methode variiert in ihren Einzelheiten von Dorf zu Dorf. Im Gebiet der Mam gilt ein Zucken im linken Schenkel als schlecht, ein Zucken im rechten Schenkel oder gar kein Zucken dagegen als gut. In vielen Gegenden kann die Antwort durch den Pulsschlag kontrolliert werden.

Die Lacandón legen beide Hände gegeneinander zusammen. Wenn die Nägel der einen Hand über die der andern hinausragen, ist die Antwort negativ; wenn sie in einer Linie bleiben, ist die Antwort ja. Die Kekchi machen Weissagungen, indem sie den Todeskampf eines Truthahns beobachten.

Es gibt auch viele gute und böse Vorzeichen, die jedem Maya bekannt sind. Thomas Gage, ein englischer Dominikanermönch, der in Amatitlán, nahe der Hauptstadt Guatemala, stationiert war, schrieb, daß die Pokoman-Maya »sehr abergläubisch sind und Kreuzwege beobachten sowie die Begegnung von wilden Tieren auf ihnen, den Flug der Vögel, ihr Erscheinen und Singen in der Nähe ihrer Häuser zu bestimmten Zeiten.«

Die Behandlung von Krankheiten war ein wichtiger Teil der Pflichten eines Priesters, wobei es seine erste Aufgabe war, die Ursache der Krankheit zu erraten, die oft angeblich von einem Feind ›geschickt‹, durch ›böse Winde‹ verursacht worden war oder dadurch, daß jemand den Göttern die notwendigen Opfer und Gebete nicht entrichtet oder ein Ritual nicht korrekt vollzogen hatte. Die Maya zeigten großes Interesse für Arzneipflanzen, und es gibt eine beträchtliche Menge medizinischer, in Yucatekisch mit europäischen Schriftzeichen geschriebener Literatur. Keine dieser Abhandlungen stammt aus der Zeit vor dem 18. Jahrhundert, doch Ralph Roys ist der Ansicht, daß sie aus früheren Quellen zusammengestellt wurden. Sie enthalten einige ins Yucatekische übersetzte europäische Rezepte, doch diese scheinen die einheimische Überlieferung nicht merklich beeinflußt zu haben. Eine überraschend große Anzahl von medizinischen Texten der Maya beschäftigt sich mit der Behandlung von Symptomen und basiert auf objektiver Beobachtung der Wirkungen bestimmter Pflanzen auf den menschlichen Organismus. Einige dieser Pflanzen erscheinen in dem Amtlichen Arzneibuch der Vereinigten Staaten.

Zeremonien

Rituelle Feste und vorbereitende Perioden des Fastens und der Enthaltsamkeit folgten einander fast ohne Unterbrechung. Glücklicherweise beschreibt Landa die in Yucatán üblichen Riten. Typisch war die Zeremonie der Hersteller von hölzernen Idolen, die im Monat Mol abgehalten wurde, wenn die Weissagung ergab, daß die Zeit günstig war.

Das Schnitzen der Idole wurde als eine gefährliche Arbeit betrachtet, die dem Künstler selbst oder einem Mitglied seiner Familie Krankheit oder Tod bringen konnte, und deshalb wurden die Schnitzer nur mit Mühe überredet, einen solchen Auftrag zu übernehmen. Die Idole wurden aus dem Holz der spanischen Zeder, auf Yucatekisch ›Gottesbaum‹ genannt, angefertigt.

Sobald das Holz bereit war, schlossen sich Schnitzer, Priester und die Chac genannten alten Männer — man könnte sie als Laienpriester bezeichnen — in einer provisorischen, mit einem Zaun umfriedeten Hütte ein, bis die Arbeit beendet war. Nur die Person, welche die Idole bestellt hatte und daher verpflichtet war, die Gruppe mit Speise und Wasser zu versorgen, durfte die Umfriedung betreten. Das Essen war nicht üppig, denn alle Teilnehmer fasteten vor und während der Periode der Herstellung. Man schloß die Hersteller der Idole vermutlich deshalb von der übrigen Welt ab, weil man sicher sein wollte, daß sie enthaltsam blieben, und weil man die Gefahr dieser Arbeit auf diejenigen beschränken wollte, die sich durch Fasten und Enthaltsamkeit gereinigt und hierdurch eine gewisse Immunität gegen die Gefahr erlangt hatten. Es wurde ständig Räucherwerk für die Götter der vier Weltrichtungen verbrannt, und die Arbeiter schmierten des öfteren ihren eigenen Körpern entzogenes Blut auf die entstehenden Idole. Während die Männer schliefen, verwahrte man die Idole in einer großen Urne, um, wie man vermutet, die von ihnen drohende Gefahr abzuhalten, denn noch die heutigen Maya glauben, daß Idole lebendig werden, umherwandern und den Menschen Schaden zufügen.

Wenn die Idole fertig waren, wurden sie in einem eigens zu diesem Zweck errichteten Baumgehege aufgestellt, und der Ruß, mit dem sich die Teilnehmer als Fastende beschmiert hatten, wurde entfernt. Nach Zeremonien der Reinigung und der Weihe wurden die Idole in Tücher gewickelt, in einen Binsenkorb gelegt und der Person überreicht, die sie bestellt hatte. Der Preis wurde in der lokalen Währung — Kakao, Muschelperlen usw. — sowie in Form von Geschenken an Wildbret und Vögeln entrichtet. Dann wandte sich der Priester an die Idolschnitzer und lobte sie für ihren Mut angesichts der Gefahren, die ihnen gedroht hätten, wenn das Gebot des Fastens oder der

Enthaltsamkeit übertreten worden wäre. Ein Festmahl und ein Trinkgelage beschlossen die Zeremonie.

Der vorstehend beschriebene Brauch ist ein anschauliches Beispiel für die Auffassung der Maya, daß die Wirksamkeit der Riten von der physischen Reinheit aller Teilnehmer abhing. Rituelles Trinken, wie es diese Zeremonie beschloß, war mehr als die Befreiung von einer Spannung; *balche*, das Getränk aus gegorenem Honig, war heilig. Wenn man es trank, trieb man das Böse aus dem Körper, und die nachfolgende physische und geistige Erregung brachte einen in engere Berührung mit den Göttern.

Die Reinigungszeremonie, die unmittelbar auf die Vollendung der Idole folgte, bestand darin, daß man die verschiedenen Gegenstände, die bei den Riten benutzt worden waren, sammelte und außerhalb des Dorfes deponierte. Hierdurch wurde das Übel von der Gruppe und vermutlich auch von den neuen Idolen entfernt und dorthin gebracht, wo es nicht schaden konnte. Dieses Verfahren wurde bei den meisten Zeremonien der Maya angewandt, und ich selbst habe es bei der Weihe einer neuen Hütte in Britisch-Honduras beobachtet. Das nachstehend beschriebene Schlachten eines Sündenbocks für die Sünden einer Quiché-Stadt ist lediglich eine Variation des gleichen Themas.

Der Erfolg eines Rituals hing nicht nur von der Reinheit der Teilnehmer, sondern auch aller dabei benutzten Dinge ab. Zunächst mußten der Fußboden gefegt und die Geräte gereinigt werden. Das verwendete Wasser mußte ›jungfräuliches Wasser‹ aus Quellen sein, die nicht durch menschliche Berührung verunreinigt waren; Kinder waren die geeignetsten Opfer wegen ihrer Reinheit; geopferte Tiere waren theoretisch jungfräulich; bei den Azteken und mit ziemlicher Sicherheit auch bei den Maya machte ein körperlicher Mangel eine Person ungeeignet, als Opfer zu dienen. Außerdem mußte das Ritual ohne Abweichung befolgt werden. So machte z. B. ein Lacandón-Trommler einen Fehler, als er bei der Opferung eines Menschen die Trommel schlug. Die Zeremonie wurde sofort unterbrochen, und der Trommler wurde wegen dieses Verbrechens um ein Haar selbst geopfert.

Die tiefreligiöse Einstellung der Maya findet höchst lebendigen Ausdruck in den Zeremonien, die in Momostenango, im Quiché-Gebiet, alle 260 Tage bei der Wiederkehr des Festes von 8 Batz — dem Tag 8 Affe — noch immer abgehalten werden. Der guatemaltekische Ethnologe Antonio Goubaud hat von diesem Fest eine ausgezeichnete Schilderung veröffentlicht, auf die ich mich im nachfolgenden stütze.

Alle Indianer von Momostenango fühlen sich verpflichtet, diesen Tag zu feiern, und diejenigen, die abwesend sind, kehren zu diesem Zweck nach Hause zurück. Sie glauben fest, daß Nichtbefolgen dieses Gebotes Krankheit oder gar Tod bringt.

An dem 8 Batz vorangehenden Nachmittag beginnen die Indianer in die Kirche zu strömen, und um 8 Uhr abends ist der Innenraum dicht gefüllt von Gläubigen, die in parallelen, einander zugewandten Reihen kniend beten. Das Murmeln der inbrünstig Betenden erfüllt die Kirche, und auf dem Fußboden brennen Hunderte von Kerzen, deren Flammen durch die grauen, aus Dutzenden von Räuchergefäßen aufsteigenden Kopalweihrauchwolken verdunkelt werden. Es herrscht eine Atmosphäre höchster geistiger Erregung.

In der Morgendämmerung des nächsten Tages begeben sich die Indianer zu den heidnischen Altären auf einer etwa einen halben Kilometer von der Stadt entfernten Erhebung, und um 9 Uhr vormittags hat sich eine riesige Menge versammelt — Schätzungen bewegen sich zwischen 15000 und 20000. Die Altäre sind bis zu drei Meter hohe künstliche Hügel, die größtenteils aus den Scherben hier geopferter Tongefäße bestehen. Vor jedem Altar steht der Kalenderpriester oder Schamane, um ihn herum schart sich die Gruppe, für die er betet.

Die Leute nähern sich dem Kalenderpriester, nennen ihm ihre Namen, entrichten einen kleinen Geldbetrag als Bezahlung und erklären, wofür die Gebete verrichtet werden sollen. Die angegebenen Gründe sind gewöhnlich Vergebung von Sünden, Dankbarkeit für empfangene Wohltaten und der Wunsch nach künftigem körperlichen, geistigen, moralischen und wirtschaftlichen Wohlergehen. Der Kalenderpriester verbrennt ein Päckchen Kopalräucherwerk in der Altarnische. Diese etwa 50 Zentimeter breiten und 40 Zentimeter tiefen Nischen sind aus Tonscherben gebildet, die für diesen Zweck mit Kieferzweigen geschmückt werden.

Die einzelnen Zeremonien dauern sehr lange. Der Kalenderpriester betet endlos, nennt dem Erdgott die intimsten Details aus dem Leben des Bittstellers. Manchmal opfert er dem Gott ein wenig *aguardiente* (Schnaps) und trinkt hinterher selbst, denn er glaubt sich den erhabenen Gottheiten am nächsten, wenn er leicht berauscht ist.

In der Nähe beten an den Nebenaltären die neu eingeführten

Schamanen, doch da sie keine Erfahrung haben, sind sie weniger gesucht. Auch weibliche Schamanen haben ihre Altäre. Die Riten dauern bis zur Dämmerung; dann begeben sich die Schamanen auf den Gipfel eines nahe gelegenen Hügels, wo sie die ganze Nacht beten und Kopal verbrennen. An den beiden folgenden Tagen werden die Gebete fortgesetzt, und fast alle Indianer bleiben in der Stadt, um an diesen weiteren Zeremonien teilzunehmen.

Die beiden Stätten für diese Rituale werden ›Kleiner Besen‹ bzw. ›Großer Besen‹ genannt. Da bei den Azteken ein Besen die Vergebung von Sünden symbolisierte — er fegt den Schmutz hinaus —, ist es ziemlich wahrscheinlich, daß diese Orte so benannt wurden, weil die 8-Batz-Zeremonie im wesentlichen eine Gelegenheit zur Generalbeichte ist. Daß die Zeremonie sehr alt ist, beweist der Name der Stadt, denn Momostenango bedeutet ›Ort der Altäre‹.

Im ganzen Maya-Gebiet war die Beichte, besonders die eines Kranken, gebräuchlich, denn Krankheit wurde allgemein als die Folge begangener Sünden betrachtet. Die Beichte konnte bei einem Priester abgelegt werden, oder wenn ein solcher fehlte, konnte ein Sohn seinen Eltern beichten, ein Mann seiner Ehefrau oder eine Ehefrau ihrem Mann. Bis vor wenigen Jahren nahmen bei den Ixil-Maya an der Nordgrenze des Südgebietes am Neujahrstag die Mitglieder einer Familie einander die Beichte ab. In Yucatán, berichtet uns Landa, hatten Streitigkeiten ihre Ursache oft in der Beichte eines Ehepartners, der in der Erwartung des Todes alles sagte, dann aber am Leben blieb und den ständigen Vorwürfen des andern Partners ausgesetzt war. In der Alta Verapaz wurde eine Frau, von der ein Beichtender gesagt hatte, sie habe Ehebruch mit ihm begangen, ohne Gerichtsverfahren verurteilt, da es als ausgeschlossen galt, daß jemand bei der Beichtzeremonie log.

Ein interessantes Beispiel für einen Sündenbock wird in einem Bericht über die Quiché erwähnt. Eine sehr alte Frau wurde, begleitet von der gesamten Bevölkerung, zu einer Wegkreuzung außerhalb der Stadt gebracht. Die Leute umringten sie, und alle beichteten ihr gemeinsam mit lauter Stimme ihre Sünden. Nachdem sie geendet hatten, trat ein Priester heran und schlug der alten Frau mit einem Stein auf den Schädel, bis sie tot war. Dann bedeckten die Leute ihren Leichnam mit einem Steinhaufen und kehrten nach Hause zurück, überzeugt, daß sie und alle ihre Nachbarn hierdurch von ihren Sünden gereinigt worden waren.

Tänze waren eng mit religiösen Zeremonien verbunden. Das Opfer selbst konnte sich an dem Tanz beteiligen, der seiner Tötung vorausging; auch seine Verwandten und Freunde nahmen daran teil. Die alten Tänze wurden wegen ihres heidnischen Charakters von den Mönchen verboten, die an ihrer Stelle noch heute von den Indianern ausgeführte Tänze spanischen Ursprungs einführten. Doch einer der alten Opfertänze erhielt sich nach der spanischen Eroberung noch ein Jahrhundert lang bei den Quiché und den Zutuhil. In einer aus dem Jahr 1624 stammenden Aussage beschreibt der spanische Priester der Stadt Mazatenango diesen Tanz wie folgt:

»Er stellt die Opferung eines indianischen Kriegsgefangenen für den Teufel dar, wie sie in der alten Zeit erfolgte; dies bestätigten die Tänzer selbst. Es sind vier Männer, die einen fünften, der an einen Pfahl gebunden ist, angreifen und zu töten versuchen. Von diesen vier ist einer als Jaguar, einer als Puma, einer als Adler und der letzte als ein Tier verkleidet, an das ich mich nicht mehr erinnere. Von diesen Tieren sagen sie, sie seien ihre Schutzgeister. Sie vollführen den Tanz begleitet von Schreien und von traurigen und schrecklichen, fürchterlich anzuhörenden Tönen, die sie mit langen, wie Posaunen gewundenen Trompeten hervorbringen. Wenn dieser Tanz in anderen Städten getanzt wurde, sah ich, daß, sobald die Trompeten geblasen wurden, die ganze Stadt von Erregung erfüllt war, und alle, sogar ganz kleine Kinder, kamen keuchend herangelaufen, um dabeizusein.«

Dieser Tanz ist mit ziemlicher Sicherheit der gleiche, den die Azteken zu Ehren des Xipe Totec tanzten. Vier Krieger waren verkleidet, um die Militärorden der Jaguare und der Adler darzustellen. Nacheinander kämpften sie mit einem durch ein langes Seil an einen Altar gebundenen Gefangenen, dessen einzige Verteidigung ein Schwert war, bei dem Federn die Obsidian- oder Feuersteinklinge ersetzten. Nachdem das Opfer getötet worden war, wurde ihm die Haut abgezogen, die dann einer der Teilnehmer umlegte.

Ein Tanz in Yucatán wird kurz folgendermaßen beschrieben: »Die Indianer bauten ein Floß — oder eine Sänfte — und setzten darauf eine Art von schmalem Turm, der etwa 1,80 Meter hoch war und wie eine Kanzel aussah. Er war von oben bis unten mit bemalten Baumwolltüchern bedeckt, und oben waren zwei Flaggen, auf jeder Seite eine, befestigt. Ein schön gekleideter Indianer, sichtbar von der Taille aufwärts, war in diesem Turm. Er hatte in der einen Hand eine Rassel von der landesüblichen Art, in der andern einen Federfächer. Die ganze Zeit schüttelte er seinen Körper und pfiff zum Takt einer aufrechtstehenden Trommel, die ein anderer Indianer neben dem Floß schlug. Bei diesem waren viele andere Indianer, die zum Trommelschlag sangen, einen großen Lärm machten und viele schrille Pfiffe von sich gaben. Sechs Indianer trugen das Floß auf ihren Schultern, und selbst während sie sich vorwärts bewegten, sangen und tanzten sie und schüttelten ihre Körper zu dem Klang der Trommel. Dieser Turm war sehr hübsch und schwankte sehr stark, und man konnte ihn von weitem sehen wegen seiner Höhe und seiner leuchtenden Farben. Dieser Tanz wurde Zonó genannt und ist einer von jenen, die sie in alter Zeit tanzten.«

Zeremonientänze sind auf den Wandmalereien von Bonampak dargestellt, und auf mehreren Stelen findet man Personen in ähnlichen Haltungen (Tafel 14). Es ist eindeutig erwiesen, daß bei vielen Feiern maskierte Tänzer die Götter darstellten. Es wurden auch Tänze aufgeführt, um den Erfolg beim Jagen und eine gute Ernte zu sichern.

Der im Kern religiöse Charakter dieser Tänze wird durch die Tatsache bewiesen, daß die Tänzer vorher eine Zeitlang Enthaltsamkeit übten und fasteten, sowie auch dadurch, daß die Tänze nach der spanischen Eroberung mit kirchlichen Feierlichkeiten verbunden wurden.

Von ganz anderer Art ist der erotische Schlangentanz, der sich noch in verschiedenen Quiché-Städten des Hochlands von Guatemala erhalten hat. Der Quiché-Name des Tanzes, das Knicken von Mais, bezieht sich auf die Tatsache, daß die reifen Maiskolben nach unten gebogen werden, um sie vor Regen und den Vögeln zu schützen. Es gibt von Ort zu Ort Varianten, doch gewöhnlich nehmen etwa zwanzig Männer teil. Alle tragen ihre gewöhnliche Kleidung, nur ihre Gesichter sind maskiert — bis auf einen Mann, der als Frau verkleidet ist. Alle tragen Rasseln. Am Tag vor dem Tanz ziehen die Männer aus, um Schlangen zu sammeln, deren Verstecke von den örtlichen Priestern benannt werden. Die Kiefer der giftigen Schlangen werden mit einem Faden zusammengebunden, und alle Schlangen werden in einem Krug oder in einem mit einem Tuch bedeckten Kürbisgefäß zu dem Haus des Frauendarstellers gebracht.

Nach vorbereitenden Tänzen ergreift jeder Mann den Frauendarsteller und vollführt mit ihm die Bewegungen des Beischlafes, oder er wird von zwei anderen Tänzern zu diesem Zweck festgehalten. Die übrigen Tänzer schreien, vollführen obszöne Gesten, schwingen ihre Rasseln und machen unzüchtige Bemerkungen. Dann nimmt ein Tänzer nach dem andern eine der am vorangegangenen Tag gesammelten Schlangen und steckt sie in den hinteren Ausschnitt seines Hemdes. Die Schlangen verschwinden, um aus einem Ärmel oder Hosenbein des Mannes herauszukriechen. Die Schlangen werden gesammelt, in das Kürbisgefäß oder in den Krug zurückgelegt und nach Beendigung des Tanzes in die umliegenden Wälder gebracht und freigelassen, eine enge Parallele zu dem Ende des Schlangentanzes der Hopi. Die Tänzer peitschen einander während der ganzen Vorführung erbarmungslos.

In ganz Mittelamerika sind die Schlangen mit dem Regen assoziiert, die Rassel ist ein Attribut der Götter des Bodens, und an vereinzelten Orten des Gebiets wird der Sexualakt als ein magischer Ritus zur Sicherung einer großen Maisernte vollzogen. Dies ist das genaue Gegenteil der üblichen Enthaltsamkeitsperiode der Maya vor jeder Phase im Jahr des Bauern. Es besteht die Möglichkeit, daß der Tanz durch die Mexikaner nach Guatemala gebracht wurde, die einen ähnlichen Schlangenschlucker-Fruchtbarkeitstanz hatten, doch ohne die erotischen Züge. Ich neige jedoch zu der Ansicht, daß es sich hier um einen sehr primitiven magischen Tanz handelt, der seine Wurzeln in der formativen Periode hat und als eine Art heimlicher Alternative zu dem offiziellen Enthaltsamkeitszwang überlebte.

Über die Tänze spanischen Ursprungs schreibt Thomas Gage: »Als ich unter ihnen lebte, war es für den, der in dem Tanz den heiligen Petrus oder Johannes den Täufer darstellen sollte natürlich, zunächst zur Beichte zu gehen, was bedeutete, daß er heilig und rein sein mußte wie der Heilige, den er verkörperte, und sich auf das Sterben vorbereiten mußte. Entsprechend gingen der Darsteller des Herodes oder der Herodias und einige der Soldaten, die bei dem Tanz sprechen und die Heiligen beschuldigen mußten, hinterher zur Beichte, um Absolution zu erbitten, als ob sie wirklich Sünde und Blutschuld auf sich geladen hätten.«

Dieses Zitat zeigt, wie vollkommen der Tänzer sich mit der von ihm gespielten Rolle identifizierte. Dies war eine ganz natürliche Einstellung in einer Gesellschaft, für die der Tanz im wesentlichen immer ein religiöses Ritual gewesen war.

Jeder Zug im Leben der Maya hatte seinen religiösen Aspekt, und kein Schritt konnte von der Gemeinschaft oder vom Individuum getan werden, ohne die Vorzeichen zu befragen. Die Priester wägten die günstigen und ungünstigen Faktoren ab und verkündeten, welche Tage vorteilhaft waren für Unternehmungen wie Eröffnung eines Krieges, Beginn des Baus eines Tempels für die Gemeinde oder einer Hütte für den einzelnen, Abhaltung von Mannbarkeitszeremonien, Veranstaltung einer gemeinsamen Jagd, Beginn einer Rodung, Aussaat oder Ernte. Organisierte Feierlichkeiten folgten den offiziellen Fastenperioden, und ein ewiger Turnus von Speise-, Trank- und Kopalopfern sorgte dafür, daß die Götter immer satt und zufrieden waren. Der einzelne befolgte den gleichen Zyklus von Riten und Opfern im privaten Bereich und in kleinerem Maßstab — Enthaltsamkeit, Fasten, Gebet und Opferung von Speise, Trank und Räucherwerk vor und während jeder Krise seines Privatlebens, ob sie nun sein Familienleben oder den Ablauf der Feldarbeiten berührte.

Ein Beispiel eines modernen Maya-Gebetes ist bereits oben wiedergegeben worden. Ich werde dieses Kapitel mit zwei weiteren beschließen. Das erste ist ein Lacandón-Gesang, gesammelt von A. M. Tozzer, das zweite ein Kekchi-Gebet, aufgezeichnet von Karl Sapper. Man wird feststellen, daß alle drei dem gleichen Muster folgen. Man hat mir gesagt, daß solche Gebete sehr stark mittelalterlichen christlichen Gebeten gleichen; diese Ähnlichkeit muß jedoch zufällig sein, da die Lacandón fast keinen Kontakt mit dem Christentum hatten.

Das Lacandón-Gebet spricht ein Vater für seinen Sohn:

»Beschütze meinen Sohn, mein Vater. Laß jedes Übel aufhören, laß das Fieber aufhören. Erlaube dem Übel nicht, ihn niederzutreten. Erlaube einer Schlange nicht, meinen Sohn zu beißen, laß den Tod meines Sohnes nicht zu, wenn er beim Spielen ist. Wenn er erwachsen ist, wird er Dir Posol opfern. Wenn er erwachsen ist, wird er Dir Tortillas opfern. Wenn er erwachsen ist, wird er Dir Rindenstreifen opfern. Wenn er erwachsen ist, wird er sich Deiner erinnern.«

Das Kekchi-Gebet wird, von einem Kopalopfer begleitet, während einer Reise an die Tzultacah, die Götter der Erde, der Berge und der Täler, gerichtet:

»Du, o Gott, Du Herr der Berge und Täler! Ein klein wenig Deines Essens, Deines Trinkens habe ich Dir gegeben.

Jetzt gehe ich vorüber unter Deinen Füßen, Deinen Händen, ich, ein Reisender.

Es schmerzt Dich nicht, es macht Dir keine Mühe, mir allerlei große und kleine Tiere zu geben, Du mein Vater!

Du hast eine Menge Tiere, den wilden Pfau, den wilden Fasan, das Wildschwein; zeige sie mir also, öffne mir die Augen, nimm sie und setze sie auf meinen Weg.

Ich sehe, ich schaue sie dann; ich bin unter Deinen Füßen, unter Deinen Händen; ich bin im Glück, Du Herr der Berge, Du Herr der Täler!

Alles im Überfluß ist Deiner Macht, Deinem Namen, Deinem Sein möglich; von allem möchte ich haben.

Heute müßte ich vielleicht meinen Maiskuchen trocken essen, und ich bin doch in einem reichen Jagdgelände; vielleicht sieht Gott nicht, daß es hier lebende Wesen gibt; vielleicht darf ich einen kleinen wilden Pfau hierher bringen und forttragen.

Jetzt sehe ich und schaue Dich, Du mein Gott, Du meine Mutter, Du mein Vater! Nur davon spreche ich, nur daran denke ich. Was ich Dir geopfert habe, ist ja nicht viel und zu gering für Dich als Speise und Trank. Mag es nun so oder anders sein, mein Sagen und Denken ist: Gott! Du bist meine Mutter, Du bist mein Vater!

Jetzt werde ich also schlafen unter Deinen Füßen, unter Deinen Händen, Du Herr der Berge und Täler, Du Herr der Bäume, Du Herr der Schlinggewächse!

Morgen ist wieder Tag, morgen kommt das Sonnenlicht wieder! Ich weiß nicht, wo ich dann sein werde.

Wer ist meine Mutter, wer ist mein Vater? Nur Du, o Gott! Du siehst mich, Du beschützest mich auf jedem Wege, in jeder Dunkelheit, vor jedem Hindernis, das Du verstecken, das Du beseitigen mögest, Du, o Gott, Du mein Herr, Du Herr der Berge und Täler!

Nur das ist es, was ich sage, was ich denke. Sei es nun mehr, sei es weniger, als ich gesagt habe: Du erträgst, Du vergißt meine Sünden!«

Dieses Gebet scheint die gesamte Einstellung der Maya zu den göttlichen Mächten auszudrücken. Der Betende beginnt damit, daß er die Aufmerksamkeit der Götter auf die Opfer lenkt, die er ihnen dargebracht hat, und bittet dann, daß sie ihm als Gegenleistung Wild zum Jagen schicken, da er nichts zu essen hat außer seinen Tortillas. Als guter Maya bittet er nicht um mehr, als er braucht, denn er wird zufrieden sein mit einem wilden Pfau — einem Vogel etwa von der Größe eines Birkhuhns. Er erkennt an, daß er sich in den Händen der göttlichen Mächte befindet, die für ihn wie ein Vater und eine Mutter sind und ihn beschützen, wo immer er sein mag. Er vollzieht diesen Akt der Anbetung in dem schönen Satz: »Ich bin unter Deinen Händen, unter Deinen Füßen«, und stattet zum Schluß seinen Dank dafür ab, daß ihm seine Sünden vergeben worden sind.

Aber der Geist ist in den Menschen,
und der Odem des Allmächtigen
macht sie verständig.

HIOB 32, 8

VII. Die Maya-Kultur im Rückblick

Entwicklung

Warum Kulturen bestimmte Wege gehen, ist ein höchst spekulatives Problem, über das wir sehr wenig wissen. Die Meinungen über die Entwicklungsfaktoren gründlich untersuchter Kulturen der Vergangenheit gehen weit auseinander, selbst wenn die schriftlich niedergelegten Beobachtungen ihrer Zeitgenossen der modernen Beurteilung als Leitfaden zur Verfügung stehen. Um wieviel unterschiedlicher müssen sie sein, wenn die wenig bekannte Maya-Kultur zur Diskussion steht! Auf diesen letzten Seiten gebe ich meine Meinung darüber wieder, was die Maya-Kultur veranlaßte, sich in so einzigartiger Weise zu entwickeln, wie sie es getan hat, und was ihren Verfall verursachte. Es ist ein Versuch, ein Akrostichon zu entziffern, bei dem mehr als die Hälfte der Zeilen fehlt. So kann es geschehen, daß ich zu einem Standpunkt gelange, der von dem, den ich noch vor einigen Jahren einnahm, sehr verschieden ist, denn jedes Jahr füllen neue Entdeckungen die Lücken in unserem Wissen um die Vergangenheit.

Ich habe Jacinto Cunil, einen Maya aus Socotz im westlichen Britisch-Honduras, 36 Jahre lang sehr gut gekannt, und unsere Freundschaft wurde gefestigt durch Taufpatenschaft, die für die Maya ein besonders enges Verhältnis darstellt. Ich lernte ihn achten und lieben, denn er war freundlich und aufrichtig, redlich und ein Mensch von jener altmodischen Art, die ihren Lohn durch ehrliche Arbeit verdienen wollte. Jacintos Leben und Charakter scheinen ein Spektrum der gesamten Lebensphilosophie der Maya zu sein.

Socotz ist, wie die meisten Dörfer am Rande des Petén-Waldes, ein Rekrutierungsgebiet für *chicleros*. Die Gummifirmen zahlen gute Löhne, und wer sich vertraglich verpflichtet, die Regenzeit mit Gummizapfen im Walde zu verbringen, erhält einen hohen Vorschuß. Nach Auszahlung dieser Vorschüsse sitzt das Geld in den kleinen Städten und Dörfern eine Woche lang sehr locker. Das meiste davon wird für Trinken und wertlosen Plunder ausgegeben — seidene Halstücher in grellen Farben, die einlaufen, wenn sie das erstemal dem Regen ausgesetzt werden, Stiefel, die mehr aus Pappe als aus Leder bestehen, usw. Wenn der Rausch vorüber ist, ziehen die *chicleros* in die Waldlager, um ihre Schulden abzuarbeiten.

Jacinto würde dergleichen nie getan haben. Für ihn drehte sich das Leben eines Mannes um seine *milpa*. Den größten Teil des Jahres arbeitete er beim Straßenbau für bedeutend weniger, als ein *chiclero* in einer guten Saison verdient. Er kündigte, wenn die trockene Jahreszeit kam, um sein Land zu bestellen, wie seine Vorfahren es mehrere Jahrtausende getan hatten; ein voller Maisspeicher bedeutete ihm mehr als der ganze Schund in den Läden des nahe gelegenen Benque Viejo. An den meisten Abenden machte er Besuche in den Hütten seines Dorfes, wo er beliebt und geachtet war, mehrere Male hatte man ihn aufgefordert, ›Bürgermeister‹ zu werden. Das geordnete Leben des Dorfes sagte ihm mehr zu als der Schmutz und die Unruhe der Gummisammlerlager, wenn man auch in ihnen rasch zu Geld kommen konnte. Zur Stunde des Angelus kamen seine Kinder zu ihm, um seinen Segen zu empfangen. Dies ist natürlich kein alter heidnischer Brauch, sondern Ausdruck der traditionellen Bedeutung der Religion im Alltagsleben und der Achtung für die Eltern bei den Maya. Die meisten Tiefland-Maya sind heitere Menschen und scheinen sich des Lebens zu freuen. Sie sind, wie man heute sagt, ausgeglichene Temperamente. Jacinto nahm das Leben vielleicht etwas ernster, doch im Grunde war auch er ein glücklicher Mann.

Bei archäologischen Ausflügen hielt Jacinto stets Ausschau nach Stöcken wilder Bienen. Honig ist ein Leckerbissen für jeden Maya, doch die Stöcke liefern noch Wichtigeres, nämlich Wachs. Jacinto filtrierte das schwarze Wachs und nahm es am Ende der Saison mit nach Hause, um es für seine privaten Zwecke zu verwenden, denn Kerzen aus schwarzem Bienenwachs haben bei religiösen Riten eine größere Wirksamkeit als im Laden gekaufte Kerzen. Jacinto war ein eifriger Jäger. Wenn es viel Wild gab, räucherte er den Überschuß. Sobald er soviel hatte, wie er nach Hause tragen konnte, hörte er auf zu jagen, denn er tötete nicht aus Sport, und mehr als einmal hörte ich ihn die *chicleros* tadeln, die mehr Wild töteten, als sie gebrauchen konnten.

Ich kenne die Namen nur weniger Bäume und Pflanzen und bringe es auch noch fertig, diese wenigen miteinander zu verwechseln; ich gehe nahe an einem Bienenstock vorbei und sehe ihn nicht; ich schrecke das Wild auf, während ich hinter meinem Führer lärmend durch den Wald stolpere; ich verliere eine Fährte, auch wenn sie so klar markiert ist, daß jeder Narr, außer einem Gringo, sie sehen muß; ich kann nicht einmal eine Macheteklinge anständig schleifen. Jacinto war sehr geduldig mit mir. Als Individualist fand er sich mit dem Gedanken ab, daß es vielerlei Menschen unter der Sonne gibt.

Jacinto starb im Jahr 1964. Sein Tod entsprach seinem Leben, das von der uralten Liebe der Maya zum Boden erfüllt gewesen war. Er war auf sein Maisfeld gegangen, um vor dem Säen den trockenen, vorher geschlagenen Baumbestand zu verbrennen. Es scheint, daß der Wind umsprang und er vom Rauch überrascht wurde und erstickte. Ein Herzanfall mag zu seinem Tode beigetragen haben, denn er hatte eine lebenslange Erfahrung in der Vermeidung von Feuergefahr. Sein Tod kam vom Boden, um den sich sein ganzes Leben gedreht hatte. Seine Überreste liegen in Socotz, fast im Schatten der archäologischen Stätte von Benque Viejo, das in der frühen formativen Periode vor etwa 2500 Jahren von seinen Vorfahren besiedelt worden war und sich allmählich zum religiösen Zentrum für das obere Belize-Tal entwickelt hatte. Von dort aus kann er das Angelus-Läuten der Kirche von Socotz hören und vielleicht auch die Muscheltrompete, die, von einem geisterhaften heidnischen Priester geblasen, von der höchsten Pyramide von Benque Viejo herüberklingt.

Jacinto besaß jene bewährten Eigenschaften, die meiner Meinung nach seine Vorfahren zu dem machten, was sie waren; und zufällig war er frei von jener Schwäche, die, in der präkolumbischen Zeit noch beherrscht, den heutigen Maya charakterisiert — der Trunksucht. Da mir Bedenken kamen, ob meine Einstellung gegenüber den Maya von heute und gestern vielleicht zu sentimental und idealistisch sein könnte, prüfte ich die Veröffentlichungen des deutschen Geographen und Ethnologen Karl Sapper, der mehrere Jahre als Vertrauter unter den Kekchi-Maya der Alta Verapaz gelebt hat, und das Urteil von Alfred Tozzer, der unter den Lacandón weilte.

Sapper sagt von den Kekchi, daß sie sich bemühen, durch Familienerziehung und Stammessitte die Beherrschung jeder Art geistiger Erregung zu erreichen, Mäßigung in allen Handlungen zu lehren und der Jugend Gehorsam gegenüber den Oberen einzuimpfen. Er bemerkt, daß die raschen Gesten und die laute Sprechweise der meisten Europäer und Nordamerikaner für die Indianer Beweise für die Unzulänglichkeit unserer Erziehung und den niedrigen Stand unserer Kultur sind. Als Zeugnis für die Ehrlichkeit der Kekchi führt er die Tatsache an, daß ihm während seines zwölfjährigen Aufenthalts unter ihnen nichts gestohlen wurde; ich habe die gleiche Erfahrung gemacht. Ausdauer ist seiner Meinung nach die von den Indianern am höchsten geschätzte Form der Charakterstärke.

Tozzer schreibt von den Lacandón, daß sie eine hohe Moral besitzen und ein glückliches, durch Zwietracht oder Streit nur selten gestörtes Familienleben führen. Er bemerkt, daß sie mit Verachtung auf die lockere Moral und die Treulosigkeit der Weißen und *ladinos* herabblicken, mit denen sie in Berührung kommen, und daß sie im allgemeinen wahrheitsliebend, ehrlich, großzügig, gastfreundlich und sanft sind.

Tozzer erwähnt im Gegensatz zu Sapper nicht mit besonderem Nachdruck die beiden Merkmale, die meiner Meinung nach den stärksten Einfluß auf die Maya-Kultur ausübten: Mäßigung in allen Dingen und die Haltung des ›leben und leben lassen‹ — doch ihr Vorhandensein kann aus dem gesamten Tenor seines Berichts gefolgert werden. Beide Autoren betonen den tiefreligiösen Charakter der von ihnen studierten Maya-Gruppe. Diese Beurteilungen des Maya-Charakters bestätigen mir, daß meine Einschätzung nicht übertrieben idealistisch oder durch Sentimentalität beeinflußt ist.

Der Grundcharakter und die religiöse Hingabe der Maya in der präkolumbischen Zeit waren sicherlich die gleichen wie heute und, meiner Meinung nach, entscheidend für den Weg, den die Maya-Kultur nahm. Frömmigkeit, Disziplin und Respekt vor der Autorität haben zweifellos das Entstehen einer Theokratie erleichtert, und solange die Priesterkaste die geistigen Bedürfnisse der breiten Masse befriedigte, konnte es gegen sie keine offene oder versteckte Opposition geben. Die hierarchische Gruppe hatte eine lebenswichtige Funktion in der Maya-Gesellschaft, die einer Vermittlerin zwischen den Göttern und den Menschen. Die Priester waren in der Lage, Jahreszeit um Jahreszeit die liebevolle Angst, mit welcher der Maya-Bauer seinen Boden und seine Aussaat betrachtete, zu beheben, und in den geheimnisvollen Dunkelräumen ihrer hohen Tempel verliehen sie dem tiefen Mystizismus Ausdruck, von dem dieses Verhältnis erfüllt war. Die Priester allein begriffen die Ordnung des Universums, denn sie allein verstanden die von den regierenden Göttern der unzähligen Zeitzyklen ausgestrahlten Einflüsse. Sie allein konnten aufgrund ihrer Beurteilung schlechter und guter Aspekte zu einer reichen Ernte verhelfen, indem sie für jede Phase im Jahr des Bauern die günstigen Tage auswählten.

Diese Doktrin einer geordneten Vorbestimmung hatte eine tiefe Wirkung auf das Leben der Maya; sie hätte kaum entstehen können, wenn die Maya nicht ein Volk mit einem Sinn für Ordnung gewesen wären, denn sie schufen ihre Götter nach ihrem eigenen Bild und stellten sich ein Universum vor, das ihrer Existenz entsprach.

Doch der Maya mit seiner tiefen religiösen Veranlagung war sicher nicht zufrieden mit schablonenhaften Formeln zur Sicherung einer guten Ernte. Seine Emotionalität verlangte nach mehr als der passiven Rolle, Anweisungen über die für seine verschiedenen Unternehmungen günstigen oder ungünstigen Tage zu befolgen; sie brauchte den geistigen Trost des Opfers. Auch diesem Begehren konnte die Priesterschaft nachkommen und zugleich ihre Macht über das Volk stärken. Ausdauer und ehrliche Arbeit sind Tugenden, auf welche die Maya heute stolz sind und es vermutlich auch damals waren. Die ständige Errichtung immer neuer religiöser Bauwerke und die endlose Vergrößerung der Kerne in den Maya-Kultzentren gaben dem Volk Gelegenheit, den Göttern den Opferanteil an ihrer Arbeit und ihrer Ausdauer zu entrichten, und — was vielleicht noch wichtiger war — das Gefühl der Teilnahme, ohne das keine Religion von Dauer sein kann. Für den Gläubigen waren solche Arbeiten Akte der Frömmigkeit gegenüber den geliebten Göttern des Bodens, für die weniger mystisch Veranlagten bedeuteten sie die Sicherung voller Maisspeicher. Die Priesterklasse war sich des Wertes der Befriedigung psychologischer Bedürfnisse durch die Verbindung von Geheimnis und Isolierung mit Gruppenteilnahme wohl bewußt. Die Riten im Innern der engen, dunklen Tempel waren für die Auserwählten; die Figuren der Regengötter mit ihren Schlangen- oder Reptilienattributen und die Bildnisse des jugendlichen Maisgottes, von fernher sichtbar auf den Fassaden der Bauten, waren für das gemeine Volk. Die Maya-Kunst der klassischen Periode spiegelt in ihrer Heiterkeit und Schönheit eindeutig geistige Anpassung wider.

Ich sah früher in den Stelen-Texten rein kalendarische und astronomische Aufzeichnungen. Heute ist klar, daß es einen solchen Verzicht auf Ruhm nicht gab; die Herrscher hinterließen Denkmäler ihrer Thronbesteigung. Doch diese waren verbunden mit ritualistischen und astronomischen Daten, und es ist sehr gut möglich, daß Herrscher vergöttlicht wurden — spanische Quellen berichten uns hierüber —, und als Gottheiten eigenen Rechts oder als Personifikationen seit langem anerkannter Götter beanspruchten sie solchen Ruhm.

Ich habe versucht, die Maya im Zusammenhang mit mehreren gleichzeitigen Kulturen Mittelamerikas zu zeigen, von denen jede die andere beeinflußte. Ich möchte annehmen, daß die drei Hauptmerkmale des Maya-Charakters — Frömmigkeit, Mäßigung und Disziplin — von den Schöpfern der anderen großen Kulturen — Teotihuacán, La Venta, Monte Albán und Tajín — geteilt wurden und daß aus diesem Grunde Ähnlichkeiten die Unterschiede bei weitem überwiegen. Jedoch in keinem dieser Zentren erreichte die Architektur oder die Wissenschaft das Niveau der Maya, und zumindest in Teotihuacán und Monte Albán blieben die künstlerischen Leistungen weit hinter denen der Maya zurück.

Vielleicht liefert die Archäologie uns die Erklärung für diese Ungleichheit. In Teotihuacán und Monte Albán und später in Túla gibt es viele um kleine Höfe gebaute Räume, und diese sind augenscheinlich Wohnräume. In Teotihuacán sind diese Wohnbauten weitaus zahlreicher als religiöse Anlagen. In den Maya-Städten der klassischen Periode hat sich nichts Vergleichbares gefunden. Bei dem derzeitigen Stand unserer Kenntnisse wäre es gefährlich zu behaupten, daß keine der vielen Bauten in den Kultzentren der Maya einen Wohnbau darstellt, wir können jedoch ziemlich sicher sein, daß keine frühe Maya-Stadt des Tieflandes einen so hohen Prozentsatz an Wohngebäuden besaß wie Teotihuacán; ich habe daher angenommen, daß es keine dauernden Bewohner innerhalb der wirklichen Grenzen eines Maya-Kultzentrums gab. Der Schluß liegt nahe, daß in Teotihuacán und wahrscheinlich auch in Monte Albán weltliche Einflüsse — nicht notwendigerweise militaristische, denn die Verehrung von Regengöttern wird an beiden Stätten ständig dargestellt — die religiöse Herrschaft in relativ früher Zeit in Frage stellten und die ungewöhnliche Frömmigkeit, welche die Maya zu ihren geistigen und künstlerischen Höchstleistungen führte, unterhöhlten. Ein weiterer Faktor mag die geographische Lage Teotihuacáns gewesen sein, denn am Rande der Zivilisation kann es unter der ständigen

Bedrohung durch Angriffe unzivilisierter Stämme keine längeren Perioden der Ruhe gegeben haben.

Niedergang

Die Überfälle unzivilisierter Stämme im entfernten Norden waren meiner Ansicht nach die indirekte Ursache für den Untergang der Maya-Kultur, ihren allmählichen Verfall und endgültigen Zusammenbruch. Zentralmexiko war, wie die Nordgrenze des römischen Reiches, den Einfällen von Barbaren aus dem Norden ausgesetzt — auch die Azteken waren eine der später in Erscheinung tretenden Gruppen —, und seine Völker mußten in Selbstverteidigung eine militaristische Orientierung ihrer Kultur hinnehmen. Die Umwandlung des Sonnengottes in einen Kriegsgott war vielleicht der erste Schritt. Mit dem Erstarken einer Kriegerklasse entsteht die Theorie, die Sonne brauche Menschenfleisch, um jeden Morgen neue Kraft zu haben, und aus dieser Theorie entwickelt sich die Vorstellung, der Krieg sei nicht nur eine Sache der Verteidigung, sondern diene in erster Linie dazu, Nahrung für die Sonne zu beschaffen, und damit gleichzeitig der Verherrlichung der Kriegerkaste. Teotihuacán, stärker an Regengöttern als an vergöttlichten Kriegern interessiert, ging bald zugrunde. Tula, das seinen Aufstieg wohl nach dem Fall von Teotihuacán, jedoch sicherlich vor dem Ende der klassischen Periode der Maya erlebte, war aggressiv militaristisch trotz der pazifistischen Lehre seines Schutzpatrons Quetzalcoatl. Wir müssen annehmen, daß der neue Kriegskult sich wie eine ansteckende Krankheit nach Süden ausbreitete und auf seinem Weg die älteren und friedlicheren Kulturen zerstörte oder verwandelte.

Der Druck dieser neuen Ideen oder sogar der Eindringlinge selbst wirkte sich im Hochland von Guatemala, in Campeche und Yucatán aus, bevor diese das Zentrum des Maya-Tieflands erreichten. Die unmittelbaren Kontakte zwischen der Außenwelt und diesem Kern der Maya-Kultur mögen geringfügig gewesen sein, doch indirekte Einflüsse von außen können eine entscheidende Wirkung auf die theokratische Gesellschaft der Maya ausgeübt haben. Die herrschende Gruppe scheint einige der neuen religiösen Kulte und Bräuche des Nordens übernommen zu haben, und es ist möglich, daß ihr die Massen durch diese Neuerungen und die damit verknüpfte Verweisung ihrer geliebten Götter des Bodens auf untergeordnete Plätze entfremdet wurden. Wir können vernünftigerweise annehmen, daß die Maya nicht mehr mit dem gleichen Eifer arbeiteten, als es galt, zu Ehren von Göttern zu bauen, an denen sie nicht interessiert waren, vor allem, wenn sie diese religiösen Neuerungen mit dem zunehmenden Interesse ihrer Führer am Krieg in Verbindung brachten. Vielleicht begannen die immer mehr von ihren Theorien der Zeitphilosophie absorbierten Priester ihre Autorität bei den Massen zu verlieren, noch bevor fremde Einflüsse diese Kluft erweiterten. In beiden Fällen mußte sich das Maya-Volk fragen, ob die Hierarchie noch länger mit ganzem Herzen für das Allgemeinwohl wirkte. Sobald dieser Zweifel einmal Wurzeln geschlagen hatte, war die alte Ordnung dem Untergang geweiht.

Im Zentralgebiet vollzog sich der Niedergang langsam, zunächst in der einen Stadt, dann in einer andern. Wenn die oben skizzierte Rekonstruktion der Ereignisse richtig ist — man muß sich dabei vor Augen halten, daß es sich um eine Theorie handelt, die aus einem Minimum an Fakten abgeleitet ist —, dann ist der Sturz der alten Ordnung vielleicht durch passiven Widerstand oder durch Liquidierung der herrschenden Kaste erreicht worden; der Maya gerät nur langsam in Wut, doch einmal gereizt, ist er unerbittlich. Sicher ist, daß der Umsturz endgültig war, denn der Maya-Bauer, seiner Hierarchie beraubt, entwickelte nie wieder eine neue Kultur, noch erneuerte er die alte. So verharrte die Maya-Kultur auf einer niedrigen Stufe bis zur Ankunft der Spanier, vielleicht weil wiederbelebende Anregungen von außen sich in diesen isolierten Regionen nicht auswirken konnten.

In Yucatán und im Hochland von Guatemala war die Situation eine andere, denn in diesen Gebieten etablierten sich Fremde aus Mexiko als herrschende Klasse, führten militaristische Tendenzen und den mit Opfern verbundenen Sonnenkult ein und zwangen die einheimischen Maya, sich, wenn auch widerstrebend, ihrem System anzupassen. Rivalisierende Parteien kämpften um die Vorherrschaft, und in jedem der beiden Gebiete riß schließlich die mächtigste Gruppe die Zentralgewalt an sich — Mayapán in Yucatán und die Quiché im Hochland von Guatemala. Diese neuen Herrscher behaupteten, toltekischer Abstammung zu sein.

Mexikanische Elemente, wie die Verehrung Quetzalcoatls und Tezcatlipocas und der Sonnenkult, ebenso auch die Bedeutung der Kriegerorden, die den Kult stützten, verloren in den letzten Jahrhunderten vor der Ankunft der Spanier an Boden; die herrschende Klasse sprach nicht mehr mexikanisch, als das Ende kam.

Im 15. Jahrhundert wurden die beiden im Entstehen begriffenen Reiche von Mayapán und Utatlán, wo die Quiché regierten, gestürzt. Die beiden Herrschaftsgebiete zerfielen in zahlreiche Kleinstaaten, die ständig miteinander in Fehde lagen und eine Maya-Renaissance verhinderten.

Der Mangel an Stabilität und die Auflösung der alten Werte in den Jahrhunderten nach dem Ende der klassischen Periode spiegeln sich im Verfall der Künste wider. Skulptur, Architektur und Keramik entarteten, sanken mit jeder Veränderung zum Schlechteren im politischen und religiösen Leben bis auf die traurige Stufe herab, auf der die Spanier sie vorfanden.

Der Weg, den die Maya-Kultur in den Jahrhunderten der klassischen Periode nahm, hat, wenn überhaupt, nur wenige enge Parallelen in der Geschichte. Am nächsten kommt ihm vielleicht der jesuitische Missionsstaat im Paraguay des 16. und 17. Jahrhunderts. Beide Staaten waren hierarchisch und pazifistisch, beide fielen Kriegen von außen zum Opfer — unmittelbar in Paraguay, mittelbar wahrscheinlich im Maya-Gebiet —, doch es gibt einen entscheidenden Unterschied. In Paraguay wurden die europäische Religion und Kultur den einheimischen Guarani durch eine europäische Hierarchie aufgezwungen; im Maya-Gebiet dagegen war es weitgehend oder — in den Augen orthodoxer Völkerkundler — ausschließlich eine interne, einheimische Entwicklung.

Die späteren Phasen der Maya-Geschichte — Krieg, Universalstaat, Tyrannei und Spaltung — bilden eine logische Folge, die sich in der Geschichte immer wieder vollzieht, wie Arnold Toynbee demonstriert hat.

In der klassischen Periode schuf der Maya-Charakter, der damals noch frei war, sein Schicksal selbst zu gestalten, eine einzigartige und faszinierende Kultur; in den späteren Perioden wurde er durch die Einwirkung fremder Geisteshaltungen geschwächt, die zu seinen eigenen Idealen im Widerspruch standen. Maßlosigkeit überschwemmte die Mäßigung, es entstand eine stereotype Kultur, die sich in ihrer glanzlosen Geschichte nicht merklich von einem Dutzend anderer unterschied. Doch im Stil der Bücher des Chilam Balam und im Charakter der heutigen Maya kann man erkennen, daß die alten Geisteshaltungen unter der Oberfläche überlebt haben. Das geknechtete Griechenland besiegte Rom. In der dunklen Epoche des letzten Jahrhunderts der präkolumbischen Geschichte vermag man Zeichen eines Wiederauflebens des Maya-Geistes zu entdecken, und hätte die Entdeckung der Neuen Welt sich um ein oder zwei Jahrhunderte verzögert, dann wäre die Maya-Kultur möglicherweise wieder aufgeblüht, vielleicht auf anderem Boden. Mit ziemlicher Sicherheit hätten die Azteken die Maya unterworfen, doch dann hätte die Geschichte sich vielleicht wiederholt, denn die Maya waren für die Azteken, was Griechenland für Rom war.

Die Maya-Kultur war meiner Ansicht nach das Produkt des Maya-Charakters, doch gab es noch einen anderen wesentlichen Faktor — eine schöpferische Minderheit, die genügend Vorstellungskraft und geistige Energie besaß, um die Kultur der Tiefland-Maya zu ihrem Höhepunkt zu bringen und sie mehrere Jahrhunderte lang in Blüte zu halten.

Die herrschende Gruppe mag einheimisch gewesen oder von irgendwoher aus dem Hochland zwischen Zentralmexiko und El Salvador gekommen sein, denn dieses ganze weite Gebiet stand, wie wir gesehen haben, während der formativen Periode auf der gleichen kulturellen Stufe. Entscheidend ist, daß die Tiefland-Maya in der schwierigen Umwelt ihrer tropischen Regenwälder ihre Nachbarn, die im Hochland unter weit besseren Existenzbedingungen lebten, an Energie übertrafen.

Die großen Kulturen der Welt — Ägypten, Mesopotamien, Indien und China — entstanden in heißen Klimazonen, jedoch in Ländern, die ziemlich offen, größtenteils in den Tälern großer Ströme lagen. Kulturen, die in Tropenwäldern blühten, wie die von Kambodscha und Java, wurden bereits vollentwickelt eingeführt und waren nicht von langer Dauer. Die Kultur der Tiefland-Maya — sicherlich auch die von La Venta — ist, soweit ich weiß, die einzige, die sich in einem dichtbewaldeten Tropengebiet entwickelt hat und zur Reife gelangt ist.

Arnold Toynbee hat aufgezeigt, daß Kultur eine Antwort auf eine Herausforderung ist, doch wenn diese Herausforderung zu groß ist, wird die Kultur zur Fehlgeburt. Ich kann mir keinen furchtbareren Gegner vorstellen, als jene endlosen Meilen Dschungel und Wald — ein Goliath, dem der Maya-David mit Steinaxt und Brandfackel entgegentrat. Schlimmer noch, dies war ein Goliath, der nicht mit einem Streich niedergestreckt werden konnte. Zurückgetrieben, eroberte er den verlorenen Boden stets von neuem, sobald David ihm den Rücken kehrte.

Ein ständiger Kampf, um den Wald mit unzureichenden Werkzeugen in Schach zu halten, wäre nach den für die Meder und Perser geltenden Gesetzen ein zu hoher Preis für die Kultur gewesen. Zweifellos wäre er für Meder und Perser zu hoch gewesen: Für die Maya war er es aus irgendeinem Grund nicht. Der tiefere Grund lag vielleicht darin, daß nicht Meder und Perser, sondern Blutsbrüder von Jacinto Cunil das Rückgrat der Maya-Kultur bildeten.

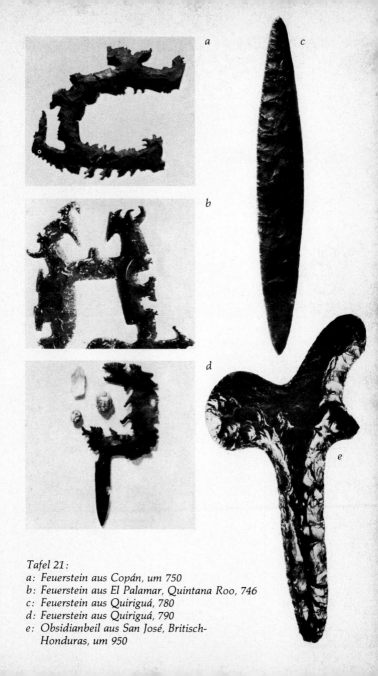

Tafel 21:
a: Feuerstein aus Copán, um 750
b: Feuerstein aus El Palamar, Quintana Roo, 746
c: Feuerstein aus Quiriguá, 780
d: Feuerstein aus Quiriguá, 790
e: Obsidianbeil aus San José, Britisch-
   Honduras, um 950

Tafel 22: *Stuckköpfe aus dem Tempel der Inschriften, Palenque, um 690*

Tafel 23/Oben (a): Torbogen in Labná. — Unten (b): Rekonstruktion des Palasts in Labná

Tafel 24: *Räuchergefäß aus Teapa, Tabasco, um 700*

Anhang

ABKÜRZUNGEN

CIWPub	Carnegie Institution of Washington, Publication
KPAWAbh	Königlich Preußische Akademie der Wissenschaften, *Abhandlungen*
KPAWSitzBer	Königlich Preußische Akademie der Wissenschaften, *Sitzungsberichte*
PMM	The Peabody Museum of Archaeology and Ethnology, Harvard University, *Memoirs*
PMP	The Peabody Museum of Archaeology and Ethnology, Harvard University, *Papers*
UNAM IIE	Universidad Nacional Autónoma de México, *Instituto de Investigaciones Estéticas*
UNAM SCM	Universidad Nacional Autónoma de México, *Seminario de Cultura Maya*

BIBLIOGRAPHIE

In die Auswahlbibliographie dieser Ausgabe neuaufgenommene Titel sind durch * gekennzeichnet.

I. Allgemeine Werke und Geschichte der Maya

Landa, Diego de, *Relación de las cosas de Yucatán*, hg. von Alfred M. Tozzer in *PMP*, XVIII, Cambridge 1941

Maudslay, Alfred P., *Archaeology in Biologia Centrali Americana*, 5 Bildbände und 1 Textband, London 1889—1902

Morley, Sylvanus G., *The ancient Maya*, Stanford 1946

Proskouriakoff, Tatiana, *Historical implications of a pattern of dates at Piedras Negras* in *American Antiquity*, XXV, 1960, S. 454—475

* Rivet, Paul, *Cités Maya*, Paris 1954

Roys, Ralph L., *The Indian background of colonial Yucatán* in *CIWPub*, 548, Washington 1943

* Termer, Franz, *Die Mayaforschung* in *Nova Acta Leopoldina*, Abhandlungen der Deutschen Akademie der Naturforscher zu Halle/Saale, NF, Nr. 105, XV, Leipzig 1952

* ders., *Die Mayakultur als geographisches Problem* in *Ibero-Amerikanisches Archiv*, V, 1931, S. 72—88

Thompson, John Eric S., *A trial survey of the Southern Maya area* in *American Antiquity*, IX, 1943, S. 106—134

ders., *A survey of the Northern Maya area* in *American Antiquity*, XI, 1945, S. 2—24

* *Desarrollo Cultural de los Mayas*, hg. von Evon Z. Vogt und Alberto Ruz L. in *UNAM SCM*, Mexiko 1964

* *Los Mayas Antiguos. Monografías de Arqueología, Etnografía y Lingüística Mayas*, mit einem Vorwort von César Lizardi Ramos, Mexiko 1941

* *Estudios de Cultura Maya. Publicación Anual del Seminario de Cultura Maya* in *UNAM SCM*, Mexiko, seit 1961 sind 5 Bde. erschienen

II. Einzelne Ruinenstätten

Acanceh
* Seler, Eduard, *Die Stuckfassade von Acanceh in Yucatán* in *KPAWSitzBer*, XLVII, Berlin 1911, S. 1011—1025

Aké
* Roys, Lawrence, und Shook, Edwin M., *Preliminary report on the ruins of Aké, Yucatán* in *Memoirs of the Society for American Archaeology*, XX, Salt Lake City 1966

Altar de Sacrificios
Smith, A. Ledyard, und Willey, Gordon R., *New discoveries at Altar de Sacrificios, Guatemala* in *Archaeology*, XVI, 1963, S. 83—89

Belize-Tal
* Willey, Gordon R., *Prehistoric Maya settlements in the Belize Valley* in *PMP*, XIV, Cambridge 1965

Bonampak

Ruppert, Karl, Thompson, John Eric S., und Proskouriakoff, Tatiana, *Bonampak, Chiapas, Mexico* in *CIWPub*, 602, Washington 1955

Villagra, Agustín, *Bonampak; La Ciudad de los muros pintados*, Mexiko 1949

Calakmul

Ruppert, Karl, und Denison, John H., *Archaeological reconnaissance in Campeche, Quintana Roo, and Petén* in *CIWPub*, 543, Washington 1943

Chichén Itzá

* Seler, Eduard, *Die Ruinen von Chichén Itzá in Yucatán* in *Gesammelte Abhandlungen zur amerikanischen Sprach- und Alterthumskunde*, V, Berlin 1915, S. 197—388

Morris, Earl H., Charlot, Jean, und Morris, Ann A., *The temple of the warriors at Chichén Itzá, Yucatán* in *CIWPub*, 406, 2 Bde., Washington 1931

Ruppert, Karl, *The caracol at Chichén Itzá, Yucatán, Mexico* in *CIWPub*, 454, Washington 1935

ders., *The Mercado, Chichén Itzá, Yucatán, Mexico* in *CIWPub*, 546, Contribution 43, Washington 1943

* ders., *Chichén Itzá. Architectural notes and plans* in *CIWPub*, 595, Washington 1952

Tozzer, Alfred M., *Chichén Itzá and its Cenote of sacrifice: a comparative study of contemporaneous Maya and Toltec* in *PMM*, XI—XII, Cambridge 1957

Copán

Gordon, George B., *Prehistoric ruins of Copán, Honduras* in *PMM*, I, Nr. 1, Cambridge 1896

* Stromsvik, Gustav, *Guide book to the ruins of Copán* in *CIWPub*, 577, Washington 1947

Longyear, John M., *Copán ceramics: a study of southeastern pottery* in *CIWPub*, 597, Washington 1952

Dzibilchaltun

* Andrews, E. Wyllys, *Dzibilchaltun: a northern Maya metropolis* in *Archaeology*, XXI, 1968, S. 36—47

Hochland von Guatemala

Smith, A. Ledyard, *Archaeological reconnaissance in Central Guatemala* in *CIWPub*, 608, Washington 1955

Holmul

* Merwin, Raymond R., und Vaillant, George C., *The ruins of Holmul* in *PMM*, III, Nr. 2, Cambridge 1932

Kaminaljuyú

Kidder, Alfred V., Jennings, Jesse D., und Shook, Edwin M., *Excavations at Kaminaljuyú, Guatemala* in *CIWPub*, 561, Washington 1946

Mayapán

Pollock, Harry E.D., Roys, Ralph L., und andere, *Mayapán, Yucatán, Mexico* in *CIWPub*, 619, Washington 1962

Nakum

* Tozzer, Alfred M., *A preliminary study of the prehistoric ruins of Nakum, Guatemala* in *PMM*, V, Nr. 3, Cambridge 1913

Naranjo

Maler, Teobert, *Explorations in the department of Petén, Guatemala, and adjacent region* in *PMM*, IV, Nr. 2, Cambridge 1908

Nebaj
* Smith, A. Ledyard, und Kidder, Alfred V., *Excavations at Nebaj, Guatemala* in *CIWPub*, 594, Washington 1951

Palenque
* Seler, Eduard, *Beobachtungen und Studien in den Ruinen von Palenque* in *KPAWAbh*, Jg. 1915, Berlin 1915
Ruz Lhuillier, Alberto, Verschiedene Aufsätze in *Anales del Instituto Nacional de Antropolgía e Historia*, V—VI, X—XI, XIV, Mexiko 1952—1962
* Fuente, Beatriz de la, *La escultura de Palenque* in *UNAM IIE*, XX, Mexiko 1965

Piedras Negras
Maler, Teobert, *Researches in the central portion of the Usumatsintla Valley* in *PMM*, II, Nr. 1, Cambridge 1901
Coe, William R., *Piedras Negras archaeology: artifacts, caches, and burials*, Museum Monographs, Philadelphia 1959

Quiriguá
Hewett, Edgar L., *Two season's work in Guatemala* in *Archaeological Institute of America Bulletin*, II, 1911, S. 117—134
* Morley, Sylvanus G., *Guide book to the ruins of Quiriguá* in *CIW Supplem. Pub.*, 16, Washington 1935

San José
Thompson, John Eric S., *Excavations at San José, British Honduras* in *CIWPub*, 506, Washington 1939

Santa Rita
* Gann, Thomas, *Mounds in Northern Honduras* in Smithsonian Institution, Bureau of American Ethnology, *Annual Report*, XIX, Washington 1900, S. 655 bis 692

Seibal
Maler, Teobert, *Explorations of the Upper Usumatsintla and adjacent region* in *PMM*, IV, Nr. 1, Cambridge 1908
* Smith, A. Ledyard, *The Harvard University explorations at Seibal, Department of Petén, Guatemala* in 36. Congreso Internacional de Americanistas, España 1964, *Actas y Memorias*, I, Sevilla 1966, S. 385—388
* Willey, Gordon R., und Smith, A. Ledyard, *A temple at Seibal, Guatemala* in *Archaeology*, XX, 1967, S. 290—298

Tikal
Maler, Teobert, *Explorations in the department of Petén, Guatemala* in *PMM*, V, Nr. 1, Cambridge 1911
Tozzer, Alfred M., *A preliminary study of the prehistoric ruins of Tikal, Guatemala* in *PMM*, V, Nr. 2, Cambridge 1911
Tikal Reports, Museum Monographs, Philadelphia 1958 ff.
* Coe, William R., *A summary of excavation and research at Tikal, Guatemala: 1956—1961* in *American Antiquity*, XXVII, 1962, S. 479—507
* ders., *Tikal: ten years of study of a Maya ruin in the lowlands of Guatemala* in *Expedition*, VIII, 1965, S. 1—56
* Barthel, Thomas S., *Die Stele 31 von Tikal. Ein bedeutsamer Fund aus der frühklassischen Mayakultur* in *Tribus*, XII, 1963, S. 159—214

Tulúm
Lothrop, Samuel, K., *Tulúm: an archaeological study of the East Coast of Yucatán* in *CIWPub*, 335, Washington 1924

Uaxactún

Kidder, Alfred V., *The artifacts of Uaxactún, Guatemala* in *CIWPub*, 576, Washington 1947

Smith, A. Ledyard, *Uaxactún, Guatemala: excavations of 1931—1937* in *CIWPub*, 588, Washington 1950

Barthel, Thomas S., *Gedanken zu einer bemalten Schale aus Uaxactún* in *Baessler-Archiv*, NF, XIII, 1965, S. 131—170

Uxmal

* Seler, Eduard, *Die Ruinen von Uxmal* in *KPAWAbh*, Jg. 1917, Berlin 1917

* Foncerrada de Molina, Marta, *La escultura arquitectónica de Uxmal* in *UNAM IIE*, XXI, Mexiko 1965

Yaxchilán

Maler, Teobert, *Researches in the central portion of the Usumatsintla Valley* in *PMM*, II, Nr. 2, Cambridge 1903

* Barthel, Thomas S., *Yaxchilán Lintel 60: Eine Neuerwerbung im Berliner Museum für Völkerkunde* in *Baessler-Archiv*, NF, XIV, 1966, S. 125—138

Zacualpa

* Lothrop, Samuel K., *Zacualpa: a study of ancient Quiché artifacts* in *CIWPub*, 472, Washington 1936

Zaculeu

* Woodbury, Richard B., und Trik, Aubrey S., *The ruins of Zaculeu, Guatemala*, 2 Bde., Richmond 1953

III. Architektur

Bullard, William R., *Maya settlement pattern in northeastern Petén, Guatemala* in *American Antiquity*, XXV, 1960, S. 355—372

Kubler, George, *The art and architecture of ancient America: the Mexican, Maya, and Andean peoples*, The Pelican History of Art, London und Baltimore 1962

* Maler, Teobert, *Bauten der Maya — Edificios Mayas* in *Monumenta Americana*, Ibero-Amerikanisches Institut, IV, Berlin 1968

Marquina, Ignacio, *Arquitectura prehispánica*, Instituto de Antropología e Historia, Mexiko 1951

Proskouriakoff, Tatiana, *An album of Maya architecture* in *CIWPub*, 558, Washington 1946, 2. Aufl. Norman 1963

* Stierlin, Henri, *Maya: Guatemala, Honduras, Yucatán* in *Architektur der Welt*, München 1964

IV. Kunst

* Bernal, Ignacio, *Mexiko: Präkolumbianische Wandmalereien* in *UNESCO Sammlung der Weltkunst*, X, München 1958

* Digby, Adrian, *Maya jades*, London 1964

* Groth-Kimball, Irmgard, *Maya Terrakotten*, Tübingen 1960

* Haberland, Wolfgang, *Die regionale Verteilung von Schmuckelementen im Bereich der klassischen Maya-Kultur* in Hamburgisches Museum für Völkerkunde, *Beiträge zur mittelamerikanischen Völkerkunde*, Nr. 2, Hamburg 1953

Joyce, Thomas A., *Maya and Mexican art*, London 1927

Keleman, Pál, *Medieval American art*, 2 Bde., New York 1943

* Kidder II, Alfred, und Samayoa Chinchilla, Carlos, *The art of the ancient Maya: an exhibition monograph issued by the Detroit Institute of Arts*, New York 1959

* *Kunst der Maya aus Staats- und Privatbesitz der Republik Guatemala*, Rauten-strauch-Joest-Museum der Stadt Köln, Köln 1966

Proskouriakoff, Tatiana, *A study of classic Maya sculpture* in *CIWPub*, 593, Washington 1950

* Soustelle, Jacques, *L'art du Mexique ancien*, Paris 1966

Spinden, Herbert J., *A study of Maya art* in *PMM*, VI, Cambridge 1913

* Thompson, John Eric S., *Ancient Maya relief sculpture*, The Museum of Primitive Art, Greenwich 1967

Toscano, Salvador, *Arte precolombino de México y de la América Central*, Universidad Nacional Autónoma de México, Mexiko 1944

* Willey, Gordon R., *Maya lowland ceramics: a report from the 1965 Guatemala City Conference* in *American Antiquity*, XXXII, 1967, S. 289—315

V. Religion und Mythologie

* Anders, Ferdinand, *Das Pantheon der Maya*, Graz 1963

* Barthel, Thomas S., *Mesoamerikanische Fledermausdämonen* in *Tribus*, XV, 1966, S. 101—124

* Schellhas, Paul, *Die Göttergestalten der Mayahandschriften. Ein mythologisches Kulturbild aus dem alten Amerika*, Dresden 1897, 2. umgearbeitete Aufl. Berlin 1904

* Thompson, John Eric S., *Maya creation myths I—II* in *Estudios de Cultura Maya, UNAM SCM*, V, 1965, S. 13—32; VI, 1967, S. 15—43

VI. Hieroglyphen

* Barthel, Thomas S., *Die gegenwärtige Situation in der Erforschung der Maya-Schrift* in *Journal de la Société des Américanistes*, NF, XLV, 1956, S. 477—484

Morley, Sylvanus G., *An introduction to the study of the Maya hieroglyphs* in Smithsonian Institution, Bureau of American Ethnology, *Bulletin 57*, Washington 1915

ders., *The inscriptions at Copán* in *CIWPub*, 219, Washington 1920

ders., *The inscriptions of Petén*, 5 Bde., in *CIWPub*, 437, Washington 1937/38

Thompson, John Eric S., *Maya hieroglyphic writing: an introduction*, Norman 1960

ders., *A catalog of Maya hieroglyphs*, Norman 1962

* Proskouriakoff, Tatiana, *The Lords of the Maya realm* in *Expedition*, IV, 1961, S. 14—21

VII. Bilderhandschriften und schriftliche Maya-Quellen

* *Maya Handschrift der Sächsischen Landesbibliothek Dresden: Codex Dresdensis*, Vorwort von Eva Lips; Geschichte und Bibliographie von Helmut Deckert, Berlin (Ost) 1962

* *Die Maya-Handschrift: Codex Dresdensis*, hg. von Rolf Krusche, Frankfurt/M. 1966

* Nowotny, Karl A., *Übersicht über den Inhalt des Codex Dresdensis* in *Archiv für Völkerkunde*, XVII—XVIII, 1962/63, S. 179—193

* *Codex Tro-Cortesianus (Codex Madrid)*, Einführung von Ferdinand Anders, Graz 1967

* Schlenther, Ursula, *Die geistige Welt der Maya: Einführung in die Schriftzeugnisse einer indianischen Priesterkultur*, Berlin (Ost) 1965
* Zimmermann, Günter, *Die Hieroglyphen der Maya-Handschriften* in Universität Hamburg, *Abhandlungen aus dem Gebiet der Auslandskunde*, LXII, Hamburg 1956
* *Popol Vuh. Das heilige Buch der Quiché-Indianer von Guatemala*, neu übersetzt und erläutert von Leonhard Schultze Jena, in *Quellenwerke zur alten Geschichte Amerikas*, II, Ibero-Amerikanisches Institut, Stuttgart und Berlin 1944
* *Das Buch des Rates. Popol Vuh. Schöpfungsmythos und Wanderung der Quiché-Maya*, übertragen und erläutert von Wolfgang Cordan, Düsseldorf und Köln 1962
  Popol Vuh: The sacred book of the ancient Quiché Maya, übersetzt und herausgegeben von Adrian Recinos, Norman 1950
  The Annals of the Cakchiquels / Title of the Lords of Totonicapan, übersetzt und herausgegeben von Adrian Recinos, Norman 1953
* *Der Mann von Rabinal oder Der Tod des Gefangenen: Tanzspiel der Maya-Quiché*, übertragen und eingeleitet von Erwin W. Palm, Frankfurt/M. 1961
  Roys, Ralph L., *The Book of Chilam Balam of Chumayel* in *CIWPub*, 438, Washington 1933
  ders., *Ritual of the Bacabs*, Norman 1965

VIII. Heutige Maya

Goubaud Carrera, Antonio, *The Guajxquib Bats: an Indian ceremony of Guatemala*, Guatemala 1937
La Farge, Oliver, *Santa Eulalia: the religion of a Cuchumatan Indian town*, Chicago 1947
Oakes, Maud, *The two crosses of Todos Santos*, New York 1951
* ders., *Matilda, die Zauberpriesterin: Alltag und Feste der Maya von heute*, Wiesbaden 1953
  Redfield, Robert, und Villa Rojas, Alfonso, *Chan Kom: a Maya village* in *CIWPub*, 448, Washington 1934
* Sapper, Karl, *Religiöse Gebräuche und Anschauungen der Kekchi-Indianer* in *Archiv für Religionswissenschaft*, VII, 1904, S. 453—470
  ders., *Über den Charakter und die geistige Veranlagung der Kekchi-Indianer* in *Festschrift für Eduard Seler*, Stuttgart 1922, S. 401—440
* Soustelle, Georgette, *Observations sur la religion des Lacandons du Mexique méridional* in *Journal de la Société des Américanistes*, NF, XLVIII, 1959, S. 141 bis 196
* Soustelle, Jacques, *La culture matérielle des Indiens Lacandons* in *Journal de la Société des Américanistes*, NF, XXIX, 1937, S. 1—95
* Guiteras-Holmes, C., *Perils of the soul: the world view of a Tzotzil Indian*, New York 1961
* Stoll, Otto, *Zur Ethnographie der Republik Guatemala*, Zürich 1884
  ders., *Die Ethnologie der Indianer-Stämme von Guatemala* in *Internationales Archiv für Ethnographie*, I, Supplement, 1889
* Termer, Franz, *Zur Ethnologie und Ethnographie des nördlichen Mittelamerika* in *Ibero-Amerikanisches Archiv*, IV, 1930, S. 303—492
  Thompson, John Eric S., *Ethnology of the Mayas of Southern and Central British Honduras* in Field Museum of Natural History, *Anthropological Series*, XVII, Nr. 2, Chicago 1930

Tozzer, Alfred M., *A comparative study of the Mayas and the Lacandones*, Archaeological Institute of America, New York 1907

Wisdom, Charles, *The Chorti Indians of Guatemala*, Chicago 1940

IX. Reiseberichte

Thomas Gage's travels in the New World, herausgegeben und eingeleitet von J. Eric S. Thompson, Norman 1958

Gann, Thomas W. F., *Maya cities*, London und New York 1927

* Sapper, Karl, *Das nördliche Mittel-Amerika nebst einem Ausflug nach dem Hochland von Anahuac: Reisen und Studien aus den Jahren 1888 bis 1895*, Braunschweig 1897

Stephens, John L., *Incidents of travel in Central America, Chiapas, and Yucatán*, 2 Bde., New York 1841; deutsch: *Reiseerlebnisse in Centralamerika, Chiapas und Yucatán*, Leipzig 1854

ders., *Incidents of travel in Yucatán*, 2 Bde., New York 1843; deutsch: *Begebenheiten auf einer Reise in Yucatán*, Leipzig 1853

Thompson, John Eric S., *Maya archaeologist*, Norman und London 1963

ZEITTAFEL

Formative Periode (um 1500 v. Chr.—um 200 n. Chr.)

Entstehung von Feldbaukulturen auf annähernd gleicher Kulturstufe und mit einer im wesentlichen gleichen Religion in ganz Mittelamerika. Eine in mehrere Phasen einteilbare Periode. Bau von Pyramiden und vermutlich Beginn der Bildung einer Hierarchie. Gute einfache Keramik und Figurenkult. Anfänge der Hieroglyphenschrift und einfachere Kalenderelemente. Starke Entwicklung an der Pazifischen Küste und im Hochland von Guatemala. Situation im Maya-Tiefland weniger klar, doch gegen Ende der Periode Pyramidenbau der Tiefland-Maya des Petén und von Yucatán. Ihre Skulptur war noch immer weitgehend beeinflußt durch die frühen Stile, die sie mit ihren Nicht-Maya-Nachbarn teilten.

Klassische Periode (um 200—925)

Frühe Phase (um 200—625)
Keine scharfe Trennung von der formativen Periode. Kraggewölbe, das am Ende der formativen Periode voll entwickelt erscheint. Expansion der Architektur und des Stelenkults. Um 500 errichten viele Maya-Zentren — Tikal, Uaxactún, Copán, Piedras Negras, Yaxchilán usw. — Hieroglyphenmonumente. Die Maya-Kunst entwickelt ihre eigenen charakteristischen Züge, befreit sich von den Archaismen der formativen Periode. Kultureller Höhepunkt in Kaminaljuyú und anderen Maya-Hochlandstätten, auch in Teotihuacán. Gegen Ende der Phase eine Periode des Stillstands im Tiefland.

Blüte (625—800)
Glanzzeit der Skulptur, der Hieroglyphenschrift und der Bautätigkeit bei den Tiefland-Maya. Schönste bemalte Keramik, hervorragende, in Formen gefertigte Figuren und beste Steinarbeiten. Großer Fortschritt in Astronomie und höherer Arithmetik. Zahlenmäßig starkes Anwachsen der Kultzentren und Stelen: Von 19 Städten weiß man, daß sie im Jahr 790 Hieroglyphenmonumente geweiht haben. Deutlicher Niedergang im Hochland von Guatemala.

Zusammenbruch (800—925)
Eins nach dem andern werden die Kultzentren des Zentralgebiets aufgegeben, möglicherweise wegen Aufstands gegen die Hierarchie, vielleicht als indirekte Folge einer Kettenreaktion auf den Druck der Barbaren aus dem Gebiet nördlich der heutigen Hauptstadt Mexiko. Mexikanische Einflüsse sickern in den Westteil der Halbinsel Yucatán ein und berühren einige Puuc-Städte, von denen viele am Ende dieser Periode oder kurz danach aufgegeben werden. Im Zentralgebiet eine Rückkehr zu einem kulturellen Niveau, das dem der formativen Periode nahekommt, wahrscheinlich mit dem Dorf oder der Dorfgruppe als politische Einheit. Gelegentliche Besuche von verlassenen Kultzentren für einfache Riten und Bestattungen von Kleinfürsten. Wachsender mexikanischer Einfluß in Yucatán.

Mexikanische Periode (925—1200)

Mexikanische Gruppen erobern Chichén Itzá, führen Kunst und einige architektonische Elemente von Tula, die Verehrung Quetzalcoatls und anderer mexikanischer Götter ein, außerdem kriegerische Betätigung, um Fleisch und Blut zur Ernährung der Sonne zu beschaffen. Die Itzá sollen andere Städte erobert haben, doch kein klares archäologisches Bild für das übrige Yucatán. Anwachsen weltlicher Macht auf Kosten der Priesterschaft. Prunkhafte Architektur und Kunst, aber der klassischen Periode weit unterlegen. Metall, Bleiglanzkeramik und Türkis spielen eine wichtige Rolle. Fall von Chichén Itzá am Ende der Periode.

Periode der mexikanischen Absorption (1200—1540)

Mayapán errichtet ein ›Reich‹ in Yucatán, und die Quiché tun das gleiche im Hochland von Guatemala. Zentralregierung und Tyrannei. Herrschende Gruppen legen allmählich ihre mexikanische Kultur — mit Ausnahme der Kriegstätigkeit — ab, werden Maya in Sprache und Religion. Verehrung Quetzalcoatls und anderer mexikanischer Götter geht zurück, Säkularisierung der Kultur wird fortgesetzt. Kultzentren werden zu echten Städten. Architektur und Künste erleben einen Niedergang. Im Gefolge von Aufständen gegen Mayapán und die Quiché im 15. Jahrhundert entstehen kleine unabhängige Fürstentümer, die sich ständig untereinander bekämpfen. Kultureller Niedergang hält an, bis die Maya-Kultur durch die spanische Eroberung von Guatemala im Jahr 1525 und von Yucatán im Jahr 1541 ein Ende findet. Die Itzá im fernen Tayasal bleiben unabhängig bis 1697.

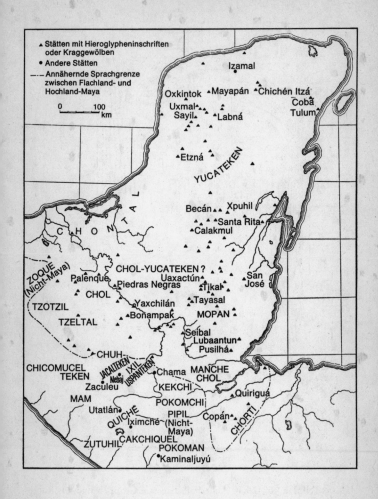

Stätten mit Hieroglypheninschriften oder Kraggewölben
Andere Stätten
Annähernde Sprachgrenze zwischen Flachland- und Hochland-Maya

0   100
     km

Izamal
Oxkintok   Mayapán   Chichén Itzá
Uxmal   Cobá
Sayil   Labná   Tulum

Etzná   YUCATEKEN

Becán   Xpuhil
Santa Rita
Calakmul

CHONTAL

ZOQUE (Nicht-Maya)
CHOL-YUCATEKEN?
Palenque   Uaxactún   San
Piedras Negras   Tikal   José
CHOL
TZOTZIL   Yaxchilán   Tayasal
TZELTAL   Bonampak   MOPAN

Seíbal
Lubaantun
Pusilhá
CHUH-
CHICOMUCEL   TEKEN   IXIL   Chama   MANCHE
TEKEN   Nebaj   USPANTEKEN   CHOL
Zaculeu   KEKCHI
MAM   POKOMCHI   Quiriguá
Utatlán   PIPIL   Copán
QUICHE   Iximché   (Nicht-   CHORTI
ZUTUHIL   CAKCHIQUEL   Maya)
POKOMAN
Kaminaljuyú

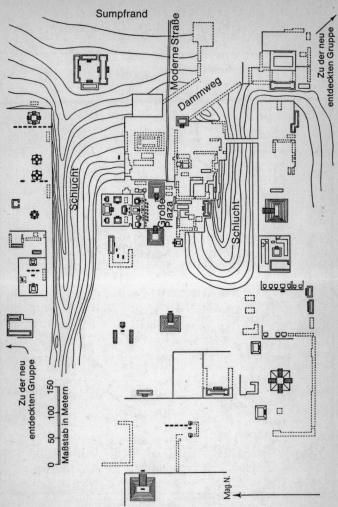

Labels within the figure:

Sumpfrand

Moderne Straße

Dammweg

Zu der neu entdeckten Gruppe

Schlucht

Große Plaza

Schlucht

Zu der neu entdeckten Gruppe

Maßstab in Metern

0 50 100 150

Mag. N.

Abb. 1: Teilplan von Tikal. Außerhalb liegende Gruppen sind aus Raummangel weggelassen, und Details der Bauwerke sind vereinfacht. Man beachte den großen Hof mit seinen Stelenreihen, die riesigen Pyramiden am Ost- und Westrand und die »Akropolis« mit ihren zahlreichen kleineren Pyramiden auf der Nordseite. Die Ost-West-Länge beträgt etwas weniger als 1200 Meter. Die schwarzen Rechtecke stellen Stelen dar. *(Nach Tozzer und Merwin, mit Ergänzungen)*

334

Abb. 2: Maya-»Kritzeleien«. In die mit Stuck beworfenen Wände in Tikal geritzte Zeichnungen, wahrscheinlich von gelangweilten oder unaufmerksamen Novizen stammend. Man beachte die Sänfte, die Fahnenstangen, den an ein Gerüst gebundenen und mit einem Speer durchbohrten Mann und die Zeichnungen von Pyramiden mit Holzleitern. *(Nach Maler)*

Abb. 3: »Kreuztempel«, Palenque. Schnitt zur Illustrierung der Konstruktionsmethoden der Maya. Hölzerne Stürze und Teile der Fassade rekonstruiert. (Grundriß siehe Abb. 5c.) *a*: Südfronttreppe; *b*: Trennpfeiler der Eingänge; *c*: Rückwand des Vorderraumes; *d*: Durchgang zu hinterem Seitenraum; *e*: Pfosten der Tür zum Altarraum; *f*: Pfosten der Tür zum Altar; *g*: Rückwand des Altars; *h*: frühere Position der Kreuzestafel mit Relief und langem Hieroglyphentext; *i*: Mauerwerkstrebe des Gewölbes; *j*: Schlußstein des Kraggewölbes vom Eingang; *k*: Rückwand des Heiligtums; *l*: vorspringende Steine, die im Innern des Dachaufsatzes Stufen bilden; *m*: Mittelkappe zum Zusammenhalten der Seitenmauern des Dachaufsatzes. Der für Palenque typische schräge obere Fassadenteil ist an den meisten Stätten durch einen vertikalen Oberteil ersetzt. *(Nach W. H. Holmes)*

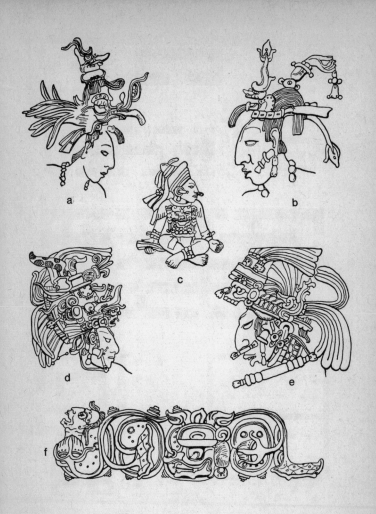

Abb. 4: Maya-Typen der klassischen Schönheit. Diese Zeichnungen zeigen die Züge, die das Schönheitsideal der Maya ausmachten: künstlich deformierter Schädel mit fliehender Stirn, mandelförmige Augen, große Nase, hängende Unterlippe, zurücktretendes Kinn. *a, b*: Palenque; *c*: Copán; *d, e*: Yaxchilán; *f*: Wasserlilienmotiv, Palenque. *(Nach Maudslay)*

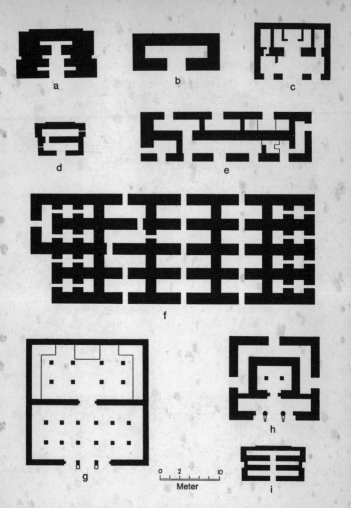

Abb. 5: Gebäudegrundrisse, von dem einfachen bis zum komplizierten. Man beachte das Verhältnis zwischen Mauerwerk und Bodenfläche in *a*, und wie wenig Licht die inneren Räume von *f* erreicht. Alle gehören der klassischen Periode an mit Ausnahme von *h*, Übergang zur mexikanischen Periode, und *g*, typisches mexikanisches Chichén Itzá mit Säulen, die größere Räume ermöglichen. *a*: Tempel I, Tikal; *b*: Nakum; *c*: Kreuztempel, Palenque; *d*: Uaxactún; *e*: San José; *f*: Tikal; *g*: Kriegertempel, Chichén Itzá; *h*: Castillo, Chichén Itzá; *i*: Naachtún.

338

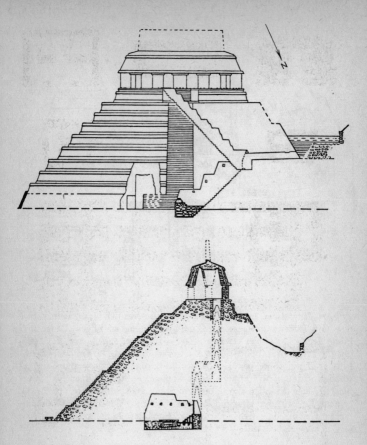

Abb. 6: Tempel der Inschriften, Palenque. Aufriß und Schnitt zur Veranschaulichung der Innentreppe, die von dem hinteren Raum des Tempels in die Grabkammer führt. Ein Licht- und Luftschacht führt von dem Treppenabsatz aus der Pyramide heraus. *(Nach A. Ruz)*

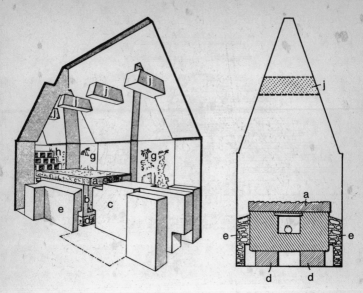

Abb. 7: Tempel der Inschriften, Palenque. Inneres der Grabkammer. Seiten- und Rückwand weggelassen, um Anordnung zu zeigen. Länge und Höhe der Grabkammer etwas weniger als 9 bzw. 6,60 Meter. *a*: Sarkophagdeckel; *b*: Sarkophag; *c*: Mauerwerkstützen, auf denen wahrscheinlich der Deckel ruhte, bevor er bei der Bestattung in seine jetzige Lage geschoben wurde; *d*: Untersätze für Sarkophag; *e*: Strebestützen für Sarkophag; *f*: hier befanden sich unter dem Sarkophag Stuckköpfe (Tafel 23); *g*: neun Relieffiguren aus Stuck an den Wänden; *h*: Stufen zur Grabkammer; *j*: Gewölbequerstreben aus schwarzem poliertem Stein. *(Nach A. Ruz)*

Abb. 8: Inneres eines Raumes in Bonampak, zeigt die Anordnung der Wandmalereien, das Kraggewölbe, die Strebebalken, die Bank, die den größten Teil des Raumes einnimmt, und die Tür zur Linken.

Abb. 9: Ein Überfall auf den Feind. Teil eines Wandbildes in Bonampak (um 775 n. Chr), zeigt den Oberhäuptling und seine Helfer, die einen Überfall auf ein Nachbardorf leiten. Der Oberhäuptling, mit Jaguarumhang und Stoßlanze, hat einen Gefangenen gemacht (das Packen bei den Haaren symbolisiert die Gefangennahme). Man beachte den biegsamen Schild und die grotesken Kopfbedeckungen. Unterer Teil des Bildes ist beschädigt. *(Nach Antonio Tejada und Agustín Villagra)*

Abb. 10: Gericht über die Gefangenen. Teil eines Wandbildes in Bonampak, eine Fortsetzung zum Überfall (Abb. 9). Ein Gefangener in Furcht vor dem Oberhäuptling, unten ein toter Mann und Gefangene, von deren Fingern Blut tropft. Der Oberhäuptling ist mit Jade geschmückt und trägt den gleichen Jaguarumhang wie in der vorangehenden Szene. *(Nach Antonio Tejada und Agustín Villagra)*

Abb. 11: Krieger: Mexikaner und Maya. Itzá mit Speerschleudern, Wurf-
spießen und Rundschilden (*a* und *b*); ein Maya-Krieger mit Speer und
biegsamem Schild (*c*). Der Krieger in *b* mit seinem Kopfputz in Vogel-
nachbildung, seinem Brustschmuck, seinem Rückenschild und seinen Nicht-
Maya-Zügen wiederholt Figuren an Bauwerken in der fernen toltekischen
Stadt Tula, nördlich der Hauptstadt Mexiko. *a*: von einem Wandbild;
b, c: Flachrelief-Arbeiten. Alle aus Chichén Itzá, um 1100 n. Chr.

Abb. 12: Schlangen. Alle sind gefiedert mit Ausnahme von *b* (klassische Periode, Yaxchilán). *e*: eine der seltenen Federschlangen der klassischen Periode (Copán, um 800 n. Chr.). *a, c, d*: mexikanische Periode, Chichén Itzá (um 1100 n. Chr.); man beachte die Klappern. In der Menschenopferszene (von einem Wandbild) liegt das Opfer auf einer Windung des Schlangenleibes. Seine Arme und Beine werden von Helfern festgehalten; der Priester ist im Begriff, das Herz herauszuschneiden. Der Krieger in *c* ist ein typischer toltekischer Itzá.

a

b

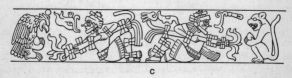

c

Abb. 13: Elemente der mexikanischen Religion in Chichén Itzá. Alle stammen aus der Zeit zwischen 1000 und 1200 v. Chr.

a: Die vier Bacab, an den vier Enden der Welt stehend, um den Himmel hochzuhalten. Sie tragen alle ihre Insignien — einen Schildkrötenpanzer, ein Spinngewebe und zwei Arten von Muscheln. Sie tragen besondere Lendentücher und sind gewöhnlich bärtig. Von Säulen im »Castillo«.

b: Szene eines Itzá-Opfers für den Sonnengott, der aus dem Rachen einer Klapperschlange hervorkommt. Das Opfer wird von vier jungen Chac festgehalten. Sie, der Hohepriester und Gehilfen tragen toltekische Tracht. Fast sicher ein Opfer der Orden der Jaguare und der Adler. Von einer aus dem Heiligen Cenote geborgenen Goldscheibe.

c: Krieger, verkleidet als Adler und Jaguar, den Symbolen der toltekischen Kriegerorden, bieten Tlalchitonatiuh, dem mexikanischen Gott der aufgehenden Sonne, Herzen von geopferten Menschen dar. Vom Fries des Kriegertempels.

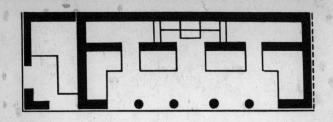

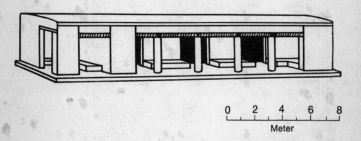

0   2   4   6   8

Meter

Abb. 14: Haus eines Adligen in Mayapán. Grundriß und Vorderansicht eines Steingebäudes mit Dach aus Balken und Mörtel (Struktur Q-208), niedergebrannt bei der Zerstörung von Mayapán. Genaue Höhe ist ungewiß, vielleicht 30 oder 60 cm höher. Man beachte den Schrein mit Altar im mittleren hinteren Raum.

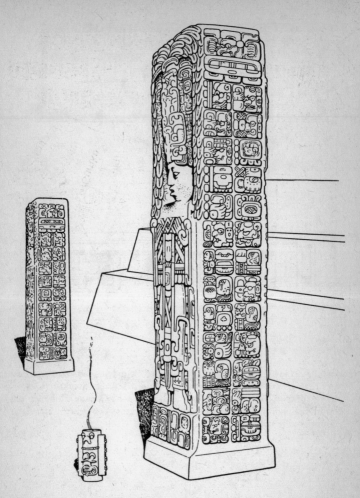

Abb. 15: Stelen A und C, Quiriguá. Nach typischer Art sind bei diesen beiden, 775 n. Chr. geweihten Monumenten Front und Rückseite mit Häuptlingsbildnissen und die Seiten mit Glyphen skulptiert. Der vorderste Text (bei der Wiedergabe etwas vereinfacht) verzeichnet den üblichen Nullpunkt des Kalenders, wahrscheinlich eine Wiedererschaffung der Welt, geschrieben 13.0.0.0.0 4 Ahau 8 Cumku (3113 v. Chr.). Vor der Stele wird von den Maya noch immer Kopal verbrannt. Das Räuchergefäß ist ein Typ aus Britisch-Honduras von annähernd korrektem Datum; Quiriguá-Räuchergefäße dieses Datums sind nicht gefunden worden.

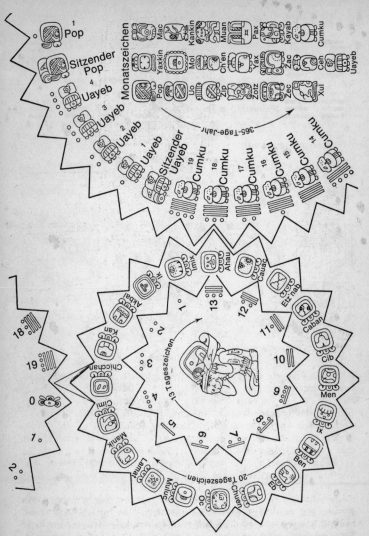

Abb. 16: Die Mechanik des Maya-Kalenders (Erklärung siehe Kapitel IV). Die Darstellung der lebendigen Götter des Kalenders als Teilchen der Mechanik hätte die Maya entsetzt. Um sie zu versöhnen, ist der Tag 13 Ahau in der Mitte des Rades im Maya-Stil dargestellt. Der Gott der Zahl 13 schickt sich an, die Last des Ahau am Ende seines Tagesmarsches abzusetzen.

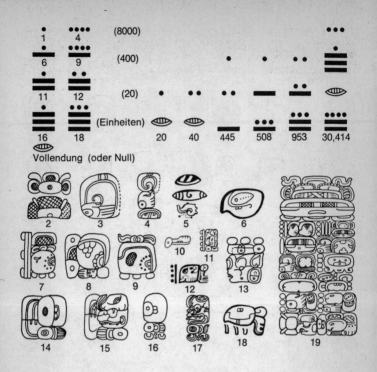

Abb. 17: Beispiele der Maya-Hieroglyphenschrift. 1. Strich-und-Punkt-System der Schriftzahlen. 2–5: Zeichen für Null oder Vollendung. 6: Zeichen für 20. 7–9: Monatszeichen Ch'en, um zu zeigen, wie das schraffierte Element, das Schwarz darstellt, links, oberhalb oder innerhalb des Hauptelements sein kann. 10: *te,* Zeichen für Holz oder Baum. 11, 12: Glyphe für den Gott Bolon Yocte, bestehend aus der Zahl 6 (*bolon* auf Maya), dem Zeichen Oc und dem *te*-Element. 13: Monatsposition 3-te Zotz'. 14, 15: Zähle vorwärts bis. Der Kopf des *xoc*-Fisches bedeutet »Zählen« (auch *xoc* in Maya); oder das Zeichen für Wasser, das Element des Fisches, kann als Ersatz dienen. Das Element links bedeutet »vorwärts«, das Element unten »bis«. 16, 17: Zähle rückwärts bis. Vorwärtszeichen ist ersetzt durch Element darunter. 18: Frischer Mais. 19: Daten einer Initialserie in Quiriguá, die besagt, daß 3,965 Tun (oder Rundjahre), keine Monate und keine Tage vergangen sind (795 n. Chr. in unserem Kalender). Der Sonnengott ist der Herr der Nacht, der Mond ist drei Tage alt, und vier Monde sind gezählt worden. Der Tag ist 4 Ahau.

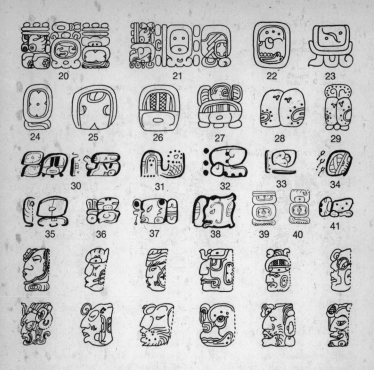

20, 21: Die beiden längsten Rechnungen in die Vergangenheit, Daten, die neunzig und vierhundert Millionen Jahre zurückliegen, sind aufgezeichnet worden. 22, 23: Zeichen für Tod. 24–29: Glyphen für Tag, Zwanzig-Tage-Monat, Tun oder Rundjahr, 20 Tun, 400 Tun und 8000 Tun. 30: Große Dürre ist in Aussicht für das Jahr. 31: Feueranzünden durch Bohren mit Stöcken. 32: Sehr glücklich. 33: Unglück. 34: Regnerischer Himmel. 35: Saat. 36: Mit Ohnmachtsanfällen verbundener Zauber. 37: Mondgöttin. 38: Maisgott. 39: Osten. 40: Westen. 41: Roter Weltrichtungsbaum. 42: Die Zahlen 1 bis 13 waren Götter, und zeitweilig skulptierten oder malten die Maya den Kopf des Gottes, um diese Zahl darzustellen. Hier stehen hintereinander die Köpfe für 1 bis 10, 19 und Vollendung. Die Maya benutzten »Zehner«, wie wir es tun. Der Kopf für 19 kombiniert die Züge des Gottes 9 (Punkte und Haar um den Mund) mit den Todessymbolen des Gottes von 10 (fleischloser Backenknochen).

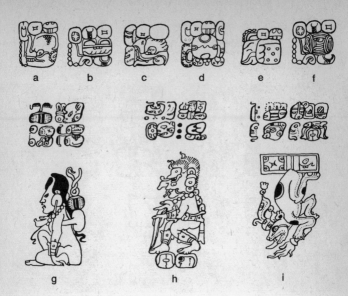

Abb. 18: Weitere Maya-Glyphen. *a–f:* Emblemglyphen von Copán, Yaxchilán, Palenque (2), Piedras Negras und Tikal sowie der Konföderation um Rís Pasión. *g–i:* Weissagungsstellen im Dresdener Kodex. Die Glyphen werden gelesen: obere Zeile von links nach rechts, dann untere Zeile auf gleiche Weise. *g:* Glyphe 1, »Hautkrankheiten verbunden mit Pocken« (*kak*) sind Glyphe 3, »das göttliche Schicksal« (*cuch*), das Glyphe 2, »die Mondgöttin Zac Ixchel« für uns bereit hält. Glyphe 4: Bedeutung unbekannt. Hier liegt doppelte Verwendung von Rebusschrift oder Wortspiel vor. Das Feuersymbol *kak* steht für *kak,* Hautkrankheit, und *cuch,* auf dem Rücken getragene Last, steht hier für *cuch,* »Schicksal«, in den Glyphen und im Bild. *h:* Glyphe 1, Bedeutung unbekannt; Glyphe 2, »im Maisfeld oder in der Milpa (Maisfeld)«; Glyphe 3, »der gelbe Chac«; Glyphe 4, »sehr gute Nachrichten« oder »großer Überfluß«. Das Bild zeigt Chac, den Regengott, mit Pflanzstock in der Hand, auf der Glyphe für Maisfeld stehend. Dies ist ein Ideogramm, das die Glyphen für Saat und Erde vereinigt. *i:* Glyphe 1, Bedeutung unbekannt; Glyphe 2, *pek* Himmel; Glyphe 3, Glyphe von Gott, mit unbekannter Nebenbedeutung; Glyphe 4, Maissamen. *Pek* ist der übliche yucatekische Name für Hund, es bedeutet aber auch Regen von geringem Wert, regenlose Stürme und in erweitertem Sinn ein Symbol für Dürre. Da dieser Text in einem Wetteralmanach steht und die Maissaat-Glyphe sich im Kontext befindet, können wir sicher sein, daß es sich hier wieder um Rebusschrift handelt; *pek,* Hund, wird benutzt für *pek,* regenlose Stürme. Der Hund trägt eine angezündete Brandfackel, ein Symbol für Trockenheit oder große Hitze, was die vorgeschlagene Deutung der Stelle bestätigt.

Abb. 19: Die Trommel und die Rassel des Katun. Der Gott der Kaufleute, erkennbar an seiner Pinocchio-Nase, dem Tragband und der Färbung, hält seine Rassel hoch und schlägt die Trommel. Die Glyphe 7 Ahau, unten links auf der Zeichnung, bezeichnet den Katun. Dies war Katun 7 Ahau, endend im Jahr 1342 n. Chr., und ist wahrscheinlich das Datum dieser Szene, die einer Wandmalerei in Santa Rita, Britisch-Honduras, entnommen ist. (*Nach T. Gann*)

Abb. 20: Reliefszene in Palenque. Ein Schild mit dem Antlitz vom Jaguargott des Erdinnern wird getragen von zwei gekreuzten Speeren. Zwei
kauernde Gestalten mit den Zügen des gleichen Gottes tragen etwas, das
wahrscheinlich die Oberfläche der Erde ist. Die Szene ist flankiert von
Maya-Priestern, die auf untergeordneten Figuren stehen. Die begleitenden
Hieroglyphen (hier nicht abgebildet) zeigen an, daß das Relief wahrscheinlich im Jahr 692 n. Chr. aufgestellt wurde. (*Nach Maudslay*)

Abb. 21: Szene von Stele 11, Yaxchilán. Drei Personen, wahrscheinlich zum Opfertod bestimmte Gefangene, knieen vor einer reich gekleideten Gestalt, die eine Maske des langnasigen Gottes trägt. Man beachte den kunstvollen Kopfputz, den Brustschmuck und den Kittel aus Jaguarfell. Sein Name ist »Vogel-Jaguar«.

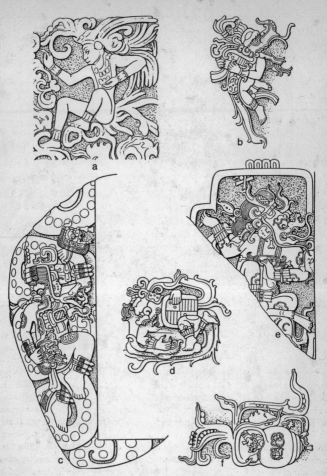

Abb. 22: Belebung in der bildlichen Darstellung von Göttern. Die Bewegung steht im Gegensatz zu der bei Götterbildnissen üblichen statischen Haltung. Alle sind aus Stein, ausgenommen *a*, das von einem in der Form hergestellten Tongefäß stammt, und alle stammen aus der spätklassischen Periode (680 bis 800 n. Chr.). *a*: der Maisgott (San José, Britisch-Honduras). *b*, *d*: langnasiger Regengott hält einen Behälter, aus dem Regen strömt (Zoomorph O, Quiriguá). *c*: Gott in Tanzstellung und in Schlangenwindungen (Altar O, Quiriguá). *e*: langnasiger Gott, eingeritzt in feinkörnigen Stein (Palenque). *f*: aus Muschel hervorkommender Gott hält Maispflanze mit Kopf des Maisgottes. (*h, d, f nach Maudslay*)

a

Abb. 23a: Grab eines bedeutenden Häuptlings unter einem Teil einer Pyramide in Kaminaljuyú. Die Grube, um 550 n. Chr. datiert, hatte ursprünglich ein Dach aus vergänglichem Material. Der Häuptling und seine
Gehilfen (oder seine Familie?) saßen mit gekreuzten Beinen, doch infolge
der Verwesung fielen die Leichname um. Die Gehilfen, vielleicht Sklaven,
die geopfert wurden, um ihren Herrn in die andere Welt zu begleiten,
waren zwei Jünglinge zwischen 15 und 17 Jahren und ein Kind von etwa
11 Jahren. In dem Grab befanden sich viele Jadeperlen, Jadeohrpflöcke,
Muschelperlen und Muschelornamente, Eisenkiesspiegel, Obsidianspitzen,
ein Alabastergefäß, viele schöne Keramikgefäße, das Skelett eines Hundes
(um seinen Herrn an den Ort der Toten zu begleiten), Kiefern eines Jaguars,
der Schädel eines Kojoten und (im Bild nicht gezeigt) ein Maismahlstein
mit Reibstein sowie die Reste einer Art hölzerner Sänfte. Etwa 400 Mu-
schelplättchen, die ein Rechteck um die Sänfte bildeten, waren vermutlich
an einem Gewebe befestigt, das über der Sänfte lag. (*Nach A. V. Kidder*)

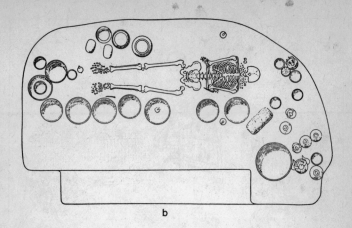

b

Abb. 23b: Bestattung eines Priesters in Uaxactún, etwa 550 n. Chr. Ein ausgestreckt liegender Mann, mit rotem Ocker auf den Knochen. Zähne und Gesichtsknochen waren nicht vorhanden. 35 Keramikgefäße der früh-klassischen Periode, Ohrpflöcke und Perlen aus Jade und Muschelschale, Jaguarzähne, ein Stachelrochenstachel, Reste von Kopal, Holzkohle und ein Röhrenknochen lagen in der Bestattung. Der Stachelrochenstachel zeigt vielleicht an, daß der tote Mann ein Priester war, da er von Priestern bei Blutentnahme-Zeremonien benutzt wurde. (*Nach A. L. Smith*)

Abb. 24: Maya-Hütten.   ▷

a: Typische yucatekische Hütte, heute noch immer benutzt. Inneres zeigt Bettstatt (heute ersetzt durch Hängematte), Tisch mit Maismahlsteinen, Tisch mit Krügen, dreifüßigen Tisch für die Bereitung von Tortillas, Hok-ker, Hängeregal, Feuerstelle aus drei Steinen; vor dem Haus webende Frau.

b, c: Hütten, dargestellt auf Wandbildern in Chichén Itzá. Dies ist der einzige Nachweis von runden Hütten im Maya-Tieflandgebiet.

d: Der Dachstuhl wird durch Bast- oder Lianen-Umwicklungen gesichert. Nägel werden nicht verwendet.

358

a

b

c

d

e

f

e: Zutuhil-Haus im Hochland von Guatemala. Das Mauerwerk besteht aus nicht gebundenem Lavageröll-Mauerwerk; das Grasdach ist gekrönt mit umgekehrter Tonschale.

f: Steinmodell von Maya-Hütte an der Fassade des *Monjas*-Gebäudes in Uxmal (um 900 n. Chr.). *(Nach Wauchope mit Ergänzungen)*

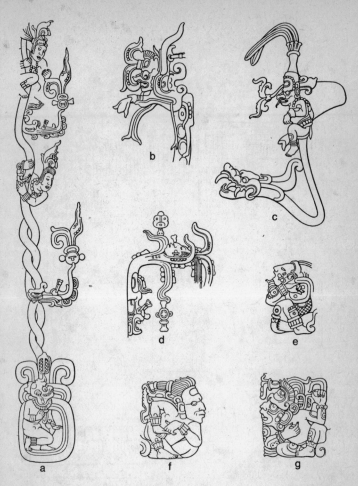

Abb. 25: Maya-Götter der klassischen Periode. *a*: Darstellungen des jugendlichen Maisgottes (mit Kopfbedeckungen aus Mais), die am Leib einer Schlange hängen (Copán). *b*: Der langnasige Gott aus dem Rachen einer Schlange (Copán). *c*: der langnasige Gott, die Spitze eines Stabes bildend, der unten in einem Alligatorkopf endet (Quiriguá). *d*: der Kopf des Maisgottes als Maiskolben (Palenque). *e*: die Mondgöttin, das Mondzeichen packend (Quiriguá). *f, g*: der Sonnengott (Quiriguá).

Abb. 26: Verschiedene Kunstformen.

a: Vorderseite und ausgehöhlte Rückseite einer Jademaske aus Lager 6, Britisch-Honduras, mit Spuren von Röhrenbohrern, die benutzt wurden, um Stücke aus dem Innern zu entfernen, die wahrscheinlich als Perlen verwendet wurden.

b: Rekonstruktion eines menschlichen Schädels mit eingeritztem Dekor. Grabfund aus Kaminaljuyú, wahrscheinlich eine Trophäe.

c: Große Stuckmaske von einer Fassade in Benque Viejo, Britisch-Honduras.

d: Sitzende Figur, eine »Krone« überreichend. Man beachte die Behandlung des Haares und die Schnecke auf dem Kopf sowie den Sitz in Form eines Menschen. Von einer kürzlich durch den mexikanischen Archäologen Alberto Ruz in Palenque gefundenen Skulptur.

e: Eingraviertes Muster auf der Leyden-Platte. Dies ist das zweitälteste datierte, je im Maya-Gebiet gefundene Werk (320 n. Chr.). Es wurde in der Nähe der heutigen Stadt Puerto Barrios, Guatemala, gefunden, doch in Tikal hergestellt.

Abb. 27: Eingeritzte Verzierung auf Knochen, vielleicht Menschenknochen. Eins von fast 90 Stücken aus dem reichen Grab 116 in der Pyramide von Tempel 1, Tikal. Das feine Muster wurde zur Geltung gebracht, indem man Zinnober in die eingeschnittenen Linien hineinrieb. Langnasiger Gott als Fischer. Der Fischkorb auf dem Rücken ist ähnlich dem auf einer formativen Skulptur von der pazifischen Küste. Muscheln als Symbol für Wasser wie in Wasserszenen aus Zentralmexiko. Man beachte die Überraschung im Gesicht des Paddlers (etwa 700 n. Chr.). *(Speziell für dieses Buch gezeichnet von Andy Seuffert mit Genehmigung des University Museum, Philadelphia.)*

ANLEITUNG ZUR AUSSPRACHE

Vokale

a wie in ›Ratte‹
e wie in ›Bett‹
i wie in ›tief‹
o wie in ›von‹
u wie in ›zu‹ ; vor einem Vokal wie *w* in ›weit‹

Konsonanten

Im allgemeinen gilt dieselbe Regel wie im Deutschen, mit folgenden Ausnahmen:
c immer hart wie *k* in ›Codex‹
qu vor *e* und *i* wie *k* in ›Kerze‹ oder ›Kirche‹
x wie *sch* in ›Schule‹
ch wie *tsch* in ›Tschechoslowakei‹
Von einem Apostroph gefolgte Konsonanten (z. B. *t'*) werden mit einem schnellen
Schließen der Stimmritze ausgesprochen. Schluß-*e* wird stets ausgesprochen.

Beispiele

Quiriguá	= Kwirigwá
Chichén Itzá	= Tschitschén Itzá
Yaxchilán	= Jaschtschilán
Kintun	= Kientuhn
Uaxactún	= Waschaktún
Ahau	= Achau

Bezeichnung von Maya-Daten

Ein Maya-Datum in unserer Schreibweise, z. B. 8. 14. 10. 13. 15., bezeichnet eine
Maya-Rechnung von 8 Baktun (Perioden von 400 Tun), 14 Katun (Perioden von
20 Tun), 10 Tun (Jahre von 360 Tagen), 13 Uinal (›Monate‹ von 20 Tagen) und 15
Kin (Tage), gerechnet von einem Anfangsdatum 4 Ahau 8 Cumku (siehe S. 70).

Acallan ›Land der Kanus‹, Name der Azteken für das Territorium der Chontal-Maya im Mündungsgebiet der Flüsse Usumacinta und Grijalva

Actun Höhle oder auch Steinhaus

Aguardiente Schnaps

Ahau Name eines Tages, bedeutet aber auch die Sonne

Ahau Kan Mai ›Schlangenherr‹ oder ›Oberster Lehrer‹, Hohepriester, s. *Ah Kin Mai*

Ah Canul ›Beschützer‹ oder ›Leibwache‹, bemeint sind die mexikanischen Söldner

Ah Cuchab Amtsträger der Stadtgemeinde

Ah Kin ›Er von der Sonne‹, allgemeiner Name für Priester; auch der katholische Priester wird heute so genannt

Ah Kin Mai oberster Priester, bei den Maya ein erbliches Amt

Akab die Nacht

Akkinob gesamte Priesterschaft, vermutlich einflußreichste Klasse; zu ihrem Aufgabenbereich gehörte das Wissen um die Götter, Kenntnis des Kalenders, Beobachtung der Gestirne, Anwesenheit bei allen Zeremonien

Almehenob ›die Väter und Mütter haben‹, zur Zeit der Konquista alle diejenigen, die ihre Abstammung genau angeben konnten. Ihr Vorrecht war Steuerfreiheit. Herrscher, Priester und Beamte stammen aus diesem Stand

Azteken bedeutet soviel wie ›Leute aus dem weißen (nebligen) Ort Aztlan‹, dem mythischen Ausgangspunkt ihrer Wanderungen. Sie nannten sich selbst *mexica* oder *mextlin*, wurden aber auch *tenochca* nach ihrem Stammesfürsten Tenoch genannt. Ihre Hauptstadt war Tenochtitlan

Bacal Maiskolben

Balankanché ›verborgener Sitz‹; Labyrinth unterirdischer Höhlen in der Nähe von Chichén Itzá, das dem Kult der mexikanischen Regengötter, der Tlaloc, und des Xipe Totec gewidmet war

Balche Zeremonialgetränk aus gegorenem Honig und der Rinde vom Balche-Baum; heiliges Getränk

Ballspiel Spiel mit einer schweren Kautschukkugel, die nicht mit den Händen berührt werden durfte, sondern mit den Hüften gestoßen wurde. Bei den Maya Guatemalas und Yucatáns wurde das Spiel *hom* genannt

Batab ›Axtträger‹, Gouverneure eines Teilgebiets oder einer Stadt unter einem *halach uinic*

Caban günstiger Tag für Heirats- und Elternangelegenheiten

Calpulli Stammesklan mit eigener Verwaltung, eigenen Beamten, Ländereien, religiösem Zentrum, in dem die Gottheiten des Stammes und des Klans verehrt wurden

Ceiba s. Imix-Ceiba

Cenote mayanisch *dz'onot*, natürliche Brunnen, zu Seen erweitert; sie bilden in Yucatán die beste natürliche Wasserversorgung. Einige wurden auch als Opferstätten benutzt; der berühmteste ist der Heilige Cenote in Chichén Itzá, in dem auch Menschenopfer dargebracht wurden, um die Regengötter günstig zu stimmen

Chac dritte Gruppe der viergestuften Priesterschaft, bestehend aus jeweils vier Helfern, die bei den Zeremonien assistierten und beim Menschenopfer die Aufgabe hatten, dem Opfer Arme und Beine festzuhalten

Chacau haa ›heiß geröstet‹, Maya-Wort für Kakao

Chacmol mayanisch ›roter Jaguar‹, ein von Le Plongeon 1875 gewählter Name für eine Figur toltekischen Stils

Chichén Itzá ›Ecke des Brunnens der Itzá‹, eine der größten Ruinenstädte im nördlichen Yucatán. Wichtigster Anziehungspunkt als Wallfahrtsort war seit präklassischer Zeit der Heilige Cenote

Chicle Rohstoff für Kaugummi

Chicleros Kaugummisammler

Chilam Balam auch Chilan, Wahrsager. Er ist das ›Sprachrohr‹ der Götter. Aus Niederschriften der frühen Kolonialzeit sind einige Wahrsagebücher erhalten, die auf den berühmtesten dieser Priester, Chilam Balam, zurückgehen. Diese Bücher, in der Maya-Sprache von Yucatán, enthalten vier Arten von Prophezeiungen und sind in mehreren Abschriften erhalten, die besten sind die von Chumayel und Tizimin

Cim cehil ›die Hirsche sterben‹, Maya-Metapher für Trockenheit und große Dürre, da das Wild in Zeiten großer Trockenheit verdurstet

Copán eine der bedeutendsten klassischen Maya-Städte, berühmt wegen seiner zahllosen beidseitig reliefierten Stelen und seiner sogenannten Altäre

Copo Feigenbaum

Datura Gattung der Nachtschattengewächse mit Trichterblüten, giftig und zur Gewinnung der als Arznei wichtigen Alkaloide, Atropin und Skopolamin. Bei den *chilan* als Narkotikum beliebt

Feine Orange Keramik aus fein geschlemmtem hellorangefarbenem Ton. Herstellungsgebiet ist die mittlere Golfküste

Haab Sonnenjahr mit 365 Tagen, eingeteilt in 18 Uinal und am Ende hinzugefügten 5 Uayeb

Halach uinic ›wirklicher Mann‹, Oberhaupt für zivile, priesterliche und militärische Angelegenheiten; in einem Maya-spanischen Wörterbuch übersetzt mit ›Gouverneur‹ oder ›Bischof‹

Hetz'mek Zeremonie, die veranstaltet wird, wenn ein Mädchen drei (Zwanzig-Tage-)Monate alt wird, denn drei ist die heilige Zahl der Frau, und wenn ein Junge vier ›Monate‹ alt wird, denn vier ist die heilige Zahl des Mannes

Hix im Yukatekischen ›Tag Jaguar‹, in Kekchi, einer Maya-Hochland-Sprache, ist es der Name für ›Jaguar‹

Huipil Blusen der Maya-Frauen

Imix-Ceiba wilder Baumwollbaum; heiliger Baum

Itzá ›Fremde‹ und ›diejenigen, die unsere Sprache gebrochen sprechen‹, die Identität des Itzá ist noch nicht geklärt, ob sie eine Gruppe der Chontal-Maya oder toltekische Anhänger von Quetzalcoatl-Kukulcan waren

Ix Kukum ›Dame Quetzalfeder‹, Kosename

Ixtli Faser eines Aloegewächses, wurde zur Herstellung von Seilen, Netzen und Tragtaschen verwendet

Kaminaljuyú ›Hügel der Toten‹, bedeutendste Ruinenstätte im Hochland, nahe Guatemala City

Katun Zeitabschnitt von 20 Tun (je 360 Tage, also fast ein Jahr)

Kintunyaabil ›große Dürre‹

Kodizes Für die Blätter der Bücher wurde die innere Rinde eines wilden Feigenbaums verwandt; lange Stücke dieser Rinde wurden mit Kalk überzogen und wie ein Album zusammengefaltet; es wurde von links nach rechts gelesen. Drei Kodizes sind erhalten und befinden sich in Dresden, Paris und Madrid

Kopal entspricht unserem Weihrauch und ist bei den Zeremonien der Maya wichtigstes Requisit

Macal eßbare Knolle

Macanas hölzerne Schwerter, deren beide Schneiden mit eingeleimten

Stücken von Feuerstein oder Obsidian besetzt waren

Macehual ›gemeines Volk‹

Machete gebogenes Buschmesser

Mam Vogelscheuchenfigur, wurde während der fünf namenlosen Unglückstage am Jahresende verehrt

Maniok neben der Kartoffel gehört diese in Süd- und Mittelamerika beheimatete Pflanze zu den wichtigsten Knollenpflanzen

Mayapán die sogenannte Liga von Mayapán ist der einzige größere Staatsverband, der von 1200 bis 1450 im Maya-Gebiet bestand, nachdem die Macht der Tolteken in Chichén Itzá zusammengebrochen war

Mesoamerika kulturgeographische Abgrenzung gegenüber dem Norden Mexikos und den südlichen Gebieten von Nicaragua bis Panama. Zu Mesoamerika zählt das Gebiet südlich der Flüsse Pánuco und Lerma in Mexiko, Guatemala, El Salvador und Honduras

Metate tragbare Steinplatte, die zum Mahlen von Mais verwendet wird

Mictlan dritter Aufenthaltsort der Toten, offenbar tiefste Abteilung der Unterwelt

Milpa aztekisch ›bebautes Feld‹, gemeint ist das Maisfeld; Kombination der Samen-Glyphe mit der Erd-Glyphe

Mizcit gemeint ist der mexikanische *mizquitl*, der Meskitestrauch

Momostenango ›Ort der Altäre‹, an diesem Ort wurde die 8-Batz-Zeremonie, eine Art Generalbeichte, von den Kalenderpriestern durchgeführt

Motul-Lexikon Manuskript des besten je verfaßten Wörterbuches in Maya und Spanisch, von Brasseur de Bourbourg erworben, heute aufbewahrt in der John Carter Brown Library

Nacom Opferpriester; er wurde auf Lebenszeit gewählt und brachte die Menschenopfer dar

Nic ›kleine Blume‹

Obsidian Sammelname für natürliche Gesteinsgläser mit geringem Wassergehalt. Dieses vulkanische, meist schwarze Glas wurde schon sehr früh in Mesoamerika sowohl zu Pfeil- und Speerspitzen als auch zu Messern verarbeitet

Oc ›Hund‹, auch Tag des Hundes

Otzilen ›Ich bin arm‹, ›Ich leide Not‹, Entschuldigungsformel für die Götter, ehe ein Maya ein Wild erlegte

Pawpaw oder auch Papaya, Melonenbaum

Pechni-Ritual hierbei wurde dem Opfer zuerst die Nase zerquetscht, dann wurde es getötet (*pech* bedeutet zwischen zwei Gegenständen zermalmen; *ni* bedeutet Nase)

Pinocchios Wesen aus Holz, nach der Legende im *Popol Vuh* von den Schöpfergöttern geschaffen

Pita Bohnen

Pitahaya kaktusartige Rebe mit dornigen dreikantigen Stämmen

Plumbate Keramikart der nachklassischen Zeit, sehr hart gebrannt, wirkt metallisch glänzend; die Farbe variiert von olivgrün über blaugrün zu leuchtend orangen Tönen

Plumiera roter Jasminbaum; die Blüten sind bei den Maya das Symbol des Geschlechtsverkehrs

Popol Vuh ›Buch des Rates‹, Schöpfungsmythos und Wanderung der Quiché-Maya

Posol Maisgetränk

Posole beliebtes Maisgericht

Quetzal einer der schönsten tropischen Vögel, besonders wegen seiner glänzenden langen grünen Schwanzfedern geschätzt. In Guatemala ist er Freiheitssymbol und Wappentier

Quetzalcoatl Titel des obersten Priesters der Tolteken

Quiché größte und bedeutendste der Maya-Völker im Hochland von Guatemala, das nördlich und westlich des Atitlan-Sees lebt

Quipu System von farbigen Knotenschnüren

Sapodilla Kaugummibaum, aus dessen Stamm roher Kaugummi tropft, wenn man ihn mit einer Machete aufschlitzt

Sascab ein bröckeliger weißer Mergel mit einem hohen Gehalt an Kalziumkarbonat, der anstelle des heute verwendeten Sandes mit Kalk vermischt wurde

Tayasal erste stelbständige Mayastadt, gegründet von den aus Chichén Itzá vertriebenen Itzá, erst 1697 von den Spaniern erobert

Tecali mexikanischer Onyx

Tecpan ›großer Gemeindebau‹ oder ›Königspalast‹

Tenamitl ›befestigte oder umwallte Stadt‹

Teotihuacan aztekisch ›der Ort, wo Menschen zu Göttern wurden‹; größte präkolumbische Ruinenstadt Mesoamerikas

Tepal auch *tepual*, ›Herr‹

Tepeu ›Größe‹, ›Ruhm‹

Tikal größtes klassisches Maya-Zentrum im nördlichen Guatemala

Tlalocan Wohnsitz der Tlaloc, der mexikanischen Regengötter

Tun Maya-Jahr von 360 Tagen

Tzolkin ›Zählen der Tage‹, 260-Tage-Kalender, das Heilige Jahr, nach sich für jeden das zeremonielle und private Leben richtete. Es war nicht nach Monaten aufgeteilt, sondern eine festgelegte Folge von 260 Tagen

Tzompantli ›das Schädelgestell‹

Tzotzil ›Fledermaus‹, Name für eine Maya-Sprachgruppe in Chiapas

Uayeb Unglückstage im Maya-Kalender, die mit Fasten und Beten begangen werden

Uinal Zwanzig-Tage-Periode im Maya-Kalender

Uo kleine Frösche, deren Quaken den Regen ankündigt; sie sind Diener und Musikanten der Chac

Volador-Zeremonie Fliegerspiel. Szene aus einem Kultdrama, das von dem jungen Mais handelt

Xoc bedeutet im Yukatekischen ›zählen‹, es war aber auch der Name eines mythischen Fisches, der im Himmel wohnte

Yax bedeutet grün, wird im Yukatekischen auch im Sinne von neu, frisch, erstgeboren benutzt. Symbol des Chicchan-Schlangengottes

Yaxché ›Baum des Anfangs‹, Heiliger Baum, eine Ceiba-Art

Yaxokinal ›wieder ging die Sonne unter‹, bedeutet Nacht

Zonó heidnischer Zeremonientanz in Yucatán

Zuhuy s. *yax*

Zuhuy akab Beginn der Nacht, das Dunkelwerden

Zuhuyha Ritualwasser; es kam aus Felsenvertiefungen oder wurde von Pflanzen gesammelt; es durfte nicht verunreinigt sein durch den Boden

ABBILDUNGSVERZEICHNIS

Tafel 1 *(zwischen den Seiten 64/65)*
Oben (a): Palast im Puuc-Stil. Sayil, Yucatán, um 850. University Museum, Philadelphia (Foto des Museums)

Unten (b): Teilrekonstruktion von Piedras Negras, um 800. University Museum, Philadelphia (Foto des Museums)

Tafel 2 *(zwischen den Seiten 64/65)*
Pyramidentempel in Tikal (Foto Peabody-Museum der Universität Harvard)

Tafel 3 *(zwischen den Seiten 64/65)*
Oben (a): ›Castillo‹, Tempel des Kukulcan, in Chichén Itzá. Frühe mexikanische Periode, um 1000 (Foto F. Anton, München)

Unten (b): Tempel der Inschriften in Palenque, 692. (Foto I. Groth-Kimball, Mexiko)

Tafel 4 *(zwischen den Seiten 64/65)*
Oben (a): ›Nonnenkloster‹-Viereck und Adivino-Tempel in Uxmal, um 900 (Foto des Autors nach einer Zeichnung von T. Proskouriakoff)

Unten (b): Tempel der Krieger in Chichén Itzá. Mexikanische Periode, um 1150 (Foto des Autors)

Tafel 5 *(zwischen den Seiten 112/113)*
Oben (a): Tempel der drei Türsturze in Chichén Itzá. Vormexikanisches Bauwerk der klassischen Periode, um 875 (Foto des Autors)

Unten (b): Tempel im Río-Bec-Stil in Xpuhil, Quintana Roo, um 875 (Foto des Autors nach einer Zeichnung von T. Proskouriakoff)

Tafel 6 *(zwischen den Seiten 112/113)*
Oben (a): Nordkolonnade mit Chacmol-Figur in Chichén Itzá. Mexikanische Periode, um 1150 (Foto des Autors nach einer Zeichnung von T. Proskouriakoff)

Unten (b): Fries aus Bonampak. Früher Stil, wahrscheinlich um 600 (Foto des Autors)

Tafel 7 *(zwischen den Seiten 112/113)*
Links (a): Stele 13 aus Piedras Negras, 771. The University Museum, Philadelphia (Foto des Museums)

Rechts (b): Stele 10 aus Seibal, 849. Peabody-Museum der Universität Harvard (Foto des Museums)

Tafel 8 *(zwischen den Seiten 112/113)*
Teil von Stele 40 aus Piedras Negras, 746 (Foto des Autors)

Tafel 9   *(zwischen den Seiten 160/161)*
Links (a): Stele H aus Copán, 731 (Foto F. Anton, München)
Rechts (b): Stele F aus Quiriguá, 761 (Foto des Autors)

Tafel 10   *(zwischen den Seiten 160/161)*
Blutopfer. Türsturz aus Yaxchilán, um 750 (Foto F. Anton, München)

Tafel 11   *(zwischen den Seiten 160/161)*
Blutopfer. Türsturz aus Yaxchilán, um 750 (Foto F. Anton, München)

Tafel 12   *(zwischen den Seiten 160/161)*
Türsturzoberteil 26 aus Yaxchilán, 720 (Foto F. Anton, München)

Tafel 13   *(zwischen den Seiten 224/225)*
Oben (a): Altarrückseite aus Piedras Negras, 786 (Foto F. Anton, München)
Unten (b): Frontansicht von Türsturz 39 aus Yaxchilán, 780. Peabody-Museum der Universität Harvard (Foto des Museums)

Tafel 14   *(zwischen den Seiten 224/225)*
Tänzer. Stele 9 aus Oxkintok, Yucatán. Regionalstil, 849 (Foto F. Anton, München)

Tafel 15   *(zwischen den Seiten 224/225)*
Klassisches Maya-Profil. Ruz-Relief aus Palenque, um 725 (Foto F. Anton, München)

Tafel 16   *(zwischen den Seiten 224/225)*
Oben rechts (a): Stuckkopf aus Palenque, um 700 (Foto Instituto Nacional de Antropología e Historia, Mexiko)
Links (b): Fassadenschmuck aus Uxmal, um 900 (Foto I. Groth-Kimball, Mexiko)
Unten rechts (c): Fassadenschmuck aus Chichén Itzá. Mexikanische Periode, um 1150 (Foto des Autors)

Tafel 17   *(zwischen den Seiten 272/273)*
Mann mit Jaguarmaske. El Salvador, um 800 (Foto des Autors nach einer Zeichnung von A. Tejeda)

Tafel 18   *(zwischen den Seiten 272/273)*
Oben (a): Grabgefäß aus Kaminaljuyú, um 550. Museo Nacional, Guatemala (Foto A. Zimmermann, Stadtbildstelle Köln)
Unten links (b): Jaguargott der Unterwelt. Hun Chabin, Comitán, Chiapas, wahrscheinlich um 800 (Foto des Autors)
Unten rechts (c): Grabgefäß aus Kaminaljuyú, um 550. Museo Nacional, Guatemala (Foto A. Zimmermann, Stadtbildstelle Köln)

Tafel 19   *(zwischen den Seiten 272/273)*

Links (a): Sitzende Frau. Palenque, um 750 Museo Nacional de Antropología, Mexiko (Foto R. Braunmüller, München)

Oben rechts (b): Sitzender Mann. Simojovel, Chiapas, um 750. Museo Regional, Tuxtla (Foto F. Anton, München)

Unten rechts (c): Frau mit Kind und Hund. Xupa, Chiapas, um 750. Middle American Research Institute, Universität Tulane (Foto F. Anton, München)

Tafel 20   *(zwischen den Seiten 272/273)*

Oben (a): Jadestück aus Nebaj, Guatemala, um 750 (Foto des Autors)

Unten (b): Jadestück aus Teotihuacán, Maya-Arbeit um 800. British Museum, London (Foto des Museums)

Tafel 21   *(zwischen den Seiten 320/321)*

a: Feuerstein aus Copán, um 750 (Foto des Autors)
b: Feuerstein aus El Palamar, Quintana Roo, 746 (Foto des Autors)
c: Feuerstein aus Quiriguá, 780 (Foto des Autors)
d: Feuerstein aus Quiriguá, 790 (Foto des Autors)
e: Obsidianbeil aus San José, British-Honduras, um 950 (Foto Field Museum of Natural History, Chicago)

Tafel 22   *(zwischen den Seiten 320/321)*

Stuckköpfe aus dem Tempel der Inschriften, Palenque, um 690 (Fotos F. Anton, München)

Tafel 23   *(zwischen den Seiten 320/321)*

Oben (a): Torbogen in Labná (Foto I. Groth-Kimball, Mexiko)

Unten (b): Rekonstruktion des Palasts in Labná (Foto des Autors nach einer Zeichnung von T. Proskouriakoff)

Tafel 24   *(zwischen den Seiten 320/321)*

Räuchergefäß aus Teapa, Tabasco, um 700 (Foto I. Groth-Kimball, Mexiko)

Zeichnungen

REGISTER

INHALT

Sachbuch-Bestseller als Heyne-Taschenbücher

Pauwels/Bergier
**Der Planet der
unmöglichen
Möglichkeiten**
7003 / DM 4,80

François Truffaut
**Mr. Hitchcock,
wie haben Sie das
gemacht?**
7004 / DM 7,80

Eugéne N. Marais
**Die Seele der
weißen Ameise**
7005 / DM 3,80

Heinz Sielmann
**Mein Weg
zu den Tieren**
7006 / DM 8,80

Reinhard Raffalt
**Wohin steuert
der Vatikan?**
7007 / DM 5,80

Werner Höfer's
**Talk-Show der
Weltgeschichte**
7008 / DM 4,80

Pauwels/Bergier
**Die Entdeckung des
ewigen Menschen**
7009 / DM 4,80

De Camp
**Versunkene
Kontinente**
7010 / DM 6,80

Hans Holzer
PSI-Kräfte
7011 / DM 4,80

Heydecker/Leeb
**Bilanz der
tausend Jahre**
7012 / DM 8,80

Alistair MacLean
**Der Traum
vom Südland**
7013 / DM 6,80

Robert Payne
Die Griechen
7014 / DM 8,80

Hans Otto Meissner
**Herrlich wie am
ersten Tag**
7015 / DM 8,80

Marchetti/Marks
CIA
7016 / DM 6,80

Vincent H. Gaddis
Geisterschiffe
7017 / DM 5,80

J. E. S. Thompson
Die Maya
7018 / DM 7,80

Hans Hass
Welt unter Wasser
7020 / DM 7,80

Thorwald Dethlefsen
**Das Leben
nach dem Leben**
7021 / DM 5,80

Pauwels/Bergier
**Aufbruch ins dritte
Jahrtausend**
7022 / DM 7,80

Theo Löbsack
**Versuch und Irrtum
Der Mensch: Fehl-
schlag der Natur**
7023 / DM 5,80

Erich von Däniken
Erscheinungen
7024 / DM 6,80

A. G. Galanopoulos /
Edward Bacon
**Die Wahrheit
über Atlantis**
7025 / DM 6,80

Karl Steinbuch
Ja zur Wirklichkeit
7026 / DM 5,80

Eugen Kogon
Der SS-Staat
7027 / DM 6,80

Bernhard Grzimek
**Auf den Mensch
gekommen**
7028 / DM 7,80

HEYNE ■ STILKUNDE

Diese neue beispiellose Taschenbuchreihe – eine vielbändige, enzyklopädisch angelegte Edition – wird herausgegeben vom früheren Chefredakteur des „Kindlers Malerei-Lexikon" Dr. Rolf Linnenkamp; die Autoren sind international anerkannte Kunsthistoriker. Jeder Band hat einen Umfang von ca. 200–250 Seiten mit rund 100 Illustrationen, davon 16 Seiten farbig.

Oswald Hederer
Klassizismus
Heyne Stilkunde 1
4491 / DM 6,80

Rudolf Bachleitner
Die Nazarener
Heyne Stilkunde 2
4504 / DM 7,80

Reinhard Müller-Mehlis
Die Kunst im Dritten Reich
Heyne Stilkunde 3
4496 / DM 8,80

Rolf Linnenkamp
Die Gründerzeit 1835–1918
Heyne Stilkunde 4
4505 / DM 8,80

Hartmut Biermann
Renaissance
Heyne Stilkunde 5
4500 / DM 8,80

In Vorbereitung:

Industriearchitektur

Empire

Rokoko-Schlösser

Die Schlösser Ludwig II.

Die Kunst Tibets

Byzantinische Architektur